楊天石

1936年出生於江蘇興化。1955年畢業於無錫市第一中學。1960年畢業於北京大學中文系文學專門化。現為中央文史研究館資深館員、中國社會科學院榮譽學部委員、中國社會科學院近代史研究所研究員、（北京）清華大學兼職教授、浙江大學客座教授。國家圖書館民國文獻保護工程專家委員會顧問、中華詩詞研究院顧問、《中華書畫家》雜誌顧問、上海《世紀》雜誌顧問、廣東《同舟共進》雜誌編委。中央文史研究館34卷本叢書《中國地域文化通覽》副主編之一。曾任中國文化學會常務副會長兼秘書長，為《中國文化詞典》副主編之一。

長期研究中國文化史、中國近代史、民國史、國民黨史。合著有《中國通史》第12冊，《中華民國史》第1卷、第6卷等。個人著作有《楊天石近代史文存》（5卷本）、《揭開民國史真相》（7卷本）、《楊天石文集》、《尋求歷史的謎底：近代中國的政治與人物》、《近代中國史事鈎沉：海外訪史錄》、《從帝制走向共和：辛亥前後史事發微》、《朱熹及其哲學》、《朱熹》、《朱熹：孔子之後第一儒》、《王陽明》、《泰州學派》、《南社史三種》、《半新半舊齋詩選》、《橫生斜長集》等。主編有《〈百年潮〉精品系列》（12卷）、《中日戰爭國際共同研究》（4卷）等。

楊天石參與寫作的多卷本《中華民國史》獲國家圖書獎榮譽獎。個人著作《尋求歷史的謎底》獲國家教委所屬高校出版社及北京市優秀學術著作獎。《找尋真實的蔣介石：蔣介石日記解讀》第1輯獲全國31家媒體及圖書評論家協會十大圖書獎以及香港十大好書獎，第2輯獲南方讀書節最受讀者關注的歷史著作獎，第3輯及第4輯獲《亞洲週刊》十大好書獎。楊天石著作所獲的獎勵還有孫中山學術著作一等獎、二等獎，中國社會科學院優秀學術著作獎等。《帝制的終結》獲《新京報》2011年度好書獎，是當年該報獎勵的唯一歷史圖書。

前环衬

雅德印刷

936年出生於江蘇興化。1955年畢業於無錫市第一
□學。1960年畢業於北京大學中文系文學專門化。
現為中央文史研究館資深館員、中國社會科學院榮
譽學部委員、中國社會科學院近代史研究所研究
員、（北京）清華大學兼職教授、浙江大學客座教
授。國家圖書館民國文獻保護工程專家委員會顧
問、中華詩詞研究院顧問、《中華書畫家》雜誌顧
問、上海《世紀》雜誌顧問、廣東《同舟共進》雜誌
編委。中央文史研究館34卷本叢書《中國地域文化
通覽》副主編之一。曾任中國文化學會常務副會長
兼秘書長，為《中國文化詞典》副主編之一。

長期研究中國文化史、中國近代史、民國史、國民黨
史。合著有《中國通史》第12冊，《中華民國史》第1
卷、第6卷等。個人著作有《楊天石近代史文存》（5
卷本）、《揭開民國史真相》（7卷本）、《楊天石文
集》、《尋求歷史的謎底：近代中國的政治與人物》、
《近代中國史事鉤沉：海外訪史錄》、《從帝制走向
共和：辛亥前後史事發微》、《朱熹及其哲學》、《朱
熹》、《朱熹：孔子之後第一儒》、《王陽明》、《泰州
學派》、《南社史三種》、《半新半舊齋詩選》、《橫
生斜長集》等。主編有《〈百年潮〉精品系列》（12
卷）、《中日戰爭國際共同研究》（4卷）等。

楊天石參與寫作的多卷本《中華民國史》獲國家圖
書獎榮譽獎。個人著作《尋求歷史的謎底》獲國家
教委所屬高校出版社及北京市優秀學術著作獎。
《找尋真實的蔣介石：蔣介石日記解讀》第1輯獲全
國31家媒體及圖書評論家協會十大圖書獎以及香港
十大好書獎，第2輯獲南方讀書節最受讀者關注的
歷史著作獎，第3輯及第4輯獲《亞洲週刊》十大好書
獎。楊天石著作所獲的獎勵還有孫中山學術著作一
等獎、二等獎，中國社會科學院優秀學術著作獎等。
《帝制的終結》獲《新京報》2011年度好書獎，是當
年該報獎勵的唯一歷史圖書。

找尋真實的蔣介石：

蔣介石及其日記解讀（五卷本）

III

抗戰外交

楊天石 著

① ① 蔣介石在開羅會議上（1943 年 11 月）

① ② ① 蔣介石夫婦與宋慶齡歡迎美國副總統華萊士（1943 年 12 月 31 日）
② 蔣介石與美國羅斯福總統代表赫爾利（1944 年 9 月 7 日）

① ｜ ②

① 蔣介石與美國駐華大使赫爾利（1945 年 1 月 8 日）

② 蔣介石與美國駐華大使赫爾利舉杯慶祝抗戰勝利（1945 年 9 月 3 日）

① 蔣介石招待蘇俄人員慶祝酒會與蘇聯駐華大使彼得羅夫等舉杯（1945 年 9 月 5 日）

② 陸軍總部副參謀長冷欣中將攜南京受降典禮上日軍所遞降書至重慶呈獻（1945 年 9 月 9 日）

③ 南京勝利受降典禮中日本遞交的降書

降書

日軍降書

目錄

Contents

抗戰前期日本「民間人士」和蔣介石集團的秘密談判 *

* 本文錄自《抗戰與戰後中國》，中國人民大學出版社 2007 年版；原載《歷史研究》1990 年第 1 期。

抗戰期間，日本帝國主義者曾多次和蔣介石集團進行所謂 "和平" 談判，
這些談判的策劃者和出面者大多是日本軍方或政府人員，但也有以 "民間人士"
身份出現的，例如萱野長知、小川平吉、頭山滿、秋山定輔等。他們都曾是
孫中山的友人，有過支持中國革命的歷史，同時，又和日本政府有著密切的聯
繫，自稱雖非代表，卻是 "代表以上之人"[1]。

　　萱野長知（1873—1947），號鳳梨，日本高知縣人，1895 年與孫中山訂
交，先後加入興中會、同盟會。1907 年被任命為東軍顧問，負責購置並運送槍
械。1911 年武昌起義爆發，萱野應黃興之邀赴漢陽參戰。1915 年，再次被孫中
山任命為中華革命軍顧問，協助居正在山東起義反袁。1931 年 "九一八" 事變
後，曾受首相犬養毅派遣，秘密來華商談日本撤兵問題，因軍部反對，不久即
被召回。[2]

　　小川平吉（1869—1942），號射山，日本長野縣人。1892 年畢業於東京帝
國大學。1898 年加入東亞同文會。1903 年當選為眾議院議員。武昌起義爆發，
與頭山滿、內田良平、犬養毅等人組織有鄰會，援助中國革命。1912 年初在南
京訪問孫中山、黃興，商議兩國 "提攜" 方針問題。1914 年出任東亞同文會

1　《小川平吉致蔣介石電》，1939 年 5 月 29 日，《小川平吉關係文書》(2)，東京みすず書房 1973 年版，第
　　632 頁。
2　《犬養密史・萱野長知の日志》，《中央公論》第 690 號，1946 年 8 月 1 日。

幹事長。同年 11 月，日軍攻陷青島，小川曾向內閣建議，締結日中兩國同盟條約，使南滿洲、內蒙成為兩國共同統治區域。1925 年任司法大臣。同年發刊《日本新聞》，標榜 "純正日本主義"。1927 年任鐵道大臣。1931 年 "九一八" 事變後，參與籌建偽滿洲國。1936 年因鐵道大臣任內受賄案下獄，次年 6 月近衛文麿組閣後被保釋。

頭山滿（1855—1944），號立雲，日本九州福岡縣人。浪人首領，右翼組織玄洋社的頭目，煤礦資本家。1911 年 12 月來華，與犬養毅一起勸說孫中山與岑春煊合作，共同對付袁世凱。1913 年 4 月，與犬養毅、萱野長知、宮崎滔天等組織日華國民會，宣稱以 "增進兩國國民永遠的福祉" 為目的。二次革命失敗後，孫中山流亡日本，頭山滿曾積極予以幫助。1924 年孫中山北上，途經日本，頭山滿曾到神戶與孫中山會談，要求保障日本在滿蒙的特殊權益。1931 年組織滿鮮問題同盟會，鼓吹以武力解決滿蒙問題。1938 年 1 月致函孔祥熙，表示將竭平生之力使兩國復歸於好，要求蔣介石集團 "速改舊圖，更新其策"[1]。

秋山定輔（1868—1950），日本岡山縣人。1890 年畢業於東京帝國大學。1893 年創辦《二六新報》。1899 年經宮崎滔天介紹認識孫中山，得到信賴。此後一再勸說日本財團向中國革命黨人提供借款。1927 年會見訪日的蔣介石與張群。1936 年派實川時治郎來華，要求蔣介石承認偽滿洲國。[2] 盧溝橋事變爆發，又商得近衛文麿同意，派宮崎滔天之子宮崎龍介來華談判，但龍介離日時突遭憲兵隊逮捕，未能成行。

由於上述歷史淵源，蔣介石集團極為重視和萱野等人的談判。初期通過孔祥熙，後來直接控制，由親信柳雲龍、杜石山[3] 等在香港會談，宋美齡親到當地指導。自 1938 年春至 1941 年夏，在各次日蔣談判中歷時最長。蔣介石多次指示：無論如何，必須 "保留此線交誼"[4]。因此，研究這一條談判線索，有著特殊重要性。

1　《頭山翁致孔氏電報》，日本外務省檔案，《支那事變善後措置》，A-1-1-0 號。

2　《對支政策覺書》，《秋山定輔關係資料》，《秋山定輔傳》卷 3，櫻田俱樂部 1982 年版，第 157 頁。

3　柳雲龍，陳誠書記官，日方資料或稱為蔣介石外甥，或稱為蔣介石母妹之子；杜石山，亦作杜石珊，蔣介石設在香港的秘密辦事處負責人。二人真實身份待考。

4　《杜氏筆記》，《小川平吉關係文書》（2），第 634 頁。

一、萱野長知和孔祥熙之間

1937 年 8 月 13 日，日本侵略軍進攻上海，中國軍隊奮起抗戰。同月，萱野長知來到中國，在上海景林巷公寓設立機關，開始找尋和蔣介石政權接觸的機會。同年 12 月 13 日，日軍攻陷南京，國民政府遷移漢口。次年 1 月，孔祥熙就任行政院長後，即努力開闢渠道，和日方進行和平談判。23 日，孔祥熙致電頭山滿，希望他"主持正義，力挽狂瀾，設法〈使〉貴國軍人早日醒悟"[1]。3 月末，萱野長知的助手松本藏次和孔祥熙的親信行政院代理秘書賈存德在上海中國旅社秘密見面。賈稱："如果任憑中日兩國同歸於盡的話，將給整個亞洲招來不幸，必須設法講求和平之道。"[2] 4 月 20 日，雙方在同一旅館第二次會見。松本傳達了萱野提出的和平條件，要求中國政府承認"滿洲國"獨立，承認日本關於內蒙的立場；賈存德則要求日本全面撤兵。其後，在松本的安排下，萱野與賈存德見面，萱野聲稱："我和孫先生是朋友，中日是兄弟之邦，不應以兵戎相見。"[3] 他要賈存德轉信給孔祥熙，大意為：中日交戰猶如萁豆相煎，如孔有意出面解決鬩牆之爭，化干戈為玉帛，他願意為此奔走。5 月，賈存德攜該函赴港，與宋藹齡同機飛抵漢口。同月，賈存德攜孔祥熙覆函返回上海。其內容，據賈存德回憶，孔祥熙對萱野肯出面斡旋表示感謝，聲稱解鈴繫鈴還在日本當局，如果萱野能以百年利益說動日本當局，早悟犯華之非，則孔祥熙當共襄此舉。[4] 據松本回憶，孔祥熙並提出了和平條件：1. 中日雙方即刻同時停戰；2. 日本尊重中國主權，聲明撤兵；3. 日本方面要求解決滿蒙問題，中國方面原則上同意，具體問題待中日兩國商談。[5] 孔祥熙另有一函覆頭山滿，要求頭山對日本軍人"責以大義，曉以利害"，使之"幡然改悔"。[6]

萱野收到孔祥熙的回信後，於 6 月 9 日回國，向小川平吉彙報。萱野聲稱：和賈存德、宋藹齡等孔祥熙、汪精衛的代表反復會見，結果孔祥熙等人的

---

1 《支那事變善後處置》，日本外務省檔案，A-1-1-0 號。
2 松本藏次回憶，見三田村武夫：《戰爭と共產主義》，日本民主制度普及會 1958 年版，第 170 頁。
3 賈存德：《孔祥熙與日寇勾結活動的片斷》，《文史資料選輯》第 29 輯，第 68 頁。
4 賈存德：《孔祥熙與日寇勾結活動的片斷》，《文史資料選輯》第 29 輯，第 70 頁。
5 《戰爭と共產主義》，第 172 頁。
6 《支那事變善後處置》，日本外務省檔案，A-1-1-0 號。

004

媾和決心愈加確定，準備不通過第三國，直接進行談判，促使蔣介石下野。萱野期待在媾和之後，解散國民政府，與北京、南京的新政府合作（指"中華民國臨時政府"與"中華民國維新政府"兩個漢奸政權——筆者注），建設新政府。當時，中日兩國已經斷交，小川對萱野打開了和國民政府的談判通道表示高興，但他聲稱：關鍵時刻必須取得蔣介石的同意和諒解，本人近來主張以蔣介石為對手進行和談，不依靠蔣介石的力量而想驅逐共產黨是困難的。[1] 10 日，小川訪問新任外相宇垣一成。當晚，與萱野一起訪問首相近衛文麿，萱野向近衛呈交了孔祥熙覆頭山滿函副本等文件。11 日，萱野單獨會見了宇垣。

1937 年 11 月，日本政府曾通過德國駐華大使陶德曼對蔣介石集團進行誘降，談判遷延到 1938 年 1 月。中國政府未按日本規定的期限作出答覆，日本首相近衛於同月 16 日發表聲明："帝國政府今後不以國民政府為對手，而期望真能與帝國合作之中國新政權的建立與發展，並將與之調整兩國邦交。"[2] 小川平吉主張以蔣介石為對手進行和談，這就和近衛聲明發生矛盾。在會見宇垣時，小川提出：既要求蔣介石下野，又以蔣介石為對手進行談判不也可以嗎？[3] 目的在於調和這一矛盾。

在日本政府中，宇垣的觀點與小川接近。他就任外相時即向近衛提出，"對中國開始和平交涉"，必要時取消 1 月 16 日聲明。[4] 近衛也感到這一聲明是個"大失敗"[5]，同意宇垣的意見。因此，他們都支持萱野和孔祥熙之間的談判。宇垣表示，不必對蔣持堅決排斥態度；近衛則要求萱野將談判情況及時電告小川，再由小川傳達給他。[6]

6 月 17 日，萱野離日赴滬，就蔣介石下野問題與賈存德協商。7 月 4 日，孔祥熙致電萱野，要求日方儘量放寬條件，表示願承擔責任，辭去行政院長一職，以代替蔣介石下野。5 日，萱野、松本藏次、賈存德等人轉移到香港繼續談判。此前，孔祥熙的秘書喬輔三和日本駐香港總領事中村豐一已於 6 月 23

1　《小川平吉日志》（2），1938 年 6 月 9 日。
2　《日本帝國主義侵華資料長編》上，四川人民出版社 1987 年版，第 411 頁。
3　《小川平吉日志》（2），1938 年 6 月 10 日。
4　《宇垣日記》，朝日新聞社 1956 年版，第 314—315 頁。
5　風見章：《近衛內閣》，日本出版協同會 1951 年版，第 79—80 頁。
6　《小川平吉關係文書》（2），第 385—386 頁。

日開始會談。[1] 這樣，為著同一目的，由孔祥熙牽線，在香港同時進行著兩場談判。為了保證成功，孔祥熙又將萱野的老朋友馬伯援和居正夫人派到香港。居正的女兒是萱野的養女，兩個家庭之間有著特殊的關係。松本藏次說："二者之間沒有日本、中國的區別。居正夫人作為孔祥熙行政院長的代理。一人是生母，一人是養父，分別代表日本和中國，談判決定兩國命運的重大問題。"[2] 談判中，賈存德、馬伯援等人表示，共產黨正積極發展勢力，漢口陷落將導致赤化蔓延，希望日軍暫勿進攻漢口。他們提出，由孔祥熙、居正、何應欽、李宗仁出面會談，並可由戰勝者方面的日本提出議案。[3] 但是，蔣介石下野這一難題仍然無法解決。7 月 22 日，萱野致電小川說："中國國內形勢不允許蔣下野。蔣本人希望儘早結束戰爭，但周圍的狀況決不允許如此，擔心引起混亂，以後無法收拾。"他表示將離港返國，藉助頭山滿的力量，促使日本政府對要求蔣介石下野問題再作考慮，電稱："此點倘能辦到，相信時局將急轉直下，趨於解決。"[4]

萱野等人赴港之際，國民政府外交部亞洲司司長高宗武正趕赴東京談判。高宗武和汪精衛、周佛海等人關係密切，是"低調俱樂部"成員之一，盧溝橋事變後，受命找尋"對日折衝"的途徑。他早有撇開蔣介石，由汪精衛出面實現"和平"的打算。到日後，發現日方正在找尋"蔣介石以外的人"，便迎合日方意圖，提出由汪精衛、張群等二三十人協力一致，迫使蔣介石下野。[5] 7 月 12 日，日本內閣五相會議根據大本營陸軍部的提議，通過《適應時局的對中國謀略》，決定採取"推翻中國現中央政府，使蔣介石垮台"的方針，提出"起用中國第一流人物"，"醞釀建立堅強的新的政權"。[6] 日本政府所謂"第一流人物"，即指汪精衛、唐紹儀、吳佩孚等。15 日，日本內閣五相會議又通過了《中國新中央政府建立指導方案》，準備在攻佔漢口後建立所謂"中國新中央政府"。[7] 在

1　參見《知られどる宇垣・孔秘密會談》，《知性》別冊，第 261—265 頁。

2　《戰爭と共產主義》，第 173—174 頁。

3　《小川平吉日志》（2），1938 年 7 月 27 日。

4　《小川平吉關係文書》（2），第 593 頁。

5　《萱野長知致松本藏次》，《戰爭と共產主義》，第 177 頁。

6　日本外務省檔案，S491 號。

7　田琪之譯：《中國事變陸軍作戰史》第 2 卷第 1 分冊，中華書局 1979 年版，第 102 頁。

這種情況下，萱野要求日本政府改變對蔣介石的態度，自然要碰釘子。

在日本政府內部，陸相板垣征四郎屬於強硬派，對蔣介石持堅決排斥態度。他表示：「按照原來的估計，漢口陷落時，國民政府將無條件投降，日本方面沒有必要發表規定撤兵的聲明。」[1] 宇垣屬於柔軟派，他仍然支持萱野和孔祥熙之間的談判，但不敢過於拂逆陸軍意志，表示蔣介石可在簽訂和約之後下野；如孔祥熙等出面會談，他本人亦可出面。[2] 近衛文麿動搖於板垣與宇垣之間。為了爭取支持，小川、萱野並動員病中的頭山滿致書近衛，要求他排除軍方的反對，與蔣介石集團媾和。

萱野返日之初，曾致電賈存德，聲稱如蔣介石決心「鏟共親日，媾和而後有辦法」[3]。9 月上旬，萱野返滬，繼續通過賈存德與孔祥熙聯繫。8 日，萱野致電小川：「孔祥熙、蔣介石、居正等密約反共，如提出停戰時，可否同意？」同日，小川請示宇垣後覆電：「規定反共、和平後〈蔣〉下野是必要的，此點首須明確。對方提出停戰，軍部方面也許會附加麻煩的條件，不如孔祥熙等出面時，外相前往談判為宜。」[4] 次日，小川以書信作了詳細補充說明，信稱：「日本希望蔣介石下野，但已大體諒解到，他在收拾時局之前不可能做到此點，倘蔣能在披瀝反共誠意之時，預先作出準備下野的表示，而在和平之後自動實行，當亦無妨。」[5] 從以蔣介石下野為和平談判的先決條件，到允許事先「規定反共、和平後下野」，表明日方準備作出某些讓步，因此，孔祥熙表示，願意出面與宇垣談判。其地點，宇垣提議在長崎附近的雲仙，但萱野認為，在雲仙談判，孔祥熙等須在香港、上海、長崎換乘輪船，中途不僅危險，而且易為新聞記者偵悉，不如與海軍交涉，在軍艦上會面。[6] 9 月 15 日，萱野第二次赴港，與賈存德等繼續談判。行前，致函小川，內稱：「彼等因面子關係，對使蔣介石預先表示，在反共、和平後堅決下野一事頗感困難，以密約辦理也感到非常為難，孔

---

1 《戰爭と共產主義》，第 175 頁。
2 《小川平吉關係文書》（1），第 400—401 頁。
3 《小川平吉關係文書》（1），第 393 頁。
4 《小川平吉關係文書》（2），第 595 頁。
5 《小川平吉關係文書》（2），第 596 頁。
6 《小川平吉關係文書》（2），第 597 頁。

祥熙等共同保證，將於事後自動實行。"[1] 23 日，宇垣將萱野的信件提交五相會議，要求海相米內派軍艦供談判使用，米內表示同意；同時，宇垣並要求板垣對與孔祥熙等人的會晤不持異議，板垣明確地表示同意。此間，宇垣還曾上奏裕仁天皇，得到秘密批准。[2] 這樣，近衛內閣 "不以國民政府為對手" 的主張似乎取消了。25 日，馬伯援離港，經河內赴重慶，與蔣介石、孔祥熙具體磋談；重慶方面也派鄭介民繞道滇桂，赴港會商。

然而，日本陸軍正積極準備進攻漢口，他們熱衷於誘降汪精衛，對蔣介石不感興趣。為了反對宇垣與孔祥熙談判，他們不僅指使少數人面見近衛，指責宇垣為 "國賊"，聲言絕對反對和議，而且提出建立興亞院，在外交一元化的旗號下削弱外務省的對華外交權。[3] 近衛頂不住陸軍的強大壓力，於接見新聞記者時聲明："帝國政府不以蔣介石為對手的方針始終不變。"[4] 在這一情況下，宇垣於 9 月 29 日辭去外相職務，萱野長知等積極為之拉線搭橋的宇垣、孔祥熙會談也隨之流產。

二、蔣介石直接控制的香港談判

日軍侵佔南京後，就開始研究進攻漢口和廣東的計劃。10 月 21 日，日軍佔領廣州；4 天後，佔領武漢。日本主戰派認為戰爭即將結束，可以在中國建立親日的新政府。但萱野卻認為，戰爭將長期進行，日本孤軍深入，四面皆敵，包袱愈來愈重，前途渺茫，因此，仍然主張與蔣介石進行和談。在此同時，10 月 31 日，蔣介石發表《為放棄武漢告全國同胞書》，號召全國人民 "繼續貫徹持久抗戰、全面戰爭、爭取主動之一貫方針，勇猛奮進，造成最後之勝利"。[5] 但是，蔣方人員又連續致電萱野，表示 "我方和平殊不便"，請求給予諒解。[6] 11 月 5 日，萱野有一長函致小川，詳細分析蔣方形勢，告以蔣介石定可派

1 《小川平吉關係文書》(2)，第 597 頁。
2 《小川平吉日志》(2)，1938 年 9 月 23 日，《小川平吉關係文書》(1)，第 421 頁。
3 額田坦：《秘錄宇垣一成》，日本芙蓉書房 1973 年版，第 179 頁。
4 額田坦：《秘錄宇垣一成》，日本芙蓉書房 1973 年版，第 179 頁。
5 《新蜀報》，1938 年 11 月 1 日。
6 《小川平吉關係文書》(2)，第 600 頁。

鄭介民來港,馬伯援將在第二屆國民參政會後回港,蔣介石的代表及孔祥熙的代表均在港等待。小川收到此函後,立即轉示近衛、新任外相有田八郎、頭山滿及朝日新聞社主筆緒方竹虎等人。這時,近衛剛剛發表了第二次對華聲明,內稱:"至於國民政府,倘能拋棄從來錯誤政策,更換人事,改途易轍,參加新秩序的建設,則帝國亦不加拒絕。"[1] 這樣,就對 "不以國民政府為對手" 的說法有所修正。因此,小川告訴萱野:我方仍以 "收拾大局,確立和平" 為活動目的。中國的問題在於有共產黨的存在,對蔣的苦心要有充分的諒解,中國的事務 "只能慢慢地進行"。[2]

在此期間,日汪關係有了迅速發展。11 月 20 日,影佐禎昭、今井武夫與高宗武、梅思平在上海達成 "日華協議",規定日華共同防共,承認偽滿洲國,汪精衛與蔣介石斷絕關係,俟機成立新政府。12 月 21 日,汪精衛脫離重慶政府,逃到河內。為了表示 "小賀之意",近衛於次日發表第三次對華聲明,宣稱日本政府決定始終一貫地以武力掃蕩抗日的國民政府,同時,將與中國 "同感憂慮、具有卓識的人士" 合作,實現 "相互善鄰友好、共同防共和經濟合作"。[3] 日汪關係的進展和汪精衛的出逃極大地刺激了蔣介石集團,一度停頓的日蔣談判再度恢復。

1939 年 1 月 4 日,近衛內閣因內外交困辭職,平沼騏一郎繼任首相,陸相、外相等留任。5 日,萱野致電小川,告以 "和平有望"[4]。次日,萱野返國,向小川彙報,蔣介石正積極佈置,準備對付共產黨,"和平" 之意不變。由於國民黨內部派系複雜,決心起用嫡系復興社人物。除鄭介民、柳雲龍外,增派杜石山參加和談。杜是蔣介石在香港的秘密辦事處負責人,對蔣可以發揮重大影響。[5] 14 日,小川、萱野訪問有田外相。17 日,小川訪問平沼首相。在爭取到新內閣的支持後,萱野於 23 日致電杜石山,告以日本方針不變,詢問蔣方態度如何。當時蔣方正在召開國民黨五屆五中全會。會議決定設置國防最高委員

1 《太平洋戰爭史》,中譯本,商務印書館 1959 年版,第 231 頁。
2 《小川平吉致萱野長知》,1938 年 11 月 25 日,《小川平吉關係文書》(2),第 602—603 頁。
3 日本外務省編:《日本外交年表和主要文書》下卷,《文書》第 407 頁。
4 《小川平吉關係文書》(2),第 605 頁。
5 《小川平吉日志》(2),1939 年 1 月 13 日,《小川平吉關係文書》(1),第 436—437 頁。

會，以蔣介石為委員長，同時，通過所謂《限制異黨活動辦法》，確定了"溶共、防共、限共、反共"的政策。2月3日，陳誠致電柳雲龍，告以設立國防最高委員會的奧秘，電稱："參政會與五中全會俱不足以為和平之根據，今組織之國防委員會，網羅朝野人員，置於蔣氏一人之下，時機一至，便可運用和平而無阻。"[1]陳誠要求柳雲龍將此電轉告杜石山與萱野。2月19日，杜石山致電萱野，內稱："柳雲龍表示，汪精衛、孔祥熙、何應欽等均有代表與日方接洽，則吾人所商者，更為速於實現。"[2]柳雲龍傳遞的上述信息使日方興奮異常，連板垣也認為，陳誠握有軍事實權，電報大可注目。他和小川一向政見相左，但雙方卻得出了共同結論：國防最高委員會斷然排斥共產黨人加入，和平將易於實行，中央軍實力強大，打擊共軍並非難事。[3]頭山滿則要求小川赴華，和萱野一起談判。他表示，倘有必要，自己即便躺在船上，也扶病成行。2月25日，小川致函先期回滬的萱野，聲稱頭山滿日益健壯，旅行當無問題，倘蔣介石因周圍之事對講和猶豫不決時，可由頭山滿代表我等加以勸告。[4]

蔣介石於3月4日致電杜石山云："歷次來電暨萱野翁前日來電，均已誦悉。中日事變誠為兩國之不幸，萱野翁不辭奔勞，至深感佩。惟和平之基礎，必須建立於平等與互讓之基礎上，尤不能忽視盧溝橋事變前後之中國現實狀態。日本方面，究竟有無和平誠意，並其'和平基案'如何，盼向萱野翁切實詢明，佇候詳覆。"[5]甩開孔祥熙，起用嫡系人物，表明蔣介石對談判的重視，此電則進一步表明，蔣介石直接控制談判。杜石山接電後，即電邀萱野來港。萱野於7日離滬南行，9日抵達香港。行前，將有關情況電告小川。此後數日內，小川即緊張地訪問平沼首相、有田外相、板垣陸相等人，闡述蔣介石的和平誠意。

3月16日，宋美齡以治牙為名到港與萱野進行了非正式的晤談。17日，萱野、柳雲龍、杜石山在香港大酒店350號房間會商，柳雲龍提出7條：1. 平等互讓；2. 領土（完整）主權（獨立）；3. 恢復盧溝橋事變前狀態；4.（日方）撤兵；

1 《杜石山致萱野長知》，1939年2月4日，《小川平吉關係文書》(2)，第608頁。
2 《杜石山致萱野長知》，1939年2月4日，《小川平吉關係文書》(2)，第608頁。
3 《小川平吉日志》(2)，1939年2月19日，《小川平吉關係文書》(1)，第446頁。
4 《小川平吉關係文書》(2)，第610頁。
5 《小川平吉關係文書》(2)，第611—612頁。

5.（簽訂）防共協定；6. 經濟提攜；7. 不追究維新政府、臨時政府人員的責任。關於滿洲，另議協定。[1] 會後，杜石山致電蔣介石，勸他搶在汪精衛之前與日本言和，電文稱："且和平之事，當在汪氏等所欲謀者未成熟之前，始克有濟，否則夜長夢多，多一糾紛即多一障礙，屆時鈞座雖欲當機立斷，恐亦為事實之所不許也。"19 日，得蔣介石電，稱："得領土完整、主權獨立八字便可，餘請商量改刪。"[2]

3 月 24 日，小川親赴香港。30 日，在港聽取萱野彙報，將備忘錄交給萱野，令其轉交柳雲龍，其要點為：1. 日本政府尚未確認蔣委員長有和平誠意，希望派遣要人為代表，此為表示蔣委員長意志之最良方法；2. 媾和基礎條件為近衛聲明，五相中至今尚有希望國府改組者，而國府又認此為不可能之事，此點之解決為最先首要之問題。小川聲稱："予反復思忖，苦心焦慮，別得一便案。"[3] 關於"便案"的內容，小川故弄玄虛，要求面見蔣介石或其心腹要人"詳細談議"。其實，小川的"便案"很簡單，不過是要求蔣介石將"容共抗日"改為"排共親日"，首先討伐共產黨，實行局部停戰。萱野詢問杜石山，討伐共產黨是否可能，杜回答可能，同時表示要徵詢宋美齡的意見。宋的回答是，可用密約辦理。此後，杜石山又電詢蔣介石，蔣覆電同意"用密約辦理"。杜對小川稱："現已佈置了大量嫡系軍以對付共產黨"，"在議和成功之時，望以日本的先鋒隊進行討共"。[4] 4 月 10 日，小川致函蔣介石，聲稱"小生為東亞前途以及中日兩國百年大計而來"，要求蔣介石明確表態。13 日，蔣介石覆電稱："小川先生本為余等生平所敬慕，但在此兩國戰爭之中，不能派代表來港致敬，惟託其在港友人馬伯援君致意也。"[5] 蔣介石要小川和馬伯援聯繫。對馬伯援，小川是滿意的，認為他是適當的人選，準備通過他摸清蔣介石的本意。但是馬伯援卻因腦溢血於 14 日突然去世。

馬伯援去世後，小川立即要求重慶方面補派有力人員來港，未見答覆。4 月 25 日，陳誠致電杜石山，內稱："文日以來各電，俱已譯呈委座，惟未得批

1　《萱野長知電報》，1939 年 3 月 18 日，《小川平吉關係文書》（2），第 614 頁。
2　《杜氏筆記》，《小川平吉關係文書》（2），第 615—616 頁。
3　《小川平吉關係文書》（2），第 614—615 頁。
4　《赴香始末》，《小川平吉關係文書》（1），第 653 頁。
5　《小川平吉關係文書》（2），第 620 頁。

示，請暫待為要，小川翁等務懇切實聯絡。"[1] 29 日，蔣介石原配毛氏夫人之弟返渝，萱野託他帶信給蔣，聲稱與蔣"叨為盟友，誼若弟兄"，勸蔣速決。[2] 5 月 6 日，小川和張季鸞會談。小川提出，日本戰爭的最大著眼點為排共。張季鸞則稱：迄今為止，共產黨一直在和蔣介石一起從事抗戰，要蔣立即討伐，難以做到。[3] 5 月 11 日，小川致函蔣介石，勸他排除畏難情緒，當機立斷，函稱："講和之影響，內外上下，複雜多端，畏其難而不為，是非英雄，則終於難而已矣。惟知其難而為之，當此艱局，毅然不惑，如揮快刀而斬亂麻，此誠真英雄豪傑之所為也。"[4] 小川再次要求蔣介石派要員來港，並稱願與萱野共同赴渝，否則即束裝歸國。16 日，重慶方面根據小川要求，派侍從副官賈某乘專機到港攜走該函。此前，杜石山也致電蔣介石，聲稱馬伯援已逝世多日，事懸未決，要求蔣介石"迅予電示"。[5]

萱野、小川急於和蔣介石會談，但蔣介石卻於 16 日致電柳雲龍，聲稱萱野及杜石山連日各電均已收到，"請石山兄暫勿與小川翁往還，但須隨時報告小川翁行動"[6]。蔣介石的這一突然變化，杜石山曾根據重慶來人所述，對萱野作過解釋，其原因為：1. 蔣介石歷次宣言，皆肯定抗戰，一時不易改口；2. 蔣介石已囑孔祥熙，命張季鸞、原順伯[7]、賈存德等繼續與萱野及小川會晤，然後由孔祥熙根據各人報告，聯絡重慶元老及握有實力者，向蔣介石要求和平，再由蔣提出國防會議，議決後再派代表來港。[8] 儘管如此，小川仍然覺得受到冷淡，便向蔣發出最後通牒，聲言將於 6 月 3 日離港，14 日由上海歸國。

香港談判期間，日軍始終採取咄咄逼人姿態。5 月，日機多次轟炸重慶。26 日，蔣介石派副官張銘新到港，退還小川、萱野原函，對轟炸重慶一事提出質詢，認為足以證明"日本軍、政二界之不協調"，同時，張透露了蔣不敢輕易言和的心事。張稱："蔣自'九一八'後已受國人唾罵，譏為賣國賊、日本

1 《小川平吉關係文書》（2），第 621—623 頁。
2 《小川平吉關係文書》（2），第 621—623 頁。
3 《赴香始末》，《小川平吉關係文書》（1），第 653 頁。
4 《小川平吉關係文書》（2），第 624—625 頁。
5 《小川平吉關係文書》（2），第 626 頁。
6 《小川平吉關係文書》（2），第 626 頁。
7 原順伯，孔祥熙秘書。
8 《杜石山致萱野長知》，1939 年 5 月 20 日，《小川平吉關係文書》（2），第 627 頁。

走狗"，"今後各事，欲不小心自亦有難為之處，因自己失敗，政權即落紅軍之手，兩國前途苦惱更多，所以委曲求全，無非想到徹底處也"。[1]杜石山也向小川說明，蔣介石選派代表，"視為心腹者便可"，選派大人物，易於泄漏，"事無成，且自己失敗也"。[2]

張銘新、杜石山的解釋多少消溶了小川的怨氣。29日，小川致函蔣介石，對蔣的"苦心"表示諒解，但他仍然表示："如別有便法，至獲好機會，未必吝於陳述鄙見也。"[3]該函於6月2日由杜石山用專機送蔣。同時，杜石山、柳雲龍也對小川表示挽留。6月4日，副官楊潔自重慶來，進一步說明蔣介石退回函件的原因。楊稱："蔣氏將小川翁函提出嫡系幹部會議，事為共產黨所聞，迫蔣履行西安約言，不得中途妥協，並迫蔣遷都西安。事弄糟了。廣西系亦出面反對，說如中途妥協，廣西決單獨抗戰。"楊並稱："蔣氏密囑，無論如何，欲保留此線交誼，並須再作緊密聯絡，俟時機一至，便可進行。"[4]

楊潔到港前一天，宋美齡再次秘密到港，與柳雲龍等會商。當時，正值日本五相會議確定以汪精衛、吳佩孚組成中國"新政府"之後，汪精衛已經到達東京，正在與平沼首相會談。9日，杜石山對小川說："為中日兩國早日結束戰局計，以及種種考慮，在汪氏未成立機體組織之前，和平尚可實現。如果汪氏成立政府，深恐將來適如西班牙狀況，演變更多，問題更不易收拾。"[5]10日，杜石山會見小川，明確要求小川回日後，阻滯汪精衛成立"新政府"。[6]當夜，宋美齡、柳雲龍等密議後，再次由杜石山出面通知小川，已議決要求蔣介石指派人員到此，面商和平，蔣"此時已有決心進行，惟內部尚須措置"，希望小川"無論如何，設法阻滯汪氏計劃之成功"。[7]

6月11日，小川回日。兩個多月前，當他開始中國之行時，曾經躊躇滿志地寫過一首詩，中云："胸中自有回天策，笑上南溟萬里舟。"此次歸國，他再也沒有這種心情了。

1 《杜氏筆談》，《小川平吉關係文書》(2)，第629—631、632頁。
2 《杜氏筆談》，《小川平吉關係文書》(2)，第629—631、632頁。
3 《杜氏筆談》，《小川平吉關係文書》(2)，第629—631、632頁。
4 《杜氏筆談》，1939年6月9日，《小川平吉關係文書》(2)，第634—635頁。
5 《杜氏筆談》，1939年6月9日，《小川平吉關係文書》(2)，第634—635頁。
6 《小川平吉日志》(7)，1939年6月10日，《小川平吉關係文書》(1)，第488頁。
7 《杜氏筆談》，《杜柳二氏要求》，《小川平吉關係文書》(2)，第637頁。

三、再次談判的洽商與擱淺

小川回國之後，日、蔣雙方都不願中斷已經開始的談判。1939 年 6 月 14 日，孔祥熙再度出面，致電萱野，要求在具體方法上給予指導。[1]當時，汕頭已被日軍攻陷，萱野企圖利用這一形勢，通過孔祥熙的關係加速談判進程。與此同時，小川則在東京與平沼首相、有田外相、近衛文麿及板垣陸相等多次交談。平沼等認為，香港談判表明，蔣介石缺乏誠意，"已經到了正式決定傾全力於汪精衛的時機"[2]。小川則竭力說明，蔣介石仍有誠意，對汪精衛不可希望過奢。當月，汪精衛自日本到達北平，企圖與吳佩孚會晤，磋談"合作"問題。汪提出在顧維鈞住宅見面，吳則堅持"行客拜坐客"，要汪到他的寓所拜見。雙方堅持不下，未能達成協議。[3]這使小川感到氣氛好轉。自 7 月上旬起，他多次致函萱野，指示和蔣介石集團接觸的方法，7 月 4 日函提出甲、乙兩案。甲案：日本承認中國的領土完整、主權獨立，中國接受排共親日主張，雙方同時停戰，以互讓妥協的精神開始和平談判。乙案：訂立討伐共產黨的密約，提出局部停戰條件。小川表示，希望與蔣方重要人物會談，並設想在 9 月份汪精衛建立新政權之前迫蔣接受"和平"條件。[4]7 月 7 日函強調，先在有力的個人之間進行接觸，再向日本政府提出，一氣呵成。他認為日本對蔣介石、孔祥熙有抓緊的必要，建議採取前外相宇垣的辦法，雙方在軍艦上會見，"順勢要求解決對日問題"。[5]7 月 16 日函重申個人接觸和軍艦會談兩種進行方法，認為有田外相與宇垣不同，中途接手，有必要重新得到蔣介石的承認。他要萱野特別注意，日本方面由於對重慶絕望，在中國北方建立"特殊國家"的意見正在抬頭。函末，小川要求萱野將本函秘密示知蔣介石與孔祥熙。[6]十三天之內連發三函，顯示出小川重新打通與重慶談判道路的迫切企圖。

儘管小川態度積極，但萱野則認為尚非其時。7 月 7 日，蔣介石為抗戰兩

---

1 《萱野長知電報》，1939 年 6 月 17 日，《小川平吉關係文書》（2），第 637 頁。

2 《小川平吉致萱野長知》，1939 年 7 月 16 日，《小川平吉關係文書》（2），第 642—643 頁。

3 《吳氏思想表現一束》，《吳佩孚工作檔案資料》，中華書局 1987 年版，第 10 頁。

4 《小川平吉關係文書》（2），第 640—641 頁。

5 《小川平吉關係文書》（2），第 642 頁。

6 《小川平吉關係文書》（2），第 643 頁。

週年發表《告全國軍民書》等一系列文告，重申抗戰到底的國策不變。18 日，萱野致函小川，認為蔣介石受到英國大使的迷惑，正在觀望形勢，"此時並非我方提出問題的時機"。[1] 8 月 3 日，萱野再函小川，告以已遵囑將 7 月 16 日函件出示杜石山、張季鸞、羅集誼、原順伯等人，並命其致電重慶，促使蔣介石、孔祥熙等反正。他聲稱，正在研究使重慶方面 "不得不下決心的妙計"，其內容有二，一是策動華僑要求 "和平"，一是策動江西九宮山地區蔣軍倒戈，協助日軍攻陷武寧、修水，給予重慶以軍事打擊。[2] 杜石山也贊成萱野這一 "妙計"，致函小川說："現在除照舊進行外，並邀集武裝同志多人，擬別出計劃，以促成和平之早日實現。"[3] 杜石山在小川歸國之後，對蔣介石也產生了某種怨望。6 月 15 日，蔣介石曾要他 "來渝面談"，但杜卻以嬰兒病危為由拒不奉命。[4]

除杜石山之外，柳雲龍在日、蔣談判中繼續發揮著特殊作用。7 月 16 日，重慶發表軍事委員會的組織及人選，規定蔣介石有權實施國民政府組織法第 111 條的規定——國民政府有與外國宣戰、議和及締結條約的權力。下旬，柳雲龍致函杜石山，告以此次軍事委員會改組，有極重要的地方：1. 排除共產黨人員，不使參加；2. 委員長有宣戰、議和之權力的規定；3. 蔣介石力辭大元帥之職而專任委員長職務。[5] 8 月 1 日，杜石山致函小川與萱野，摘要報告柳函內容，並稱："蔣氏已有與共產黨分離之決心與準備，且已有議和之決心與準備。"[6] 8 月初，蔣方派鄭介民、王子惠先後赴日。同月 20 日，蔣介石又派副官張某到港，向杜石山提出，要求見到小川 7 月 16 日親筆信。杜石山建議將原信借出進行拍照，為萱野拒絕，張某於是將信熟讀之後歸渝。[7] 此際，張季鸞曾向萱野表示："如日本使汪兆銘之運動具體化時，和平將永遠無望。"[8]

小川得悉軍事委員會改組消息後，也視為蔣介石 "對共之準備"，立即向當局大臣彙報，並向各相分發杜石山的信件。他向萱野指出："汪兆銘在雙十節

1　《小川平吉關係文書》（2），第 644 頁。
2　《小川平吉關係文書》（2），第 645 頁。
3　《小川平吉關係文書》（2），第 645 頁。
4　《小川平吉關係文書》（2），第 639 頁。
5　《杜石山致小川平吉、萱野長知》，《小川平吉關係文書》（2），第 648—649 頁。
6　《杜石山致小川平吉、萱野長知》，《小川平吉關係文書》（2），第 648—649 頁。
7　《杜石山致小川平吉》，1939 年 8 月 24 日，《小川平吉關係文書》（2），第 652 頁。
8　《杜石山致小川平吉》，1939 年 8 月 24 日，《小川平吉關係文書》（2），第 652 頁。

前組織國民政府的計劃仍在進行中，因此，最好在此前促使停戰協議成立。"[1] 8月10日，小川走訪近衛文麿，當夜進京，與首相、外相、陸相會談，此後又提出一項所謂顯示"戰勝國寬宏大度"的協力廠商案，即小川攜帶首相的書信親自出馬與重慶談判，要求對方派出孔祥熙或者相當於孔祥熙的人物進行預備會談，其地點可在香港、重慶或其他任何地方。小川表示："倘此次交涉仍以不順利告終，我等將斷然與重慶絕緣，突飛猛進地建立新政權"；同時，"自認推薦和信任蔣介石這種人物的不明智，除向天下認罪之外，別無可言"。[2]

當時，汪精衛的"組府"活動已進入緊鑼密鼓階段。8月28日，汪精衛在上海召開所謂"中國國民黨第六次全國代表大會"，推舉汪精衛為"國民黨總裁"，議決授權汪精衛組織中央政治會議。同日，柳雲龍電告萱野，國民參政會常務委員會開會，委託張君勱提出和平方案，倘使日方不提出蔣介石下野問題，全體可以議定。[3] 9月3日，柳雲龍飛港談判，6日返渝。此際，重慶政府得到汪兆銘新政府延期成立的情報，大為高興。小川後來向日本政府彙報說：重慶方面力謀在新政府成立之前成事，孔祥熙準備以犧牲一身的決心在參政會提出"和平"案。但是，由於軍方的壓力，日本政府於9月13日發表聲明，將扶植汪精衛成立"中央政府"列為施政方針，重慶方面對此感到疑懼，形勢急變，多數意見主張，"寧可將講和的機會置於新政權的實力試驗之後"。9月16日，參政會否決了和平案云云。按，9月9日至18日召開的國民參政會一屆四次大會根本不曾討論過所謂"和平案"，小川得到的顯然是柳雲龍等人提供的假情報，但有一點是確實的，由於日本政府發表了支持汪精衛的聲明，重慶方面改變了與小川等人再開談判的計劃。[4] 10月13日，萱野離開香港回國，談判再次擱淺。

1　《小川平吉致萱野長知》，1939年8月16日，《小川平吉關係文書》（2），第649頁。
2　《小川平吉致萱野長知》，1939年8月16日，《小川平吉關係文書》（2），第650頁。
3　《萱野長知電報》，《小川平吉關係文書》（2），第653頁。
4　《重慶方面關係經過概要》，《小川平吉關係文書》（1），第660頁。

四、尾聲

萱野歸國之後，小川等人的"和平"工作陷於停頓。

1939 年 12 月 2 日，萱野會見外相野村吉三郎，陳述重慶方面情況，闡明對汪精衛政權的見解，沒有明顯成效。1940 年 1 月，米內內閣成立。3 月 9 日，小川致函陸相畑俊六與外相有田八郎，希望在發表政府聲明時，避免排斥與重慶政府交涉的言論，以免杜絕收拾戰局的通路。[1] 同月 30 日，汪記國民政府在南京成立，小川曾致函汪精衛，勸他和蔣介石合作，函稱："民國內地抗戰意識今尚頗旺，綏靖、招撫之事真非容易。若欲速收戰局，舉和平統一之實，不如使重慶政府停戰講和。"小川表示："閣下與蔣介石相會之機會必將到來。"[2] 4 月 30 日，時任中國派遣軍總參謀長的板垣發表文告，聲稱"對中國要徹底討伐"，同時又稱，重慶政府"如有悔過之意，可以寬恕"。次日，小川致函板垣，讚許其後一語，認為它將大有助於"收拾殘局"[3]。

就在萱野、小川等"靜觀"之際，蔣介石方面卻又積極起來。同年 6 月，日軍佔領四川門戶宜昌，威逼重慶。19 日，汪偽宣傳部長林柏生發表廣播談話，聲稱："蔣介石肯為國家打算，停止戰爭，實現和平，我們不但可走開，並且可以死。"[4] 21 日，蔣介石致電杜石山，要他邀請萱野來港，談判"和平"。26 日，曾政忠再次致電杜石山，聲稱蔣介石獲悉有關經過後，表示後悔，以前之所以不能拜受萱野誠意，其原因在於狀況不明和情勢不許，現在形勢變化，汪精衛宣稱，倘實現和平，彼等不僅將引退，即死亦所不辭。這樣看來，和平有了可能。[5] 杜石山奉命之後，不敢怠慢，連電萱野，告以夜長夢多，要萱野把握機會，乘時進行。

此前，蔣介石已經派特務曾廣冒充宋子文之弟宋子良和日方的今井武夫等人在香港、澳門多次磋商，6 月 6 日，雙方一致同意，由板垣、蔣介石、汪精衛舉行三人會談。這就是日方所謂的"桐工作"。但是，蔣介石願意多線進行，

1　《小川平吉關係文書》（2），第 669 頁。
2　《小川平吉關係文書》（2），第 669 頁。
3　《小川平吉關係文書》（2），第 670 頁。
4　袁旭等：《第二次中日戰爭紀事》，檔案出版社 1988 年版，第 241 頁。
5　《杜石山致萱野長知》，1940 年 6 月 29 日，《小川平吉關係文書》（2），第 673 頁。

又派鄭介民、柳雲龍等到香港活動，傳達蔣介石的"和平"決心，準備恢復與萱野等人的會談。7月29日，小川致電板垣，告以經慎重研究結果，萱野將於8月2日赴港。[1]不料板垣這時正熱衷於"桐工作"，不願另生枝蔓，要求萱野延期出發。[2]8月上旬，杜石山致函萱野訴苦，聲稱受到重慶方面"聯絡欠確實"的責備，要求萱野勿因少數人的阻難而坐失良緣，儘快確定來華日期。[3]10月初，萱野再次準備赴港，但外相松岡洋右正通過銀行家錢永銘與重慶聯繫，仍然不願另生枝蔓，萱野之行再度受阻。[4]

汪偽政權是在日本卵翼下成立的。舉行典禮的當天，日本政府即聲明支持，並期待各國承認。有意思的是，日本政府自己卻未立即予以外交上的承認。從長期的軍事和政治實踐中，日本侵略者終於認識到，要如願以償地解決中國問題，撇開蔣介石及其政府是不行的。因此，他們不得不留有餘地，以便對蔣介石進行誘降，並促進汪、蔣合作。板垣的"桐工作"，松岡的"錢永銘工作"，目的都在於此。但是，他們也感到，蔣介石不同於汪精衛，不會輕易就範。因此，他們在對重慶開展"和平"工作的同時，又在積極準備承認汪偽政權。[5]9月中旬，"桐工作"失敗；繼之而起的"錢永銘工作"也困難重重。11月13日，日本御前會議決定承認汪政權。

蔣介石否定了今井武夫、宋子良等人的會談結果，主要原因在於板垣提出的條件過於"苛細"[6]，但是，他並不拒絕"和談"。11月1日，杜石山再次致函萱野，說明蔣介石的苦心。函稱："蔣公既以石山等與先生有所約，中日和平路線絕對已有維持，故拒絕紅軍進攻平、津以斷日軍接濟，不准小張（指張學良——筆者注）復出而重東北糾紛。"函中，杜石山並通知萱野一項特別消息——美國已"積極備戰"，要求日本"鑒於世界大勢之安危，臨崖勒馬，以符永保太平洋之宗旨"。[7]同月上旬，松本藏次和頭山滿的兒子頭山秀三到達澳門，向杜石山傳達日本政府即將承認汪政權的信息以及頭山滿的意見。12日，

1 《小川平吉關係文書》（2），第683頁。
2 《重慶方面交涉經過概要追加》，《小川平吉關係文書》（1），第664頁。
3 《小川平吉關係文書》（1），第687頁。
4 《重慶方面交涉經過概要追加》，《小川平吉關係文書》（1），第664頁。
5 參閱《中國事變迅速處理辦法》，1940年9月16日，日本外務省檔案，WT47號；又，《對重慶和平交涉之件》，1940年10月1日，日本外務省檔案，S488號。
6 《杜石山致頭山滿、萱野長知》，1940年11月16日，《小川平吉關係文書》（2），第697頁。
7 《小川平吉關係文書》（2），第696頁。

杜石山返港，急電向蔣介石報告。不久，杜石山得覆電，已由何應欽、白崇禧聯合簽發命令，限紅軍五天內退駐西北方邊區，並擬以孫科為行政院長，緩和蘇俄，免為和平之梗。[1]杜石山得電後，派門人林某攜電赴澳門，但松本等已返日。杜石山於是通過日本人八谷致電外務省，力陳承認汪精衛政權的利害關係。[2]16日，蔣介石又派侍從副官陳某乘專機飛港，對松本和頭山秀三遠涉重洋來報告有關消息表示感謝，同時表示："自七七以還，只是委託石山兄維持立雲翁、秋山翁、萱野先生等與中國及國民黨以及個人之歷史的感情，無論直接間接，未曾選派任何人員，提出任何事件，是以職責攸關，不得不謹慎也。"[3]然而，不管蔣介石集團如何表示"殷勤"之意，日本政府還是於11月30日承認了南京汪記政權。杜石山於12月15日致函頭山滿和萱野，滿腹牢騷地表示："豈知不數日而承認汪氏之訊至，真如天際巨雷，使弟不知如何解說。"函件同時批評日本政府失策："今以兩無準備之局勢，而遽予汪氏以承認，故英、美輕之如鴻毛，而以泰山視渝也。"[4]1941年2月，杜石山派人去上海找尋松本藏次，企圖重建聯繫，結果未能如願。

　　還在1938年，日本帝國主義者就在《配合華南作戰的政務處理要綱》中規定："對華僑方面，配合政治及其他措施，領導他們反蔣親日"，"同時促進對南洋貿易的發展，以利獲得不足資源"。[5]1941年5月5日，萱野為了調查華僑情況，以南方協會顧問身份到達澳門。在此之前，重慶方面已經得知這一消息，派柳雲龍及侍從副官一人來港，通過杜石山徵詢萱野對"和平"的意見，重申蔣介石"絕對維持此線"的主張。5月12日，杜石山抵澳，與萱野相見，萱野提出："可以無條件委託頭山翁。"[6]14日，柳雲龍返渝向蔣介石報告。6月，蔣介石秘密召開嫡系幹部會議及最高國防會議，決定一切委託頭山滿辦理。會後，蔣介石贈頭山滿及萱野相片各一張，附言表示："望今後協助處置共產黨。"[7]6月11日，小川通知萱野，當談判地點決定時，頭山將參加。[8]

1　《杜石山致萱野長知》，1940年12月15日，《小川平吉關係文書》(2)，第702頁。
2　《杜石山致頭山滿、萱野長知》，1940年12月8日，《小川平吉關係文書》(2)，第700頁。
3　《杜石山致頭山滿、萱野長知》，1940年11月16日，《小川平吉關係文書》(2)，第698頁。
4　《小川平吉關係文書》(2)，第701—702頁。
5　日本外務省檔案，UD49號。
6　《報告書》(第4回)，《小川平吉關係文書》(1)，第665頁。
7　《萱野長知致小川平吉》，1941年6月11日，《小川平吉關係文書》(2)，第707頁。
8　《小川平吉致萱野長知》，《小川平吉關係文書》(2)，第708頁。

然而，這時頭山對蔣介石集團已經很失望，正在逐漸採取親汪立場。6月14日，汪精衛訪日。在此前後，頭山發表連載文章，尖銳地抨擊蔣介石："他終竟是傻瓜。對應該提攜的日本反戈，以致難免自滅，他現在作最後的掙扎了。他會這樣蠢，實在我也是料想不到。" 文章又稱："於茲期待繼承孫文遺志的汪精衛的新國民政府活動。"[1] 頭山文章的發表，宣佈了萱野長知、小川平吉等對蔣 "和平" 工作的破產。此後，雙方雖仍有若斷若續的聯繫，但始終無法進行任何實質性的談判。

萱野長知、小川平吉等人和蔣介石集團的秘密談判留下了數量可觀的歷史文獻，通過對這些文獻的研究可以看出：抗戰前期，蔣介石腳踩兩條船。他一面進行對日作戰，同時又維持談判，準備妥協。當日軍大舉進攻，國民黨軍作戰不利時，這種動搖、妥協的傾向表現得尤為突出。蔣介石之所以最終沒有接受日方誘降，其原因是多方面的，既和日本政府愚蠢、僵硬的 "不以國民政府為對手" 的政策有關，也和中國共產黨的存在、國民黨內部抗日力量的存在有關，同時，蔣自身的民族主義感情和他對切身利益的考慮也應是原因之一。蔣介石充分懂得，只要他接受日方條件，甚至只要他和日方談判的消息泄漏，他就會遭到人民和一切愛國力量的強烈反對，從而導致垮台。香港談判中，他之所以顧慮重重，其原因即在於此。

通過對文獻的研究還可以看出，蔣介石集團和日方的 "和談" 並非完全是真心實意的，有些顯然具有策略目的。或為了延緩日軍進攻，或為了阻撓汪精衛成立偽政權，或為了延緩日本政府對汪偽政權的承認。兵不厭詐。戰場上固然虛虛實實，風雲詭譎，談判桌上何嘗不如此？歷史是複雜的，任何簡單化的看法都將妨礙對事物全貌和本質的認識。

附記：收集本專題資料過程中，承日本國會圖書館廣瀨先生指點，承京都大學狹間直樹教授惠贈大量資料，寫作過程中，又承日本岡山大學石田米子教授，壽祝衡、鄒念之二位先生，尹俊春、周興梁二同志幫助，謹此致謝。

---

1 《中國革命的秘話》，廣東《迅報》，1941 年 6 月 8 日—18 日。

蔣介石親自掌控的對日秘密談判 *

秘密談判 *

—— 日方誘和與蔣介石的應對及剎車

* 本文錄自《找尋真實的蔣介石：蔣介石日記解讀》（1），重慶出版社 2015 年版；原載《中國社會科學院學術諮詢委員會集刊》第 2 輯，社會科學文獻出版社 2006 年 2 月出版。

中日秘密談判可以說是抗日戰爭期間最詭異的事件。這不僅表現在中日雙方，而且也表現在中國內部。一方面，蔣介石屢屢對孔祥熙的謀和活動加以阻遏，但是，蔣介石本人又親自掌控過幾次對日秘密談判。不將這些情況研究清楚，就無法真正了解談判全局，也無法了解蔣介石的真實對日意圖。

一、蔣介石精心指導蕭振瀛與和知鷹二[1]之間的談判

　　南京陷落後，國民黨和國民政府內部主和派一度抬頭，但蔣介石堅決拒和，力主堅持抗戰國策。1938 年 3 月 13 日，蔣介石專門在日記中寫了一段話："中國對倭抗戰，決非爭一時之勝負與得失，而為東亞千百世之禍福有關，故不惜任何犧牲，非達到此目的，終無戰亂終止之期。"[2] 但是，同年 4 月，中國軍隊在山東台兒莊取得勝利，蔣介石覺得中國有了和日本侵略者談判的籌碼，思想的天平開始傾向 "和平" 一端。4 月 9 日日記云："此時可戰可和，應注重和局與準備。"[3] 此後，日方有希望英國出面充當調停人之意，而蔣介石

1　和知鷹二，廣島人。長期在華進行特務工作。1928 年任職於日本在濟南的特務機關。1932 年任日本駐廣東武官。1935 年任太原機關長。1938 年任蘭機關長，負責策反中國的西南軍政首長，此項工作即被稱為 "蘭工作"。1939 年任中國派遣軍總司令部 "部付"。次年 5 月升少將。
2　《民國二十七年雜感》，《蔣介石日記》（手稿本）。
3　《蔣介石日記》（手稿本），1938 年 4 月 9 日。

也曾決定派張群使英，在當地與日本進行和平交涉，以便於英國從中斡旋並擔保[1]。5月下旬，日本內閣局部改組，近衛首相以陸軍前輩宇垣一成大將出任外相，企圖藉助他來抑制陸軍。蔣介石看出宇垣將對華主和，準備利用宇垣壓制日本陸軍中的少壯派。但是，蔣介石也提醒自己，防備宇垣對中國內部實行"挑撥離間"[2]。日記云："敵國陰狠，講和時更增危機也。"[3] 果然，宇垣上台後，即不斷向中國搖晃橄欖枝。蔣介石則以"剛柔得宜"的政策相對應[4]。一面抵抗日本侵略軍對武漢的進攻，一面也和日方代表在談判桌上周旋。8月下旬，蔣介石開始指導蕭振瀛和日本軍部特務和知鷹二進行談判。

蕭振瀛（1886—1947），字仙閣，號彥超，吉林扶餘人。曾任西安市長。1930年任第二十九軍宋哲元部總參議。1935年任天津市市長。次年任冀察政務委員會經濟委員會主席。其間，曾多次與日軍駐華北將領多田駿等人談判。1937年抗戰爆發，蕭振瀛任第一戰區長官部總參議。1938年7月下旬或8月初，日本軍部特務"蘭工作"負責人和知鷹二到達香港，蕭振瀛與和知是"舊友"，因此受命與和知談判。談判中，和知提出總原則六條，其中有誘餌，也有新的侵略要求：1. 停戰協定成立之時，兩國政府正式命令，停止一切陸、海、空軍軍事敵對行動，中國政府以新的姿態，恢復"七七"盧溝橋事件以前狀況。2. 日本政府絕對尊重中國主權、領土、行政之完整。3. 兩國軍事完全恢復戰前原有狀況後，以平等互助為原則，商定經濟協定，以謀東亞經濟全面的合作。4. 兩國謀國防上之聯繫，在共同防止共產主義目標下，商訂軍事協定。5. 兩國政府努力恢復兩國人民情感上之親善與諒解，取締一切互相排侮之言論。6. 兩國在此次事變中所發生之一切損失，以互不賠償為原則。和知提出的《經濟協定基本原則》共四條：1. 本平等互助原則，儘先歡迎日本投資，如日本財力不逮，可向歐、美各國商借資本。2. 資源與市場之緊密調整與提攜。3. 兩國互惠關稅之協定。4. 戰後復興之合作。其《軍事協定基本原則》共三條：1. 中日兩國共同防衛，共同作戰。2. 平時訓練，得聘請日本軍事顧問及教官，向日方訂

1　《蔣介石日記》（手稿本），1938年4月18日。

2　《蔣介石日記》（手稿本），1938年5月27日、30日。

3　《蔣介石日記》（手稿本），1938年6月7日。

4　《蔣介石日記》（手稿本），1938年6月28日。

購及補充器材。3. 國防之聯繫。軍事內容與情報之交換。[1]

當時，日軍正節節向武漢逼進，和知"求和"，使國民黨內部的部分"主和"派覺得是個機會，但蔣介石對此卻不抱希望。8月26日，蔣介石與智囊、《大公報》主筆張季鸞商談，對張表示："觀察倭寇在華之權益與設施，豈能隨便放手還我乎？若無重大變化與打擊，彼決不罷手。一般以為和知來求和抱樂觀者，實未究其極也。"[2] 他在日記中明確寫道："對和知應拒絕。""倭寇軍閥不倒，決無和平可言。惟有中國持久抗戰，不與言和，乃可使倭閥失敗，中國獨立，方有和平之道也。"[3] 9月23日，蔣介石返回漢口，主持彙報會議，決定對策。由於和知的條件首先就是"恢復盧溝橋事變前原狀"，這是蔣介石求之不得的夢想，自然勾起蔣的興趣。會議決定："倭必先尊重中國領土、行政、主權之完整，與恢復'七七'事變前之原狀，然後方允停戰。"[4] 此前，國民政府一直要求，在與日本談判時必須有第三國保證，但是，就在幾天前，英、法為了自身的利益，不惜犧牲捷克主權以綏靖納粹德國，因此，彙報會議決定，可直接與日方談判。9月26日，蔣介石增派曾任北平社會局長、有對日交涉經驗的雷嗣尚到港，加強談判力量。這一時期，蔣介石正在觀察歐戰的狀況，認為如歐戰不能即起，有機即和；如歐戰果起，"則對倭更須作戰到底"[5]。

9月27日，蕭振瀛、雷嗣尚與和知鷹二第一次會談，首先告以軍事協定不能簽訂。和知答稱，軍事協定與經濟協定，均在恢復"七七"以前原狀後再辦。事後，蕭電蔣報告。蔣覆電指示："1. 與對方談話，切不可稍有一點增減，必須依照所面述之範圍，萬不可有所出入。2. 不可抱有成就之望，要知我方全處被動地位，遷就不但無益，必受大害。如主動方面有誠意，我方不遷就，亦能成就也。3. 每日在途中住宿地，能通長途電話時，請通電話一次，以便隨時接洽，恐逐日局勢有變化，俾可隨時洽商也。4. 對於無商量餘地之事，如彼方再三試探，必須堅強拒絕，以我方本不望有所成就，而所欲望成者，實在對方

1 《對方特提稿》，1938年10月，《蔣中正"總統"檔案·特交檔·和平醞釀》，台北"國史館"藏，本文以下簡稱"蔣檔"。
2 《困勉記》，1938年8月26日。
3 《蔣介石日記》（手稿本），1938年8月26日、9月3日。
4 《蔣介石日記》（手稿本），1938年9月23日。
5 《蔣介石日記》（手稿本），1938年9月26日、28日。

也。此意須特別認識,並知我國至此,實毫無其他希望,只有死中求生之一途也。5. 一切言語態度,須十分穩重從容,萬不可帶有急忙之色。緩急先後,皆由其便。我方必須以無所為〔謂〕之態度處之,更不必要求其必答,有所期待也。須知我方除此之外,並無再可商洽之事,即以此為最後之辦法也。6. 所寫具體各件,切不可以書面明示彼方,且須對彼言明,無具體成文之件攜來,一切皆以口頭商洽,作為臨時相商之事可也。"[1]

當日午後,蕭振瀛等與和知第二次會談。蕭等向和知說明:1. 中國方面,自孫總理至蔣委員長,對於日本之強盛,均有深刻之認識與敬意,企求自存、共存,與日本共定東亞大計。日方苟有和平誠意,中國必以誠意應之。2. 日方嘗強調東亞主義,以"東亞之事,東亞之人自了之"為內容,中國亦甚同情,但因弱國恐受強國欺凌之故,始終不願直接交涉,必須有第三國介入並保證,方能重建和平,但如日方確有誠意,尊重中國行政、主權及領土之完整,則中國自當以最大誠意,與日方直接談判,不要第三國介入。此事如能實現,即東亞主義之大成功,即日方之大勝利、大收穫,其重要性尤在一切之上。3. 現在日軍進攻武漢,大戰方酣,中國方面不能作城下之盟,故目前最要之者,為停止軍事,恢復"七七"前之狀態。4. 如果軍事停止,一切恢復"七七"前狀態後,中日兩國誠意展開兩國、兩民族之全面合作,將來定可做到經濟合作,外交一致。5. 中國自十六年清黨以來,即站在堅決"剿共"立場,日方必有正確認識,共產主義斷乎與中國國情不能相容。中國國內之防共,中國自能為之。6. 日方尊重中國行政、主權、領土之完整,對於中國內政絕不干涉。中國人最恨者,為日、鮮浪人之販毒,認為是滅種政策,必須切實取締;中國最疑畏者,為日方所設在華特務機關,認為是亡國政策,必須加以取消。7. 中國不騙人,作敵徹底,作友也徹底,將來必做到中國人愛日本如愛中國,同時日本人愛中國亦應如愛日本。8. 如果日方能以強國大國風度,照此做去,不問國際形勢如何演變,即在日本極不利之環境下,中國亦必以最大誠意直接談判,重建

---

1 《無題》,見"蔣檔",但據台北"國史館"所藏《蔣中正"總統"檔案事略稿本》(以下簡稱《事略稿本》)1938年9月27日條,該文係蔣介石覆蕭振瀛"感辰電"的後一部分。

和平。[1]

　　和知認為蕭振瀛的談話在原則上、精神上與日方認識相同，雙方取得初步結論：1. 停戰協定中不涉及軍事協定字樣。2. 俟恢復 "七七" 事變前狀態後即訂經濟協定。3. 對中方提出的不訂軍事協定問題，和知本人認為可以商量，但恐東京方面堅持，故對此點表示保留。4. 和知同意，由日本先發和平宣言，中方以和平宣言回應，即停止進攻若干日，作為雙方正式代表簽訂停戰協定的時間，其簽訂地點可在香港。5. 雙方和平宣言須以電報事前商定原稿，方得發表。6. 和知定 28 日晚回東京，作最後決定，於 10 月 10 日前電告，和知本人隨後即來香港。7. 和知離港後請雷嗣尚飛漢，面陳詳情。[2]

　　同日，蔣介石致電蕭振瀛，要求向對方堅決表示："原狀未復，誠信未孚，即未有以平等待我中國之事實證明以前，決不允商談任何協定。不僅軍事協定之字樣不得涉及於停戰協定之中，即經濟協定，在原狀未復以前，亦不能商談。" 關於 "經濟協定"，電稱："兄等攜來經濟協定之原稿，無異亡國條件，更無討論餘地。" 關於 "停戰協定"，電稱："只可訂明停戰之時間、地點與日本撤兵及恢復 '七七' 以前原狀之手續與月日，此外不能附有任何其他事項。" 關於 "停戰日期"，電稱："停戰之日，即為停戰協定同時發表之日，決不可以停止進攻若干日為簽訂協定之時間。換言之，中國於停戰協定未簽訂之前，絕不願停戰。" 蔣介石並要蕭振瀛鄭重聲明："原狀未復，且未有以平等待我之事實證明以前，決不能再提軍事協定，且絕無保留之餘地，否則請明告對方，無從再約續談也。"[3] 蕭振瀛收到蔣的電報後，於當日與和知進行第四、第五次會談，反復討論，和知表示願作讓步：1. 對停戰協定中不出現軍事、經濟協定字樣一條，認為可以商量。2. 對中方要求日方以事實表示誠意，非恢復 "七七" 前原狀後，不商談任何協定一條，表示 "頗諒解"。但是，和知也表示，關於將來中日合作的具體內容，事前須取得一種 "無文字的諒解"，"否則，日方無以自圓其立場"，證明中方 "毫無誠意，日本斷難相信"。[4] 28 日晚 12 時，和

1　《此次談判經過》，1938 年 9 月 30 日，"蔣檔"。
2　《蕭仙閣（振瀛）感亥電》，見《困勉記》，1938 年 9 月 28 日。
3　《9 月 28 日覆蕭仙閣電》，"蔣檔"。據《困勉記》1938 年 9 月 28 日記載，知此電為蔣介石所發。
4　《蕭仙閣豔辰電》，1938 年 9 月 29 日收，"蔣檔"；又見《困勉記》。

知離港回國，行前向蕭振瀛透露：日方此舉的國際根本原因是，希特勒最近多次電請日方與中國謀和，共同對蘇；其次要原因則為日本國內困難重重，不堪應付長期戰爭，擬在軍事優勢下，以較大讓步取得和平。和知稱：近衛文麿、板垣征四郎、多田駿等雖有遠識，但日本朝野各方，尚無普遍認識。此次回東京，遭遇困難必多，將拚死努力，於 10 月 10 前以日方最後態度相告[1]。

9 月 29 日，蕭振瀛致電蔣介石，報告 28 日與和知會談情況，聲稱前後談話，均以恢復"七七"事變前狀態為唯一前提，與蔣的指示並無出入。在轉述和知臨行前密告的日方謀和原因後，蕭稱：和知此次奉近衛、板垣、多田之密令而來，態度確甚誠懇、坦白，條件亦較以前多次提出者為合理。最近東京將舉行重要會議，決定武漢會戰之後的對策，但日方亦有主張"硬幹到底"者，南京偽組織、北平偽組織又多方破壞和局，故前途定多周折[2]。他要蔣介石表態，"若雙方意見，距離尚不甚遠，而和知再度來港，我方應如何應付，應請預籌"[3]。

蕭振瀛與和知在香港的談判以日方承認恢復盧溝橋事變前原狀為前提，符合蔣介石的要求，談判也似乎進展順利，蔣介石甚至開始研究和談成功時的停戰、撤兵要點。10 月 1 日，蔣介石日記云："甲、分區交代。乙、交接與衝突時之地方治安維持辦法。丙、交接時防制〔止〕誤會。丁、預防察綏與冀東及偽組織之處置。"又云："停戰、撤兵後，先訂不侵犯條約，後商互助協定。"[4] 10 月 2 日，蔣介石從孔祥熙處讀到香港情報一件，其中談到日人百武末義回國活動中日議和情形，百武希望了解，如果日本發表和平聲明，中國是否能夠發表聲明回應。蔣介石當即電詢孔祥熙，"其言是否可信"。他指示："總要前途先擬整個確實辦法，再談雙方宣言也。"[5] 此後，中國方面即開始草擬《和平宣言》。

中方草擬的《和平宣言》稱：中國所求者，惟為領土、主權、行政之完

1　《此次談判經過》，"蔣檔"。
2　《蕭仙閣豔辰電》，"蔣檔"。
3　《此次談判經過》，"蔣檔"；《事略稿本》，未刊，1938 年 9 月 30 日。
4　《困勉記》，1938 年 10 月 1 日；參見同日《蔣介石日記》（手稿本）。
5　《事略稿本》；參見《蔣介石日記》（手稿本），1938 年 10 月 2 日。

整與民族自由、平等之實現。日方誠能如其宣言所聲明，對中國無領土野心，且願尊重主權、行政之完整，恢復盧溝橋事變前之原狀，並能在事實上表現即日停止軍事行動，則中國亦願與日本共謀東亞永久之和平。內求自存，外求共存，此為中國立國唯一之政策，亦為世界各友邦所深信，況與日本為同文同種之國家，誠能共存共榮，何忍相仇相殺！苟日本能以誠意相與，中國亦以誠意應之。倘使能以此次戰爭之終結為樞紐，一掃荊棘，開拓坦途，共奠東亞永久之和平，是不僅為中日兩大民族之幸，亦為世界全人類和平之福也。蔣介石特別在＂中國亦願與日本共謀東亞永久之和平＂一句下以紅筆加寫了一段話：＂我政府對於和戰之方針與其限度，早已屢次聲明，即和戰之標準全以能否恢復＇七七＇以前之原狀為斷。蓋始終以和平為主，認定武力不能解決問題也。＂[1]中方也草擬了《停戰協定》草案等有關文件。《停戰協定》草案共五條：1. 停戰協定成立之同時，兩國政府即命令各該國陸、海、空軍停止一切敵對行動，日本並即撤兵，在本協定簽字後三個月內恢復＂七七＂盧溝橋事變以前之原狀。2. 日本政府絕對尊重中國領土、主權、行政之完整。3. 兩國政府努力恢復兩國人民情感上之親善與諒解，取締一切互相排侮之言論行動。4. 兩國在此次事變所發生之一切損失，以互不賠償為原則。5. 本協定自發佈日起發生效力。草案提出：該協定可在福州或九龍簽字，在中國方面發表《和平宣言》後一日公佈。日軍撤兵分三個時期，每期一個月，至第三期時，日軍完全撤出黃河以北及黃河、長江以南，恢復盧溝橋事變前狀態。考慮到清末《庚子條約》規定外國軍隊在平津一帶有駐兵權，蔣介石特別以紅筆加添了一句：＂日本在平、津一帶之駐軍人數務須與庚子條約相符，勿多駐兵。＂[2]關於當時存在於華北、華中的兩個偽政權，草案提出：1. 自停戰協定簽訂之日起兩星期內，南北兩偽組織即行取消。2. 國民政府對於偽組織之參加者，寬大處理，但絕不能有任何條件。關於中日兩國合作問題，中方提出：＂必須在恢復盧溝橋事變前原狀後，方能商訂協定，事前只能交換意見，成立精神上的無文字的諒解。＂關於《經濟協定》，草案提出：＂絕對以平等互惠為原則＂，日方＂所提原則，尚須修改＂，＂將來舉

---

1 《中國宣言原文》，＂蔣檔＂。
2 《停戰協定原文》，＂蔣檔＂。

行經濟會議,決定具體內容"。在此,蔣介石以紅筆批示:"此時絕對不得商討內容與具體辦法。"[1] 關於《軍事協定》,草案提出:"在恢復原狀後,可先商訂互不侵犯條約。"蔣介石批示稱:"此可研究。"[2] 關於"滿洲國"問題,草案擬訂了"相機應付"的三條談判意見:1. 日方自行考慮,以最妥方式及時機,自動取消"滿洲國",日本保留在東北四省一切新舊特權,但承認中國之宗主權。2. 中國承認東四省之自治,而以日本取消在華一切特權為交換條件(如租界、領事裁判權、駐兵、內河航行等等)。3. 暫仍保留。蔣介石在第三條後加了一句:"待商訂互不侵犯條約時再談。"[3]

10 月 8 日,雷嗣尚到漢口向蔣介石請訓,蔣當面指示:1. 對方如確有誠意,應在 10 月 18 日以前完成一切手續,否則不再續談。2. 我方絕對不要停戰,更不害怕漢口失守,盡有力量支持長期抗戰,此層應使對方徹底認識。3. 直接談判係指此次事件之解決而言,並非永久受此限制,但對方如不質詢此點,我方自不必自動說明。4. 此次談判,係對方主動,我方誠意與之商洽,對方不得故意歪曲事實,散播不利於我方之宣傳,否則認為對方毫無誠意。5. 停戰協定係兩國政府間之協定,不可作為前線軍隊與軍隊間之協定。6. 談判重點應集中於恢復"七七"事變前原狀,若對方能做到此層,以後雙方定能開誠合作。[4] 蔣特別強調:"絕對拒絕之事,寧死勿允。""凡將來之事,不可先提限期,自處束縛。""破裂則不怪,越範則不可。"[5]

和知於 9 月 28 日離港返回日本後,於 10 月 15 日再到香港。16 日,與蕭振瀛會晤稱:回國後向近衛、多田、板垣等人彙報,都認為蔣介石"有誠意",願意放棄此前歷次宣言,以誠意商談。日方並經最高會議決定,中日停戰協定可以不涉及任何其他協定,但恢復"七七"事變前原狀後必須有七項諒解。甲、防共軍事協作及駐兵;乙、中國政府之調整;丙、偽組織之收容;丁、滿洲國之承認;戊、中國領土主權之尊重;己、日、華、滿經濟提攜;庚、戰費互不

1　《關於將來雙方合作之諒解部分》,"蔣檔"。

2　《關於軍事協定者》,"蔣檔"。

3　《關於"滿洲國"問題之考慮》,"蔣檔"。

4　《面訓要點》,1938 年 10 月 8 日。參見《事略稿本》同日條。

5　上述指示,無題,且時間不明。"蔣檔"整理者置於《10 月 14 日電稿》之後,但其中有"以十八日為限期,防其緩兵"之句,可知必與《面訓要點》同時。

賠償。這七項"諒解"表明，日方雖然聲稱尊重中國領土主權，但頑固地要求中國簽訂《防共軍事協定》，在中國國土上駐兵，承認"滿洲國"，並且狂妄地要求中國政府改組。和知深知這些條件不可能為中國政府接收，因此有意作了"弱化"，其"解釋"是：甲、如中國政府自動實行反共，則可秘密約定。所謂駐兵，指將來在內外蒙邊防，雙方作軍事佈置之意。乙、所謂"中國政府之調整"，指"酌令接近日本之人員參加，以便促進中日兩國親善之關係"。丙、所謂"偽組織之收容"指對其主要人物酌予安置。丁、"滿洲國"問題暫可不談，待合作三二年後再商解決。戊、日、華、"滿"經濟提攜，"滿"字可不涉及，軍事協定亦可不再訂。和知稱：前次所談原則，只有軍、參兩部最高首腦同意，此次則已取得內閣全體之同意。表面雖近煩苛，實際已經讓步。如防共問題，倘使中國自有辦法，則協定之有無，仍可從長商討。又稱：自天皇以下對於此事均盼速決，只須雙方誠意努力，當可順利解決。關於日軍當時仍在向華南進兵問題，和知解釋說，此係以前預定計劃。如和平談有眉目，即可停止。和知並表示，可致電日本軍部，通知前方，對於夜間飛機，不加襲擊，以便代表在香港、漢口之間往來。對於和知提出的上述條件，蕭振瀛稱："超出前談範圍，不能答覆。"17日夜，蕭振瀛致電何應欽，請示"究應如何"[1]。

10月18日，何應欽覆電指示：日方所提"諒解"，甲、乙、丙、丁四項，都是"干涉中國內政"。"若行政不能獨立，無異等於亡國，萬不能承認。如其再提此等事，可知其毫無誠意，不必續談。"關於戊項，何應欽認為，日方僅提"中國領土、主權之尊重"，而未提尊重"中國行政之完整"，"是其居心仍欲亡我中國。如其有誠意，則其宣言必須言明尊重中國領土、行政、主權之完整，決不能將行政二字刪而不提也"。關於己項，何應欽稱：中日經濟提攜，必須在恢復原狀後方可商討。他表示，"我方除此以外，再無其他可言"。日方有無誠意，以10月20日為期，過此即作罷論。何應欽提醒蕭振瀛說："須知侵粵以後，內外情勢大異，不容有從容商酌餘暇也。"[2]該電在當時的談判文件中被稱為"巧未電"。

1　蕭振瀛：《致漢口何部長》，"蔣檔"。
2　何應欽10月18日電，"蔣檔"。此電無題，未署名。據內容考證，知為何致蕭振瀛電。

　　何應欽發出"巧未電"後，又迅速發出"巧酉電"，補充說明：關於日方所提甲項，歷年以來，委員長及中央所發宣言一再聲明，除三民主義外，不容有共產主義存在，此為我方堅決立場。如對方不提甲、乙、丙、丁四項，則將來恢復"七七"事變前原狀後，在內外蒙邊境軍事佈置一層"或可情商"。電稱："若對方果有誠意，弟可向委座懇切進言，但不能作為軍事協作或防共之諒解事項。又互不侵犯協定，我方願在恢復事變前之原狀後，即行商訂，然後再商經濟協定也。"[1] 不過，"巧酉電"發出後，何應欽覺得其中有不妥之處，又於19日發電糾正："該電末句'然後再商經濟協定也'，應改為'再商經濟合作也'。"當時，中方《和平宣言》已經起草完畢。何應欽在電中特別指示："在日方宣言稿未提出之前，不可先將我方宣言稿示之。"[2] 該電稱為"皓卯"電。發出此電後，何應欽仍不放心，又於同日發出"皓午電"，電稱："密。奉諭：昨日各電，關於經濟合作與軍事佈置等事，必須待恢復原狀後，以能否先訂互不侵犯協定為先決問題。又無論何項合作，必以不失我獨立自主之立場而不受拘束為法則，請於此特別注意。"[3] 兩日之內，連發四電，可見何應欽的重視。"巧酉電"中，何應欽在"或可情商"四字後加注說明"係遵電話諭所改"；在"懇切進言"四字後，何應欽加注說明，"係遵電話諭所增"；本電一開始就是"奉諭"二字，這些地方都說明，上述各電，反映的都是蔣介石的主張。

　　10月19日，蕭振瀛與回漢請示又於18日趕回香港的雷嗣尚繼續與和知談判。在長談7小時之後，雙方在六個方面取得"大體接近"的意見：1.雙方《和平宣言》原稿，須互相同意，宣言在停戰協定簽訂後再發表，作為協定之解釋而發。2.《停戰協定》內容只載以下三項：（1）規定停戰日期及地點。（2）日本尊重中國領土、主權、行政之完整。（3）在恢復戰前和平狀態後[4]，中國政府誠意與日本謀兩國間之全面的[5]親善合作。3.日軍撤退問題，中方要求規定撤退期限，和知表示，日本天皇詔令班師，約須一年方能撤完。4.經濟合作問題：

1　何應欽：《致九龍森麻賓道18號蕭彥超》，"蔣檔"。
2　何應欽：《致九龍森麻賓道18號蕭彥超》，"蔣檔"。
3　何應欽：《致九龍森麻賓道18號蕭彥超》，"蔣檔"。
4　蕭振瀛原注："原為'恢復七七前原狀後'，而支〔知〕堅請改如上文。"
5　"全面的"，蕭振瀛原注："三字亦和支〔知〕所加。"

（1）以絕對平等互惠為原則。（2）在恢復戰前和平原狀後召集中日經濟會議，決定具體內容。5.“滿洲國”問題，保留二年，中國再考慮日方所關心之滿洲問題，誠意謀合理解決。6.雙方因戰爭所發生之一切損失，互不賠償。[1]

蕭振瀛在電報中稱：上述六點，“均接近我方腹案”。此外尚有三點，和知極端為難，研究費時甚久，即：1.和知欲將撤兵及其將來諒解留交正式代表團談判，我方則堅持須先商定一切內容，方能成立停戰協定。此點經討論，和知表示同意。2.關於防共軍事協定及駐兵問題，蕭等恐其別有打算，堅請說明具體辦法。和知稱，防共可不要協定，只要中國自行鏟共，問題即可解決。所謂軍事協作及駐兵問題，係指內外蒙一帶之軍事共同佈置而言。對此，蕭等表示：1.中國自行清共，日方不必提及。2.在恢復戰前和平原狀後，內外蒙邊軍事共同佈置可商，但其他區域必須完全恢復戰前原狀。[2] 蕭稱：此點和知已電東京請示，尚未得覆。3.關於收容偽組織，和知閃爍其詞，若有難言之隱。蕭等稱：取消南北偽組織，係和議一切前提，否則，恢復原狀一語，毫無意義，且此問題，前已完全解決，此次應不再談，否則，無從再談和議。對此，和知及參與談判的何以之均稱：土肥原一派仍支撐偽組織，王揖堂、梁鴻志聽說和知赴港，已聚集滬上，問題趨於複雜化，須去電請示，得覆後尚須再聽取北平、上海現地意見，方能定案。蕭等遂聲明：1.南北兩偽組織及戰區內一切偽組織，必須即刻取消；2.中國方面可表示，凡參加戰區維持治安者，一律寬大處置。和知最後表示，個人同意，仍須電東京請示。[3]

蔣介石在收到蕭振瀛與和知19日的長談資料後，立即研究並以紅藍鉛筆作了修改。其一，在“大體接近”的第三條上以紅筆眉批：1.撤兵日期必須在停戰協定詳細載明；2.必須載明恢復“七七”前原狀；3.此“全面的”三字不能加入。其二，在“為難”問題的第二條上以藍筆眉批：必須先行撤兵，恢復“七七”原狀，然後再商駐兵問題。內外蒙交界之線最多以張北、沽源與大青山以北之線，對於興和、陶林、武川、固陽、安北，必須駐紮華軍。其三，在蕭

1　《和知第二次到港會談經過》，1938年10月21日，“蔣檔”。
2　蕭振瀛原注：“以上表示，係遵巧西電訓。”
3　《和知第二次到港會談經過》；參見《限即刻到漢口何部長》，1938年10月21日。均見“蔣檔”。

等堅決表示的第二點"其他區域"四字下，以紅筆加了問號，在"必須完全恢復戰前原狀"句上以紅筆眉批："區域二字，應改為事項，否則對方將解釋為察、綏二省全境矣。"[1] 以上情況表明，為了換取日方承認恢復盧溝橋事變前原狀，在停戰協定簽訂後即行撤兵，蔣介石考慮過：同意日軍在長城以外某些地區駐兵的要求。

10 月 21 日清晨，和知離港，返回東京。行前，與蕭振瀛密談，聲稱因防共軍事協定、駐兵及偽組織問題，頗形煩難。上海方面，梗阻尤大。土肥原曾來電，請其返滬，故決定先回東京，向中央部陳述，擬在 10 月 25 日以定案電告中方。蕭振瀛稱：如和局可成，必須在 10 月 30 日前完成手續，11 月 10 日前在福州簽訂停戰協定，否則即作罷論，不再續談[2]。同時約定，由和知通知日軍，自 23 日至 27 日午後 9 時至午前 3 時之間，停止攻擊香港至漢口的夜間航班，以便往來。關於中方全權代表，和知要求由何應欽出任；日方全權代表，何以之暗示，土肥原偏見頗深，以多田駿代替土肥原最佳[3]。

蕭振瀛在寫給蔣介石、何應欽的報告中稱：和知態度，確甚懇摯，一切問題，有研究而少爭執，但是，日方動員 60 個師團，耗財百億，死傷數十萬，必須求得代價，方能自圓立場，因此，我方"惟有善用內外形勢，示以不可克服之力量，又餌以將來可以合作之誠意，似可就我範圍，實現和局"[4]。

蕭振瀛對和談前途有某種樂觀，蔣介石卻一直心情矛盾，舉棋不定。9 月 27 日蔣介石萌生"歐戰如不能即起，對倭有機即和"的想法，但他又擔心和議達成後可能出現的三種狀況，一是停戰後日方不撤兵或不繳還華北，二是共黨擾亂，不從命令；三是英美不悅。[5] 10 月 3 日，蔣介石繼續研究和議，日記云："媾和險矣。敵軍對支院與特務總監之既經設立，豈肯輕易放棄？"他除繼續擔心日軍停戰後拒不從華北、上海、察、綏等地撤退外，還擔心"對內宣言"

1　《和知第二次到港會談經過》。
2　《蕭仙閣皓亥電》，1938 年 10 月 19 日；《和知第二次到港會談經過》，"蔣檔"。《經過》在"11 月 10 日前簽訂停戰協定"句下有蕭振瀛原注："上約時期，因事實需要，故與巧酉電訓，略有出入。"
3　《和知第二次到港會談經過》，1938 年 10 月 21 日。
4　《和知第二次到港會談經過》。
5　《蔣介石日記》（手稿本），1938 年 9 月 27 日。

以及"死傷軍民之撫慰"等問題[1]。5日日記云："敵既欲求和而又稽延不決，以探我軍虛實緩急之情。小鬼可鄙，何能施其伎倆也？余惟有以拙制巧，以靜制動而已。"[2] 7日，蔣在日記中提醒自己，"敵來求和是否為緩兵消耗我主力之計"，決定確定限期，不許日方拖延時日，同時絕對拒絕軍事協定與經濟協定[3]。10月12日，日軍在廣東大鵬灣（應為大亞灣——筆者）登陸。13日，攻佔河南信陽。日軍的這兩次軍事行動使蔣介石強烈懷疑日方的和平誠意，決心堅持抗戰。日記云："倭既在粵登陸，我應決心持久抗戰，使之不能撤兵。""勿以國際外交之關係而影響作戰方針。""勿忘三年前以四川為抗戰根據地之準備，況平漢粵路以東地區抗戰至今十五月之久，而敵猶不能佔領武漢，則以後抗戰必更易為力。敵軍侵粵，實已達成余第三步之計劃矣。"[4] 此前，蔣介石早有利用太平洋各國和平會議解決中日一切問題的打算，日軍侵粵，戰區擴大，不僅讓蔣看到了日軍陷入被動，會出現更多的"滅寇良機"，而且讓他感到，英國與日本妥協的可能將會減小，召開太平洋各國和平會議，共同對付日本的希望已經大為增加。10月14日，蔣介石致電蕭振瀛稱："敵既在粵登陸，可知其毫無誠意，不可與之多談。"[5] 他隨即決定將前此準備的"諒解"方案作廢。此時，進行多時的武漢會戰已近尾聲，預定打擊日軍的計劃已經完成，為保存有生力量，蔣介石決定自武漢撤退，正在草擬《為國軍退出武漢告全國國民書》。10月21日，蔣自思云："敵方答覆延緩，並無誠意之表示，余當考慮發表宣言以示決絕。語云：寧為玉碎，毋為瓦全，非下此決心，無以救國。"[6] 24日，蔣介石接受各將領要求，離開武漢。次日，下令對武漢若干要害地區，進行爆破，以免為日軍所用。

和知鷹二返日密商後，旋即來華，10月25日到達上海，立即致電蕭振瀛，盼何應欽急赴福州，同時聲稱將派人攜函赴港，28日可到。蕭振瀛認為"和局當已有望"，於26日致電何應欽及蔣介石，聲稱待和知所派之人到港，即

1　《蔣介石日記》（手稿本），1938年10月3日。

2　《蔣介石日記》（手稿本），1938年10月5日。

3　《蔣介石日記》（手稿本），1938年10月7日，參見同日之《事略稿本》與《困勉記》。

4　《蔣介石日記》（手稿本），1938年10月13日。

5　《10月14日電蕭》，"蔣檔"。

6　《事略稿本》，1938年10月21日。

詢明詳情，如與在港所談沒有大出入，即請和知到福州商定，同時請何應欽前往。電稱："何部長應即準備，待電即行。"[1] 29 日，和知所派之人到港，聲稱"中華民國臨時政府"與"中華民國維新政府"兩方"爭持甚烈"，正在上海會談。如果難以作出決定，和知仍擬返回東京，請"最高幹部"決定[2]。同日，蕭振瀛致電孔祥熙，報告上述消息，聲稱此外各問題，仍與在港所定腹案大體無出入，統由雷嗣尚帶到重慶進呈[3]。

前文已經指出，蔣介石對和知的活動本不抱希望。10 月 27 日，蔣介石得悉日本同盟社宣傳電及板垣征四郎於 26、27 兩日先後發表的好戰談話，認為"敵寇野心並未減殺，而且有緩兵與誘惑之狡計"，決定發表早就在草擬中的《告全國國民書》，以示決心[4]。28 日，蔣介石又接到重慶行營主任張群來電，認為日本外相宇垣辭職，求和空氣已淡，必須我方持久抗戰，使敵益感疲乏之後，由英美聯合，形成國際中心力量，著手調停，才能實現"差強人意之和平"。他說："抗戰至現階段，決無拋棄立場，根本改變國策之理。"[5] 30 日，蔣介石命何應欽轉令蕭振瀛，停止和談，返回重慶[6]。同日，蔣介石致電孔祥熙、汪精衛、王寵惠，要他們考慮對日宣戰的利害問題。電稱："今後沿海各口既全被封鎖，故我對於海外交通，不再有所顧慮。若我宣戰，則美國必實行中立法，可斷絕敵人鋼鐵、煤油之來源，實於敵有害也。又我如宣戰，對於國聯及各國關係，均應精密研究，切實探明，望即令我駐外各大使全力進行。如何？請核。"[7] 31 日，蔣介石在南嶽致電張群，要他立即發表《為國軍退出武漢告全國國民書》，不可再緩。日記云："發表告國民書後，敵必又受一不測之打擊，使其以後之威脅失效，更使其進退維谷。"[8] 同日，《告全國國民書》正式公佈。該文說明抗戰根據，不在沿江沿海，而在廣大、深長之西部諸省。武漢會戰予敵重大打擊，任務已畢，目的已達，現決定放棄武漢，轉入主動有利之地。

1 蕭振瀛：《致長沙何部長》，1938 年 10 月 26 日，"蔣檔"。
2 蕭振瀛：《院長鈞鑒》，1938 年 10 月 28 日，"蔣檔"。
3 蕭振瀛：《院長鈞鑒》。
4 《蔣介石日記》（手稿本），1938 年 10 月 27 日。
5 《困勉記》，1938 年 10 月 28 日。
6 《事略稿本》。
7 《事略稿本》。
8 《蔣介石日記》（手稿本），1938 年 10 月 31 日。

文稱：

> 我國在抗戰之始，即決定持久抗戰，故一時之進退變化，絕不能動搖我抗戰之決心。惟其為全面戰爭，故戰區之擴大，早為我國人所預料，任何城市之得失，絕不能影響於抗戰之全局，亦正惟我之抗戰為全面長期之戰爭，故必須力取主動而避免被動。敵我之利害與短長，正相懸殊。我惟能處處立主動地位，然後可以打擊其速決之企圖，消滅其宰割之妄念。

文末，蔣介石號召國人"自今伊始，必須更哀戚、更悲壯、更刻苦、更勇猛奮進，以致力於全面之戰爭與抗戰根據地之充實，而造成最後之勝利"[1]。文告發表後，蔣介石很滿意。11月1日日記云："《告全國國民書》自讀之，覺為最近第一篇之文字，必使國民知感，且使敵國知畏也。"[2] 大概當時主和派對發表此文有意見，同月2日，蔣介石又在日記中寫道："既知持久抗戰是民族唯一出路，為何復有徘徊遲疑？此心既決，毋再為群議所惑。"[3] 12月17日，日本特務土肥原到香港，邀蕭振瀛見面，蔣介石指示："不准蕭赴港"，"應堅拒不理"。[4]

蕭振瀛與和知的談判因蔣介石的剎車而中止，但日方對這一線索仍存有期待。1938年12月，汪精衛自重慶逃到越南河內，加緊與日方勾結，日本對華政工人員中出現兩派。一派將希望寄託在汪精衛身上，一派仍以蔣介石為談判對象。1939年3月，何以之及和知鷹二相繼抵港。12日，何以之致電在重慶的蕭振瀛說：日方正在實行"擁汪倒蔣"毒謀，為國家大局，"在內必先除汪，在外必多聯美"。土肥原與和知二人均以"收拾時局自負"，希望蕭到港一談[5]。蕭振瀛在香港的孫、施兩位助手也向蕭報告，認為土肥原與和知"與聯汪派主張不同，暗鬥甚烈，實為我方利用、以敵制敵之良好機會"。報告稱："此時如能利用土、和，繼成前議，固屬圓滿，即難完成，至少可以牽制聯汪政策不能決定，亦於我有利而無害。"孫、施二人要求蕭振瀛將有關函電密呈蔣介石，從長考慮。同時建議蕭本人速來香港一談，"在國際情形好轉之下，奸黨勾結

1　《"總統"蔣公思想言論總集·書告》，第305—306頁。
2　《蔣介石日記》（手稿本），1938年11月1日。
3　《蔣介石日記》（手稿本），1938年11月2日。
4　《蔣介石日記》（手稿本），1938年12月18日。
5　《仙閣兄綏密》，"蔣檔"。

未成之前"，找出一條解決問題的"新途徑"[1]。蕭振瀛接獲上述電報後，於 13 日致函蔣介石稱："伏查汪日關係，乃由日本軍部影佐等從中斡旋，不僅土肥原等極為憤慨，皆抱收功在我之願，板垣近於議會中亦鄭重聲明，汪既不能號召國內，而與日本尤無歷史關係，欲求中日永久之合作，絕非汪輩之所能為力者，言外之意，當係仍欲與鈞座間取得諒解。" 蕭向蔣請示："對方既極端欲賡續前議進行，和知又將來港，究應如何應付之處，恭請鑒核示遵。"[2] 對蕭振瀛此函，蔣介石未作答覆。1939 年 9 月，和知鷹二通過其助手轉告蕭振瀛，汪精衛將於本年 11 月在南京成立政府，要求蕭來港重開談判，在汪組府之前與日本簽訂停戰協定，阻礙汪的計劃實現。10 月 6 日，孔祥熙致函蔣介石，要求允許蕭振瀛再次赴港談判。10 月 9 日，蔣介石覆函孔祥熙稱："兄與蕭函均悉。以後凡有以汪逆偽組織為詞而主與敵從速接洽者，應以漢奸論罪，殺無赦。希以此意轉蕭可也。"[3] 這是蔣阻遏與日方和談的最嚴厲的一次指示 [4]。至此，蕭振瀛與和知鷹二的關係遂告結束。

二、面對特殊的日方代表

在秘密談判中，日本方面出面者大多係軍部或政府人員，但是，也有個別談判，其出面者係"民間人士"。例如萱野長知與小川平吉。萱野在辛亥革命前曾參加中國同盟會，與孫中山、黃興友善，多次支持或直接參加中國革命。小川平吉也曾支持辛亥革命，組織友鄰會，提倡日中友好。1927 年任鐵道大臣，是已經退出日本政壇的元老級人物。二人在頭山滿的推動下，得到近衛首相等政要支持，出面在中日間斡旋和平 [5]。

1938 年 7 月，萱野長知首次到港活動，其談判對手為孔祥熙系統的賈存德與被孔派到香港的馬伯援。同年 10 月初，萱野再次到港，近衛首相及頭山滿均

1　棟（孫維棟）、驥（施驥生）：《中央銀行速轉蕭總參議》，"蔣檔"。
2　蕭振瀛：《委座鈞鑒》，"蔣檔"。
3　蔣介石：《致孔院長》，《革命文獻》，未刊，台北"國史館"藏。
4　詳情另見本書《蔣介石對孔祥熙謀和活動的阻遏》。
5　參見拙作《抗戰前期蔣介石集團和日本"民間人士"的秘密談判》，原載《歷史研究》1990 年第 1 期，後收入拙著《蔣氏秘檔與蔣介石真相》，社會科學文獻出版社 2002 年版。

派人到港協助，其談判對手改為軍統局在香港的工作人員鄭東山。萱野向鄭表示：1. 目前形勢甚迫，但日本政府及人民均不願戰，軍部方面，僅少壯軍人主戰，高級將領則不盡然。如雙方能開誠相見，仍不難覓取和平辦法。2. 宇垣外相去職後，萱野曾向近衛首相請示，和平談判應否進行，嗣接近衛覆電，聲稱方針不變，仍照前約進行，政府當負全責。談話中，萱野並以近衛原電相示。和萱野同時來港的外務省政務次官松本忠雄則稱：萱野年高德重，中國各院院長均為其友輩，必須派能代表中央，並與彼有交誼之大員，如孔祥熙、張群、居正等前來談判，且須軍統局鄭介民陪同。經鄭東山解釋，萱野同意由鄭介民來港商談。10月15日，戴笠向蔣介石請示："茲事關係重大，該員所請先派鄭介民秘密赴港試與商談一節，是否可行，理合轉呈鑒核。"[1]

蔣介石沒有批准鄭介民赴港，戴笠遂決定由杜石山與日方聯繫。杜石山，亦作杜石珊，廣東興寧人，早年留學日本，為士官生，娶一日女為妾。民國初年曾出任統領，後長期息影香港。抗戰爆發後經曾政忠[2]介紹，參加軍統局工作。杜石山與萱野長知等人的談判由戴笠領導，目的在收集情報，因此，與日方交談中的許多言詞均虛假不實。但是，戴笠曾多次書面向蔣介石彙報，因此，我們可以從留存檔案中窺知談判的真實情況。

據萱野向杜石山稱，近衛首相曾屢次致電萱野催促，萱野則仍堅持要求鄭介民迅速到港。他說："中日事件，如久延不決，於日本固有重大禍害，而中國之不利，則尤甚於日本。""現日本當局，灼見及此，深願和平解決。其整個決策，為積極求和，不得則繼續軍事行動，並從事第二偽中央政府之產生。中國似應趁機派員來港接洽，以無條件、無理由之和平解決。"[3]其後，萱野又直接打電話給杜石山[4]，聲稱擬與鄭介民先生進行之事，已與近衛首相、頭山滿、宇垣大將、有田外相、荒木大將等疏通妥當，近衛並已奏准天皇，定期停戰，請迅速督促鄭介民來港晤商。12月9日，戴笠再次將上述情況向蔣介石報告，蔣

1 《戴笠呈》，1938年10月15日，"蔣檔"。
2 曾政忠，廣東台山人，華裔美僑，先後肄業於嶺南大學與美國加州大學。1938年10月加入軍統。1940年曾冒充宋子良與日方談判。
3 戴笠：《報告》，1938年12月9日，"蔣檔"。
4 戴笠：《報告》。

仍無批示。1939 年 1 月 6 日，萱野回日活動。

　　蔣介石不能長期不理萱野長知這樣和中國革命有過密切關係的日本友人。1939 年 3 月 4 日，蔣介石致電杜石山稱："歷次來電暨萱野翁前日來電，均已誦悉。中日事變誠為兩國之不幸，萱野翁不辭奔勞，至深感佩。惟和平之基礎，必須建立於平等與互讓之基礎上，尤不能忽視盧溝橋事變前後之中國現實狀態。日本方面，究竟有無和平誠意，並其和平基案如何，盼向萱野翁切實詢明，佇候詳覆。"[1] 杜石山收到此電後，即電邀萱野返港。3 月 10 日，萱野返港，告訴杜石山，他回日後遍訪朝野要人，新上任的平沼首相、有田外相都了解蔣的"偉大"，頭山滿準備親自來華與蔣會晤。中日之間應當"平等言和，恢復盧溝橋事變前狀態"，和平的基本原則為：甲、中日兩國同時發表和平宣言；乙、由中日兩國政府各派遣大員會議於約定地點，議明逐步退兵、接防之日期。丙、至於防共與經濟提攜問題，重在實事求是，以便互相遵守，而奠中日共存共榮之大。[2] 12 日，萱野提出，雙方政府代表可在軍艦上見面[3]。3 月 16 日，宋美齡到港指導談判[4]。17 日，萱野、柳雲龍、杜石山商討條件，最初為九條，後經修改，定為七條：1. 平等互讓。2. 領土（完整）主權（獨立）。3. 恢復盧溝橋事變前狀態。4. 撤兵。5. 防共協定。6. 經濟提攜。7. 不追究維新政府、臨時政府人員的責任。關於滿洲，另議協定。[5] 宋美齡對七條、九條都有意見，批評說："此種條件，何能提出於國防會議耶！如能辦到'領土完整、主權獨立'八字，便符政府累次宣言。此事當時時記住。蔣先生可以提出國防會議者，即可成功。"[6] 18 日，杜石山等將七條電告蔣介石[7]。杜在電文中勸蔣在汪精衛"所欲謀者未成熟之前"作出決定[8]。19 日，蔣覆電命繼續進行，同時稱，得"領土完整，主權獨立"八字便可，"餘請商量改刪"。[9] 關於"防共協定"，宋美齡及

1　《小川平吉文書》，日本國會圖書館憲政資料室藏，抄件。

2　《戴笠呈》，1939 年 3 月 20 日。

3　《萱野長知電報》，《小川平吉關係文書》（2），日本みすず書房 1973 年版，第 612 頁。

4　《蔣介石日記》（手稿本）1939 年 3 月 17 日云："送妻登機飛赴香港。"

5　《萱野長知電報》，1939 年 3 月 18 日，《小川平吉關係文書》（2），第 614 頁。

6　《宋美齡對條件的意見》，《小川平吉關係文書》（2），第 615 頁。

7　戴笠：《呂校庫》，"蔣檔"。

8　《杜氏筆記》，《小川平吉關係文書》（2），第 615 頁。

9　《小川平吉關係文書》（2），第 614—615 頁。

蔣介石都表示，可以密約辦理。

3月29日，小川平吉到港參加談判，行前致函萱野，說明此行得到首相平沼、外相有田、陸相板垣及近衛、頭山滿等人支持，受命來華情況，要求蔣介石派遣"有權威之代表"到港談判[1]。小川到港後，命萱野轉交杜石山親筆函一件，內稱，日本政府尚未確認蔣介石有和平誠意，"最良之方法則為代表的要人之派遣"，又稱，日本要求國民政府改組，而國民政府認為不可能，他本人有一打破僵局的方案，但該案"內容極微妙，而須秘密，非親見蔣委員長或其心腹的要人不能盡其委曲"[2]。4月初，戴笠到港，向軍統局在港人員指示："此時我與日本絕無和平可言"，"必須以熱衷和平姿態為餌，以遂行吾人之謀略，首要之圖，為阻滯汪偽組織，不使於短期內成立。"[3]同月2日，戴笠致電蔣介石云：

> 中央於此次小川來港之機會，可否密派一絕對可靠而與小川認識，且在現政治上不甚重要之人員來港，與小川晤談，藉以刺探對和平之真實態度。如此事鈞座認為絕不可行，則生處可設法令杜石珊置之不理。是否如何，謹乞鑒核示遵。[4]

4月3日，杜石山也電蔣催促。這以後，蔣的日記中連續出現對戰和問題的思考：

4月4日日記云："吾人必須苦撐一年，必待倭寇筋疲力盡，方得有和可言，此時決非其時也。"[5]

4月5日日記云："如有以近衛建立東亞新秩序之聲明為和平根據者，即為賣國之漢奸。"

4月6日日記云："敵求和之急與其對俄屈服之情狀，可知其圖窮匕見，應付之方應特別審慎。""對敵宣傳：甲、須由倭王下令撤兵；乙、恢復'七七'前原狀後談判。丙、取消東亞新秩序聲明；丁、太平洋會議。"

---

1 《小川致萱野函譯稿》，轉引自戴笠：《即呈校座》，1938年4月3日，"蔣檔"。其日文原本見《小川平吉關係文書》(2)，第613頁。

2 《小川之親筆書》，戴笠：《即呈校座》，1938年4月2日。

3 劉方雄口述：《抗日戰爭中軍統局謀略戰一例》，台北《傳記文學》第39卷第2期，第98頁。

4 戴笠：《即呈校座》，1939年4月2日。

5 《蔣介石日記》(手稿本)，1939年4月4日。

4月8日日記云："對記者發表，在東亞新秩序聲明之下，絕無和平之可言。"

4月14日日記云："倭派小川探和，以平等互讓、領土完整、主權獨立三點為原則，而不言行政完整，可笑。"[1]

以上日記足證，蔣介石當時並無與日方議和的想法。不過，這時候，蔣尚未決定如何對待小川。4月9日日記云："對敵探小川應否回覆？"10日日記云："對小川策略應速定。"可見，這時候，蔣尚在研究思考中。

小川在向蔣發出第一函後，又於4月10日再次致函蔣介石，聲稱"為東亞前途以及中日兩國百年大計而來，幸有以教之"[2]。13日，蔣介石覆電稱："小川先生本為余等生平所敬慕，但在此兩國戰爭之中，不能派代表來港致敬。惟託其在港友人馬伯援君致意也。"[3]馬伯援早年留學日本，曾任中華留日基督教學生青年會總幹事，雖是日本通，但在國民黨和國民政府內部從未擔任過重要職務，順便委託這樣一個時在香港的"政治上不甚重要之人"與小川周旋，說明蔣意在敷衍。

對與馬伯援接談，小川尚未來得及表態，馬即於4月14日突然去世。21日，萱野、小川二人與杜石山見面，嚴厲批評杜向蔣報告不夠詳盡，聲稱馬即使不死，也非討論"秘密大計"之人，如居正、孔祥熙不能來港，則應與蔣先生直接晤談。萱野、小川稱：與中國方面約定大計之後，即可趕程歸東，報請政府，懇請天皇召開御前會議決定，藉天皇之諭旨，壓服一般軍人。現在王克敏、陳中孚、溫宗堯、吳佩孚、汪精衛等均與日方已有聯繫，力量不弱，如不從速約定，乘機解決，則在王、汪等人的謀劃根深蒂固之後，吾人雖欲愛護國民黨，亦恐難以為力。二人不無情緒地埋怨說："待命日久，仍無消息，似已成騎虎難下之勢，此應請蔣先生乾綱立斷，速下決心。想多年相知，必不致難為老朽也。"[4]同時，日方則積極宣揚，如在5月10日前不能得到和議的覆函，即

---

1 《雜錄》，《蔣介石日記》（手稿本），1939年年末。

2 《小川平吉關係文書》（2），第619頁。

3 《籌筆》13678號，"蔣檔"；又見《小川平吉關係文書》（2），第620頁。此前一天，蔣日記有"問馬伯援地址"的記載。

4 之光：《致重慶鍾先生》，特急電，1939年4月22日，"蔣檔"。

在江漢地區成立偽組織。[1]

軍統人員面對萱野與小川這兩個自稱與蔣"多年相知"的"老朽"，不敢怠慢，立即將情況轉報蔣介石，聲稱"小川翁既以垂暮之年，奉命前來，其誠意可嘉，其愛我尤切"，要求蔣指示馬伯援去世之後的繼任人選及應付小川等人的辦法。[2] 4月24日，蔣在日記中明確寫道："拒絕小川等之求和。"[3] 5月11日，蔣介石制訂"和平前提三原則"，其內容為：甲、以《九國公約》為依據。乙、以英、美、蘇、法共同調解下，尤須以英、美二國為保證，恢復和平。丙、必先恢復"七七"戰爭之前狀況後再談和平條件[4]。15日，蔣介石繼續研究歐洲局勢，認為如國際民主陣線勝利，則中國亦可獲最後勝利，"故我國之決勝時期，仍取決於國際戰爭之結局，而抗戰到底，不與倭敵中途妥協，是為獨一無二之主旨"[5]。這就說明，蔣在思想上再次堅定了抗戰路線。這以後，國民黨人員雖仍和小川等繼續接觸，但屬於虛應故事了。

5月11日，小川通過杜石山再次致函蔣介石，敘述自己多次"援助"中國，盧溝橋事變後與近衛首相商量收拾時局辦法，以及與頭山滿組織主和團體等經過，要求蔣介石"當此難關，毅然不惑，如揮快刀而斬亂麻"。函稱："如蒙幸領鄙意，願派遣要員來港商議，倘足下以僕之赴渝為便，僕應偕萱挺身赴渝，面聆大教。若不然者，則僕即去港歸國，一任局面如何惡化。"[6] 16日，重慶方面派專機取走該函。21日，蔣介石指示："杜石山絕不准與小川來往"，同時命將小川原函退回[7]。27日，杜石山遵命辦理。其情況，據戴笠報告：萱野除歎息外，默不一言，小川則莞爾而笑，並調侃說："僕此行，誠不出板垣將軍之所料矣。"他告訴杜石山：板垣認為，蔣先生自西安事變後，受共產黨之計，實行抗日政策，日本雖欲和，而蔣先生不能和，因此不希望自己以老耄之年，徒勞往返，自己曾12次提出意見書，才得到板垣批准，現在"所提條件，不蒙

---

1 《蔣介石日記》（手稿本），1939年4月22日。
2 之光：《致重慶鍾先生》，特急電，1939年4月22日，"蔣檔"。
3 《蔣介石日記》（手稿本），1939年4月24日。
4 《雜錄》，《蔣介石日記》（手稿本），1939年年末。
5 《雜錄》，《蔣介石日記》（手稿本）。
6 戴笠：《報告》，1939年5月22日。
7 戴笠：《報告》，又《報告》，1939年5月31日。

明察，辜負余心，是板垣將軍誠有先見之明。烏呼，豈非天乎！"[1] 二人決定於 6 月 2 日離港。

萱野、小川都是曾對中國革命作過貢獻的人，背後又有頭山滿及日本政要支持，因此，蔣一度對談判有興趣，宋美齡到香港指導即是明證。蔣介石之所以在關鍵時刻下令中止談判，其原因在於歐戰爆發，蔣介石由此看到了世界大戰爆發的可能和中國抗戰勝利的希望，因此積極調整國際戰略。1939 年 4 月 29 日，蔣介石日記云："必使歐洲戰局擴大至遠東，且使包括全球，如此，則英在遠東勢力勿使為倭或俄乘歐戰之機，取得漁利。"[2] 同時，他也看到了日本經濟能力的嚴重不足。自記云："余已催英與俄速訂軍事同盟，使俄、倭對歐戰不能旁觀坐大，而倭連日五相會議，對歐外交政策舉棋不定，然其最後必實行與德、意訂立軍事同盟，以其軍閥之囂張，如倭王不准，則有革命之可能也。至其對我國，一面恫嚇，一面求和，猶想從中取巧，未知其經濟尚有支撐二年之力否？此次小川等求和，余拒絕之宜矣！"[3]

萱野、小川在香港除與杜石山等談判外，還曾於 5 月 6 日約見在香港的《大公報》主筆張季鸞。小川表示：日政界多數人願"和"，但少壯軍人有領土野心，如果"和"不了，日本可能會以重兵駐紮華北及沿海，永久佔領半個中國。張季鸞答稱：中國純以保衛國家為目的，只求日本承認中國為對等的獨立國家，達到此目的，一定"和"；否則，一定拚命打。關於日本要求與中國訂立反共協定一事，張表示：這就等於讓中國"無端拋棄抗戰以來同情中國之英、法、美、蘇諸朋友，與中蘇（互）不侵犯條約在精神上亦有抵觸也"。關於中共，張稱："蔣公看此問題很輕。戰後之中國完全根據三民主義及法律處理一切，即凡不違法之人與事，皆可承認。"[4] 對張季鸞所言，小川不能反駁，只能苦笑。

小川決定離港後，於 5 月 27 日約曾任駐日領事的羅集誼談話，表示願在行前與張季鸞一晤，張拒絕不見。5 月 30 日，張季鸞致函蔣介石稱："小川個

---

1 戴笠：《報告》，1939 年 5 月 31 日。
2 《本月反省錄》，《蔣介石日記》（手稿本），1939 年 4 月 30 日。
3 《困勉記》，1939 年 4 月 30 日。
4 《萱野·小川約見談話要點》，1939 年 5 月 6 日，"蔣檔"。

人未必無誠，但在敵方並無正式好的表示以前，政府斷不可派人來談。熾雖在局外，亦當拒不與見。"[1] 不過，重慶方面並未對小川等採取決絕態度，雙方始終保持著藕斷絲連的關係，直到 1941 年 6 月。有關情況，我在《抗戰前期日本"民間人士"和蔣介石集團的秘密談判》一文中曾有論述，讀者可以參看[2]。

三、"和平"底牌與張季鸞香港談判的夭折

張季鸞是報人，但是，從 1938 年 1 月起，張季鸞即受蔣介石派遣，到上海從事"對敵運用"，後來又參加蔣介石的外交謀劃、國際宣傳和對日秘密談判，成為蔣的高級智囊。1940 年 7 月 2 日，蔣介石收到張季鸞的報告，當日日記提醒自己注意研究"敵閥求和之誠偽"[3]。幾天後，蔣覆函張季鸞，指示談判機宜，日記云："敵方間接求和之心雖切，然其方法與政策，仍毫無變更。我應囑季鸞以最低限度轉示之：甲、談政策，不談條件。乙、談情感與利害而不談權利、得失。丙、對於中國人心之得失，應令特別注意蘇俄對華之宣言（放棄在華特權）。丁、放棄北平至山海關駐兵權。戊、漢口租界提前取消。己、內河航權應取消。庚、青島與海南島完全交還。辛、熱河先行交還。壬、東三省問題、借用港口問題、東亞聯盟問題，待和平完全恢復，撤兵完全實行後再談。癸、天津與上海租界定期交還。子、保障問題。丑、撤兵手續，平綏路、張家口與歸綏一帶，必須在第一期撤完。"[4] 前文已述，日軍自山海關至北平的駐兵權，為清末《庚子條約》所規定，1938 年蕭振瀛與和知鷹二談判時，蔣曾同意保留。但是，這裏蔣卻明確要求日方放棄。此事表現出，在與日方談判中，蔣的妥協性逐漸減弱。此後，蔣介石在與張季鸞會面時又不斷指示，其 7 月 19 日日記云："季鸞來談，敵閥野心如昔，毫未改變。"[5] 25 日，張季鸞再來，談東北問題以及與日本簽訂互不侵犯條約事[6]。蔣日記云："敵在華之工廠與營業，各

1　熾章（張季鸞）：《致委員長》，1939 年 5 月 30 日。
2　《歷史研究》1990 年第 1 期，後收入拙著《蔣氏秘檔與蔣介石真相》。
3　《蔣介石日記》（手稿本），1940 年 7 月 2 日。
4　《蔣介石日記》（手稿本），1940 年 7 月 7 日。
5　《蔣介石日記》（手稿本），1940 年 7 月 19 日。
6　《困勉記》，1940 年 7 月 25 日。

項商民之處置，敵非萬不得已，決不願撤退也。"[1] 顯然，這是蔣與張討論中的議題。

1938 年 10 月，和知與蕭振瀛的談判因蔣的剎車停止後，和知繼續尋找和重慶方面聯繫的線索。1940 年 8 月，和知動員一位希臘商人到重慶上書蔣介石，"其內容無異乞降，此為從來所未有"，蔣介石由此推斷，日本急於向東南亞發展，向中國求和已到了迫不及待的地步[2]。他與張季鸞討論，認為可以利用這一形勢，謀求在於我有利的條件下，與日本媾和[3]。但是，他很快就認為，"敵寇求和益急，而其方法越幼稚毒劣，應即切戒嚴防之"[4]。13 日，蔣介石發表《"八一三"三週年紀念告淪陷區民眾書》，盛讚淞滬之戰中國軍民的英勇表現，中云：我們中華民族有悠久偉大的歷史，有堅韌不拔的民族精神，有至大至剛的民族正氣；我們在淪陷區的同胞們，要知道我們中華民國的版圖，決不會放棄寸地尺土的，要知道敵人有必然失敗的道理，更要知道我們前方後方的軍民，都在加緊努力來迎接這最後的勝利。[5] 蔣介石將這篇文告的發表看成是對日本的沉重打擊和對自己的警策。日記云："余於八一三紀念日告民眾書，仍以光明正大態度痛斥敵軍之兇暴，激發同胞敵愾之精神，發揮殆盡，此為對敵當頭一棒，冀其有所覺悟，勿敢輕來嘗試也。自後對余之認識或能更進一步乎？否則，不僅不能使之醒悟，而且反中其軟化利誘之計，更不可為計矣！"[6] 這段日記表明，蔣已經意識到，自己既要抵擋日本的軍事進攻，又要謹防日本的"和平"誘惑。

這一時期，蔣介石大概每個月都會收到日本方面的一條求和消息。為了確定談判"底牌"，蔣介石命張群等人開始起草一份文件，參加者有張季鸞、陳布雷等人。至 8 月下旬，文件定稿，題稱《處理敵我關係之基本綱領》，該文包括《建國原則》、《對敵策略》、《平和條件》等內容，其《對敵策略》總原則為：保衛國家獨立、民族自由，而作戰媾和之實際策略以度德量力為依歸。下

1　《蔣介石日記》（手稿本），1940 年 7 月 25 日。
2　《蔣介石日記》（手稿本），1940 年 8 月 6 日、10 日。
3　《蔣介石日記》（手稿本），1940 年 8 月 4 日。
4　《上星期反省錄》，《蔣介石日記》（手稿本），1940 年 8 月 10 日。
5　《"總統"蔣公思想言論總集‧書告》，第 201 頁。
6　《蔣介石日記》（手稿本），1940 年 8 月 15 日。

分五條：

1. 領土之完整，主權之神聖不可侵，政治的、軍事的、經濟的自由之確保，為國家民族存亡、主奴所關，故必須犧牲一切，長期抗戰，以求其貫徹。

2. 利於長期抗戰，而不利於迅速反攻，此量力之義也……確保長期抗戰之實力，鞏固全民族救亡自衛之精神，由軍事上、經濟上、外交上疲困敵人，逐漸減少其＂力＂的方面之優勢，而增加其＂德＂的方面之弱點，以期敵我間之形勢逐漸於我有利，以終達作戰目的之成功。

3. 不論時間如何長久，環境如何困難，必須貫徹成功，不容中途自餒。惟作戰為現實的問題，必須自定最大限與最小限之成功條件，衡量彼我，根據事實以為運用。

4. 最大之成功為完全戰勝，收回被佔領、掠奪之一切，不惟廓清關內，並收復東北失土。最小限之成功，則為收復＂七七＂事變以來被佔領之土地，完全規復東北失地以外全國行政之完整，而東北問題另案解決之。以上兩義，前者戰勝之表現，後者則為勝敗不分，以媾和為利益時之絕對要求。

5. 我國為被侵略國家，故和議之發起，必須出自敵方……應深切考查，其條件是否無背於我建國原則，而足以達到我最小限之成功，必須在確認為我作戰目的已得最小限之貫徹之時，始允其開始和平之交涉。

以上五條，其最重要之點在於將抗戰成功分為＂最大限＂和＂最小限＂兩種。必須在保證＂最小限＂，即恢復盧溝橋事變以前原狀時才能開始與日本進行和平交涉。

關於《平和條件》，《綱領》分《理論原則》與《具體條件》兩方面。其《理論原則》規定：1. 日本必須真實承認中國為絕對平等的獨立國家。2. 此次議和之後，期成立平等互尊之新關係。3. 日本須放棄過去戰前及戰時對華不友善之政策及宣傳。4. 除東北懸案另作專案解決外，其餘一切有損中國主權之事實，皆須徹底糾正。

《綱領》中有一部分為《堅持之件》，共 8 條，其中關係重大者為 1—4 條及第 7 條。

1. 凡作戰而來之軍隊，應限期完全撤退。河北及華北部隊，應撤離河北及察哈爾省境以外。

2. 凡所佔長城以內及察綏之土地，與沿海及海上各島嶼，應完全定期交還。

3. 凡佔領地內之偽組織，均應自戰鬥終止之日，由日本負責撤銷，不能作為中國內政問題。所有偽組織之法令與契約，一概不能承認，並不能要求任何佔領地內行政上之特殊化。中國行政完整必須完全恢復，不容有任何干涉內政之舉。

4. 東北問題，須待和平完全恢復後另案交涉，現在不能提議（但熱河不在東北範圍之內）。

......

7. 不平等條約之廢除，須於和約發表時，同時自動聲明且有定期之實行。[1]

在上述各條旁，有注稱，"8月31日張攜港之件"，可見，這份文件是為張季鸞赴香港談判準備的。

8月25日，蔣介石與張季鸞談話，日記云："和戰要點：一、打破敵國侵略滅華政策。二、消滅敵人優越奴華心理。三、恢復中國獨立自由地位。和戰方針：甲、以基本條件為標準；乙、以不失時機為要旨；丙、國際期待為下策。"26日日記再云："一、我有實力可恃，不患其違約。二、我有根據地存在，不患其和議決裂。三、敵人有求於我，國際上、地理上、經濟上、軍事上，皆非我合作不可。四、敵有懼於我。甲、領袖權威。乙、革命精神。丙、三民主義。"[2]29日，再次與張季鸞、陳布雷會晤，擬定"最低限度"條件，指示交涉時，應持堅決態度，"對條件不可遷就"[3]31日，張季鸞飛港。但是，也就在這一天，蔣介石又改變主意，日記云："敵寇時時以日、滿、支名詞為對象，如何而望其徹悟與和平？我國損害傷亡如此重大，如何而可輕易言和？"[4]9月1日，蔣介石命陳布雷起草致張季鸞函，有所指示。陳因當日沒有飛港班

---

1 "蔣檔"。

2 《蔣介石日記》（手稿本），1940年8月26日。

3 《蔣介石日記》（手稿本），1940年8月29日。

4 《蔣介石日記》（手稿本），1940年8月31日。

機，改發短電[1]。陳電今不可見，但 9 月 2 日張季鸞覆函云："在未得尊電前，即決定不與和某見面。"可見，陳電內容為，要張不與和知會晤。7 日，蔣介石乾脆命陳布雷致函張季鸞，要他從香港回來[2]。

張季鸞 8 月 31 日抵港後，即得悉"桐工作"的有關情況，感到日方"愚昧凌亂"，"可決其今後無大的作為"[3]。此前，和知曾告訴張季鸞，日本政府將收回軍方的對華談判權，另作準備，又託人帶話，東京只主張內蒙暫駐少數兵員，其他無大問題。9 月 1 日，張季鸞召見和知的助手何以之，要何轉告和知：1. 日本政府如準備自辦對華交涉，"須徹底覺悟，重新檢討"，"必須互相承認為絕對平等的獨立國家"，"凡不合此義者，概不必來嘗試，勸彼亦不必奔走，更不必找我見面"。2. "中國是不許任何地方駐兵，不許任何地方特殊化的。"[4] 此後，張季鸞即利用和知，以"桐工作"中的問題反對板垣，製造日本內部矛盾，同時則抬高身價，拒不與和知見面。9 月 3 日，張季鸞致函陳布雷表示："弟意非和氏有東京敵總部之新意見，決不與之見面。"[5] 次日，和知離港，返回東京，張季鸞命何以之電告和知："不是日政府誠意委託不必再來；不是日本誠意改變對華政策，誠意謀真正之和平，則不可接受委託。要之，與弟何時見面並不重要，日政府苟無真正誠意，見我何用！"[6]

儘管張季鸞拒絕與和知見面，但是，他內心還是希望繼續維持與日方的秘密談判的。9 月 17 日，何以之面見張季鸞，告以和知來電稱：已於 9 月 10 日在福岡會見東京要員，偕飛南京，與板垣協商，決定以和知、板垣為核心，辦理對華交涉，將再飛東京，取得正式委託，然後南來。同日，張致函陳布雷，

1 《陳布雷日記》，1940 年 9 月 1 日。內部排印本，台北"國史館"藏。

2 《陳布雷日記》，1940 年 9 月 7 日。

3 熾章（張季鸞）：《致布雷先生》，1940 年 9 月 2 日，"蔣檔"。關於"桐工作"，請參閱拙文《"桐工作"辨析》，《歷史研究》2005 年第 2 期；收入拙著《楊天石文集》，上海辭書出版社 2005 年版。據《今井武夫回憶錄》記載："桐工作"過程中，宋美齡曾於 1940 年 3 月 5 日到港，"從側面協助中國的代表"，"宋美齡抵港的消息，經報紙作了報導，因此，我們相信了中國方面的言詞"。有些歷史學家據此懷疑宋美齡此行大有文章。其實，宋此次到港，完全是為了休養。1939 年 12 月 7 日，蔣介石日記云："今日吾妻以療鼻疾割治，甚憂。"1940 年 2 月 12 日日記云："送夫人到珊瑚壩機場，往香港休養。"可見，宋美齡此行與"桐工作"無涉。中方"代表"所云，與冒充"宋子良"一樣，同為對日方的哄騙。我在《"桐工作"辨析》一文中對此未作分析，今補述於此。

4 熾章（張季鸞）：《致布雷先生》，1940 年 9 月 2 日。

5 熾章（張季鸞）：《致布雷先生》，1940 年 9 月 3 日（原文作 9 月 12 號，當係誤書——筆者注）。

6 熾章（張季鸞）：《致布雷先生》，1940 年 9 月 6 日午前。

要求代為向蔣請示，"是否在港逗留一見"？17日，蔣指示可"在港靜候"[1]。但是，蔣介石很快就失去耐心。20日日記云："和知求和遷延之原因，其必待敵軍侵越時來見有所要脅。"[2] 22日，蔣介石在日記中寫下了對張季鸞等"無方而好事"的批評[3]。同日，陳布雷即致函張季鸞，要他結束在港工作，立即回渝。不過，張季鸞仍然有自己的想法。日本方面一直宣傳願與中國政府謀和，他要"試驗"其真偽。23日，張季鸞致陳布雷函云："對今後看法，弟微有不同。弟以為判斷局勢之第一關鍵，在看是否以敵大本營之名義來開正式交涉，果來交涉，即當認定其有若干誠意……蓋既來交涉，則為承認是國家與國家間之正式議和，一也；漢奸當然取消，二也。"[4] 可以看出，張季鸞與陳布雷的"微有不同"在於，張相信日本可能有"若干誠意"而陳相反，顯然，陳的態度反映蔣的觀點。

9月24日，張季鸞致函陳布雷，表示遵囑結束在港工作。25日，張季鸞與何以之"最後晤面"，告以一兩月之內，如東京確有正式講和誠意，許可和知通信一次，本人亦當"拼其最後之信用"，轉達一次。談話中，張季鸞並按照陳布雷來函指示，通知日方，如欲講和，須有與中國建立平等"新國交"的決心，承認偽滿、中日聯盟等要求萬不可向中方提出，本人也不能轉達。9月27日，張季鸞致函陳布雷，承認蔣介石比自己高明："前年以來之懸案一宗，至此完全告一段落。弟此次判斷有誤，幸行動上未演成錯誤，一切處理尚近於明快，此則近年特受委員長之訓練，得不至拖泥帶水，就弟個人論，誠幸事也。"[5] 10月4日，張季鸞回到重慶，其精心準備的與和知的談判計劃終於成為廢案。

1 《陳布雷日記》，1940年9月19日，"蔣檔"。
2 《蔣介石日記》（手稿本），1940年9月20日。
3 《蔣介石日記》（手稿本），1940年9月22日。
4 熾章（張季鸞）：《致布雷先生》，1940年9月23日下午。
5 熾章（張季鸞）：《致布雷先生》，1940年9月27日午。

四、企圖以"和談"阻撓日本承認汪偽政權

1940 年 7 月，近衛文麿第二次組閣，松岡洋右出任外相。松岡對軍部和中國派遣軍司令部所做的"誘和"工作不滿，決定收歸外務省掌握和領導。他將這一工作委託給自己的門生西義顯和松本重治等人。西義顯將希望寄託在交通銀行董事長家錢永銘身上。錢是江浙財團的重要成員，與蔣介石關係密切，一度擔任國民政府財政部次長。松岡對錢永銘這一人選很滿意，誇口說很快就會成功。當時，日軍計劃南進，從英國和荷蘭手上奪取東南亞，急於和重慶國民政府達成妥協，以便拔出深陷於中國戰場的泥足。

同年 8 月，西義顯到香港訪問正寄寓在那裏的錢永銘，動員他投入對重慶的"和平工作"。錢提出：如果恢復到盧溝橋事變發生以前的狀態，日軍能夠全面撤兵，或許能同重慶進行談判 [1]。他表示，自己可以負責促成寧渝合作，但須請上海金城銀行經理周作民出面與日方接洽 [2]。據西義顯回憶，錢當時提出三項條件：1. 重慶、南京兩政府合併，建立一個名副其實的中國統一政府。2. 日本政府以中國的新統一政府為談判對象，從中國全面撤退為推行日華戰爭所派遣的全部兵力。3. 日本政府與新中國政府締結防守同盟。9 月 18 日，西義顯偕錢永銘的代表張競立等到東京訪問松岡洋右外相。10 月，松岡簽字同意錢永銘提出的條件 [3]。不過，後來松岡實際向重慶提出的是外務省東亞局第一課課長太田一郎所擬六條：1. 承認滿洲國（必要時以秘密文書約定）。2. 共同防共。3. 撤兵。4. 經濟提攜（作若干讓步）。5. 治安駐兵（長安三角地帶不駐兵）。6. 不要求蔣介石下台。 [4]

松岡洋右除委託西義顯外，又親自致函時在上海，與錢永銘、周作民關係深厚的船津辰一郎，拜託他協助進行 [5]。船津曾任日本駐天津、上海、奉天總領事，有和國民黨人員打交道的豐富經驗。10 月 17 日，西義顯攜帶松岡的親函

1　船津辰一郎：《華南談判失敗日記》，《近代史資料》總第 69 號，第 254 頁。

2　《周佛海日記》，中國文聯出版社 2003 年版，第 346 頁。

3　西義顯：《日華"和平工作"秘史》，江蘇古籍出版社 1992 年版，第 241、261—262 頁。

4　《走向太平洋戰爭的道路》卷 4，第 241 頁。

5　日本防衛廳防衛研修所：《大東亞戰爭開戰經緯》(3)，此據台灣譯本《對中俄政略之策定》，台北"國防部"史政編譯局印行，第 154 頁。

訪問船津。同日，船津訪問周作民，說明本人應松岡要求，將去香港活動，周表示恢復兩國間的和平也為本人所希望。10 月 19 日，松本重治會見周佛海，面交日方所擬 "和平" 條件，託周作民轉交錢永銘。周佛海的印象是："與在京所談判者大致相同，惟完成撤兵由二年減為一年，蒙疆及特定地點駐兵，雖形式略異，實質完全相同。"[1] 21 日，船津與周作民同船赴港。在港期間，周作民與錢永銘以日方提出的方案為核心，草擬報告與意見書，託因事來港的金城重慶分行經理戴自牧帶回重慶[2]。

11 月 7 日，蔣介石研究錢永銘、周作民轉來的 "和平" 條件，大為不滿，日記云："周作民受敵方請託條件轉達者，商人不察，以為較倭汪之條件減輕，其實文字變換而內容無異也。[3] 不過，當時蔣介石正在向美、英兩方提出 "合作方案"，建立同盟，尚未得到答覆[4]，日本方面又準備在 11 月 30 日承認汪記南京國民政府，這使蔣介石感到憂慮。他擔心德國、意大利會跟踵承認，擔心正在和德國拉關係的蘇聯會對華冷淡，也擔心國內民心、軍心的動搖。17 日日記云："英美未與我確實合作以前，對倭不使其承認汪偽為宜，此亟應設法運用者也。"[5] 18 日，蔣決定派張季鸞赴香港，日記云："派季鸞赴港，作錢、周之答。"[6]

松岡洋右除利用錢永銘等與重慶談判外，又通過德國出面，對重慶政府施加壓力。11 月 11 日，德國外交部長里賓特洛甫約中國駐德大使陳介談話，聲稱："近聞日自新內閣成立後，亟圖解決中日問題，已擬於近日內承認南京政府。日如實現，義〔意〕、德因與同盟關係，亦必隨之，他國或尚有繼起者。此於中國抗戰，或益加困難……倘閣下認為有和解可能，則請轉達蔣委員長及貴政府加以考慮，以免誤此最後時機。"[7] 14 日，蔣介石接到陳介來電，認為這是

---

1 《周佛海日記》，第 367 頁。
2 《周佛海日記》，第 384 頁。
3 《蔣介石日記》（手稿本），1940 年 11 月 7 日。《困勉記》同日所引文字為："此條件，不過文字變換，而內容實無少異。錢新之不察，以為較汪奸之條件減輕矣，希望政府採納，是真只知私利而不顧國家者也，可痛！"
4 參見《"總統"蔣公大事長編初稿》，總 1642 頁。
5 《蔣介石日記》（手稿本），1940 年 10 月 17 日。
6 《蔣介石日記》（手稿本），1940 年 11 月 18 日。
7 《陳大使自柏林來真電》，"蔣檔"。

"倭求和進一步之表示"，於 18、19 兩日分別接見英、美駐華大使，告以陳介來電情況，說明日本承認汪偽之舉，將動搖中國民眾抗戰信心，進而影響中國國內日趨嚴重的經濟與軍事問題[1]。21 日，蔣介石電覆陳介："日本果欲言和，自應將其侵入我國領土之陸、海、空軍全部撤退。""若日方以承認偽組織為詞，使我與其議和，則彼既無恢復和平之誠意，我方亦決不以此有所措意也。"[2] 這通電文，表面上致陳介，實際上是說給日本人聽的。同日，日方宣稱，重慶方面如不在 12 月 1 日之前與日方言和，將承認汪政權。蔣介石不受威脅，日記云："此種宣傳，只有增加我對英美合作提議之效。蓋倭寇宣傳，以此為恫嚇吾人之計，實拙劣無比也。"[3] 24 日，蔣介石得到蘇聯通知，繼續援助中國武器，感到寬慰。26 日日記云："如何能使俄與英美合作，此為今日唯一之要務也。"[4] 這則日記表明，蔣介石當時所孜孜以求的是與俄、美、英等國結成抗日聯盟，與日本談判不過是為了阻撓其承認汪偽政權，並非根本之計。27 日，汪精衛致電蔣介石，聲稱已與日方完成"調整國交條約"，與"友邦"內定，只須"恢復和平，確立治安，則撤兵期限，仍踐前諾，無所改變"，要求重慶方面"立下決定，宣佈停戰"。28 日，蔣介石得知有此電文，在日記中斥以"為敵寇作倀"[5]。

張季鸞到達香港後，即向錢永銘提出：國民政府對於日方誠意仍有懷疑，因為日方宣稱，如重慶方面在一定期間內沒有肯定答覆，就要承認南京政府。對於此類威脅，國民政府"非常不滿"。張向日方提出兩項條件：1. 無限延期承認汪政權。2. 無條件全面撤兵。[6] 張稱：倘若日本政府答應履行上述條件，中國政府準備同日本政府進行和平交涉。11 月 23 日，在松岡外相的力促下，日本五相會議決定接受張季鸞提出的條件，要求中國政府迅速任命正式代表來日，

---

1 《蔣委員長在重慶接見美國駐華大使詹森談話》，《戰時外交》（1），台北中國國民黨中央黨史委員會編印，第 116—117 頁。又《困勉記》1940 年 11 月 21 日："與美大使談已，曰：'今以陳介來電，德願保證中倭將來和平條件之履行者告之，期美於月內對我合作之提議有一決定也。'"

2 《事略稿本》（44），第 672—674 頁。

3 《蔣介石日記》（手稿本），1940 年 11 月 22 日。

4 《蔣介石日記》（手稿本），1940 年 11 月 26 日。

5 《蔣介石日記》（手稿本），1940 年 11 月 28 日。

6 關於張季鸞向日方提出的兩項條件，各書記載稍有差異。西義顯《日華 "和平工作" 秘史》的記載為："（一）原則上承認在華日軍的全部撤兵；（二）取消承認南京傀儡政權。"見該書第 278 頁。《今井武夫回憶錄》的記載為："日軍的全面撤兵與日方是否可以不承認汪政權問題"，見該書中國文史出版社版，第 175 頁。此據船津辰一郎的《華南談判失敗日記》，見《近代史資料》總 69 號，中華書局 1988 年版，第 257 頁。

日本政府將延期承認汪精衛政府。其後，錢永銘即將有關情況電告重慶，並請杜月笙攜帶詳函飛渝，要求指派前駐日大使許世英為首席正式代表[1]。27 日，重慶擬派許世英赴港。至此，談判似乎頗有進展，但第二天就發生變化。

日本內部的擁汪勢力一直很頑強。28 日，日本內閣會議由於受到軍方和日本派駐南京的阿部信行特使的壓力，決定按原定日期承認汪偽政府。同日深夜，日本駐香港總領事田尻愛義得到東京電告，力謀挽救已成局面，改變日本政府的決定。他立即要求錢永銘電告重慶，必須迅速同意日本的"和平原則"，任命正式談判代表[2]。同日夜，蔣介石接到錢永銘來電，得知日方變卦，非常憤怒，日記云："觀察敵倭與錢新之所談及其態度，仍以威脅為主。其松岡外長尤為荒唐。無論文武人員皆不可理，若一交手，即以卑污惡劣猙獰之形態畢露。無禮無信之國，不可再理，焉能不敗哉。"[3] 他決定通知錢新之，對日"決絕不理"。30 日，日本正式承認汪偽政權，蔣介石的第一反應是"東亞戰爭不知延長到何時方能結束"，第二反應是："我促英、美、俄更進一步之表示與助我，此其時乎！"[4] 同日，松岡洋右致電錢永銘，表示願繼續與重慶議和。12 月 1 日，錢永銘和張季鸞分別將有關情況轉報陳布雷，陳的強烈感覺是："敵之狼狽失態，可謂無所不至。""松岡之可笑，洵無以復加也。"[5] 12 月 3 日，蔣介石讀到陳布雷摘錄的錢、張報告，憤怒地在日記中對松岡寫下了"仍想繼續欺詐，惡劣極矣"的考語[6]。

日本承認汪偽政權一事使蔣介石憂心忡忡。1940 年 12 月 1 日，蔣與其宣傳幹部研究"如何能安定民心"，夜不能寐，自稱當夜只熟睡了三個小時[7]。次日，他在"國父紀念週"上報告，說明這是近衛內閣的"自殺"行為，自感"頗費心力"[8]。其實，日本承認汪偽政權一事對當時的政局、戰局並無多大影響，蔣介石過於緊張了。

1　西義顯：《日華 "和平工作" 秘史》，第 288 頁。
2　《田尻愛義回想錄》，東京原書房 1977 年版，第 86 頁。
3　《蔣介石日記》（手稿本），1940 年 11 月 28 日。
4　《困勉記》，1940 年 11 月 30 日。
5　《陳布雷日記》，1940 年 12 月 1 日、3 日。
6　《蔣介石日記》（手稿本），1940 年 12 月 3 日。
7　《困勉記》，1940 年 11 月 30 日。
8　《蔣介石日記》（手稿本），1940 年 12 月 2 日。

1941 年之後，還有個別日本人士企圖在中日間斡旋和平，但蔣介石已了無興趣。1942 年 4 月，和知鷹二的機關總務部長黑木清行受頭山滿及萱野長知鼓動，攜帶萱野名片到桂林，要求到重慶面見蔣介石，調解中日戰爭，恢復兩國邦交，否則自殺。賀耀組、陳布雷二人認為 "不可任其自由往返，擬令扣押，密解息峰，留交王芃生訊問。如果不能利用為反間，則應拘留，不許釋放"。蔣介石批示："應即拘押監禁。"[1]

五、日方求和，蔣介石主動剎車

日本侵華，採取的是以戰為主，以誘和為輔的兩手策略。同樣，蔣介石也用這兩手策略對付日本。一方面，蔣介石堅持以武力抵抗日軍進攻，同時，在某些時候、某些方面，也不排斥與日本進行秘密談判。

如前述，蔣介石雖對蕭振瀛與和知鷹二之間的談判不抱希望，但是，由於和知以 "恢復盧溝橋事變前原狀" 為誘餌，這使蔣覺得不妨一試。談判中，蔣細心研究情況，指導起草並親自修改有關問題，除將東北問題擱置另議外，蔣曾準備以同意日本在長城以外某些地區駐兵為條件，換取日軍自中國關內地區撤兵。但是，當蔣發現日方拖延不決，並無誠意之外，立刻下令終止談判，後來並以 "殺無赦" 警誡孔祥熙、蕭振瀛與和知重開談判的企圖。1939 年，萱野長知、小川平吉在香港與中國軍統人員談判，力圖面見蔣介石。這是兩位和中國有過特殊關係的日本人，在他們後面，又有日本 "主和" 人士頭山滿和近衛等政要的支持。最初，蔣介石對談判持有興趣，宋美齡、戴笠都先後到港指導。但是，歐戰的爆發使蔣介石看到了中國抗戰勝利的途徑和希望，因此毅然採取決絕態度，禁止軍統談判人員再與小川等來往。1940 年 8 月，蔣介石為了應付日本方面頻繁的談判要求，指導張群、張季鸞、陳布雷等制訂《處理敵我關係之基本綱領》，作為對日談判的原則和準繩。該文件的最大特點是將抗戰結果分為 "最大之成功" 與 "最小限之成功" 兩種，但是，當張季鸞於同月底帶

1　"蔣檔"。

著這份文件赴港，企圖首先爭取"最小限之成功"時，蔣介石卻阻止張與和知鷹二見面，並且迅速命他回渝，使這次經過鄭重準備的談判還沒有開始就夭折了。同年 7 月，近衛第二次組閣後，為了抽出兵力，侵略東南亞地區，一面緊鑼密鼓地準備給予汪偽政權以外交承認，一面通過外相松岡洋右推進"錢永銘工作"，繼續誘惑重慶國民政府和談。蔣介石擔心日本承認汪偽會在外交和內政兩方面嚴重影響中國抗戰，派出張季鸞赴港談判，企圖加以阻撓。日本政府雖曾一度接受中方的"全面撤兵"等條件，但是，最終還是在軍方的壓力下承認了汪偽政權。

盧溝橋事變前，蔣介石長期對日妥協，力圖延緩對日全面作戰時間；盧溝橋事變後，蔣介石被逼抗戰，但是，他仍長期為戰與和的矛盾所糾纏。蔣介石親自掌控的幾次談判說明，他在堅持抗戰的同時，也還在某些時候對和平解決中日戰爭存有期待。談判中，他雖不肯承認"滿洲國"，不肯立約放棄中國對東北的主權，但在一段時期內，他卻只將抗戰目標定在"恢復盧溝橋事變前原狀"這一"最小限之成功"上。這些，都反映出蔣在對日抗戰中的軟弱一面。不過，應該指出的是，所有他掌控的談判，都是日方求"和"，蔣只是被動應對，而且都由蔣主動剎車。在談判中，他的態度逐漸堅決，條件逐漸提高，是日漸強硬而非不斷軟化的。

蔣介石思想中的戰、和矛盾存在過很長時期。就在蔣介石受松岡洋右欺騙，憤而斥責日本為"無禮無信之國"後不久，他又在日記中寫道："對敵宣傳，使知非由美國或蘇、德出而保證，決不能解決戰事之意。""敵次任內閣，如果為海軍系聯美派出任，使美得調停中倭戰事，則和平有望矣。"[1] 1941 年 2 月，美國總統羅斯福的代表居里訪問重慶。居里向蔣提出：本人來渝，常聞傳言，某某等秘密對日進行和議，請直率相告。蔣答：自由中國絕對無一人願與日本言和。倘英、美能繼續予以援助，亦決無人表示不滿。此間人士皆決意除最後勝利外，他無所求，何言隔〔個〕別之和平！我人已作此最大之犧牲，日本已陷無援助、無希望之絕境，英、美已在精神上、物質上予我以一切援助，

---

1 《蔣介石日記》（手稿本），1940 年 12 月 10 日。

故不論日本以任何動人之條件向我求和，而此未成熟之對日和平，余將一律視為中國之失敗。余可向閣下保證，對日和議必在英、美參加之和平會議席上談判之，此外無中國可以接受之可能。余願時機成熟之時，此項會議由美國召集之，一如召集九國公約之華盛頓會議。惟華盛頓會議時，無蘇聯參加，深盼此會議亦有蘇聯一席耳。[1] 這個時候，中國雖還在孤軍奮戰，但已得到英、美、蘇三國的援助，因此，蔣介石說話底氣足，腰板硬，但是，字裏行間，我們仍然可以看到其"和平"幻想的陰影。徹底拋棄"和平"幻想，轉過來勸止英、美對日妥協，爭取抗日戰爭的全面、徹底勝利，蔣介石的面前還有一段路程。

1　《戰時外交》（1），第 588—589 頁。

孔祥熙與抗戰期間的中日秘密交涉 *

* 本文錄自《蔣氏秘檔與蔣介石真相》，重慶出版社 2015 年版；原載《歷史研究》1995 年第 5 期。

在孔祥熙與宋子文二人中，蔣介石比較喜歡並信任孔祥熙。1938 年 1 月，南京國民政府為了建立戰時體制，任命孔祥熙為行政院長。同年 6 月，宋子文憤憤地對潘漢年說：“蔣之用孔作行政院長，就是為的準備好與日本談判和議。”[1] 蔣之用孔，原因很多，宋子文的這段話有很大的片面性。但是，中日戰爭期間，蔣介石確曾通過孔祥熙多次與日方進行秘密交涉。由於除孔祥熙外，他的大兒子孔令侃等人均參與其事，因此，有的人稱之為“孔家的和平運動”[2]。

關於抗戰時期孔祥熙和日本方面秘密交涉情況，我在前些年曾有所論述[3]。本文將根據近年來新發現的資料，全面探討孔祥熙與抗戰期間中日秘密談判的關係。前文已詳的，本文將從略；海內外其他學者著作已詳的，本文也從略[4]。

1 《南湖（胡鄂公）致孔令侃密函》，孔祥熙全宗，中國第二歷史檔案館藏，以下同。
2 梅思平：《和平運動之如是我聞》，《汪精衛集團投敵》，上海人民出版社 1984 年版，第 22 頁。
3 參見本書《抗戰前期日本“民間人士”和蔣介石集團的秘密談判》及《日蔣談判的重要資料——讀孔祥熙檔案之二》，《海外訪史錄》，社會科學文獻出版社 1998 年版，第 523—527 頁。
4 參見章伯鋒《關於抗日戰爭時期蔣介石反動集團幾次妥協投降活動》，《近代史研究》1979 年第 2 期；彭澤周《中日戰爭初期的和談》，台北《傳記文學》第 54 卷第 3 期。

一、賈存德與萱野長知

1937 年 12 月 13 日，日軍佔領南京。同月 26 日，日本政府通過德使陶德曼，向國民政府行政院副院長孔祥熙面交中日實現和平的基本條件 4 條。由於中方沒有按照日方的規定時間作出答覆，驕狂不可一世的近衛內閣於次年 1 月發表聲明，宣稱今後 "不以國民政府為對手"，從而表示出對蔣介石的決絕態度。但是，這以後，日本軍方和 "民間" 都仍然有一部分人企圖做國民政府的工作，誘使蔣介石等人投降。

1938 年 3 月底，孔祥熙的親信賈存德與舊日一起做過情報工作的日本人松本藏次在上海相遇。松本當時在日本華中派遣軍總司令畑俊六大將處任參事，他勸賈出而奔走，早日和平解決中日之間的戰爭，以免俄、英等國收漁人之利。[1] 松本並利用孔、宋之間的矛盾進行挑動，聲稱 "宋子文為未來政權企圖計，亦有似此活動。願君勉為之！"[2] 當時，胡鄂公（伯良、南湖）是孔祥熙留在上海的顧問，指示賈提出先決條件：1. 介紹畑俊六見面；2. 畑俊六親筆寫信給蔣介石或孔祥熙。

日軍的下一個進攻目標是武漢，畑俊六企圖在此前以 "和平" 方式解決中國問題。同月 4 日，畑俊六與賈存德會晤。畑仍然堅持近衛聲明，聲稱："現在日本的對家已不是蔣委員長，而是南京新成立的維新政府。"但他表示了一點靈活的態度：如蔣委員長、孔院長 "有所覺悟，亦未〔嘗〕不可談判"[3]。畑俊六旋即介紹萱野長知與賈存德交談。萱野在辛亥革命前後與中國革命黨人有密切關係，當時受日本松井石根大將之命在上海找尋談判線索。他對賈述說了自己與孫中山、孔祥熙、宋藹齡及國民黨當局諸人的交往，聲稱 "中日戰爭結果，必二者俱傷"，表示願遵畑俊六之命 "寫信給蔣委員長和孔院長調和"[4]。

萱野長知當時雖服務於日本軍方，但和軍部並不一條心，企圖另闢議和渠道。5 月初，賈攜帶萱野函件離滬。臨行前，萱野對賈稱：日本軍閥要價過

---

1 《伯良（胡鄂公）致王良〔梁〕甫電》，1938 年 4 月 7 日，孔祥熙全宗。
2 《賈存德陽電》，1938 年 4 月 7 日，孔祥熙全宗。
3 《伯良（胡鄂公）致王梁甫電》，1938 年 4 月 7 日，孔祥熙全宗。
4 《伯良（胡鄂公）致王梁甫電》，1938 年 4 月 7 日，孔祥熙全宗。

高，要實現中日和平，只有設法使日本和平派抬頭。[1]同月6日，賈存德經港飛漢，會見孔祥熙。22日，孔祥熙覆函萱野長知，陳述侵華戰爭對日本的危害，要求萱野做日本"少數軍人"的工作。函稱：敝國堅持抗戰，純為自衛起見。故解鈴繫鈴，仍在貴國少數軍人之手。先生欲自救以救人，必設法使貴國少數軍人早日醒悟，必先使其了解此次戰事對於貴國之利害。[2]同時，孔祥熙並致日本浪人首領頭山滿一函，內容大體與致萱野函同[3]。6月1日，賈存德攜帶孔祥熙函回到上海，與萱野、松本會談。賈稱：武漢等地"抗戰極堅決"，"人心鎮定如昔"。他轉達了孔祥熙的意見：要求日方"放下屠刀，使我領土完整，為東亞兩大民族千年萬年謀真正共存共榮"。"苟能利和平，即敝屣現院長地位，亦願與二位共同奮鬥。"萱野表示："擬回東京聯絡同志作後盾，然後分謁內閣、軍部、重臣、元老，徵求意見，一致以謀和平之早日實現。"他並說："余老矣，士為知己死，蒙院長不棄，同情管見，余誓以老命報之。"[4]7日，萱野與松本飛返東京，和頭山滿密議，接著，與近衛首相、宇垣外相會談。17日返滬，對賈存德稱：近衛、宇垣對孔祥熙函件都表示同情。萱野並要求與孔祥熙擇地會見。[5]

日方積極，孔祥熙卻表現得很冷靜。6月25日，孔祥熙的秘書李青選（汝秀、毓萬）致電賈存德，指示他說話須"慎重"，電稱："事關重要，一言可以興邦，一言可以喪邦，應付失宜，危險至巨。現在彼方既感困難，我方尤須沉著，如過急反以示弱，更難得當也。"其後，李青選一再致電賈存德，聲稱孔祥熙"不便輕易離漢"，要賈了解日方"切實辦法"，並要求萱野長知親筆開明"真實條件"[6]。

日方一方面宣稱條件不高，畑俊六表示："日將領同士兵，除海軍一部分外，多已厭戰。今次日〔所〕提和平條件，極平正，絕不使孔院長為難。除經

1 《王梁甫致孔令侃函》，1938年5月6日，孔祥熙全宗。
2 《孔祥熙致萱野長知函》，孔祥熙檔，美國哥倫比亞大學珍本和手稿圖書館藏。
3 《支那事變善後措置》，日本外務省檔案，A-1-1-0號。
4 《賈存德致孔令侃轉李青選電》，1938年6月3、12日，孔祥熙全宗。
5 《賈存德致李青選電》，1938年6月21日，孔祥熙全宗。
6 《李汝秀致賈存德電》，1938年6月25、28日，孔祥熙全宗。

濟合作、防共產外，無苛求。"[1]一方面則要求解散國民政府，蔣介石下野，由
孔祥熙出面組織政府。28日，賈存德再電孔祥熙，告以萱野意見：此事至難
而不難。蓋雙方著重顧全顏面，中國之顏面重在軍隊退出，領土完整，日本之
顏面重在解散抗日政府，老蔣暫行下野，從新組府，任之孔院長。老蔣下野，
換湯不換藥，故難而不難者，即此之謂也。[2]萱野認為在上海不便，要求於7月
5日與賈存德共同赴港談判，並要求面見孔祥熙。7月3日，李青選電告賈存
德，明確拒絕解散國民政府、蔣介石下野等條件，但表示可以孔祥熙下野作為
轉圜。電稱：彼方果有誠意，當以可能條件與我商洽，否則漫無邊際，可不必
談。如軍部所提，非惟政府不能因人要求而解散，委座不能因人要求而下野，
且全國民眾亦不能允許委座下野。此等話實使夫子無辦法說出。前曾與兄談
及，現在最高行政當局本為夫子，如果彼方以為無法下台，夫子本人情願犧牲
地位，以為彼方轉圜面子。[3]萱野長知等並不十分同意近衛"不以國民政府為對
手"的聲明，聽了孔祥熙願意犧牲院長地位的表示後，便表示可以不堅持要求
蔣介石下野。[4]

7月6日，賈存德、萱野長知、松本藏次等轉到香港談判。此前，孔祥熙
的秘書喬甫三和日本駐香港總領事中村豐一的談判已經開始。[5]談判中，賈存德
等提出，希望日軍暫勿進攻漢口。9月上旬，日方聲稱，蔣介石可以預先作出
下野表示，而在和平後自動實行。在此情況下，孔祥熙表示可以出面與日本外
相宇垣談判。但是，日本陸軍妄圖在當年秋季結束對華戰爭，正積極準備進攻
漢口、廣州，同時熱衷於誘降汪精衛，對蔣介石不感興趣。9月29日，宇垣下
台，擬議中的孔祥熙、宇垣會談流產。[6]同年10月25日，武漢陷落。

---

1 《賈存德致李選青轉孔祥熙電》，1938年6月27日，孔祥熙全宗。
2 《賈存德致李青選轉孔祥熙電》，1938年6月28日，孔祥熙全宗。
3 《李青選致賈存德電》，1938年7月3日，孔祥熙全宗。
4 《賈存德致李青選轉孔祥熙電》，1938年7月6日，孔祥熙全宗。
5 關於這一談判的情況可參閱楊凡譯《日本外交檔案中有關孔祥熙與日本"和談"的記錄》，《孔祥熙其人其
　事》，中國文史出版社1987年版；中村豐一《知られざる宇垣・孔秘密會談》，《秘められた昭和史》，《別
　冊知性》第12期，日本河書房，第261—265頁。
6 參閱本書《抗戰前期日本"民間人士"和蔣介石集團的秘密談判》。

二、胡鄂公與津田靜枝

孔祥熙的對日談判大量是通過胡鄂公進行的[1]。

孔祥熙一面動員萱野長知等人做日本"少數軍人"的工作,一面力圖和日本軍方建立直接聯繫。1938 年 6 月,孔令侃在香港指示胡鄂公,利用關東軍副總參謀長石原莞爾為樞紐,在孔祥熙與日本陸軍大臣板垣征四郎之間建立"諒解",胡返滬後,即囑滿鐵上海事務所的伊藤武雄、鈴江言一二人赴大連與石原商量,石原表示同意。[2]

同年 7 月,胡鄂公與伊藤武雄等商定,以中日在野名流,用私人資格進行初步談判。中國方面人物以唐紹儀、吳佩孚為領袖,實際談判人物為江天鐸、湯薌銘、羅家衡、易敦白。伊藤武雄同意這一計劃,即聯絡關東軍副參謀長石原莞爾、在陸軍參謀部任職的柴山兼四郎,在海軍任職的津田靜枝中將,以及阪西利八郎中將等,於 10 月上旬向日本政府提出說帖,得到同意。[3] 11 月 3 日,近衛首相發表第二次對華聲明,改變原定"不以國民政府為對手"的方針,轉為誘使國民政府改變政策,更換人事組織,參加所謂日、"滿"、華的合作。於是,日本政府一面命土肥原統一漢奸政權,一面派津田靜枝、今井武夫、伊藤武雄等到滬,與國民政府方面進行私人談判。

11 月 22 日,伊藤與胡鄂公談話,說明日本轉變政策的原因。伊藤稱:強硬派原以為攻下武漢、廣州後,中國的抗戰即可結束,但事實並非如此。強硬派也認為:必須"雙方政府直接商議",由"最高責任者在適當地點會見",因此,原來反對宇垣的一派已經在原則上和宇垣的主旨一致。伊藤並稱:日本希望以"東亞門羅主義"為和平基礎,排除西洋各國的干涉。[4] 自 11 月 26 日至

1　胡鄂公一生經歷複雜。曾參加辛亥革命北方起義。1913 年當選為國會議員。1921 年在北京組織馬克思主義研究會,發行《今日》雜誌。不久,《今日》派的主要骨幹被併入共產黨。1922 年 12 月,任北京政府教育部次長。1923 年 11 月,中共中央因其有幫助曹錕賄選嫌疑,決定停止其"出席小組會議"。後擔任孔祥熙的私人政治、經濟顧問。1936 年在潘漢年領導下聯絡西南派,反對蔣介石。抗戰期間在上海、香港為國共兩黨做秘密工作。1945 年任孔祥熙系《時事新報》發行人兼總經理。1949 年去台灣。1951 年在台北病逝。

2　《情字第 2076 號電文》,《檔案史料與研究》1991 年第 3 期。

3　《孔令侃於香港轉發胡鄂公報告電文》,《檔案史料與研究》1991 年第 1 期;參見《伯良(胡鄂公)致孔令侃電》,《近代史研究》1979 年第 2 期。

4　《孔令侃於香港轉發胡鄂公報告電文》。

1939 年 9 月，胡鄂公與津田靜枝等共進行了 6 次會談，前三次會談屬於一般性會晤。胡鄂公根據孔令侃指示，提出"各原則"，據稱："所得結果極好。"[1] 1938 年 12 月，汪精衛等出逃，叛國投敵。日本當局即企圖以扶持汪精衛為籌碼，要脅重慶國民政府妥協。次年 5 月 3 日，胡鄂公與津田第四次會談。津田探詢重慶方面情形。胡稱：汪精衛離開重慶後，情形更安定，汪精衛"離開全國民意"，不會成功。胡強調：國民政府是目前中日戰爭的當事者，蔣介石是國民政府和全中國的領導者，建議先在私人間就幾個基本綱領達成諒解，然後再在政府間進行直接談判。胡提出的基本綱領是：1. 承認兩國間的戰爭不合理；2. 恢復盧溝橋事件以前的狀態；3. 發展兩國合理的經濟提攜；4. 目前不採取防共協定的形式，而在精神上一致。[2] 同年 9 月第六次會談時，津田提出，希望國民政府與汪精衛合作，胡稱：汪精衛已被國民黨開除黨籍並被國民政府通緝，同時在道德上，是反復無常的小人，日本政府以之為談判對象，"非常失策"[3]。至此，胡鄂公與津田靜枝的會談告一段落。

三、胡鄂公與船津辰一郎

1939 年 3 月 27 日，胡鄂公在上海與前日本駐上海領事、上海日本紡織業會長船津辰一郎會晤。胡企圖使船津放棄對汪精衛和吳佩孚的工作。胡的談話大旨為：汪之領導權已喪失，號召力消滅；吳佩孚決不做傀儡；日本欲得真正和平，應以蔣及國民政府為對象[4]。胡要求船津運動日本當局，先行舉行中日私人談判。28 日，胡鄂公致電重慶，聲稱此項工作，"可以阻止汪、吳傀儡之運動復興"，同時使"日本方面多一主張和平之說客"。胡並稱：此項工作與津田方面並無抵觸，可收"殊途同歸之效"[5]。

1　《胡鄂公致孔令侃密電》，孔祥熙全宗。關於津田靜枝與胡鄂公的會談，可參閱伊藤武雄為鈴江言一所著《孫文傳》所作的跋，第 551 頁，東京岩波書店 1977 年版。
2　《情字第 396 號電文》，《檔案史料與研究》1991 年第 1 期。以下所引史料，除注明者外，均見該刊 1991 第 1、2、3 及 1992 年第 1 各期。
3　《情字第 1239 號電文》。
4　《情字第 28 號電文》。
5　《情字第 396 號電文》，《檔案史料與研究》1991 年第 1 期。

4月11日，胡鄂公與易敦白、彭希民約船津聚餐，雙方辯論至5小時。其後，船津表示採納胡鄂公的意見，將向日本軍部提出建議。

四、胡鄂公與阪西利八郎

阪西利八郎曾任袁世凱顧問，長期在中國做特務工作。1939年10月5日，胡鄂公與阪西談話，提出中日和平意見5條。6日，孔令侃覆電胡鄂公，認為胡的意見非常"周詳"，特別是第五條，由日本邀請美國以第三國立場參加保證一節，辦法很好。孔要求胡鄂公以私人立場繼續試探對方真意。[1] 此後，雙方多次會商，胡鄂公始終堅持，必須邀請第三國參加保障，然後停戰撤兵。[2] 談判不了了之。

五、樊光與喜多誠一

樊光曾任國民政府外交部常務次長，與孔家關係密切。還在1938年春，樊光就曾與北平日本浪人山本榮治發生關係，為他去漢口向孔祥熙遞送"中日和平意見書"[3]。1939年3月下旬，樊光得到消息，日本華北派遣軍特務長、興亞院華北聯絡部長喜多誠一中將將於4月10日南下，談判和平。他向孔令侃請示。27日，孔令侃覆電，指示以"恢復'七七'以前原狀，先由日皇下詔撤兵"為要旨。喜多要求面見孔祥熙，表示希望在汪精衛登台以前"得到辦法"。為此，樊光曾赴重慶報告。同年9月22日，喜多應原上海電話局局長鮑觀澄之邀到滬。會談中，喜多重提蔣介石下野問題，受到樊光駁斥。樊光稱：日方所提條件，不外共同防共、經濟合作、取消抗日三條。其中經濟合作一條，如在平等互惠條件之下，可以商量；防共問題，現在德蘇已成同盟，日蘇關係亦已

---

1 《渝情字第733號電文稿》。
2 《情字第1349號電文》。
3 賈存德：《孔祥熙與日本"和談"的片斷》，全國政協編《文史資料選輯》第29輯，參見譚光《我所知道的孔祥熙》，《孔祥熙其人其事》，第68頁。

妥善，日本真有誠意與中國和平，共黨一節不成問題。至於取消抗日問題，只要日本無侵華之舉，華人又何所抗？當喜多詢問有何辦法實現中日和平時，樊光稱："中日雙方相持下去，日軍必至有不能不潰退之一日，國必紊亂，難以收拾。若日皇下詔，撤兵言和，似過便宜日本，然孔院長則以為中日兄弟之邦，彼此犧牲均屬可惜，故願贊成此舉，使日方亦能得利也。"[1] 對此，喜多表示，茲事體大，非一人所能做主，容回北平後詳細商量。

會後，鮑觀澄對樊光說：喜多不願汪政權成立，造成既成事實，使和平多生枝節。如孔院長能與之秘密會晤，彼必出全力做成此事，汪政府即可消滅。24 日，樊光將會談情況報告重慶。10 月 11 日，孔令侃覆電稱："喜多談話，全屬空泛之詞，仍以委座下野為題，而無切實表示，自無誠意可言，顯係試探性質。"孔令侃並批評樊光的答話"句句著實，誠如代表院座答覆，而反示我方求和心切。萬一為彼方灌音，收去留為話柄，如何是好！"孔令侃要樊光以後對外談話時，多問少答，試探口氣，在對方答話中尋覓線索[2]。

六、樊光與今井武夫

1939 年 4 月上旬，原大隈重信親信、日本《報知新聞》記者、特務機關政務課長百武末義與樊光在上海會談。百武稱：因受平沼首相及參謀本部中國科長今井武夫委託，與國府聯絡和平，特由東京趕回。當時，報載平沼內閣已與汪精衛結約，樊光據此提出責問。百武稱：平沼與汪敷衍則有之，但通過本人說明，已確知汪並無能力。今井並深知聯汪拉吳，均已失敗，言和只有向蔣及孔祥熙處覓取途徑。百武並稱：和平沼首相多次暢談，平沼表示，若能和平停戰，撤兵自可辦到。共同防共、經濟合作及滿洲國事，均可不提。這是空前寬鬆的條件，樊光表示懷疑，百武則"發誓願負責"[3]。

4 月 14 日，百武再次會見樊光稱：過去日本少壯派軍人受汪精衛蠱惑，以

---

1 《情字第 1255 號電文》。
2 《渝情字第 1728 號電文稿》。
3 《情字第 135 號電文》。

為蔣完全受共產黨包圍，因此有不與蔣政權交涉的聲明；現在唯一的條件是共黨問題，接洽和談時，"只須蔣先生或孔院長表明，與共產黨無關態度"即可。百武並稱：只要能讓平沼看得出孔祥熙"真有意和平"，今井武夫及平沼代表即可來華。15 日，樊光致電孔令侃稱："弟意現當汪正在勾敵時，總當設法使彼方對我言和者不失望。"[1] 22 日電再稱："現汪精衛已上當，完全受日人擺佈，傀儡登場，不可不速為設法破其奸謀也。"[2]

日方一面積極扶植汪精衛登場，一面引誘國民政府進行"和平"談判。百武多次表示，只要平沼、今井確信已和國府取得聯絡，即刻放棄與汪精衛等人的聯絡活動。5 月 4 日，今井自東京抵滬，要求與孔令侃在港見面。他對樊光表示：本人主張：以蔣先生為對手商停戰，以孔院長為對手商和平談判。[3] 今井了解孔祥熙與萱野長知之間的關係，因此特別表示："所言決負責任，非為一般浪人萱野等可以隨便說話，毫無實際。如所不成，當出家當和尚。"

今井在上海坐等孔令侃消息，但重慶方面直到 5 月 9 日才有回音。11 日，樊光約見今井，重慶中央銀行秘書姚瑛同時出席。樊光聲稱：孔令侃公務冗繁，交通阻隔，到港恐來不及。他出示孔祥熙特別指示三條：1. 以國民政府為對手進行談判；2. 尊重中國的領土主權；3. 由美國出面調停。[4] 樊光並補充了三條意見：1. 此事由日方主動，當然應由日方提出確實辦法；2. 須由日方政府作明顯表示，予我諾言之保證；3. 停止一切分化運動，專誠向國府及蔣先生言和。[5] 今井對未能見到孔令侃感到不悅，於 12 日回日。

同年 8 月 30 日，阿部信行內閣成立，今井武夫調任駐華日軍總司令部高級參謀兼中國科長，邀請孔令侃到上海談判。10 月 6 日，百武末義對樊光稱："日政府仍望對重慶有辦法，如中央確具誠意，能有相當負責代表密行接洽，決即放棄汪事。但如仍無確實辦法，則日方於無辦法中只好從汪方面進行活動。"[6] 此後，日方扶汪活動加緊。10 月 22 日，樊光對今井武夫說："君等既支持汪組

---

1 《情字第 208 號電文》。
2 《情字第 230 號電文》。
3 《情字第 332 號電文》。
4 《今井武夫回憶錄》，中國文史出版社 1987 年版，第 167 頁。
5 《情字第 1262 號電文》。
6 《今井武夫回憶錄》，中國文史出版社 1987 年版，第 167 頁。

織所謂新政權，似不必與我們再談和平矣！"今井表示：汪為和平而出來，又商談過很久，不能不予以支持。但汪並無"十二分把握"，因此，日方仍願與重慶談判。今井表示，希望重慶來一"負責大員"[1]。

11月6日、7日，樊光與今井武夫連續兩次會談。今井提出，日華兩軍的停戰交涉以蔣介石為對手，實現和平之後，汪蔣合作。[2]其後，樊光聲稱赴重慶出席國民黨五屆六中全會，離開上海；今井武夫則在香港找到了所謂"宋子良"的關係，開始"桐工作"。

七、胡鄂公等與和知鷹二

1940年初，日本軍部部分人士逐漸感到依賴汪精衛不會結束對華戰爭，力圖在國民政府內部另覓誘降對象。為此，日本華南特務長和知鷹二大佐奔走於香港、兩廣間，竭力拉攏李宗仁，結果失敗。其後，和知便全力投入拉攏重慶方面的工作。[3]

1940年2月，和知調任駐上海機關特務長，晉升少將。同月26日，和知與易敦白談話，試探性地提出：如日本以蔣為對手談判，而蔣又拒絕如何？接著，又提出經濟提攜、反共及滿洲三問題。易稱：中國共產黨已信奉三民主義，政府已不認共產黨存在，至少已對其控制；又稱：現在解決"七七"事變，滿洲問題待將來別求合理解決。易並稱：如果日本真能退出華北、華中、華南，取消不平等條約，廢除租界及內河航行特權，則中國"對滿洲何嘗無壯士斷腕可能！"[4]

3月22日，和知與易敦白第二次會晤。當時，汪精衛政權已預定於當月月底成立。和知要易敦白作出估量。易答稱：汪精衛等寄食日人，等於消毒，抗戰陣容更加徹底堅固，足以爭取最後勝利。和知稱：日本政府將在一二月內承認汪政權，屆時以蔣為對手的謀和計劃將無法進行。他詢問易敦白：可否在

---

1 《情字第1321號電文》。
2 《今井武夫回憶錄》，中國文史出版社1987年版，第167頁。
3 《情字第1777號電文》。
4 《情字第1760號電文》。

二三月內 "辦出頭緒"？又詢問：中國政府最低條件如何？可否提出一具體原則？[1]

　　會談後，和知向板垣彙報。板垣時任南京中國派遣軍總司令部參謀長，他認為與重慶方面談判為時尚早。實際原因是，當時與 "宋子良" 的談判正在中國南方進行。不久，"桐工作" 停滯，板垣便催促和知繼續與孔祥熙方面談判。

　　4 月初，和知與孔祥熙的親信、院長官邸秘書處第六組負責人盛升頤在香港會晤。和知稱：日本元老、重臣及軍部一致要求停戰，希望由孔祥熙與何應欽主持，開始正式談判。[2] 當時，孔令侃企圖利用與和知的談判 "偵查日本意向所在"[3]。同年 5 月 29 日，易敦白向和知提出 4 個問題：1. 日自動撤兵問題；2. 東三省交還問題；3. 美國參加和議及保證問題；4. 汪逆引渡問題。易聲稱："這也許是蔣先生的真面孔。" 和知則列舉蔣介石和日本人交往的事實，說明上述 4 條不一定是他的 "真實面孔"。他以 "中日兩國共同建設亞洲大局" 和 "防共" 等誘引蔣介石，聲稱："中國要收回安南、緬甸，日本可以協助；要收回外蒙，亦可協助。" 關於汪精衛，和知要求不咎既往，予以相當位置，否則，也不必重辦。[4]

　　這一時期，中方雍容自如，而日方則遑急無奈。6 月 8 日，易敦白根據胡鄂公的指示，故意對日本進行和平談判的誠意表示懷疑，同時表示，中國決心繼續進行持久戰，無意談判[5]。板垣為了表示 "真意"，竟在第二天就親書委任狀，委任和知鷹二為全權代表，令人飛滬轉達和知。

　　胡鄂公分析和知的談話後，認為 "日方陽假和平之名，陰行政治進攻策略"。重慶方面也指示："非俟其覺悟自動撤兵時，決不與彼談判。"[6] 但是，談判實際上仍在繼續進行。6 月 15 日，胡鄂公、易敦白、陶菊隱與和知鷹二等在上海虹口會談。其間，胡鄂公起草了《中日恢復和平之基本原則》7 條，主要內容為：1. 中國為領土與主權獨立而戰，故亦願為領土與主權獨立而謀和。①

1　《情字第 1741 號電文》。
2　《1251 與和知談話記錄》。
3　《情字第 2025 號電文》。
4　《情字第 2025 號電文》。
5　《× 字第 ×××× 號電文》。
6　《情字第 2053 號電文》。

恢復"盧溝橋事變"以前局面；②改善"盧溝橋事變"以前種種不安狀態及不安適事件。2. 中國放棄恢復遼、吉、黑、熱"九一八"以前原狀的主張，日本放棄承認"滿洲國"獨立的主張，由中日合組處理滿洲問題委員會，共同管理滿洲，15 年後由滿洲人民投票自決，或仍屬中國，或獨立。3. 中日"滿"同盟一事絕無考慮餘地，但可商訂中日互不侵犯條約或中日友好條約。4. 防共協定非中日當前急需，可商訂文化協定。5. 基於平等互惠原則，謀兩國之經濟利益。6. 雙方全權代表會晤後即簽訂停戰協定，召開中日和平會議，合組善後委員會，辦理日方撤兵中國接受事宜。7. 邀請第三國參加保證。19 日，胡鄂公致電重慶，報告以上內容，同時聲稱："設與日本談判順利，和平可以實現時，我中央對於共黨紅軍似宜以發動內戰、破壞統一抗戰之罪名，而用最迅速之手段加以剿滅。"[1]

6 月 19 日，和知飛寧，向板垣彙報，當日返滬，約見易敦白，希望中方早日提出和平基本原則。20 日，板垣電話通知和知，此後中日談判決與胡鄂公接洽，過去日方所有接觸關係概行停止。[2] 23 日，板垣派其親信秘書辻政信少佐赴滬，通過和知介紹，與孔祥熙派駐上海的秘密電台負責人沈養吾會談。辻政信轉達板垣的兩條原則：1. 承認"滿洲國"為日本最低限度要求，希望中國予以諒解，日本可在其他方面給予中國補償或讓步。2. 組織東亞聯盟，中日兩國平等、獨立地互商政治、經濟、軍事等問題。辻政信並要求攜帶板垣親筆函件赴渝面見蔣介石，聲稱"只要能將板垣心情達於委座，即被渝府槍決，本人決死而無怨"[3]同日，胡鄂公致電重慶，內稱：板垣"確認委座為惟一之對象"，"除承認滿洲及建立東亞聯盟兩原則外，其他均可讓步，汪更不成問題。只要委座肯有表示，則彼可負責提出具體方案，彼已委和知為代表，希望渝府能派員出面，則談判立可開始"[4]。

當時，在阿部信行之後的米內光政內閣又即將倒台，和知聲稱：日本內閣即將改組，希望在此前討論胡鄂公所擬中日和平基本原則，並盼能在 7 月初討

1 《情字第 2073 號電文》。
2 《情字第 2071 號電文》。
3 《情特字第 × 號電文》。
4 《× 字第 ×××× 號電文》，1940 年 6 月 29 日。

論結束。如雙方意見一致，板垣將在同月 7 日與談判代表見面，然後回東京與日本政府做最後決定[1]。

　　日本方面希望在 1940 年內解決中國問題。板垣為了取得對華 "和平工作" 的領導權，聲稱 9 月底可以實現中日停戰。但是，日方在有關策略上，又存在種種分歧。影佐熱衷扶持汪政權，今井熱衷通過 "桐工作" 實現重慶與南京的合流，和知則熱衷於與重慶的直接談判。板垣雖聲稱 "對汪已看穿，對影佐已失望"，但實際上，對 "桐工作" 一直寄以希望。汪偽集團為了自身利益，也支持今井的合流方案，而和知鷹二則對今井的工作持懷疑態度。同年 7 月，近衛第二次組閣。9 月底，南京會議認定 "桐工作" 無望，決定將此事交東京辦理[2]。於是，對華 "和平工作" 便改歸外相松岡洋右主持。

八、王子惠與板垣

　　在和知鷹二之外，板垣還曾通過王子惠、賈存德與孔祥熙發生關係。

　　宇垣、孔祥熙會談流產後，孔祥熙命賈存德通過各種關係，繼續議和活動。1939 年夏，賈存德將這一任務交給偽南京維新政府實業部長王子惠，並於隨後報告孔祥熙。孔同意這一安排，要王辭去部長職務，伺機去東京 "團結主和派人物，抵制主戰派"。1940 年 4 月，王子惠自東京返滬，聲稱已將日本主和派閒院宮金子伯爵、頭山滿等人聯絡一起，並稱軍部及在華日軍首腦板垣等人希望從速結束對華戰爭。5 月間，王子惠送來板垣親書的中日和談五項條件草稿，主要內容為：共同防共；中日經濟合作；取消汪精衛政權；休戰；撤兵。王稱：板垣急於與孔祥熙見面。6 月 26 日，賈存德攜帶板垣草稿赴重慶向孔祥熙報告。孔祥熙同意板垣提出的條件。7 月底，孔祥熙命賈和王子惠派來的蔡森共同起草報告，上報蔣介石。

1　《情字第 2071 號電文》。
2　《何一之致孔祥熙密函》。

同年 8 月，王子惠、賈存德、蔡森在上海與板垣代表岩奇清七會談。岩奇要求在察哈爾、綏遠及平奉線等地駐兵，賈存德拒絕簽字。會談無結果而散[1]。

九、胡鄂公與松本重治

松岡接任外相後，在香港找到了和蔣介石關係密切的浙江銀行家錢永銘，因此，在內閣大本營聯席會議上誇下海口，保證 10 月底完成對華議和，實現蔣汪合作。他一面派特使赴香港，一面派原聯合通信社上海分社社長松本重治等赴上海。

1940 年 10 月 20 日，胡鄂公在上海與松本重治、伊藤武雄、鈴江言一等會談。松本稱：近衛第二次組閣之後，日本內部已經統一。中日問題，過去由軍部主持，負責人為板垣；現則係根據憲法，由松岡外相主持。日本亟願在年內結束對華事變。22 日，二人第二次會談。松本提出，日本新發展方向為南洋。為實施南進政策並在北方對蘇聯有充分準備，必先解決對華事變。日方要求：1. 駐兵內外蒙一線，必要時駐兵滄州及石家莊等地；2. 華北煤礦之開採權；3. 日本駐兵各地，鐵路與交通線之使用。胡鄂公則表示：中日如謀永久和平，日本必須放棄其優越感及特權要求，中國不能因對日本之和平而支持日本南進政策。關於滿洲問題，松本提出，希望中國政府予以承認，或決定承認原則，留待將來實行。胡鄂公對此堅決拒絕。胡稱："此問題最好擱置不談，因為承認滿洲國一事，斷非中國政府能考慮也。"松本又稱：松岡正通過張群、錢永銘（新之），使汪精衛與重慶重歸於好，實現渝汪合作。如兩個月內無所成就，則日本不能長此忍耐，必出於長期戰爭之一途，同時，日本將斷然承認南京汪精衛政權。松本並邀請胡鄂公赴東京，與近衛、松岡等相見。對此，胡鄂公表示："中國政府對於背叛民族與國家者，不能予以寬容。此為一國之綱紀問題，與外交無關。胡稱，松岡外相既然與張群、錢永銘等進行談判，自己不願多頭進行。胡勸松本暫勿進行，俟其放棄或失敗後，再進行未晚。"[2]

1　賈存德：《孔祥熙與日本"和談"的片斷》。
2　《胡鄂公與松本第二次談話記錄》。

十、夏文運赴日與日本“和平工作”的末路

“桐工作”失敗後，板垣企圖繼續利用和知對中國政府進行誘降，但和知不願與板垣合作。日本政府決定進行“錢新之工作”後，軍部決定派和知協助松岡，但和知認為汪蔣合流不會成功，在二人協商時，又認為松岡“蠻橫”，“自以為是”，因而不願合作。1940 年 10 月，和知在香港會見胡鄂公，要求取得孔祥熙的書信，以此作為謀和成績向軍部邀功，遭到胡鄂公拒絕[1]。

11 月 10 日，和知偕夏文運赴日。夏是一個勾掛雙方的人物，既為和知做中文翻譯，又與孔祥熙通氣。到日本後，首先會見日本政界元老秋山定輔，秋山提出，由陸相東條英機、海相及川古志郎、首相近衛、頭山滿及秋山 5 人組織小組委員會，由和知出面奔走，建議蔣介石指定負責人員，最好由孔祥熙組織同樣委員會，交換意見。夏其後又會見浪人領袖頭山滿、參謀本部參謀總長杉山元、陸軍大臣東條英機等。杉山稱：“取消汪偽及延期承認汪偽一事，係政府分內事，礙難容喙。然中日戰爭應速停止，此為日本軍部所願望，務期加速進行。”杉山表示，希望重慶派人到東京商量。東條則詢問，何不帶同重慶代表來日？若然，可打消汪偽承認，和平立可實現。東條稱：今後如再無辦法結束事變，軍部即希望與蔣介石議和。此事不會因承認汪政權而停止[2]。

松岡主持的“錢新之工作”有過一定進展。11 月 21 日，重慶方面要求日本無限延期承認汪政權，同時無條件全面撤兵。22 日，日本四相會議決定同意重慶條件。但是，28 日的大本營和政府聯席會議又決定推翻四相會議的決議，決定承認汪政權。

日本政府雖然承認了汪政權，但仍不願放鬆對重慶的誘降。12 月 2 日，日本當局致電和知，命其回東京，商量承認汪政權後的對策，3 日，大本營任命和知為部附，並同意恢復其在華所設特務機關（蘭機關）[3]。

和知設想的條件是：1. 無條件撤兵，代以對外防禦性質的中日軍事協定；2.“滿洲國”問題暫緩，將來有條件的承認；3. 南進時可得中國協助；4. 經濟

---

1 《佳 764 政電》。
2 《何一之致孔祥熙密函》。
3 《江 777 情電》。

合作，以平等互惠為原則；5. 中國在華南海岸予日本海軍以便利[1]。不過，這以後和知的工作並無多大進展。1941 年 3 月，和知調任台灣軍參謀長。12 月 8 日，日軍偷襲珍珠港，太平洋戰爭爆發。9 日，重慶國民政府向日本宣戰。同日，和知電詢中方對於中日問題的意見，胡鄂公答稱："中日談判，若日方不懸崖勒馬，此時實難進行，且視明年三四月局勢之發展，或有機會。"[2]

和知的工作沒有進展，津田靜枝等人亦然。1942 年 6 月，津田靜枝、伊藤武雄、松本重治等在東京進行和平活動，因日本陸海軍意見不一，無結果。同月底，津田邀請胡鄂公赴東京，與海軍當局交換個人意見，表示可以備軍艦迎送。胡答以正患病，不耐舟車之勞[3]。同月下旬，和知在東京會見侍衛長官本莊繁，本莊稱：在目前情形下，只要蔣先生對於日本任何要人有書面之表示，則中日問題即有解決辦法[4]。不過，這時，蔣介石已經與英、美聯盟，看到了勝利的希望，對"和談"興趣不大了。

抗戰期間，在孔祥熙與日方進行的議和活動還有其他線索，不能一一列述。

十一、孔祥熙主和的思想基礎與策略目的

孔祥熙主和，有其思想原因，也有其策略目的。

1937 年 10 月，孔祥熙自歐洲返回南京。11 月，德使陶德曼受日本政府之託，向中國政府提出議和條件，孔祥熙力主接受[5]。他在被任命為行政院長後，仍經常對抗戰前途表示悲觀[6]。1938 年 6 月 18 日，日本大本營發出準備進攻武漢命令。26 日，長江要塞馬當失陷，武漢形勢日益危急。在 7 月 2 日的國防最高會議上，孔祥熙力主與日方妥協[7]。10 月 24 日，統帥部下令放棄武漢。當日，王世杰在汪精衛處參加談話會。日記云："汪、孔均傾向於和平。"

1 《何一之致孔祥熙密函》。
2 《情字第 477 號電文》。
3 《情字第 726 號》。
4 《情字第 745 號》。
5 《王世杰日記》，1938 年 10 月 5 日。參閱同書 1937 年 12 月 2、27 日。
6 《王世杰日記》，1938 年 1 月 28 日、2 月 20 日，一直到 1940 年 7 月，王世杰仍認為孔祥熙是 "悲觀而氣餒者"，參見同書 1940 年 7 月 12 日條。
7 《王世杰日記》，1938 年 7 月 2 日。

可見，孔祥熙之主和，有其思想基礎，他的議和活動和他的思想狀況有其一致性，反映出在日軍的銳利攻勢下，國民黨和國民政府內部一部分人對抗戰信心的動搖。

孔祥熙不是一個自作主張的人。1938年4月，他就任行政院長後不久，曾在致蔣介石密函中表示："曹隨蕭後，自亦不必另有主張，另有政策。"又稱："以黨治國，一切大計均須取決於黨，聽命領袖，而抗戰時期，最重意志統一，政策一貫，尤不容個人隨便發表主張，致涉分歧。"[1] 他的議和活動顯然得到蔣的默認和支持，有些事，並曾向蔣彙報。因此，孔祥熙的議和活動應該看作蔣介石全盤對日策略中的一招，曲折地反映出蔣介石的內心矛盾和兩手策略。蔣介石長期認為中國實力不如日本，與日本作戰，中國必敗。從"九一八"到"盧溝橋事變"，蔣介石終於走上了抗戰的道路，但是，蔣介石思想上的恐日症並未消除，因此，他採取的是一面作戰，一面和談的兩手政策，根據不同形勢，交互為用，以便進可以戰，退可以和，左右逢源。孔祥熙曾說："蔣先生向來的做法，是找一部分前進分子，找一部分落伍分子，聽二派的意見，從中採取一點。"[2] 蔣介石在抗戰期間對和、戰兩派的利用，與此類似。

在對日策略上，孔祥熙與蔣介石之間有時也有分歧。1938年11月3日，日本近衛內閣發表第二次聲明，對"不以國民政府為對手"的僵硬政策有所修改，在此情況下，國民黨內主和勢力增強[3]。12月9日，王世杰等到重慶黃山官邸議事。蔣介石主張堅持抗戰方針，但孔祥熙卻表示和議亦當考慮，"並以敵人將由桂攻黔為可懼"[4]。10月中旬，孔祥熙對合眾社記者有一次談話，被外人視為意在請羅斯福出來調停中日戰爭，引起蔣介石不滿。27日，蔣介石在赴南嶽召集將領會議之前，約孔祥熙與王寵惠談話，"囑勿向美國表示盼其出面調停之意"[5]。孔、王都是主和派，受了批評之後，先後向蔣要求辭職，蔣一度考慮過，接受孔的要求[6]。這些地方說明，蔣介石思想中，抗戰成分較孔祥熙為多。

1　孔祥熙檔，美國哥倫比亞大學珍本和手稿圖書館藏。
2　《馮玉祥日記》第5冊，江蘇古籍出版社1992年版，第405頁。
3　參閱《王世杰日記》，1938年12月1日："杭立武為余言，近日國民黨中傾向於和議者漸多。"
4　《王世杰日記》，1938年12月9日。
5　《王世杰日記》，1938年10月19、28日。
6　《王世杰日記》，1938年1月18日。

不過，將孔祥熙和蔣介石的議和活動完全視為信心不足也未必妥當。

1938年，賈存德與萱野長知談判期間，曾致電孔令侃下屬情報組負責人王梁甫表示：這種談判可以"藉機探討日本真相"[1]。王梁甫在向孔令侃彙報時則稱："似不妨虛與委蛇，以分化其國內主戰及反戰之勢力。"[2]後來，胡鄂公也說：談判可以"促成日本和平派勢力成立，俾與主戰派對立"，同時可以"破壞日本組織統一偽政〔府〕企圖"，並可以"利用中日在野名流私人和平談判"，團結"國內在野人物"，"爭取中國榮譽和平，以達到最後勝利，復興中國目的"[3]。應該承認，上述云云，證以胡在談判中的言論，並非完全是虛語。

1 《賈存德陽電》，1938年4月7、20日，孔祥熙全宗。
2 《王梁甫致孔令侃函》，1938年5月6日，孔祥熙全宗。
3 《孔令侃於香港轉發胡鄂公報告電文》，孔祥熙全宗。

蔣介石對孔祥熙謀和活動的阻遏 *

* 本文錄自《找尋真實的蔣介石：蔣介石日記解讀》（1），重慶出版社 2015 年版；原載《歷史研究》 2006 年第 5 期。

盧溝橋事變後，國民黨和國民政府內部有不少人認為中國和日本之間，國力、軍力都相距很大，因此，還不能立即與日本展開大規模的戰爭。他們主張，仍應以妥協方式與日本達成 "和議"。淞滬抗戰爆發，中國軍隊主動向日軍進攻，標誌著抗戰國策的確立和全面抗戰的展開，但是，國民黨和國民政府內部都仍有部分人主張 "和平"。淞滬之戰失利後，主和之議更盛，孔祥熙是這一部分人中的重要代表。現存檔案表明，中日之間的許多秘密談判雖係日方主動，但中方的掌控者則是時任行政院副院長、後於 1938 年初升任院長的孔祥熙。多年以來，人們普遍認為這些活動是國民黨和國民政府真實態度的反映，代表蔣介石的意志。然而，事實出人意料，蔣介石對孔祥熙掌控的這些談判大都持反對態度，曾多次批評，甚至以極為嚴厲的口吻加以阻遏。這種情況，與我們的傳統認識大相徑庭，值得鄭重討論，以求推進中國抗日戰爭史的研究，加深對蔣介石其人的全面認識。

一、拒絕被孔祥熙視為 "天賜良機" 的陶德曼調停

1937 年 11 月，上海失陷，南京危急，德國駐華大使陶德曼接受日本政府委託，向蔣介石提出停戰議和條件：1. 內蒙古自治，一切體制類似外蒙古。2. 華北非武裝區擴大至平津鐵路以南。3. 擴大上海的停戰區，由國際警察管

制。4. 停止排日。5. 共同防共。6. 降低日本貨的進口稅。7. 尊重外國人在華權利。同月9日，陶德曼通過蔣介石身邊的德國顧問法肯豪森威脅孔祥熙：“如果戰事拖延下去，中國的經濟崩潰，共產主義就會在中國發生。”[1] 28日，陶德曼在漢口會見孔祥熙，重申上述條件。29日，孔祥熙致電在南京的蔣介石，告以他本人多次和在漢“重要同志”會晤，都認為“長此以往，恐非善策。既有人出任調停，時機似不可錯”。電稱：“復查近來黨政軍各方及民間輿論，漸形厭戰。弟意此次戰爭，我已犧牲甚鉅，除非軍事確有勝利把握，不若就此休止，保全國力，再圖來茲。”[2] 30日，孔祥熙再次致函蔣介石，認為陶德曼出面調停，這是“天賜良機，絕不可失”，建議蔣“乘風轉舵”，改變抗戰國策，函稱：“前方戰事既已如此，後方組織又未充實，國際形勢，實遠水不救近渴。而財政經濟現已達於困難之境，且現在各方面尚未完全覺悟，猶多保存實力之想。若至寄人籬下之日，勢將四分五裂，此時若不乘風轉舵，深恐遷延日久，萬一後方再生變化，必致國內大亂，更將無法收拾。”[3] 他認為日方所提條件“尚非十分苛酷，多係舊案重提，亦非迫我必須一一接受，盡可作為討論之範圍”，建議蔣介石在接見陶德曼時原則表態，至於具體條件，可由行政院“趁此先行停戰，稍事整理”。可見，孔祥熙對抗戰形勢極為悲觀，陶德曼出面調停，對他說來，可謂喜出望外。

　　蔣介石與孔祥熙不同，這一時期，蔣的抗戰意志相當堅決。11月20日，蔣介石發佈遷都重慶命令，決心持久抗戰。日記云：“老派與文人動搖，主張求和。彼不知此時求和，乃為降服，而非和議也。”[4] 他對武將也很失望，感歎道：“高級將領皆多落魄望和，投機取巧者更甚！若輩竟無革命精神，究不知其昔日倡言抗戰如是之易為何所據也！”[5] 但是，蔣介石不能不考慮前方軍事失利的嚴重情況。29日，蔣介石得悉日本委託陶德曼調停的消息，立即決定加以利用，

1　《陶德曼致德外交部》，《德國外交檔》第4輯第1卷，第784頁；轉引自中國史學會編：《抗日戰爭》，《外交》上，四川大學出版社1997年版，第165頁。
2　台北“國史館”藏光碟，07A-00085。
3　孔祥熙：《致介兄》，1938年11月30日，《蔣中正“總統”檔案·特交檔案·和平醞釀》，以下簡稱“蔣檔”，台北“國史館”藏。
4　《蔣介石日記》（手稿本），1937年11月20日。
5　《蔣介石日記》（手稿本），1937年11月30日。

約其來京面談。日記云："為緩兵計，亦不得不如此耳！"[1] 12月2日，蔣介石與陶德曼談話後，一度對日本有過幻想，希冀其能有所"覺悟"。日記云："聯俄本為威脅倭寇。如倭果有覺悟，則幾矣。"[2] 但不久，日軍即以加緊進攻南京粉碎了蔣的幻想。12月7日，蔣介石離開南京，到達江西星子，日記云："對倭政策，惟有抗戰到底，此外並無其他辦法。"[3] 9日，研究全國總動員計劃，日記云："團結內部，為國相忍。""統一抗戰指使〔揮〕，使共黨歸服，消除矛盾行動。"[4] 26日，日方由於軍事上已經取得巨大勝利，通過陶德曼提出四項新的強硬條件：1. 中國政府放棄親共、抗日、反滿政策，而與日、滿共同防共。2. 必要地區劃不駐兵區，並成立特殊組織。3. 中國與日、滿成立經濟合作。4. 相當賠款。四條之外，另附兩項條件：1. 談判進行時不停戰。2. 須由蔣委員長派員到日方指定地點直接交涉。蔣介石認為"其條件與方式之苛刻至此，我國無從考慮，亦無從接受，決置之不理"[5]。27日，召開最高國防會議討論，參加者多數主和，蔣介石堅持不可，受到于右任等人的譏笑[6]。28日，蔣介石與汪精衛、孔祥熙、張群等談話，聲稱"國民黨革命精神與三民主義，只有為中國求自由、平等，而不能降服於敵，訂立各種不堪忍受之條件，以增加我國家與民族永遠之束縛"[7]。29日，蔣介石與于右任及另一位主和的國民黨元老居正談話，表示"抗戰方針，不可變更"。他說："此種大難大節所關之事，必須以主義與本黨立場為前提也。"[8] 1月2日，蔣介石再次見到陶德曼轉達的日方條件，決心"與其屈服而亡，不如戰敗而亡"，決定嚴詞拒絕[9]。但是，當時日軍攻勢銳利，中國軍隊需要休整與備戰的時間，國民政府不得不虛與委蛇地敷衍日方。1月12日，在孔祥熙和張群指導下，外交部擬具口頭答覆稿，認為日方所提四

1　《蔣介石日記》（手稿本），1937年11月29日。
2　《蔣介石日記》（手稿本），1937年12月2日。
3　《蔣介石日記》（手稿本），1937年12月7日。
4　《蔣介石日記》（手稿本），1937年12月9日。
5　《蔣介石日記》（手稿本），1937年12月26日。
6　《蔣介石日記》（手稿本），1937年12月27日。
7　《蔣介石日記》（手稿本），1937年12月28日。
8　《蔣介石日記》（手稿本），1937年12月29日。
9　《蔣介石日記》（手稿本），1938年1月2日。

項條件，"太屬空泛，願明晰其性質與內容後，予以詳細考慮與決定"[1]。這一口頭答覆稿的目的在於"拖"，以便既不明確拒絕日方條件，又為中國軍隊爭取時間。但是，口頭答覆稿所提出的要求日方答覆的四個問題卻被蔣介石否定。這四個問題是：

1. 所謂中國放棄親共政策而與日、"滿"合作，實行排共政策，日本政府意，中國究應採取何項步驟？

2. 所謂非武裝區與特殊制度，究擬設在何處？特殊制度之性質如何？

3. 經濟合作一層，其範圍如何？

4. 日方是否堅持賠償一點，是否對於中國方面所受之巨大損失，可予考慮？[2]

蔣介石當時正在河南開封佈置防務，見到此件後，認為這將使談判具體化，立即以"限一小時到漢口"的特急電通知孔祥熙與張群，表示"最後四項問句切不可提"[3]。15日，孔祥熙會見陶德曼，面交英文答覆，委婉地表示："為以真誠的努力尋求在中、日兩國間重建和平的可能性，我們已經表示，熱誠希望得知日方所提'基本條件'的性質與內容。以便更好地表達我們對日本所提條件的看法。"[4] 16日，蔣介石決定，通知陶德曼："如倭再提苛刻原則，則拒絕其轉達。"[5] 17日，蔣介石日記云："拒絕倭寇媾和之條件，使主和者斷念，穩定內部矣。"[6]

陶德曼調停失敗後，日本政府極為惱怒，將蔣視為對華"誘和"或"誘降"的最大障礙，必欲去之而後快。1月15日，日本大本營、政府聯席會議，決定否認"蔣政權"。次日，近衛首相發表聲明，聲稱"日本政府今後不以國民政府為（談判）對手，而期望與帝國合作的中國新政權的建立與發展"[7]。蔣介石對

---

1 《口頭答覆稿》，1938年1月12日，《德國調停案》，見台北"國史館"藏《外交部案卷》，00062A，第65頁。

2 《口頭答覆稿》，1938年1月12日，《德國調停案》，見台北"國史館"藏《外交部案卷》，00062A，第65頁。

3 《蔣委員長致孔院長》，1938年1月12日，《德國調停案》，見《外交部案卷》，00062A，第64頁。

4 《孔院長接見陶大使口述英文稿》，1938年1月15日，《德國調停案》，見《外交部案卷》，00062A，第76頁。

5 《蔣介石日記》（手稿本），1938年1月16日。

6 《蔣介石日記》（手稿本），1938年1月17日。

7 《日本外交年表並主要文書》下卷，《文書》，東京原書房1978年版，第386—387頁。

此的反應是：“此乃敵人無法之法，但有一笑而已。”[1] 此後，日本政府即決定，以蔣介石“下野”作為中日“和平”的必要條件。

二、制裁唐紹儀謀和

日軍佔領上海後，即企圖物色在中國政壇上有過重要地位和聲望的人，與重慶國民政府談判，或直接出面組建傀儡政權。其中之一就是唐紹儀。唐紹儀，字少川，清末任外務部右侍郎、奉天巡撫、郵傳部尚書。武昌起義後任袁世凱內閣的全權代表，與革命黨人在上海議和。民國建立，臨時政府北遷，唐紹儀任第一任內閣總理。此後，唐紹儀歷任要職，其地位和聲望都符合日本人的要求。上海淪陷後，唐紹儀留居法租界，日本船津辰一郎等人便多方設法，企圖拉唐下水。唐的住處，不斷有各色人物登門。重慶國民政府為防止唐為敵所用，也不斷與唐聯繫，許以國民參政會主席、國防最高委員會外交委員長或駐德大使等職，任其擇一。據說，蔣介石還曾致函唐紹儀，擬聘請其為“高等顧問”[2]。1938 年 5 月，法學家羅家衡到武漢，會見汪精衛、孔祥熙等人。汪稱：“現在的局面，只有少川先生出來與日本談判才是辦法。現在日本不是較以前對華主張緩了一步麼？從前日本是不以蔣政府為對象的，現在日本僅主張不以蔣個人為對象了。只要少川先生出來與日本談判，蔣的下野是不成問題的。我只要國家有救，甚麼犧牲都可以的。”孔祥熙則表示，最好由唐個人與日本方面試談條件[3]。

唐紹儀接受汪精衛和孔祥熙委託後，即於 5 月底或 6 月初在上海與日方談判，其條件大略如下：1. 取消以前一切不平等條約，如二十一條、塘沽、何梅等協定。2. 日本軍隊完全撤退。萬一拘於庚子條約，其所駐軍隊亦不得超過歐美各國所駐軍隊數目之上。3.（中國方面）絕對不賠款，因自動停戰議和，非戰敗和議可比。4. 中、日、“滿”經濟合作。唐並表示，中國方面如必欲取消

---

1 《蔣介石日記》（手稿本），1938 年 1 月 17 日。
2 《南湖致剛父電》（胡鄂公致孔令侃），1938 年 6 月 11 日，“蔣檔”。
3 《南湖致剛父電》（胡鄂公致孔令侃），1938 年 6 月 11 日，“蔣檔”。

滿洲獨立，可在今後和議中由唐出面交涉[1]。唐紹儀的計劃是：在兩個月後日軍到達河南雞公山時，或由中國"最高領袖"授意前方將士自動停戰，或由孔祥熙邀同戴季陶、汪精衛等與日本素有關係的"老同志"，代表政府或人民團體赴香港談判，他本人屆時當前往參加，但決不單獨負責[2]。6月17日，日本大本營陸軍部決定"鳥工作"計劃，準備起用唐紹儀及吳佩孚等"一流人物"，"建立強有力的政權"[3]。27日，唐紹儀託大女兒（諸昌年夫人）持函，到武漢會見孔祥熙，聲稱"以國難為慮，渴望於國事有所襄助"，"欲得公正和平，須中日公開談判"[4]。7月5日，諸夫人回滬，攜回孔祥熙致唐紹儀函，函云："戰爭初期，我方別無選擇；時至今日，或有公正和平之望。"孔要求唐憑藉自己的有利地位，試探日方和平意向，同時，聯絡中日有名望的民間人士，呼籲雙方當局進行和平談判[5]。8月上旬，孔祥熙在香港的親信訪問諸夫人。諸稱：有日本東京陸軍最高長官的全權代表向唐紹儀提出三項條件：1. 停止反日運動；2. 反共；3. 經濟合作。該代表稱，日方沒有領土野心，願保障中國領土、主權完整，無賠款。諸夫人向孔在香港的親信表示："此次因係院座（指孔祥熙——筆者）再三勸慰，少老始肯與日人見面，探詢條件。該日軍代表之來，亦極不易，所持條件，可作基本談判之初步原則。""如我方認為可商，當再與進行詳洽。"諸夫人並稱：該代表定8月5日返滬，如有所命，請在8月15日前示下，免過時機，在日人前反露我求和之意[6]。8月9日，孔祥熙致電蔣介石，彙報上述情況。

蔣介石這一時期仍然不贊成孔祥熙的謀和活動。6月23日，蔣介石與與孔祥熙談話稱："敵人至今滅亡我國之野心，固已為我粉碎，即其對粵漢速戰、速決之信心，亦已為我消滅。最後勝利於我確定矣。"他囑咐孔祥熙"不可另自接洽"[7]。7月12日，日機大炸武漢，警報解除後，蔣介石再次與孔祥熙談話，勸止他的謀和活動。談畢，蔣介石慨歎道："庸之對敵行同求和，彼猶不知誤事，

1　克克：《致孔院長轉居覺生先生》，1938年6月9日，"蔣檔"。
2　克克：《致孔院長轉居覺生先生》，1938年6月9日，"蔣檔"。
3　《中國事變陸軍作戰史》第2卷第1分冊，中華書局1979年版，第98頁。
4　轉引自《孔祥熙致唐紹儀密函》，《近代史資料》總第74號，中國社會科學出版社1989年版，第278—279頁。
5　《孔祥熙致唐紹儀密函》，《近代史資料》總第74號。
6　《孔祥熙致武昌蔣委員長》，1938年8月9日，"蔣檔"。
7　《蔣介石日記》（手稿本），1938年6月23日，參見同日《困勉記》。

可歎！"[1] 蔣在接到孔祥熙關於諸夫人的活動情況報告後，立即於 8 月 10 日覆電孔祥熙，電稱："關於少川接洽和議事，弟極端反對。請其於政府未決定整個政策與具體辦法以前，切勿再與敵人談話，以免為敵藉口。"[2] 當時，蔣介石對於孔祥熙秘密與日本談判的情況已經有所察覺，蘇聯駐華外交官也為此向中方了解情況，因此蔣在電報中特別提醒孔祥熙："日人近時特放一種空氣，甚傳兄屢提條件交敵人，皆為日敵所拒。此種空氣，影響於我內部心理甚大，而且俄人亦以此相談。務請兄注意為禱。"[3]

8 月 11 日，孔祥熙電覆蔣介石，首先表示尊重蔣的意見，"承囑一節，自應注意"。接著，為自己轉報唐紹儀女兒談話一事解釋，向蔣道歉："此次諸夫人談話，顯係買好，原電轉陳，藉供參考，不意增兄煩慮，殊覺不安。"關於他本人和唐紹儀發生關係的原因，孔聲稱目的在於爭取唐，阻止唐為敵所用。電稱："少川為人秉性及過去在粵經過，為我兄所深悉。前因首都淪陷後，日方對少川多方誘惑，時思利用。且聞伊不甘寂寞，曾發牢騷，恐其萬一為敵利用，影響大局，同志中屢為弟言，囑早設法，故利用其親友盡力勸慰，使其為中央用。"關於蔣電所稱向日方提交和平條件問題，孔堅決否認："和議問題，完全彼方自動，時有報告前來，所以未曾拒絕者，原欲藉以觀察敵情，供我參考，並未提及任何條件。日人放造空氣，原屬慣技。與弟絕無關係。"[4]

在歷史上，唐紹儀反對過孫中山。1920 年，孫中山在廣州恢復軍政府，唐不願支持，退居家鄉。1931 年，汪精衛、孫科等在廣州成立政府，與蔣介石對抗，唐是常務委員之一，後來胡漢民與蔣介石對立，領導 "西南派" 從事公開的與秘密的反蔣活動，唐又曾出任西南政務委員會常委。因此，蔣介石不喜歡唐紹儀，更反對唐出面和日本進行秘密談判。當時，日本方面正在動員唐紹儀出面，在南京組織偽政權，1938 年 1 月，蔣介石即得知有關情報，日記云："其急欲造成唐紹儀為南京之傀儡者，亦無法中之一法也。"[5] 7 月 9 日，蔣介石

1 《蔣介石日記》（手稿本），1938 年 7 月 12 日；參見同日《困勉記》及《蔣中正 "總統" 檔案事略稿本》。
2 蔣介石：《致重慶孔院長》，1938 年 8 月 10 日，"蔣檔"。
3 蔣介石：《致重慶孔院長》，1938 年 8 月 10 日，"蔣檔"。
4 《致武昌蔣委員長》，1938 年 8 月 11 日，"蔣檔"。
5 《蔣介石日記》（手稿本），1938 年 1 月 23 日。

分析日本對華強硬的原因，其第三條就是：唐紹儀"希冀拆散我政府"[1]。9 月 11 日，蔣介石再次分析日本陸軍大臣板垣征四郎的對華政策，認為當年 6 月至 7 月之間，板垣之所以強硬，其原因在於，"錯認我內部有分裂及強逼余下野之可能"，同時，也由於"我內部文人態度曖昧與唐紹儀老奸之施弄陰謀"[2]。同月下旬，日本特務土肥原到上海訪問唐紹儀，說服唐起草了《和平救國宣言》[3]。9 月 30 日，唐紹儀即在家中被軍統特務刺殺。第二天，蔣介石在日記中寫道："實為革命黨除一大奸。此賊不除，漢奸更多，偽組織與倭寇更無忌憚矣。總理一生在政治上之大敵，我黨革命之障礙，以唐奸為最也。"[4] 唐紹儀被刺一事，撲朔迷離，多年來成為疑案。蔣介石的這一則日記表明，此事當出於蔣的決定。

三、制止賈存德、馬伯援與萱野長知等人的談判

日本侵華，採取的是"和戰兩用"政策，即一面武力進攻，一面政治誘"和"。1938 年 2 月，日本將在長江下游的侵華部隊改編為華中派遣軍，以畑俊六大將為司令官。畑俊六接任後，即一面籌劃進攻武漢，一面通過萱野長知、松本藏次等人與中方聯繫。萱野在辛亥革命前即與孫中山、黃興結識，參加中國同盟會，曾多次參與援助中國革命的活動。抗戰爆發後受頭山滿及松本石根大將之命來華，找尋與重慶方面談判的機會。畑俊六對萱野說："戰事無論延長至何時，總有和平之一日，希望有一了解日本者出而負責收拾善後局面，締兩國共存共榮之同盟。"[5] 又當面召見孔祥熙在上海的親信賈存德[6] 說："現在日本的對象已不是蔣委員長了，而是南京新成立的維新政府，但是，蔣委員長、孔院長想到同盟會時日本人好意的援助而有覺悟，亦未嘗不可談判和平。"[7] 他指示萱野直接致函孔祥熙。當年 5 月，賈存德密攜萱野致孔親筆函，自滬至漢。函

---

1 《蔣介石日記》（手稿本），1938 年 7 月 9 日；《事略稿本》作"企圖以唐紹儀領導偽政府"。

2 《蔣介石日記》（手稿本），1938 年 9 月 12 日。

3 《今井武夫的證詞》，《土肥原秘錄》，中華書局 1980 年版，第 54 頁。

4 《蔣介石日記》（手稿本），1938 年 10 月 1 日。

5 轉引自孔祥熙：《致介兄函》，1938 年 6 月 23 日，"蔣檔"。

6 賈存德，字辛人，孔祥熙的同鄉、學生，長期在中央銀行工作，負責收集日本經濟情報。

7 伯良（胡鄂公）：《致王主任（良甫）虞電》，中國第二歷史檔案館編：《中華民國史檔案資料彙編》第 2 編，《政治》（1），江蘇古籍出版社 1998 年版，第 226 頁。

稱：“現在中日戰爭，無異萁豆相煎，勢將兩敗俱傷，絕非東亞之福，希望捐棄小嫌，維持大局。”[1] 賈並向孔轉述萱野意見：現在日軍對和平要價過高，實難談商，必須設法使國內和平派抬頭。如中方暗示同意，本人極願回國為和平奔走，並已派人與頭山滿接洽云云[2]。萱野所言，符合孔祥熙心意，覆函稱：“中日接壤最近，唇齒相依，在歷史上地理上關係極為密切，互助則能共存，相殘必致偕亡。”“究修百年之好，抑種百年之仇，似全在貴國少數軍人之一念。” 孔要求萱野聯絡日本的“忠君愛國之士”，“責以正義，曉以利害”，促使少壯軍人早日醒悟。孔本人則聲稱：“為奠定中日真正共存共榮之百年大計起見，亦當竭盡綿薄，以從事焉。”[3] 同時，孔祥熙還準備了一封致頭山滿的信件，也交賈帶回。6月初，賈回到上海，與松本藏次見面，代表孔祥熙表示：“中日相持，仇者快，親者痛，利害詳如來函，如能保領土完整，修萬代之好，兩國幸甚。現以院長地位，亦樂與公等挽救兩國之危局，不知公等有無善策？”[4] 6日，萱野詢問有無孔祥熙覆電，賈當時尚未接到孔的新信息，只好編造了一通假電報出示萱野。7日，萱野偕松本飛返東京[5]。13日，偽中華民國維新政府實業總長王子惠告訴賈存德：日本軍部訓令，如蔣介石不表示休戰時，決定三路進攻漢口[6]。21日，萱野回到上海，與賈存德討論與孔祥熙會面地點[7]。23日，孔祥熙向蔣彙報此事，聲稱“在此時期，似不妨虛與委蛇，以分化其國內主戰派與反戰派之勢力”[8]。

此函發後，蔣介石迅速回電批評。蔣電未見，但其基本精神從孔祥熙6月25日覆蔣電可以窺知。孔電云：“頃奉手示，至佩卓見。弟前接賈生來電，當即覆電切戒。茲承尊囑，已又去電嚴諭。” 孔特別向蔣表白，為避免發生意外情況，已預留地步，本人所有致賈存德之電，均係秘書具名；前致萱野函，也

1　轉引自孔祥熙：《致介兄函》，1938年6月23日，“蔣檔”。
2　孔祥熙：《致介兄函》，1938年6月3日，“蔣檔”。
3　孔祥熙：《致萱野先生函》，1938年5月22日，孔祥熙檔案，美國哥倫比亞大學珍本和手稿圖書館藏；參見《日蔣談判的重要資料》，拙著《近代中國史事鉤沉——海外訪史錄》，社會科學文獻出版社2001年版，第524—525頁。
4　賈存德：《孔秘書（令侃）轉呈孔院長》，1938年6月12日，“蔣檔”。
5　賈存德：《致孔秘書（令侃）轉呈院座》，1938年6月12日，“蔣檔”。
6　賈存德：《致孔秘書（令侃）轉呈院座》，1938年6月13日，“蔣檔”。
7　轉引自《上海賈君來電》，1938年6月21日，“蔣檔”。
8　孔祥熙：《致介兄》，1938年6月23日，“蔣檔”。

是採取另附名片的辦法，並未簽字蓋章，希望蔣寬心。孔同時向蔣彙報，剛剛接到賈存德來電一件，"已答以現尚無暇，囑將切實辦法先行探明電覆，備作參考，此外，僅對萱野奔走辛勞略表慰勉而已"[1]。

　　當時日方認為，與中國 "和平" 的最大障礙是蔣介石，因此堅決要求蔣下野。7月1日，孔祥熙致電賈存德，表示本人可代替蔣介石下野，電稱："苟有利真正共存共榮，為彼方轉圜面子，不惜敝屣個人地位。"[2]萱野對孔祥熙的態度表示敬佩，聲稱對蔣下野一事，可不堅持。7月4日，萱野表示，以人格擔保無欺詐，日本的軍事行為最近暫可 "不積極"，但完全停止，須待會見孔祥熙之後[3]。7月5日，賈存德偕同萱野赴港，繼續談判。行前致電孔祥熙表示：將親自攜帶 "切實大略條件" 到武漢，詳細面稟[4]。7月6日，日本駐香港總領事中村豐一宣稱，日本政府擬在8月以前奪取武漢，兩國談和，最好在此時期。日方條件仍如陶德曼轉達的 "訂立防共協定" 等四條，希望了解中方條件，再行商洽。中村要求孔祥熙直接致電外相宇垣一成商洽，同時表示，希望7月7日蔣介石發表廣播講話時，"演詞不致過分激烈，以免引起彼方民眾反感"[5]。同日，孔祥熙將賈存德的上述電報及中村談話一併報告蔣介石：請示 "所陳各節，是否可行"[6]。7月15日，孔祥熙又將萱野的老朋友馬伯援以及和萱野有乾親關係的居正夫人派到香港，參加談判[7]。

　　7月20日，馬伯援偕同賈存德會見萱野及松本。馬伯援表示：1. 日本軍閥，不協助東亞民族，使之獨立，為九億有色人種之領袖，乃恃強奴隸中華民族，迫中國抗戰，自相殘殺，未免自壞長城。2. 日本不知中華民族之團結，由於日閥之迫逼與凌辱，反欲分化中國，利用漢奸，這種手段，已不適用於現代之中國。3. 中日戰爭結果，必陷日本於污泥中，更陷東亞於污泥中。4. 可惜

1　孔祥熙：《致介兄》，1938年6月25日，"蔣檔"。
2　轉引自《上海賈存德來電》，1938年7月5日，"蔣檔"。
3　轉引自《上海賈存德來電》，1938年7月4日，"蔣檔"。
4　轉引自《上海賈存德來電》，1938年7月5日，"蔣檔"。
5　《香港情報》，1938年7月6日，"蔣檔"。
6　孔祥熙：《致介兄》，1938年7月6日，"蔣檔"。
7　居正的女兒是萱野的養女。據賈存德回憶，賈到武漢後，孔邀馬伯援與賈相見，對馬說："你明天就和賈存德一同到香港去。" 又致函萱野知："關於和談之事，特派馬伯援先到香港候教。" 見《孔祥熙其人其事》，中國文史出版社1987年版，第126頁。

日本無大政治家，無遠見軍人，理解孫總理的大亞細亞主張，促其實現，致有今日之悲劇，受到白色人種輕視。談話中，馬伯援警告萱野：中日戰爭的最後勝利將是共產黨。他盛讚延安青年人所表現出來的艱苦奮鬥精神，說是“膚施之青年男女，日食小米飯兩餐，工作十四小時不倦，精神方面，勝過今日之大和魂”。

　　萱野和松本表示同意馬伯援的意見，陳述其觀點說：1. 犬養毅臨終時表示，日閥利用大亞細亞主義，強霸東亞，必惹大禍，擬改大亞細亞主義為亞細亞和平協會，使各國各民族樂於參加。2. 頭山滿最近常說：中日戰爭，起於日本不敬，輕視中國軍人及中華民族；應當止於“誠”。倘中日以“誠”相見，各種問題均可解決。3. 現在中日軍人，愈打愈對立，愈仇視。吾輩工作，以休戰、恢復理性為先。4. 日本軍人，最要假面子，倘蔣先生能理解，一時下野，即可停戰，中日雙方，同時派出代表，和平立刻實現，屆時蔣先生東山再起，亦無不可。馬伯援反駁萱野二人的意見，聲稱“蔣公為現在中國唯一的領袖，假使下野，無論何人，對於這個局面，不敢負責，不配負責，中國依然混亂，仍是抗戰到底為是”[1]。萱野表示，願回東京傳達上述意見。馬伯援即鼓勵萱野，倘能建議日本取消近衛宣言，不要求蔣下野，伯援可以個人資格，報告孔祥熙或其他黨中舊友，請其轉陳蔣公，促進和平實現。會談後，萱野、松本等於 7 月 23 日前先後回日，向近衛首相、宇垣外相等人彙報。

　　蔣介石對宇垣一成的“和平”政策懷有戒心[2]。自然，他對馬伯援、賈存德與日方的談判仍然持反對態度。8 月 4 日，孔祥熙致蔣介石電稱：“前奉尊諭，已切囑馬伯援、賈存德勿再活動，完全作為彼等私人接洽，藉以探取消息，備我參考，絕不能談及任何條件。”[3] 11 日，他在回答蔣關於唐紹儀的批評時再次作了同樣表示[4]。8 月下旬，已經返回上海的賈存德多次致電孔祥熙，聲稱畑俊六與第三艦隊長官及川古志郎託人邀賈會面，表示日方已不再要求要蔣介石“下

1　《馬伯援呈》，1838 年 10 月 8 日，“蔣檔”。
2　《蔣介石日記》（手稿本），1938 年 5 月 27 日。
3　孔祥熙：《致介兄》，1938 年 8 月 4 日。
4　孔祥熙：《致武昌蔣委員長》：“至前馬、賈兩君與萱野等之接洽，亦係藉私人關係刺探消息，作為情報，更未提及任何條件，不過不能不有所指示，免應付失言。” 1938 年 8 月 11 日，“蔣檔”。

野",近衛聲明亦可由天皇出面表示取消;現在日方的條件僅為"防共"與"親善"兩條,如中方採納,希望派負責代表到滬商談。賈並稱,日方已暗中成立休戰特別委員會,畑俊六、及川古志郎為委員,土肥原等為進行委員[1]。9月1日,孔祥熙再次將上述情況向蔣介石彙報。6日,蔣介石覆電,命孔祥熙轉告賈存德,向日方表示拒絕[2]。10日,蔣介石決定迅速制訂五年抗戰計劃,實行經濟、政治、黨、軍隊、教育、社會各方面的改造,以期自力更生與獨立作戰[3]。11日,蔣介石再次致電孔祥熙,口吻空前嚴厲:賈某事,應嚴令停止活動,否則即作漢奸通敵論罪。敵想復訂停戰協定,以亡我國,其計劃極毒,請兄負責制止,免誤大政方針。千萬注意是荷![4]蔣介石既甩出狠話,孔祥熙不敢再轉呈賈存德的情報,於是,採取其他辦法。

四、不理睬孔祥熙與日方首腦會面的要求

萱野長知等於7月23日返日後,聯絡頭山滿、小川平吉等人,在政界上層活動。至9月上旬,宇垣外相表示,不再堅持蔣介石必須下野,但蔣須"預先作出準備下野的表示,而在和平之後自動實行"[5]。9月17日,萱野再到香港,與馬伯援、賈存德會談,萱野稱:宇垣"酷愛和平",願意仿效1938年英國首相張伯倫訪問德國的故事,在大海洋的軍艦上與孔祥熙見面,不講條件,僅以"和平"與"防共"兩原則為談話基礎[6]。馬伯援將兩原則略加修飾,改為:1.東亞永久和平;2.中日精神防共。對"精神"二字,萱野深表同意。23日,日本五相會議議決,同意宇垣與孔祥熙的會談計劃。25日,馬伯援離港赴渝,向孔祥熙彙報。但是,宇垣因其主張遭到日本軍方的強烈反對,於29日辭職。

1　《抄上海賈生來電》,1938年8月28日,"蔣檔"。
2　孔祥熙:《致介兄》,1938年9月7日:"頃奉魚(6日)機鄂電,遵即轉告賈生,令其拒絕。惟前數日尚接有賈生來電三件,雖係過去情報,姑仍照抄奉閱,以備參考。"
3　《蔣介石日記》(手稿本),1938年9月10日;參見同日《事略稿本》。
4　蔣介石:《致重慶孔院長》,1938年9月11日,"蔣檔"。
5　《小川平吉關係文書》(2),第598頁;參閱拙作《抗戰前期日本"民間人士"和蔣介石集團的秘密談判》,《歷史研究》1990年第1期,收入拙著《蔣氏秘檔與蔣介石真相》,社會科學文獻出版社2002年版,第410—411頁。
6　《馬伯援呈》,1938年10月8日。

10月8日，馬伯援寫出報告，交孔祥熙轉呈蔣介石。報告稱：萱野等對和平運動，具有決心，正在運動頭山滿組閣。宇垣雖已去職，但近衛仍有決心，日本厭戰心理，已遍全國，因此，中國應該利用這一時機。他說："頭山滿為日本右派之典型人物，與總理有舊，現以八十四歲，老而且病之軀，熱心和平，並派六十六歲之萱野，兩來香港，設法溝通，此種精神，吾政府宜利用之。再中日戰爭，孰勝孰敗，總有結束之一日，我政府縱不輕與之和，亦當與之周旋。"他建議重慶國民政府"通盤打算，本乎歷史，鑒於大勢，派得力人員與之接洽，鼓其勇氣，或進而同去東京，察其虛實，宣傳我政府主義"[1]。

孔祥熙覺得馬伯援的報告很有用，於10月15日上呈蔣介石，同時致函說明國際沒有援助中國的可能，而中國國內的財政又已極為困難，無法維持。函稱：茲據顧大使報告及各方事實觀察，國際援助既不可能，則此後對於內政外交均有切實檢討之必要。最近有西友自日來言，就其國內表面觀察，似無大戰狀態，一切經濟財政尚能勉維現狀。至於我國，在我兄領導之下，雖將士用命，民眾動員，抗戰年餘，已博各國之彩聲，只以戰場盡在我國境內，雖不免土地日促〔蹙〕，交通困難，工廠既遭摧毀，貨物亦難出口，所有人民生命財產之損失，實不可以數計。非惟我兄多年來苦心孤詣之種種建設，付諸東流，而今後財政上之維持，更將難乎為繼。[2]該函進一步渲染財政危機和武漢失守後中國的困境，聲稱："後方情形，為我兄所深悉，長此以往，武力固屬重要，而國內物質及人民團結如何，均應顧及。如果軍事方面確有把握，不僅武漢可保，且能繼續支持，日本方面不出三數月即有變化可能，自屬不成問題，萬一無甚把握，恐武漢一經退出，則人心不免因厭戰而動搖，各省態度有無變化，亦難預料，且敵機現已屢向我後方擾亂，將來大多數軍隊究宜退至何處，倘使拘於一隅，補充與給養似皆成為問題。加以目前我之現金及外匯已撥用殆盡，而以貨易貨又因交通困難，運輸亦極不易。弟忝負行政責任，對於軍事實不甚諳，對於財政外交，則不能不悉心研究。近來多病，杞憂尤甚。"他建議蔣介石抓住機會，乘時進行。函稱："如外援方面不能再求進展，而軍事方面亦無十分把

1 《馬伯援呈》，1938年10月8日。
2 孔祥熙：《致介兄》，1938年10月15日。

握，則此後遇有解決機會，即應乘時進行，否則機會至時，我無應付之策，稍縱即逝，更難再得，心所謂危，不敢緘默。"

同函附呈孔本人撰寫的《最近國際情勢》及《日本最近情勢》報告。前一報告對蔣"攻心"，歷述各國情況，聲稱寄希望於國際援助，無異畫餅充飢。中云：我以開罪於日本，故英國對我各項借款，非完全拒絕，即多所顧慮，而法國對我所購之器械，現亦多方為難。俄雖對我極表同情，然因德、義（意）、英等國對俄均甚歧視，俄內部情形複雜，故史達林不敢言戰……至美國因鑒於歐洲形勢，雖心理上為我不平，實際上亦難積極助我……若望其為我出力，仍恐等於望梅止渴。[1] 後一報告說明日本國內和平派的活動，內稱："日本元老重臣文治派，現在希望和平者頗不乏人，如頭山滿、近衛、宇垣已合組秘密委員會，暗中活動，設法制止軍閥跋扈……萱野為頭山之代表，現在香港，仍思盡力奔走。"接著，孔祥熙著重說明，宇垣雖已去職，但日本國內的和平派仍在活動。報告稱：昨接港電云，松本最近由東京抵港，據言，對和平大綱，近衛與宇垣一致，方針未變。現矢田回國，擬請近衛親自出馬，以效張伯倫。頃又聞知萱野接東京來電，謂海、陸相急盼與弟及居覺生兄會面。[2] 還在宇垣一成剛剛出任外相時，蔣介石就得悉日方曾要求中方派員赴日談判，對此，斥之為"想入非非"、"可笑之至"[3]。自然，對於"近衛親自出馬"以及陸軍大臣、海軍大臣要與孔祥熙、居正等見面的說法也不感興趣。對孔祥熙此函，蔣介石未加理睬。同年 11 月，褚民誼、樊光致電汪精衛、孔祥熙，再次聲稱"近衛甚願效張伯倫赴德故事，赴華晉謁委座"[4]。同月 7 日，孔祥熙將此電轉呈蔣介石，蔣仍然未加理睬。

1 孔祥熙：《最近國際形勢》，1938 年 10 月 15 日，"蔣檔"。
2 孔祥熙：《最近國際形勢》，1938 年 10 月 15 日，"蔣檔"。
3 《蔣介石日記》（手稿本），1938 年 5 月 30 日。
4 《褚民誼、樊光致汪精衛、孔祥熙電》，1938 年 11 月 7 日，"蔣檔"。

五、阻止孔祥熙答覆近衛第二次對華聲明

近衛的第一次對華聲明發表後,遭到日本許多人士的批評。11 月 3 日,近衛以《建設東亞新秩序》為題發表第二次對華聲明,改變此前"不以國民政府為對手"的方針,聲稱"如果國民政府拋棄以前的一貫政策,更換人事組織,取得新生的結果,參加新秩序的建設,我方並不予以拒絕",企圖以此誘使重慶國民政府上鉤[1]。果然,孔祥熙覺得是個機會,準備在 11 月 7 日的行政院"國父紀念週"上發表講話,給予"非正式答覆"。擬稿稱:"我人所注意者,僅彼對我態度。以平等待我者,即我之友;以暴力侵我或武力亂我者,即我之敵。"擬稿批評日本政府"好用定義不明之詞句以淆惑視聽,如彼所謂安定東亞,是否獨霸東亞之別名?所謂求中國之合作,是否剝奪我經濟之獨立自由之變相?我人於此亟願得知其真意"[2]。這裏,貌似對日本提出批評、譴責,而實際上將為日本政府提供答辯、粉飾其侵略政策的機會。擬稿並稱:"解決中日之關鍵,全在日本,日人果能尊重我主權,而拋棄其侵略政策,則東亞之安定一舉手耳,即世界之和平亦易如反掌也。"11 月 6 日,孔祥熙將擬稿電送蔣介石審閱。同日,蔣介石以"限卅分鐘到的特急電"通知孔祥熙:"此文應慎重斟酌,切不可發表。"[3] 11 月 9 日,孔祥熙覆電蔣介石稱:"電發之後,弟覺似仍未盡妥,經再修改,原文另電陳聞,頃奉尊電囑為緩發,經已遵辦。"[4] 這樣,蔣介石就阻止了孔祥熙與近衛文麿之間的一次遠距離對話。

六、用"殺無赦"警告蕭振瀛與日人重開談判

蔣介石對日本軍國主義者不放心,有過一條不成文的規定,沒有第三國的保證,決不與日本直接談判。日本軍部的"蘭機關"負責人和知鷹二懂得蔣介石的心理,以"恢復盧溝橋事變前原狀"為餌,誘使蔣介石破例。1938 年 9

---

1 《日本外交年表並主要文書》下卷,《文書》,第 400—401 頁。
2 孔祥熙:《致重慶蔣委員長》,1938 年 11 月 6 日。
3 《致重慶孔院長》,1938 年 11 月 7 日時間。
4 孔祥熙:《致重慶蔣委員長》,1938 年 11 月 9 日。

月，蔣介石派原天津市長蕭振瀛到香港談判，由何應欽具體指導。孔祥熙未參與此項工作，但他對談判非常關心，惟恐其不能成功。同年 10 月，他耳聞談判因第三國保證問題陷入僵局，功敗垂成，於 21 日致電蔣介石稱："弟意最重要關鍵，乃在對方之條件如何。至於方式，不難覓得合意途徑。現在國內外狀況，兄所深悉，倘軍事確有把握，自無洽商必要，否則如條件相當，直接、間接無非形式問題，條件如能密商妥貼，則運用第三國出面，不致有何困難。"[1] 這封信再次表現出孔祥熙因國內困難而急於與日本妥協的心理，但是，蕭振瀛與和知談判的主要困難在於日方一面談判，一面進攻，毫無誠意，因此，蔣回函稱："蕭事與兄所談者內容完全相反，我方並未爭執形式問題也。此事我處被動地位，在我限度之內，能否接受，實在於對方也。"蔣並告訴他："此事於武漢之得失無關，請勿慮。"[2] 不久，蔣介石察覺日方談判的虛偽，決心堅持抗戰，下令停止談判，召回蕭振瀛。

第一次談判失敗，和知鷹二繼續在東京政要之間活動。當時，日本正準備扶持從重慶逃出的汪精衛成立政權，和知覺得是個機會，決定利用此事，再次迫使蔣介石派人，坐到談判桌前來。1939 年 8 月，汪精衛在上海召開偽國民黨第六次代表大會。次月，成立"中央黨部"。17 日，汪精衛致電重慶國民黨中央，要他們毅然改圖，努力與日本實現和平。同月，和知鷹二到香港，要其助手何以之轉告重慶方面：汪精衛之事，經近衛、平沼兩屆內閣決定，又經阿部信行特使承認，奏明天皇，勢難中止，但日本對汪之信念已經搖動，認為其人，大言不實，貪索無厭。影佐禎昭本是汪之主謀，現在亦已失望，引為歉憾。目前日方之所以仍然支持汪精衛，在於無別路可走，不能不就既定政策，聽其一試。何以之稱：大約 11 月初，汪即可組織政府。意大利已勸日本促成此事，應允即日承認，德國則勸日本與重慶謀和。綜觀內外情形，尚在徘徊之際，最好乘汪精衛政府成立之前，斷然成立全面停戰協定，而將汪之問題包括於取消偽組織之中。中國如有和平決心，日本定以誠意直接談判。軍部方面，和知可與板垣征四郎負責；政府方面，可由政界元老松井石根、秋山定輔等出

---

1 《事略稿本》，1938 年 10 月 23 日。

2 《事略稿本》，1938 年 10 月 23 日。

面商談原則。和知要求何以之轉告蕭振瀛，或派專使來港商談，或仍由蕭先來，以資進行[1]。31 日，何以之致電時在重慶的蕭振瀛，告以上述各點。10 月 4 日，何以之兩電蕭振瀛，聲稱和知認定汪精衛為 "東亞和平之障，極願剪除"，催蕭即速來港[2]。10 月 6 日，孔祥熙將何以之各電轉呈蔣介石，同時致函，要求允許蕭振瀛再次赴港，以私人資格與和知 "慎密試談"，同時 "藉以刺探他方消息，備我參考"，函稱："弟意此次和支〔知〕奔走各方，對於去汪事頗為努力，似可令仙閣前往一行，略與周旋，使其對我信仰益趨堅定。如能達到吾人之目的，不妨加以利用。否則仙閣不去，彼必感覺失望，甚或老〔惱〕羞變怒，反又趨於助汪之一途，則前途更多障礙。"[3] 函上，不料卻引發了蔣介石的雷霆之怒。10 月 8 日，蔣介石日記云："蕭、孔見解之庸，幾何不為敵方所輕！國人心理之卑陋，殊堪悲痛！"[4] 9 日，蔣介石覆函孔祥熙稱：兄與蕭函均悉。以後凡有以汪逆偽組織為詞，而主與敵從速接洽者，應以漢奸論罪，殺無赦。希以此意轉蕭可也。[5] 這封信，表面上對蕭，實際上斷然批駁孔祥熙的意見，語氣嚴峻，沒有給孔留一點面子。蔣在這一天的日記中說："蕭、孔求和之心理應痛斥。"[6] 可見，蔣的這封信明確針對孔祥熙。蔣介石此次之所以如此堅決、激昂，一是蕭振瀛曾將去年在香港與和知談判的部分情況透露給秦德純，秦又秘密轉告馮玉祥，其間訛傳嚴重，馮據此向蔣及國防會議揭發，使蔣很憤怒[7]。二是自汪精衛在上海召開偽國民黨第六次代表大會之後，蔣即加強了對汪的批判火力，聲稱 "汪逆賣身降敵，罪惡昭著"，"人人得起而誅之"，正處在和 "汪逆" 不共戴天的情緒中[8]。

同年 11 月，何以之在香港與孔令侃會談，何稱：倘中方確有接受和平可

1　何以之：《致彥超（蕭振瀛）》，1939 年 9 月 31 日，"蔣檔"。

2　何以之：《致彥超》，1939 年 10 月 4 日。

3　孔祥熙：《致介兄》，1939 年 10 月 6 日。

4　《蔣介石日記》（手稿本），1939 年 10 月 8 日。

5　《革命文獻》，1939 年 10 月 9 日，《蔣中正 "總統" 檔案》。

6　《蔣介石日記》（手稿本），1939 年 10 月 9 日。

7　《馮玉祥日記》（5），1939 年 5 月 29 日，江蘇古籍出版社 1992 年版，第 660 頁。參見高興亞：《馮玉祥將軍》，北京出版社 1982 年版，第 187 頁；施樂渠：《蔣介石在抗戰期間的一件投降陰謀活動》，《文史資料選輯》第 1 輯，中華書局 1960 年版，第 67 頁。

8　《嚴斥汪逆賣國降敵》，《"總統" 蔣公思想言論總集·談話》，台北中國國民黨中央黨史委員會 1984 年版，第 126 頁。

能，則和知願赴重慶面洽[1]。次年 1 月，何以之向孔祥熙的親信盛升頤轉達板垣征四郎的議和條件，並稱：只要中方派大員前來，板垣可以親自出馬，甚至飛往內地亦可[2]。對於這些情報，孔祥熙就不敢再報呈蔣介石了。

1940 年 6 月 28 日，蔣介石在日記"預定"欄中寫道：蕭振瀛"應監禁"[3]。

七、查究受日方之命到重慶接洽的蔡森、賈存德

自蔣介石嚴令賈存德停止活動後，孔祥熙雖不敢再向蔣轉呈賈的情報，但仍命其在上海繼續聯繫日方。

早在 1938 年，賈存德即與偽維新政府官員王子惠相識。王為留日學生，早期同盟會會員，與畑俊六、及川古志郎等日軍頭目都有聯繫。偽維新政府成立時，任實業部長。當年夏，王向賈等表示，如能給以自新之路，可隨時脫離偽組織，犧牲一切，專誠為中央效力。賈存德等曾將王氏情形電告孔祥熙，孔即覆電勉勵，命其辭去偽職，伺機去東京團結日本主和派，抵制主戰派。王奉令照辦。1940 年 4 月，王子惠自東京返滬，聲稱已將主和派人物閑院宮津子伯爵、頭山滿等聯成一氣，主張和談以重慶國民政府為對手，反對汪精衛在南京成立政權。王並透露，板垣征四郎想從速結束對華戰爭。5 月間，板垣在面談時口頭提出五項條件：1. 聲明恢復"七七"事變前狀態。2. 中日以平等互惠之原則，經濟合作。3. 共同防共。4. 撤兵。5. 取消一切偽組織。[4] 在談到第四條時，板垣表示，希望孔祥熙指定地點，以極秘密的方式與板垣等會面；如孔允許，約定會面日期後，可通知板垣，即由板垣等請求天皇下密詔，實行全面秘密休戰。王子惠並稱，板垣親口表示，如孔祥熙同意，將親自簽名發出正式公文，望孔在 6 月 6 日天皇承認汪政權前對上述條件表態[5]。

---

1 《孔令侃為呈再晤何一之給孔祥熙的密電》，《歷史檔案》1992 年第 3 期，第 75 頁。
2 《盛升頤為呈評述日方和談條件由給孔祥熙的密電》，《歷史檔案》1992 年第 3 期，第 77 頁。
3 《蔣介石日記》（手稿本），1940 年 6 月 28 日。又 8 月 12 日日記云："約蕭交存件。"據此，蔣並未監禁蕭，而是要求他交出保存在手中的中日秘密談判文件。
4 《敵情報告錄呈參考》，"蔣檔"。據賈存德回憶，以上五條由板垣以鉛筆親自書寫，交王子惠轉賈。見《孔祥熙與日本"和談"的片斷》，《孔祥熙其人其事》，中國文史出版社 1987 年版，第 128 頁。
5 賈存德：《孔祥熙與日本"和談"的片斷》，《孔祥熙其人其事》，第 128 頁。

6月26日，賈存德化名吳復光到達重慶，孔祥熙表示可以接受板垣的五項條件。但是，7月4日、8日、9日、10日，日機連續轟炸重慶，這使孔祥熙很不滿，對賈存德大發牢騷，責問"日本人搞的什麼鬼"，埋怨因此妨礙了向蔣的"進言之機"[1]。不久，板垣應允，自16日至22日止，停止轟炸一週。這一時期，孔祥熙情緒低落，告訴賈存德"事不好辦"，要他"不要著急"。7月底，王子惠再派蔡森抵渝，會見孔祥熙，聲稱"如有談判可能，彼方即行統一軍、政、黨意見，取消一切枝節活動，決定專責，以資進行"[2]。其後，日方急於得知蔡、賈談判消息，致電稱，將派專機到廣州迎接蔡、賈。孔祥熙覺得這又是一次好機會，於8月24日致函蔣介石，摘抄蔡、賈報告及有關電報，函稱："敵思結束對華戰事，以便南進，可以想見。弟意值此抗戰嚴重、外交詭變時期，對於各方消息，似應互相印證，以冀把握機會，決定大計。"函末，孔祥熙特別要求蔣介石"閱後付丙，不必交存"。又附言稱："就最近國際情勢觀察，友邦對我實力援助甚少，我應設法別尋機會，以謀自立自主，蔡、賈所述各節，亦有可以供我利用之處。弟已告其設法各方鼓動，促成敵之南進。一則使其主戰、主和意見分歧，分化團結力量；二則使其侵略政策轉移方向，減少對我力量；三則證明敵人野心甚大，歐美列強亦必與之發生摩擦，於抗戰前途，或不無裨益也。"[3]

　　板垣曾向王子惠表示，可以發出親自簽名的公文。孔祥熙向蔣介石上書後，要求蔡森回滬，取到板垣正式公文。又命賈回滬，暗中監視王、蔡二人。其後，二人即陸續離渝，經香港回滬。8月下旬，蔡、賈的行蹤被軍統在香港的特務發現，戴笠親自向蔣報告，蔣即命戴笠向孔祥熙查詢。9月上旬，孔祥熙覆函戴笠，謊稱吳復光係中央銀行某職員別名，因受敵偽注意，調令來渝。蔡係靳雲鵬舊部，受靳之命來渝報告北方情形，二人均係"普通人員"，敵人不會相信，更不會贈以鉅款[4]。其後，軍統打入日方的特務毛豐又向戴笠報告，蔡

1　賈存德：《孔祥熙與日本"和談"的片斷》，《孔祥熙其人其事》，第129頁，參見孔祥熙：《致介兄書》，1940年8月24日。
2　《敵情報告錄呈參考》，1940年7月，"蔣檔"。
3　孔祥熙：《致介兄書》，1940年8月24日。
4　轉引自戴笠：《報告》，1940年9月10日，"蔣檔"。

森已於 27 日偕同日本支那派遣軍總司令部的東條佑鈴專機飛滬，此事係日本實業家背後策動，曾撥款二百萬元作為活動經費云云[1]。9 月 10 日，戴笠將有關情況再次報告蔣介石。同月 19 日，張季鸞致函陳布雷稱："敵人曾賄買山西人蔡某等二人赴渝，攜孔先生假信而歸滬。現由敵人特許設電台通電，尚在烏煙瘴氣中，此事尊處想早已聞及矣。"[2] 20 日，蔣將有關檢舉報告轉給孔祥熙，要他回答。22 日，孔祥熙覆函，首稱檢舉報告"所載各節，恐多揣測誤會，以訛傳訛，原報告人有意邀功，遂不免捕風捉影，或另有作用者希圖對弟中傷"。接著，孔向蔣辯白：一是孔祥熙致函板垣及頭山滿問題，孔稱：蔡、賈來渝時，攜有日本老友名片，向弟問候，弟因多年故交，在情理上不能不理，因此在蔡、賈臨行之時，以名片回報，所謂寄板垣與頭山滿等人的親筆函件，絕無其事。二是蔡、賈與王子惠、板垣的關係與接受鉅額資助問題，孔稱：王子惠派人赴港迎接蔡某，或有其事，但蔡、賈到滬後，是否赴南京，已否晤見板垣，均不得知。孔承認：蔡、賈來重慶之前，確曾與板垣會面，也承認，二人可能得到日方資助，但他說："敵方實業家因反對軍閥厭惡戰事，渴望真正和平早日實現者甚多，既派其來，或有贈送旅費之事。若謂撥款二百萬元，恐未必有此鉅額。"他認為這些情況，"真偽無從證明"，屬於敵人"內部互相猜忌，設詞譭謗"。三是關於蔡、賈的身份與賈存德往來滬、渝之間的目的。孔在重申"調回"說之外，又加了一個"遷移眷屬"說。函稱："上海淪陷業已三載，敵偽方面無時不思毀我法幣，俾我財政不能接濟軍事，對中行人員極力壓迫，彼等既無寸鐵，政府亦難為保障，故不能不有一熟悉敵情者為我刺探消息，藉便戒備。賈在過去，雖曾任此項工作，因其參加倒汪運動，為汪方特務隊所注意，前已將其調回。此次赴滬，即擬設法遷移眷屬。至蔡本非弟之屬員，亦無任何名義，在無所謂調回矣。"[3]

蔣介石下令戴笠調查之後，陳布雷又於 22 日接到香港張季鸞的檢舉信，中云："王子惠所賄買之蔡、賈二人之事，其情形甚堪髮指。蓋敵人以專機送至廣

1　戴笠：《報告》，1940 年 9 月 10 日。
2　熾章（張季鸞）：《致布雷先生》，1940 年 9 月 19 日。
3　孔祥熙：《致介兄》，1940 年 9 月 22 日。

州，而公然入渝，其歸也，亦由敵人由港接至廣州，而專機送往上海。此輩宵小，本無足深論，然敵人賄買之人而能公然出入重慶，且能帶孔先生之假信而來，再不能以小事看矣。"[1] 陳閱後 "甚感離奇"，立即轉呈蔣介石[2]。蔣閱後再致孔祥熙一函，嚴屬批評孔祥熙等人的行為 "搖撼軍心、人心"，顯示 "政府零亂"[3]。同日，蔣在日記中寫道："倭寇軍人之愚拙無才，比我國尤甚，其行動幼稚欺詐，實非常情所能想像，幾乎令人倭寇有不可交手之感。若理會者，必受無妄之禍也。" 又稱："為庸之與季鸞等無方而好事為歉也。"[4] 這裏批評到了兩個人。"無方"，指孔祥熙；"好事"，指張季鸞。

蔣介石的批評很嚴屬，顯然，孔祥熙要認真想想對策了。9 月 30 日，孔祥熙於八天之後才覆函蔣介石，函稱："今細繹手示，對蔡、賈事實際情形，似尚有未盡明了之處，恐係根據一方面之情報所致。既承諄諄相詰，弟不忍不略陳衷曲，期解疑慮。"

孔函除說明蔡、賈的身份及離渝情況外，指責情報提供者 "以訛傳訛，竟至張大其詞，駭人聽聞"。孔函特別說明，在接待蔡、賈的整個活動中，自己對蔣既無隱瞞，又持慎重態度，沒有文字貽敵，更未假藉蔣的名義，函稱："一言喪邦，古有明訓。事關國家興亡，何敢擅自主張！當蔡來見時即本我兄素來之主張，曉以日本如不撤兵，不恢復 '七七' 事變以前之狀態，決不與之談判。此外絕無文字表示貽人手中，更何能涉及我兄名義？又何來我兄名片？蔡、賈兩人諒亦無此巨膽敢事偽造。" 接著，孔函強調掌握敵情，善於利用反間的重要："惟知己知彼，百戰百勝，偵探重要，無人不知……今如有人，本其愛國熱忱，窺得敵偽隱情，甘冒危險，不遠千里而來，向我告密。若不假以顏色，使其樂為我用，勢必為淵驅魚，反被敵偽利用。弟雖愚，竊期期以為不可。故蔡之來謁，不能不見，惟所告之言，皆係勉以大義，並未派以任務，且暗示種種，使其有機會時，於不知不覺間言於敵方，以期於我有百利而無一害。" 孔函還強調，從事這方面的活動難免遭人誤解，甚至遭到攻擊，但自己完全出於

1　熾章（張季鸞）：《致布雷先生》，1940 年 9 月 21 日晨。
2　《陳布雷日記》，1940 年 9 月 22 日，內部排印稿，台北 "國史館" 藏。
3　轉引自孔祥熙：《致介兄》，1940 年 9 月 22 日。
4　《蔣介石日記》（手稿本），1940 年 9 月 22 日。

忠誠："弟亦深知接見此種人物，難免物議，小則受人攻擊，大則自招巨禍，然為效忠黨國，使我兄抗建大業早日成功，故不惜利用各種機會，各方力量，期達目的，從未對自己本身之安危著想。"[1]

孔函接著分析日本少壯軍人中的兩派。甲派主張先用全副武力，解決中國事件，然後再行南進，此種主張對於中國最危險，非極力破壞不可。乙派主張用溫和手段，得到中方諒解之後，再行南進。孔函由此論證利用乙派的必要及利用蔡森的正當。函稱："至乙派今日之肯降階表示尋求和平者，確因千載不易得到之南進政策，今可不費力拾得之，故不容輕輕放過。弟既認定此時如能誘其南進，確屬於我有益，前曾向兄言及，兄謂恐做不到，弟亦深知其難，不容強求，然苟有時機，弟以為不應放過，必隨機設法暗示，希接近敵方者，於無形中促助其乙派之主張，故蔡來見時，弟亦曉以此意，暗示其促成。於上次報告中最後一頁，業向我兄陳明。"

針對蔣函所批評的"搖撼軍心、人心"之說，孔祥熙辯解道："蔡此來，原出敵方之意。據情報所載，敵既派其前來，又復鉅款運動，自係敵力竭，敵方情急，適足以暴露敵人之弱點，足可搖撼敵人之軍心、人心，而我之軍心、人心，更當因此而益振，其理自明。"接著，孔祥熙又反駁蔣的"政府零亂"說，聲稱"蔡既來渝傳達敵人之意，是時至今日，敵已深知欲謀全面之和、真正之和，非向我兄請求不可，亦非聽由我兄裁決不可，似無零亂之可言"。

孔祥熙在逐一反駁蔣對謀和活動的批評後，著重說明自己對蔣的耿耿忠心："在過去二年中，弟對於敵偽或其他方面，凡有利於我兄之抗建大業者，均不惜任勞任怨以謀利用者，一則因承我兄重託，付以行政責任，不能推諉，一則因我兄為最高領袖，身任統帥，意欲保護其威望，故決志為國為兄，自甘犧牲，決不願使我兄因一言一動，受有半點懷疑，致被奸人藉口攻擊。"[2]函末，孔祥熙表示，將遵蔣之囑命人查究此事。函稱："現蔡、賈事，既蒙尊囑，遵即飭查，如有假冒招搖情事，賈當撤職嚴辦，蔡已託人設法予以警告。"自然，這是孔祥熙對蔣的敷衍之辭。

1　孔祥熙：《致介兄》，1940 年 9 月 30 日。
2　孔祥熙：《致介兄》，1940 年 9 月 30 日。

孔祥熙這封信寫得很用心。在正函之外，還附有《情報摘要》兩份。其內容之一是，褚民誼曾在南京宴會席間對人說："先從倒孔入手，使重慶內政發生糾紛。"孔祥熙附呈這一情報，意在告訴蔣介石，所有反對他本人的行為，均有汪偽背景。其二是，張季鸞對人表示，銜蔣之命到港與日方談判和平，到港前曾見蔣 11 次，等等。孔要求蔣閱讀這些情報後"仍乞准予賜還，以便存查"，並稱："弟向不道人長短，在過去更不欲以此種複雜瑣碎之報告，煩擾我兄心神。現在事既牽涉及弟，恐其中別有作用，不能不請兄注意，但仍不願使他人知之，以為弟亦有所攻擊，或影響人心也。"張之赴港，確係受蔣之命[1]。孔向蔣呈送有關張的情報，其潛台詞是：你蔣介石不也在和日本人發生關係嗎？孔祥熙這一手很厲害，蔣自然無話可說，追查蔡、賈一事不了了之。

蔡、賈回到上海後，即列席王子惠與板垣代表岩奇清七所舉行的會談。岩奇稱："中國的維新大業必須由蔣委員長領導才能成功"，"要共同防共，中國方面就需要邀請日本在華北邊區樞紐地留兵協助"。會議記錄提出，察哈爾、綏遠鐵路線及北平、奉天線各樞紐地均由日本駐兵。至此，賈存德才發現上了王子惠與日方的當，拒絕簽字。會議不歡而散。1944 年 9 月，賈存德在上海會晤日本"蘭工作"負責人和知鷹二，得知和知與板垣之間存在矛盾，深感變化難測，打電報給孔祥熙，聲稱才識不足，難以勝任，自此退出與日方的謀和活動[2]。可見，此前孔祥熙並未對賈採取"飭查"、"撤職嚴辦"等舉動。

八、孔祥熙對蔣介石的彙報有重大隱瞞

孔祥熙在 1940 年 9 月 20 日函中向蔣介石表白："弟在過去，凡有所聞，均曾擇要抄陳，後因奉命，亦即停止。"似乎他在與日方謀和中，所有重要事情都曾向蔣彙報，而且奉命即止，沒有違背過蔣的意志。讀者從上文中已可發現，事實並非如此。下文我們將進一步提供新的論證。

根據日文檔案，早在 1938 年 6 月，孔祥熙即派遣秘書喬輔三赴香港與日

---

1 參見本書《蔣介石親自掌控的對日秘密談判》。
2 賈存德：《孔祥熙與日本"和談"片斷》。

本駐香港總領事中村豐一談判。二人先後在 6 月 23 日、28 日、7 月 1 日、13 日、18 日、19 日多次會談。在 7 月 18 日的會談中，喬曾轉述孔祥熙起草的和平條件：

1. 中國政府積極實現對日好感，停止一切反日行為，希望日本也要為遠東永久和平積極為日華關係好轉而努力。

2. "滿洲國" 以簽訂日、"滿"、華三國條約而間接承認。其次深切希望 "滿洲國" 自發地成為 "滿洲自由國"，給中國人民以好感。

3. 承認內蒙的自治。

4. 決定華北特殊地區非常困難，但是中國承認互惠平等的經濟開發。

5. 非武裝地帶的問題，有待日本的具體要求提出後解決，中國軍隊不駐防，希望由保安隊維持治安。

6. 雖然還未充分討論，但清算與共產黨的關係，或簽訂加入防共協定的特別協定等，必須再加研究。

7. 中國現在非常荒蕪而且窮困，因而對中國政府說來，（日方）雖有賠償的要求，亦無力支付。[1]

以上七條，包括實際上承認偽滿，承認內蒙 "自治"、設立非武裝地帶等問題，都是地地道道的喪權辱國條約，談判中，喬輔三向中村豐一稱："孔曾和蔣見面，除了蔣介石本身下野問題外，其他全部都和蔣商酌過的。" 直到今天，也還有學者堅信喬輔三的這一表白。其實，檔案資料證明，這些條件和蔣在對日秘密談判中一貫堅持的條件完全相反；檔案資料也證明，孔祥熙從未向蔣彙報過上述條件。上引 8 月 11 日孔祥熙致蔣函稱，他之所以不拒絕和日方談判，"原欲藉以觀察敵情，供我參考，並未提及任何條件"。在其他函件中，孔也一再做過類似保證。可見，孔祥熙的上述條件是背著蔣擅自向日方提出的。不僅如此，連派喬輔三赴港談判一事對蔣都是完全封鎖的。現存蔣檔中，孔有許多關於秘密談判的彙報，但是，沒有一件提到喬輔三。在必須提到的地方，也竭力掩飾。如 1938 年 7 月 6 日孔令侃致孔祥熙，又由孔轉蔣的電報說："據所派與駐港日領事密洽者報告：該領事稱：'鈞座在位，各事總有辦法。' 言下似有

1　日本外務省檔案，S487 號，中譯文見《孔祥熙其人其事》，第 135—136 頁。

議和須以委座下野為條件之意。當以此種觀念決不能任其縈懷，故照鈞座在漢面諭，對該領事表示，目下政府係鈞座負責主持，如確有必要時，鈞座當可辭卸。"該電所稱駐港日領事，指中村豐一；鈞座，指孔祥熙；委座，指蔣介石。其中所稱"所派與駐港領事密洽者"，顯然就是喬輔三。之所以不稱其名，說明孔祥熙父子不願意讓蔣了解喬赴港談判的真情。

在對日秘密談判中，孔祥熙對蔣介石所作的隱瞞非止一端。例如，前文已述，蔣一再囑咐，令賈存德停止活動，孔也屢稱"遵囑"，但實際上一直在支持和指揮賈的活動。又如馬伯援赴港談判，明明是孔祥熙所派，但馬伯援所寫、經孔祥熙轉蔣的報告卻說成事出偶然："伯援因事赴香港，適日友萱野長知亦在該地，時相過從。"之所以這樣寫，完全因為此前蔣介石已不止一次與孔談話，要他停止謀和。此外，孔祥熙還長期利用曾是共產黨員、後向國民黨自首的胡鄂公[1] 在上海與日方談判，次數頻繁，接觸面很廣，但是，孔祥熙也從未向蔣彙報過。

孔祥熙長期追隨蔣介石，和蔣利益相共，榮辱與俱。但是，他卻背著蔣一再向日方謀和，甚至在個別談判中向日方提出喪權辱國的條件，其主要原因在於他對長期抗戰喪失信心。從本文前引他寫給蔣的多通信件看，他認為國內財政極端困難，國際援助又毫無希望，因此才一意主和，謀求妥協。

不過，也應該看到，孔祥熙與日方的秘密談判除謀求妥協外，也還具有若干策略目的。例如：掌握敵情，擴大日本國內的主和派與主戰派的分歧；阻撓、延緩汪偽政權的成立；引導日軍南進，減弱中國戰場壓力等多種原因在內。因此，孔的謀和活動與汪精衛有別。1940 年以後，孔的謀和活動基本停止。他在協助蔣介石掌控戰時經濟，保證抗戰資源方面還是做了若干有益的工作的。

1　戴笠：《報告》（1940 年 8 月 12 日）："有胡鄂公者，籍隸鄂省，曩為國會議員，嗣與李大釗等加入共黨。民國廿三年間，經生處在漢破獲拘禁，旋奉經准予自首，並交由生處運用。"

九、蔣介石阻遏孔祥熙謀和活動的思想原因

如上文所述，蔣介石對孔祥熙的謀和活動屢加批評、阻遏，而孔祥熙則一再堅持，多方聯繫，並且背著蔣向日方提出嚴重的妥協條件，這種情況說明，蔣、孔二人雖公私關係均極為密切，但二人之間在對日態度上仍存在相當大的差異。盧溝橋事變後，孔祥熙在倫敦致電蔣介石，分析美、英、蘇三國的對華態度，反對立即抗戰，電稱：“中日事件，如非確有把握，似宜從長考慮。”“應付日本，仍須以自身能力為標準。”[1] 21 日，蔣覆電稱：“情勢日急，戰不能免。”30 日，孔祥熙再次致電蔣介石，詢問“中央今日作何主張”，蔣電覆稱：“中央必決心抗戰，再無迴旋之餘地矣。”8 月 3 日，孔再次電蔣，以“我軍處處失利”為憂，蔣則覆電表示：“戰事果起，弟確有把握，請勿念，一時之得失不足計較也。”這些地方，說明二人間在對日抗戰問題上確有分歧。1995 年，我在《孔祥熙與抗戰期間的中日秘密交涉》一文中，曾判斷“蔣介石思想中，抗戰成分較孔祥熙為多”，現在看來，這一看法還是可以成立。但是，當時我認為孔的議和活動“顯然得到蔣的默認和支援”，這一看法需要修正[2]。

蔣早年追隨孫中山革命，是一個民族主義者。20 世紀 20 年代，蔣強烈反對英國對中國的侵略，後來又反對日本侵略。1928 年的濟南慘案，不僅是日本帝國主義者對中國國家主權的侵犯，也是對蔣介石個人威權的羞辱。當年 5 月，蔣日記云：“倭軍入城後，將我徒手兵及傷兵盡行射死，發炮二千餘顆，人民死傷二千餘，有一家盡死於一彈者，城內延火甚慘。嗚呼！濟南七日記之恥辱慘痛，甚於《揚州十日記》。凡我華人，能忘此仇乎？”[3] 又云：“倭寇第一要求為總司令謝罪。嗚呼！國恥身辱，其可忘乎！”[4] 因此，蔣有抗日的思想基礎。但是，他又患有“恐日症”，認為中國不是日本的對手，因而長期對日採取妥協政策，總想盡可能推延對日作戰時間。盧溝橋事變爆發，平津接著淪陷，這就將蔣逼到了“最後關頭”。他深知，如果他再不抗戰，必將受到人民的強

1　本電及以下各電，均見《蔣中正“總統”檔案》，台北“國史館”藏光碟，07A-00085。
2　《近代史研究》1995 年第 5 期，收入拙著《蔣氏秘檔與蔣介石真相》，第 450－452 頁。
3　《蔣介石日記》（手稿本），1928 年 5 月 12 日。
4　《蔣介石日記》（手稿本），1928 年 5 月 18 日。

烈反對，南京國民政府會處於全民的對立面。他也深知，如果他與日本議和，簽訂新的喪權辱國條約，他也必將遭到全民反對。1937 年 11 月 5 日，蔣介石曾經 "很機密地" 告訴德國駐華大使陶德曼："假如他同意那些要求，中國政府是會被輿論的浪潮沖倒的，中國會發生革命。"[1] 這確是蔣的肺腑之言。他在同年 12 月 29 日的日記中寫道："外戰可停，則內戰必起。與其國內大亂，不如抗戰大敗。""除抗戰以外，再無其他辦法。"[2] 所謂 "外戰" 指的是日本帝國主義者的侵華戰爭；所謂 "內戰"，即指包括中共在內的各愛國力量會起而推翻他的統治。顯然，蔣對這一問題是經過深思熟慮的。

在長期和日本打交道的過程中，蔣介石認識到：日本帝國主義者完全不講信義，日本政府和軍部之間存在矛盾，政府完全缺乏控制軍部強硬派的能力，因而與日本雖可達成協議，但時時都有被撕毀的危險。1938 年 8 月，蔣日記稱："倭非待其崩潰與國際壓迫至不得已時，決不肯放棄其華北之特權，而中倭和平非待至國際干涉，共同會議則不能解決，故對倭不可望其退讓求和，如其果有誠意，則必須其無條件自動撤兵之後方能相信也。"[3] 盧溝橋事變前，蔣介石雖有 "恐日症"，但盧溝橋事變後，他在對日作戰的實踐中卻逐漸認識到，日本是個資源小國，其國力、軍力與其不斷鼓脹起來的野心之間存在著不可克服的矛盾，外雖強而中乾，有其虛弱的一面。此外，蔣介石也看到了日本的野心終將驅使其和英美衝突，世界大戰必將爆發，只要中國 "苦撐待變"，抗戰的勝利終將屬於中國。1937 年 9 月，他在日記中表示："主和意見派應竭力制止。""時至今日，只有抗戰到底之一法。"[4] 次月 31 日，他總結十年來與日本打交道的經驗，認為 "與其坐以待亡，致辱招侮，何如死中求生，保全國格，留待後人之起而復興"[5] 他本人也有 "盡忠竭智，死而後已" 的想法[6]。1938 年 1 月，正是南京失陷，中國抗戰最艱苦、最難以看到希望的時候，蔣在日記中寫

1 《陶德曼致德外交部》，《德國外交檔》卷 1，第 780 頁，中譯文見中國史學會編：《抗日戰爭》，《外交》上，第 164 頁。
2 《蔣介石日記》（手稿本），1937 年 12 月 29 日。
3 《事略稿本》，1938 年 8 月 18 日。
4 《蔣介石日記》（手稿本），1937 年 9 月 8 日。
5 《本月反省錄》，《蔣介石日記》（手稿本），1937 年 10 月 31 日。
6 《蔣介石日記》（手稿本），1937 年 11 月 2 日。

道："不患國際形勢不生變化，而患我國無持久抗戰之決心。"[1] 所謂"國際形勢"，指的就是英、美、蘇聯合，國際共同干涉，以至出兵對日作戰。以上，都是蔣介石阻遏孔祥熙謀和活動的思想原因，也是促使蔣在盧溝橋事變後的八年中，沒有和日方達成任何妥協協議，將抗戰堅持到最後勝利的思想原因。

　　一切戰爭都有兩種解決辦法。一種是作戰到底，直至敵方完全被消滅或投降；一種是雙方談判，達成"和平"協議，適可而止。至於"和平"協議，又有兩種情況；一種是有利於敵，喪權辱國，一種是有利於己，無損或基本上無損國家主權。以上種種，都需要具體分析，不可一概而論。1941 年之前，蔣介石長期陷在戰與和的矛盾中，舉棋不定。蔣曾寄希望於國際共同干涉或第三國調停，以和平方式解決中日戰爭，也有過直接和日方秘密談判，在相對有利的條件下結束戰事的幻想。這就是蔣雖對孔的謀和活動有所阻遏，但又顯得力度不足的原因，也是蔣雖批評孔謀和，但又長期付以國家行政重任的原因之一。檔案資料證明，蔣本人也親自掌控過幾次對日談判，有關情況，請見本書《蔣介石親自掌控的對日秘密談判》。

1　《蔣介石日記》（手稿本），1938 年 1 月 10 日。

抗戰期間日華秘密談判中的「姜豪工作」*

* 本文錄自《抗戰與戰後中國》，中國人民大學出版社 2007 年版；原載《近代史研究》2007 年第 1 期。

抗戰期間，日本侵略者自知僅憑武力不足以征服中國，曾通過多條渠道誘使國民政府進行和談，姜豪工作即是其中之一。有關情況，姜豪本人曾經寫過一本《"和談密使"回想錄》。[1] 但是，事隔多年，記憶難免訛誤。更重要的是，當事人往往只知其一，不知其二，這就決定了歷史學家在回憶錄之外，還必須廣泛收集相關檔案資料，相互參證，才有可能比較準確地了解事情的本來面目。

　　台灣"中研院"近代史研究所所藏朱家驊檔案中有一封戴笠的信，函云：

> 騮先先生賜鑒：
> 　　頃蒙電詢。晚適因事外出，未獲聞教。殊歉。姜豪同志之事，因歐洲局勢之劇變與敵內閣之改組，情況變遷，故尚須稍隔幾日方能決定。容決定後當有奉聞也。專上，敬頌崇安！
>
> 　　　　　　　　　　　　　　　　　晚　戴笠敬上，九、五 [2]

騮先，朱家驊的字。此函未署年。1939 年 8 月 30 日，日本平沼騏一郎內閣倒台，阿部信行出面組閣，任首相兼外務大臣。9 月 1 日凌晨，希特勒指揮軍隊大舉進攻波蘭，英、法對德宣戰，第二次世界大戰爆發。戴笠函中提到"歐洲局勢之劇變與敵內閣之改組"，可知本函作於 1939 年 9 月 5 日。

1　《"和談密使"回想錄》，上海書店出版社 1998 年版。
2　朱家驊檔案，台北"中研院"檔案，館藏號：301-01-23-645。本文所引檔案，均同，不一一註明。

姜豪，江蘇寶山人，1908年生。父親曾在宋耀如家中任教，為宋子良、宋子安弟兄講授國文。姜豪於1924年考入上海南洋大學，讀書期間參加國民黨。曾秘密參加改組派，任上海工人運動委員會主任，從事反蔣活動。1933年當選為國民黨上海市黨部監察委員。1937年8月，參加上海市各界抗敵後援會，任戰時服務團團長。上海淪陷後，姜豪通過時在偽維新政府任教育部督學的朱泰耀、楊鵬搏二人刺探日偽情報。1939年1月，到重慶中央訓練團黨政訓練班受訓，5月初回上海。同月9日被捕，被日本軍部設在上海的小野寺信機關保釋。

小野寺信原在日本參謀本部俄國課工作。1938年10月被派到上海，建立小野寺信辦事處，目的在於找尋和重慶國民政府的關係，勸說蔣介石與日本"和談"。同年12月，小野寺信被日本大本營陸軍部委任為參謀，"與國民政府要員就再建東亞問題進行協商"。[1] 小野寺信機關的主要工作人員為經濟學教授吉田東祐，其中文翻譯即為與姜豪有關係的楊鵬搏。這樣，姜豪就經常通過楊鵬搏了解小野寺機關的信息。其間，日本特務影佐禎昭正在主持"汪兆銘工作"，企圖將汪精衛扶植為傀儡。小野寺信希望搶在影佐之前打通重慶路線。朱泰耀建議姜豪利用這一機會，代表重慶與小野寺信接觸，試探其"和平"誠意。姜豪致電時任國民黨中央黨部秘書長、中統局局長的朱家驊請示，未得答覆。姜豪被捕後，小野寺信出面保釋，向姜表示：日本的元老、重臣、財閥都希望早日結束戰爭。日本海軍急於南進，陸軍急於北進，因此必須解決中國問題。姜豪認為此事應從速向重慶中央彙報。同年7月，姜豪到達重慶，朱家驊表示，此事須在向蔣介石彙報之後才能決定。

當時，軍統負責對日情報。從上引戴笠函可知，朱家驊聽取姜豪彙報後，將有關情報轉告軍統，由軍統方面決策。由於德軍進攻波蘭，日本內閣改組等新情況，至當年9月5日止，軍統方面尚未拿出主意。

同檔所藏戴笠9月27日致朱家驊函云：

騮先先生賜鑒：

　　查姜豪同志來渝已久，現晚擬派其赴港，偵察敵方之企圖並汪逆之活

---

1 《"和談密使"回想錄》，第180頁。

動，未悉尊意何如？乞示。專此奉陳，敬頌崇安！

晚　戴笠敬上，九、廿七日

汪精衛於 1938 年 12 月 18 日逃離重慶。29 日，在河內發表《致中央黨部蔣總裁暨中央執、監委員諸同志書》（《豔電》），回應日本首相近衛文麿的第三次對華聲明。1939 年 5 月，汪精衛到達上海。8 月，在上海秘密召開偽國民黨第六次代表大會。9 月 5 日，成立偽中央黨部，積極謀劃成立傀儡政權。戴笠此時決定派姜豪赴港，"偵察敵方企圖並汪逆之活動"，顯然是為了適應這一新形勢的需要。

此後的情況，據姜豪回憶：10 月間，朱家驊稱，"奉總裁諭"，要姜到海關巷 1 號談話。到了那裏，才知道那是軍統局的辦事處，由戴笠親自談話，告訴姜：他正需要搜集日本方面的情報，讓姜到香港去和日本人接觸。不過當前國際形勢還沒有明朗，讓姜再等些日子。11 月某日，戴笠再次約姜豪談話，說是可以到香港去了，聽聽日本人談些什麼，但不能講中國政府有什麼意見，也不能到別的地方去，以香港為限，等等。事後，姜豪向朱家驊彙報，朱交給姜一本密電碼，要姜到港後和他保持單線聯繫。[1]

姜豪到港後，先與日本駐香港武官鈴木卓爾中佐會談，鈴木要求姜豪介紹中國政府負責代表談判，姜答以時機尚未成熟。其後，吉田到港，雙方轉到澳門會談。關於談判情況，姜豪一面通過軍統在香港的工作人員劉方雄轉報戴笠，一面則通過吳鐵城的電台於 11 月 14 日致電朱家驊報告。電稱：

> 板垣已派高山來晤，藉悉敵方現決全力扶植汪逆，但亦知偽中央成立後，無所作為，故仍思取巧謀和。高山所談和平辦法，據謂撤兵無問題，程序與時間，視吾實行親日反共之程度為比例。如某處已有表現，該處即可撤兵，如各處同時徹底表現，各處亦可同時撤兵。所要求事，除反共、經濟合作外，最重要者在委座退隱，同時對汪逆精衛須予面子。至於滿洲問題，則不談。

板垣，指板垣征四郎，時任日本中國派遣軍總司令部總參謀長。高山，當為吉

---

1 《"和談密使"回想錄》，第 193 頁。

田東祐的化名。據此電可知，日本侵略者當時的策略是，雙管齊下，既積極扶植汪精衛，又積極向重慶方面"誘和"。其條件為親日、反共、經濟合作。由於蔣介石在 1938 年 1 月拒絕陶德曼調停，日本方面曾宣佈不以國民政府為對手，要求蔣介石下野。因此，吉田在和姜豪談判時仍然堅持此點，要求"委座退隱"。對於叛離重慶的汪精衛，則要求照顧其"面子"，意即有適當的安排。關於"滿洲"問題，吉田深知，這是談判中最棘手之處，所以迴避不談。

對吉田所提條件，姜豪逐一反駁，電稱：

> 職告以中國在求本身之獨立、生存，為此而戰，為此而和。目前環境益佳，無須求和，但為謀二國之真誠、永久、親善合作，覺日本如能放棄侵略，當為言和。其原則在不損傷領土、主權之完整。至於委座，係全國信仰、權威之所集，退隱根本不能談。至於汪逆，為全國人士所無法寬容，故上述見解完全錯誤。

吉田表示：姜豪所談各情，均所深悉，"但為面子，不得不如此，惟尚可商量。如委座退隱改為短期休養，汪逆問題亦可設法"。姜豪則稱："停戰撤兵之後，個人問題，再行考慮。最重要事，在談判期間不能成立偽中央，否則即無誠意，談判無法進行。"汪精衛成立偽中央黨部之後的下一步必然是成立偽國民政府，姜豪所云，顯示出他當時的主要目的是，阻止汪精衛成立偽府。對此，吉田答應"設法阻止"。雙方最後約定，各自請示後再行約期續談。電末，姜豪向朱家驊建議，利用談判，在漢奸集團內部製造分化與對立，並設法誘使敵人"處決"汪精衛。電稱："據職觀察，敵內部意見不一，至今仍思投機取巧，故今後應付方針，似宜繼續虛與委蛇，以動搖其內部，並吸收汪系以外之漢奸，使與對立。如能徹底處決汪逆，則最佳。"

此電 11 月 16 日到重慶。朱家驊於 25 日覆電姜豪："盼速返渝。諸俟面談。"姜豪收到朱電後，於 11 月 29 日回電，表示遵命準備返渝，但請示四點：

> （一）戴先生所派，尚有其他任務，未奉其命可否離港？（二）家眷現在港，是否同返？（三）路費無著，機票難購。（四）何處商洽？
> 至於高山返滬後，板垣心腹今井對此事積極推動，故須磨十六日前有

不利汪逆之談話。惟今井表示，此事已至決策階段，如吾中央確有誠意，須有要員出面，則彼可代表板垣來港晤洽，至少須職赴滬先與一晤，否則禁止高山與吾方來往，以免上吾之當。高山因此甚焦急，已派人來此催覆。惟高山近又來電，謂板垣處如決裂，彼返東京另行活動等語。此事已詳告戴先生請示辦法，但至今尚未獲覆。請就近與之商洽後詳示一切。

今井，指今井武夫，當時任日本中國派遣軍總司令部課長。他原擔任對汪精衛及其同夥的聯絡，但他認為，"成立南京政府自然還不是其目標，而是與重慶政府間實現全面和平才是最終目的"。[1]因此，他於當年 9 月 29 日到任後，即努力開闢與重慶國民政府之間的聯絡通道。從姜豪電可知，他對"姜豪工作"持積極態度，準備代表板垣征四郎到港與姜豪會晤，或命姜到上海見面。

須磨，指須磨彌吉郎，日本外交官。1933 年任日本駐南京總領事。次年任日本駐華公使館一等秘書。1937 年任駐美大使館參贊。1939 年 9 月任日本外務省情報部部長。他於當年 10 月 15 日到上海，16 日在記者招待會上稱："日本之政策，惟基於近衛之聲明，至汪氏如何，或其他方面如何，在所不問。""余目下不欲討論任何中國方面之聲明，連同汪氏之聲稱在內。"當記者問他"日本是否以支持汪精衛為限"時，須磨回答："日本之支持並不以某個人為限，而視其政權之主張。凡主張之合乎日本者，皆得廣博之支持。"[2]姜豪電所稱須磨的"不利汪逆"的談話，當即指上述言論。在姜豪看來，這是日方不專一與汪精衛打交道的表示。

12 月 2 日，朱家驊收到姜豪上述電報，於當日覆電稱：

奉諭：不得進行，並速返等因。特奉達。

朱家驊當時地位顯赫，所奉之"諭"，其來源可以意會，但朱家驊有意不說。12 月 5 日，姜豪致電朱家驊，報告新情況：

板垣處加派人員會同高山定 7 日到港，職擬與其晤後來渝。戴先生處如何？乞與接洽後賜示一切。

1 《今井武夫回憶錄》，中國文史出版社 1987 年版，第 125 頁。
2 《須磨之重要談片》，《申報》，1939 年 11 月 17 日第 9 版。

在姜豪看來，日方既然加派人員到港談判，很快可到，自然應該等一等。12月6日，姜豪再致朱家驊一電：

> 冬電奉悉，即遵命停止。惟 7 日來人，為顧全擔任聯絡工作之朱、楊二人安全計，只得再與一晤。待二人料理滬上家務出走後，即絕往來。職將此情報告戴先生，待其核准結束其他事務，並待籌得路費後，即攜眷來渝。職工作原意本在分化對逆內部意見與阻止汪逆組府，二月來尚見成效。今奉此命中止一切，自當遵命辦理，但以未達最大目的為憾耳！

朱、楊，指上文提到的協助姜豪工作的朱泰耀、楊鵬摶。按中統紀律，下級必須絕對服從上級。朱家驊既然命令"不得進行"，姜豪自然只能表示"遵命停止"。但是，姜豪顯然不願匆匆結束和日本人已經開始的談判，所以除陳明自己不能立即回渝的種種理由外，還和盤托出自己的工作目的——"阻止汪逆組府"，並且特別說明"二月來尚見成效"，意在對朱家驊有所打動。不過，朱家驊毫未動心。

姜豪的工作屬於軍統和中統雙重領導。12月9日，朱家驊致電戴笠：

> 日前奉總裁面諭，姜豪同志所進行之工作不可再進行，並促其速返等因。適值姜同志有電至，覆電中已將總裁諭旨告之，特函奉達，敬祈察洽為幸。

原來，命令姜豪工作"不可再進行"，出自蔣介石"面諭"，這樣，戴笠自然無話可說。姜豪也只能奉命返回重慶。

姜豪回渝後，留在中統局，奉副局長徐恩曾之命，協助全國糧食管理局指導各縣糧管行政。姜不願留在中統，以"興趣較少"為理由，託曾任國民黨中央組織部副部長的吳開先向朱家驊說情，要求調到國民黨中央組織部。[1] 1940年3月2日，朱家驊覆電吳開先，說明組織部名額已滿，請吳勸姜留在中統，其中談到將姜豪從香港召回的原因：

> 至姜事所以遲遲發表者，先因曾由雨農兄任用，派在香港工作。繼因

1　吳開先：《致驤公電》，朱家驊檔案。

總裁深以其工作為不滿，奉諭召回，請兄轉勸屈就。

朱家驊此電將情況說得更清楚，蔣介石對姜豪在香港與日本人的談判深為"不滿"，才下令將其召回。

抗戰後期，蔣介石曾向美國人聲稱，抗戰期間，他先後拒絕日本人的談判要求 12 次。朱家驊檔案中所藏姜豪工作資料為我們提供了其中的一個實例。

姜豪香港談判的目的在於阻止日本人支援汪精衛組府。當時，日方也有人企圖利用此點誘使重慶政府坐到談判桌前來。1939 年 9 月，日本軍部特務和知鷹二向中方提出，如日華之間成立"全面停戰協定"，即可取消汪偽各組織，甚至可以將汪"剪除"。孔祥熙對此感到興趣，於 10 月 6 日致函蔣介石，要求派人赴港談判，不料引起蔣介石大怒。10 月 9 日，蔣覆函孔祥熙，嚴詞痛斥："以後凡有以汪逆偽組織為詞，而主與敵從速接洽者，應以漢奸論罪，殺無赦。"[1]姜豪在此後赴港，以阻止汪精衛組府為理由與日本人談判，自然要在蔣介石那裏碰釘子了。

汪精衛於 1938 年 12 月叛逃，蔣介石最初很震驚，也擔心此事會對抗戰造成不良影響。當月 22 日日記云："不料兆銘糊塗卑劣至此，誠無可救藥矣。嗚呼！黨國不幸，乃出此無廉恥之徒！余無論如何誠心義膽，終不當彼一顧，誠奸偽之尤者也。"[2]據稱，當晚他思考此事對國內黨、政、軍、各地，對外交與對敵等各方的影響，久久不能眠。但是，此後，他逐漸認為，汪的叛逃並非純粹是壞事。29 日，汪精衛在河內發表《豔電》，其面目清晰暴露，蔣介石即為此慶幸，其 31 日日記云："其通敵賣國之罪，暴露殆盡，誠不可救藥矣。""今汪既離黨國，此後政府內部純一，精神團結，敵欲望我內部分裂與其利誘屈服之企圖，根本消滅矣。"[3]次日，國民黨中央常務委員會召開臨時會議，決議永遠開除汪精衛黨籍，撤除其一切職務，蔣介石即稱此為"黨國之大慶"。[4]後來，日本利用汪精衛為"奇貨"，要脅蔣介石和重慶國民政府，蔣介石即認為汪已無

1　《革命文獻》，《蔣中正"總統"檔案》，未刊稿，台北"國史館"藏。參見《困勉記》，1939 年 10 月 9 日。關於此事，作者另有《蔣介石對孔祥熙謀和活動的阻遏》一文詳述。

2　《困勉記》。

3　《困勉記》。

4　《困勉記》。

價值。1939 年 11 月 12 日，他在國民黨六屆三中全會開幕詞中說：偽組織是一定會出現的，但是這個不祥之物出現之日，就是敵人末日臨頭之時。現在敵人以為是他政治進攻之成功，但實際上就是他侵華政策上最後的失敗。[1] 次年 3 月 21 日，蔣介石又在日記中寫道：去年今日，余或恐其偽組織出現，影響國內與國際之心理；今年出現，則不惟無此顧慮，而且亦希望其能出現，雖於我無甚利害，而於敵國、對國際及我國民眾之心理，必能發生惡劣之反響，或竟促成敵國之崩潰。與其醞釀而不出現，不如早出現為愈也。[2] 蔣的公開談話和私人日記都表明，在蔣看來，汪精衛的偽政權即使能組織起來，其結果不僅於中國無害，倒反而不利於日方，將加速日方的崩潰。蔣介石當時之所以對姜豪工作毫無興趣，嚴令返回，其原因在此。姜豪在回憶錄中以為這是 "軍統與中統又一場爭鬥的結果"，純粹出於猜想。

姜豪在全國糧食管理局協助工作，其時間自 1939 年 12 月至 1940 年 3 月[3]。同年 4 月，任軍事委員會西南進出口物資運輸經理處秘書，中統局方面則停職留薪，在此期間，再未到過香港，也再未參加中統或軍統的情報工作。今井武夫稱：鈴木卓爾曾於 1939 年 12 月 10 日與第二年 1 月 3 日兩次在香港與姜豪見面，姜自稱多次接受重慶領導人的指示和意圖，云云。[4] 證以姜豪留下的檔案和回憶錄，完全是在瞎說。

1　《大公報》，1939 年 11 月 13 日。
2　《"總統"蔣公大事長編初稿》，台北，1978 年版，第 1563 頁。文字據台北 "國史館" 所藏《事略稿本》有所校正。
3　姜豪：《致翩公部長函》，1940 年 4 月 23 日，朱家驊檔案。
4　《今井武夫回憶錄》，第 168—169 頁。

王克敏、宋子文與司徒雷登的和平斡旋 *

* 本文錄自《抗戰與戰後中國》，中國人民大學出版社 2007 年版；原載《中國文化》2006 年第 2 期。

抗戰期間，日本侵略者曾通過多條渠道和中國政府聯繫，企圖以"和談"的方式取得其在戰場上得不到的東西。日方派出人員，或屬於軍部系統，或為外務省官員，或為與中國有傳統關係的"民間人士"。但是，也有一個特別的例外，這就是燕京大學校長、美國人司徒雷登。從 1938 年到 1941 年，司徒雷登受日本人之託，多次出入武漢、重慶，會見中國當時的最高領導人蔣介石。有關資料，不僅真實地反映出抗戰期間中日秘密外交的發展歷史，也真實地反映出日本侵略者從趾高氣揚、不可一世到窮蹙困窘的沒落歷程。

一、王克敏企圖和重慶拉關係，"推翻汪偽"

台灣所藏檔案中，存有王克敏致宋子文函一通，中云：

　　別將三載，不殊隔世，想望之殷，筆楮難宣，必維起居勝常為頌。弟抵此二年餘，一言難盡，憶前在滬與兄所論，殊非想像能及，今而知世事之變幻無常，而人心之莫可測也，然庸人自擾耳。近來屬體大非昔比，雖目力較增，而體力彌退。惟恐身先朝露，無由自明其心跡，時用憂煎，愛我如兄，宜有以教之。此間近狀，傅君當能面述不贅。諸惟心照，順頌時祺。

　　　　　　　　　　　　　　　　　　　　　　　弟名心叩，4 月 6 日[1]

---

1 《革命文獻》，《蔣中正"總統"檔案》，未刊稿，台北"國史館"藏。以下不一一注明。

本函未署年，從內容考察，應作於 1940 年 4 月 6 日。

王克敏，1873 年生於浙江杭縣（今杭州）。清末曾任浙江留日學生監督，駐日公使館參贊、留日學生副監督。1907 年歸國，先後供職於清度支部、外務部，並曾任直隸交涉使。入民國後轉入銀行界，陸續擔任中法實業銀行董事、中國銀行總裁、天津保商銀行總理，並由此跨入政界，三度出任北京政府財政總長。1931 年，任北平財務整理委員會副委員長。1933 年，任南京國民政府行政院駐北平政務整理委員會委員兼財務處主任。1935 年，任代理北平政務委員會委員長。1936 年，任冀察政務委員會經濟委員會主席。1937 年 12 月，與湯爾和、王揖堂等在北平組織傀儡政權——中華民國臨時政府，任行政委員會委員長、新民會會長。1938 年 2 月，曾遭軍統局天津站策劃的暗殺，但僅受輕傷。同年 9 月，在日本侵略者的導演下，偽臨時政府與在南京成立的以梁鴻志為首的偽維新政府在北平合流，成立偽中華民國政府聯合委員會，王克敏任主席。

函稱 "別將三載"，則王克敏與宋子文的上次聚首當在 1937 年。當時，宋子文一度被蔣介石摒棄於國民黨權力中心之外，但仍任中國銀行董事長。王則蟄居上海。同年 10 月，日本北平特務機關長喜多誠一到上海，通過與王素識的山本榮治向王克敏表示，歡迎他北上組府。據傳，此事王克敏曾和宋子文商量，宋表示，可以先出面 "對付日本人一陣"。[1] 王克敏寫此信的時候，已出任華北偽政權的要角，而宋子文則寓居香港，處理中國銀行業務。函中所言傅君，指傅涇波。傅於 1900 年出生於滿族世家。祖父當過甘肅巡撫，1918 年在天津參加全國基督教青年大會時結識司徒雷登。司徒雷登是一個出生在中國的美國人。曾在金陵神學院教授希臘文。1918 年任燕京大學校長。1920 年，傅入燕京大學讀書，自此成為司徒雷登的親密助手。司徒雷登曾稱："傅涇波之於我，就像我的兒子、同伴、秘書和聯絡官。"

王克敏致宋子文函屬於敘舊與聯絡，函稱 "惟恐身先朝露，無由自明其心

1　傅涇波回憶，見林孟熹：《司徒雷登與中國戰局》，新華出版社 2001 年版，第 29 頁；關於此事，還有另一種說法，即王致電宋子文商量，宋請示蔣介石後，覆電稱："奉委座諭，北平事可請叔魯維持"。見文斐編：《我所知道的偽華北政權》，中國文史出版社 2005 年版，第 5 頁、351 頁，錄此備考。

跡"，暗示他雖出任偽職，但仍忠於國家。"愛我如兄，宜有以教之"，則是明顯地要求宋子文為其助力。由於事關機密，他請傅到港的真正目的未在信中透露。4月17日，宋子文致函蔣介石稱：

> 昨傅涇波兄來港晤談，最近在平時，叔魯告以日軍統制派對汪偽組織仍持不妥協態度，彼亦正在進行破壞工作。就彼所知，汪日所訂條約，如撤兵駐兵問題、內蒙問題以及經濟合作問題等等，均極端喪失國權。據彼見解，應覓取途徑，推翻汪偽，重新與日訂立比較平等條約。如果有此可能，彼甚至竟來重慶。彼如一經到港，則汪偽當可瓦解云云。
>
> 傅涇波兄刻尚在港。倘兄有所詢問，當即來渝陳述。叔魯致弟一函，茲並附察。[1]

平，指北平。叔魯，王克敏的字。王在北平成立的偽政權，雖號稱"中華民國臨時政府"，但是，王出身北洋，對國民黨系人員並無多大號召力，因此，日本侵略者在積極扶植王克敏和另一個漢奸梁鴻志的同時，仍將主要希望寄託在國民黨副總裁汪精衛身上。1938年12月，汪的親信梅思平等在上海重光堂與日本人會談，簽訂協議，承認"滿洲國"，允許日軍在中國駐紮，內蒙作為防共特殊區域。同月，汪精衛等逃出重慶。1939年12月，汪指派周佛海等與日本人談判，日方提出《日中新關係調整綱要》，空前地擴大了日軍在中國的駐兵權，而其撤兵時間則可由日方自由解釋。《綱要》同時提出，華北、蒙疆的特定資源由"中日合作開發"，其他地區國防資源的開發則須為日本提供便利，日本擁有對華北政治、經濟的"內部指導權"以及對華北鐵路的經營權等。12月30日，汪精衛竟在以《綱要》為基礎的《關於日華新關係調整協議書》上簽字。王克敏對傅涇波所稱"汪日"所訂"均極端喪失國權"的條約，指此。

王克敏是投靠日本，成立傀儡政權的"老前輩"，日本侵略者又曾一度打算將他的政權扶植為"重建新中國的中心勢力"[2]，自然不甘於讓汪精衛後來居上。1939年6月，汪精衛曾到北平與王克敏會談，希望與王"合作"，王則強調臨時政府的"獨立"和"自主"地位，要求以之為主體組織偽中央政府，談

---

1 《革命文獻》，《蔣中正"總統"檔案》。
2 《日本外交年表與主要文書》下，《文書》，第381—384頁。

判未能取得成效。汪精衛剛一離開北平，王克敏立即召開記者會，宣佈不支持汪精衛的任何冒險事業。同年 7 月，汪在南京繼續與王克敏、梁鴻志會談，磋商成立"中央政府"。王克敏大談其所謂"皮之不存，毛將焉附"之說，自稱為"皮"，指汪為"毛"，要求汪附到自己這張"皮"上來。汪則提出，未來的"中央政治政治委員會主席"由"國民黨中央執行委員會主席"擔任，這就排除了王克敏等染指這一職務的任何可能。按汪的設計，"臨時"、"維新"兩個政府只能有 6 人參加"中央政治委員會"，佔總數的五分之一到四分之一。這種情況，自然引起王克敏的強烈不滿，"激忿到幾乎使會談決裂"。在日本人干預下，汪精衛作了讓步，決定"國民黨佔三分之一，"臨時"和"維新"兩個政府佔三分之一。1940 年 1 月，汪精衛在青島再次與王克敏、梁鴻志等會談。三方達成協議，合組"中央政府"，由汪精衛任行政院長，汪則同意成立華北政務委員會，在行政、立法、司法等方面給予相對獨立的權力，並以王克敏為委員長。同年 3 月 29 日，王克敏宣佈"臨時政府"自動撤銷。30 日，汪精衛在南京宣稱"還都"，成立偽國民政府。4 月 1 日，王克敏宣佈偽華北政務委員會成立。

宋子文致蔣介石函表明：汪精衛成立偽國民政府，日軍華北當局並不贊成，王克敏與汪原存的矛盾也未消解，因此，王通過司徒雷登的助手傅涇波拜訪宋子文，企圖建立與重慶國民政府的聯繫，藉此推倒新建的汪政權。王克敏甚至表示，願親到重慶談判。函稱：將"推翻汪偽，重新與日訂立比較平等條約"。前一句話確係王克敏的願望，後一句話不過是向重慶國民政府展示的誘餌而已。

蔣介石沒有上當。4 月 21 日，蔣介石覆宋子文函云：

> 十七日函悉。傅轉來之意，請代告其前途，切勿有架橋之意，望其絕念為要。此意且已面詳司徒校長矣。傅不可來渝。飭勿談。

"請代告其前途。""前途"，指王克敏。"架橋"，指聯繫中日雙方。蔣要王"絕念"，並且不准傅涇波到重慶。"飭勿談"，這是對宋子文的約束。覆函很短，但蔣介石拒絕和談的態度表達得很堅決、很明確。

二、在傅涇波到港之前，司徒雷登已經到過重慶

蔣介石覆宋子文函稱："此意且已面詳司徒校長矣"，可見在傅涇波到港之前，司徒雷登已經到過重慶，蔣已經向他表達了拒絕和談的態度。

在日本政府和軍部中，支持汪精衛出面組織偽政權是主流意見，但是，也有一部分人不完全贊成，他們主張和蔣介石直接打交道，至少也要促成蔣、汪合作。如先後擔任日本陸軍參謀次長、第三軍司令官、華北派遣軍司令官等職務的多田駿，初任日本北平特務機關長、後任興亞院華北聯絡部部長的喜多誠一，以及先後擔任近衛內閣陸軍大臣、中國派遣軍總參謀長的板垣征四郎等。

1938 年 2 月，多田駿授意王克敏，邀請司徒雷登出面，與蔣介石進行和平談判。其條件為：1. 禁止反日運動；2. 建立良好的華北行政區；3. 經濟合作；4. 賠款。[1] 同月 26 日，司徒雷登偕傅涇波離平。3 月 11 日，抵達漢口，見到蔣介石。當時武漢正處於火熱的抗戰氣氛中，司徒雷登發現，沒有任何調停希望，便沒有向蔣轉達日方通過王克敏提出的條件。[2] 回到北京後，司徒將所得印象告訴王克敏，王要求由他安排，將情況報告日本軍方。關於這一過程，司徒雷登回憶說：

> 他是華北有名無實的政府首長，早就彷徨不定。自己是否應該在日本軍閥下面出任這種被認為不愛國的職位。他聽我很高興地談到中國全體人民在蔣委員長感召領導下繼續抗戰的堅決意志，然後問我是否願意由他替我安排，讓我把這種情形告訴當地最高日本軍官。日方自然早已知道我的旅行經過，但無法阻止一個中立國的國民。王克敏的提議倒是令人難決的，但我終於接受了。同往的還有一向伴隨著我的傅涇波和我的勇敢譯員。此後每次旅行的時候，我更事先大膽通知日方當局，並問他們是否有什麼事要我辦。[3]

1939 年 7 月，司徒雷登受喜多誠一的委託，再到重慶，將駐華北日軍的和談條件轉達給蔣介石，蔣的回答是：1. 日本必須將其部隊、偽組織、企業撤往關

1　*Foreign Relations of the United States (FRUS)*, 1938, Vol. 3, p.109.

2　*FRUS*, 1938,Vol.3, p.124.

3　李宜培等譯：《司徒雷登回憶錄》，台北《大華晚報》1954 年印本，第 79 頁。

外；2. 所有和談活動排除汪精衛的參與；3. 如果日方和王克敏有誠意，將考慮派張群前往會晤。8 月中旬，司徒會見王克敏，聲稱"蔣擬與日本直接謀求和平，對汪是要徹底予以破壞，但並非不要和平。"[1] 9 月 14 日，司徒雷登再次會晤王克敏，聲稱："這一工作的背後有英、美對蔣的壓力（指停止援助），它意味著為了使蔣不走向共產及防止蘇聯勢力的擴張，希望蔣和日本相互妥協，恢復中國的和平。"[2] 喜多誠一對此感到興趣，建議將對汪精衛的工作推遲到 9 月份。但是，由於蔣堅持的談判先決條件還是"恢復盧溝橋事變以前原狀"，照此辦理，日本將失去 1937 年 7 月以來所有的侵華成果。同時，汪精衛認為這是重慶方面的謀略，要求停止接觸。日本參謀本部情報部長樋口稱："司徒雷登之流是撒謊的慣犯，如今對汪若採取無視的態度，日本的武士道就成了廢物。"[3] 這樣，司徒雷登的此次斡旋就無果而終。

1940 年 1 月，日本駐華北派遣軍司令官多田駿通過王克敏，建議司徒雷登再到重慶，向蔣介石轉達兩點：1. 如蔣有誠意，根本變更容共抗日政策，肅清重慶政府共產分子，而與汪先生合作，汪先生或可接受。2. 蔣對於收拾時局若有意見，最好與汪逕談，否則王可從中傳達，並派渝密使來談。[4] 周佛海和汪精衛都同意多田的意見。同年 2 月 24 日，司徒雷登到上海，與周佛海會晤。周託司徒到重慶見蔣時轉述："（南京）中央政府勢必組織，但決不為東京、重慶間講和障礙。"同時勸蔣"勿因日本困難，過於輕敵，勿因個人恩怨決定大計"，[5] 那意思是說：戰勝日本並非易事，不要因為和汪精衛的個人恩怨放棄"和平"機會。26 日，喜多誠一專程返日，向陸相畑俊六彙報，說明司徒提出的和平原則共 8 項：1. 日本必須以蔣委員長為和談的對象。2. 以近衛三原則作為和平之基礎條件。3. 華北、蒙疆之防共仍是必要措施（非指駐兵）。4. 日本必須調整經濟合作的範圍。5. 文化合作可以接受，但必須改編教科書。6. 原則上日本必

1　日本防衛廳防衛研究所戰史室著：《中國事變陸軍作戰史》第 3 卷第 1 分冊，中華書局 1981 年版，第 26 頁。

2　日本防衛廳防衛研究所戰史室著：《中國事變陸軍作戰史》第 3 卷第 1 分冊，中華書局 1981 年版，第 26 頁。

3　日本防衛廳防衛研究所戰史室著：《中國事變陸軍作戰史》第 3 卷第 1 分冊，中華書局 1981 年版，第 29—30 頁。

4　蔡德金編注：《周佛海日記》，1940 年 2 月 12 日，中國文聯出版社 2003 年版。

5　《周佛海日記》，1940 年 2 月 24 日。

須撤兵，惟華北、蒙疆可以暫時駐留。7. 設置委員會，促進經濟合作。8. 對歐美仍須維持友好關係。其中所謂 "近衛三原則"，指 "善鄰友好、共同防共、經濟合作"。1938 年 1 月，由於蔣介石拒絕德國大使陶德曼的調停，日本首相近衛發表聲明，聲稱將 "不以國民政府為對手"。同年 11 月 3 日，近衛再次發表聲明，對愚蠢、僵硬的第一次聲明有所修正，表示如國民政府能拋棄 "錯誤政策"，則日本政府亦可 "不加拒絕"。12 月 22 日，發表第三次聲明，提出中、日、"滿" 三國 "建設東亞新秩序" 以及所謂對華 "三原則"。為了誘使重慶國民政府上鉤，近衛甚至以 "尊重中國的主權，允許考慮交還租界，廢除治外法權" 相誘。蔣介石對近衛的三次聲明都持反對和批判態度。在近衛提出所謂 "三原則" 之後的第四天，蔣介石即公開發表談話，指出 "這是敵人整個的吞滅中國、獨霸東亞，進而以圖征服世界的一切妄想陰謀的總括，也是敵人整個的亡我國家，滅我民族的一切計劃內容的總暴露"。[1] 第七天，蔣介石又在日記中寫道："發表駁斥《近衛宣言》對敵之影響如何？足使敵知所警戒，打破其變換威脅或計誘之妄念乎？"[2] 因此，蔣介石不可能以 "三原則" 作為和平的基礎條件。喜多聲稱上述 8 項條件為司徒 "所知" 的蔣介石的和平原則，其實，這不過是司徒雷登的想法而已。

司徒雷登不贊成日本製造汪政權。他在上海時曾對周佛海表示："對重慶工作並不是英美大使及王克敏的意願，而是日本渴望和平，希望恢復到 '七七' 事變以前的狀態，所以放棄 '新政府' 較為妥善。" 1 月 27 日，畑俊六得到報告，得知司徒的有關言論，大發雷霆。[3]

3 月初，司徒雷登到達重慶，會見蔣介石。他向蔣介石表示：不僅他個人，而且美國政府和人民都盼望中日之間有建立於共同利益之上的關係。美國關心中國的自由、領土完整和政治獨立。蔣介石則表示，除非經由美國總統，他將不考慮與日本的和平談判。這是由於，他相信美國對中國的友誼及其對

---

1 《揭發敵國陰謀，闡明抗戰國策》，《"總統" 蔣公思想言論總集》，《演講》，1938 年 12 月 26 日，台北中國國民黨黨史會 1984 年版。

2 《困勉記》，稿本，台北 "國史館" 藏。

3 《畑俊六元帥日記》，轉引自台灣 "國防部" 史政編譯局譯印：《歐戰爆發前後之對華和戰》，第 216—217 頁；又，《日本軍國主義侵華資料長編》上，第 628 頁。

國際道義的認知，也是由於對羅斯福總統個人的尊重，但是，蔣又表示：他現在還不準備要求總統出面調停。讓日本人違背自己的利益，放下架子，走出侵略熱狂，進入談判過程，還有很長的路。中國寧願繼續戰鬥，直到和平條件成熟，中國獲得自由。日本人必須從長城以南撤退全部軍隊，和中國討論滿洲問題，或者雙方坦率認可，將這一問題擱置。[1] 蔣認為，滿洲問題較難解決，因此，將中國的抗日分為兩步。第一步恢復盧溝橋事變前原狀；第二步，以外交手段，通過談判收回東北。蔣這裏向司徒雷登表述的，就是他的第一步計劃。[2] 蔣並稱：中國有決心依靠自己的力量打下去，三年、五年在所不計。目前的困難在於財政，因此，進一步的外國貸款成為抑制通貨膨脹，鼓舞抗日信心的重要措施。4月5日、10日，司徒分別寫信給燕京大學美國托事部和羅斯福總統，彙報上述情況。在致羅斯福總統函中，他呼籲總統採取實際行動幫助中國。例如，對日本實行經濟封鎖，進一步給予中國以財政援助，減少其通貨膨脹的危險等。他認為，這種做法，所冒風險甚小，而利益，即使從美國自身利益出發，都是巨大的。[3]

在和司徒雷登的會見中，蔣介石已經將他對日本"誘和"的態度及其抗戰決心表述得很清楚，因此，自然沒有再見其助手傅涇波的必要。如本文一開頭所述，傅想通過宋子文的關係打開重慶之門，自然要遭到蔣介石的拒絕。

4月底，司徒雷登到達上海，向日本議員田川大吉郎傳達與蔣介石的會晤情況稱：

1. 雖然重慶方面也想以《近衛聲明》為基礎，而日本方面卻不實行此聲明，看不到實行此聲明的證據。日本要壓服中國，幾乎沒有承認中國獨立和尊重中國主權的意思。

2. 蔣介石沒有說日本不撤兵就不答應和平解決，也沒有說不撤兵中國就不能實現和平，也沒有說不撤兵就不進行談判。

3. 蔣介石希望根據《近衛聲明》處理時局，但是，日本是一副佔領者

1　*FRUS*, 1940, Vol. 4. pp.315-316, 324.
2　參閱拙作《蔣介石親自掌控的對日秘密談判》,《中國社會科學院學術諮詢委員會集刊》第2輯，社會科學文獻出版社2006年版。
3　*FRUS*, 1940, Vol. 4. pp.315-316.

的姿態，不尊重中國的獨立和自由。蔣介石對於《近衛聲明》的內容還有模糊之處，但對其宗旨是明了的，希望做到名實一致。

4. 蔣介石希望達成和平協定，並相信早日和睦地合作建設東亞新秩序是符合中日兩國的利益的。

5. 司徒雷登認為，給人的印象是日本戰勝了，但暫時必須有所控制。現在需要的是雙方都站在平等地位，謀求東亞的永久和平與親善，即可實現和平。

6. 蔣介石對蒙疆及華北抱達觀的態度。[1]

這 6 條，和上述司徒本人在致羅斯福總統函中彙報的情況不符，也和蔣介石對中日談判及《近衛聲明》的一貫態度不符，因此，只可以看作司徒本人的態度，或者是司徒為勸誘日本人而有意編造的辭令。

在未到上海之前，司徒雷登曾兩次捎信給周佛海，表示急盼與周見面，使得周佛海感到"蔣先生有和意"，因而興奮異常。同月 28 日，周佛海從特務李士群處得知，"蔣今仍逞意氣，不顧大局，實為可歎"。同日，周與司徒雷登談話，司徒安慰周稱："美國出面調解，蔣或可接受。"但周已經絕望，批評說，"蔣對汪仍不諒解，未免意氣用事"。二人雖相約共同努力，但周佛海當日還是在日記中寫下了一句話："恐前途仍屬悲觀。"[2]

汪精衛等雖在日本侵略者扶持下成立了偽政權，但是，並無多大信心，因此，也期望"汪蔣合作"，藉以擺脫叛國投敵的困境。5 月 1 日，周佛海與陳公博、汪精衛商討論司徒雷登出面幹旋情形，陳提議周佛海赴滬，邀請與蔣介石有深厚關係的銀行家周作民赴重慶助力。周稱："蔣先生仍意氣用事，全面和平前途遼遠，至吾輩對重慶說話，似乎尚早，必須做出幾件事，表示吾輩並非無辦法，然後再與之談。"陳公博同意周的意見，但汪精衛則稱："不妨同時並行。"[3] 4 日，陳公博訪問周作民，周稱："蔣無和意。"[4] 24 日，周佛海會見汪精衛，汪稱："蔣先生表示，即打至緬甸，亦不願與吾輩合作。"周佛海自感計窮

1 《中國陸軍事變作戰史》第 3 卷第 2 分冊，第 47 頁。
2 《周佛海日記》，第 286—287 頁。
3 《周佛海日記》，第 288 頁。
4 《周佛海日記》，第 289 頁。

力竭，歎惜道："余數月來已用盡方法，向渝方表示誠意，並表示如全面和平可期，吾儕雖亡命，亦所不惜。今蔣竟如此，吾儕之心盡矣。"[1]

在汪精衛、周佛海等謀劃與蔣"言和"的同時，司徒雷登偕同傅涇波再到重慶，繼續斡旋，但仍以無果而終。今井武夫回憶說："南京國民政府剛剛成立的五月，司徒雷登校長同傅涇波教授相偕去重慶，王克敏和華北日軍首腦間進行密切聯繫，期待他們的答覆。可是，司徒雷登校長卻一時難回，唯有徒耗時日而已。一隔數月之久，帶回的只不過是作為蔣介石意圖的抽象的回答。"[2] 今井認為，其原因在於"汪兆銘政權的成立，使重慶政府對日軍談判的熱情突然降低了"，其實，今井講得並不正確。6月4日，蔣日記云：

> 聞王克敏、周佛海派人來求和。彼輩妄想由漢奸為橋樑而談和議，並以較低條件為誘餌。彼輩心理，以為先立偽組織，再求中央諒解，以圖合流，所以造成漢奸罪惡，而敵閥受其愚弄至此，尚不覺悟，匪夷所思，又來誘和，亦太不自量矣！敵在此時，如有理智與常識，果為愛國，應真正無條件撤兵，以挽救其頹勢，然而敵必冒險狂妄，非激起其國內變亂與崩潰，中倭必無和平之望也。[3]

日本侵略者認為，通過王克敏、周佛海等一類"中國人"出面，實現汪、蔣合流，並且降低條件，以為這種做法較易收效。今井等沒有想到的是，這一時期，重慶方面正瀰漫著強烈的反漢奸、反投降氣氛，日本人的做法只能遭到蔣的鄙視。蔣並非不想"和平"，但他的條件是：日本從中國"真正無條件撤兵"。蔣認識到，日本侵略者的特點一是"冒險"，二是"狂妄"，不到窮途末路，是不會放棄其侵華方針的。

汪偽政權成立後不久，王克敏的後台喜多誠一被調回日本。6月7日，汪政權發表命令，准王克敏辭去本兼各職，由王揖唐接任偽華北政務委員會委員長。下台後，王克敏退居青島，宣稱"靜心養痾，閉門謝客"，但仍暗中活動，伺機再起。1940年11月，國民黨中統在天津的地下機關得到信息："近聞在長

---

1 《周佛海日記》，第299頁。
2 《今井武夫回憶錄》，中國文史出版社1987年版，第171頁。
3 《困勉記》，1940年6月4日，未刊稿，台北"國史館"藏。

崎之王克敏，受日本之意，擬與中央發生關係，進行中日問題之解決，其間係經司徒雷登居中轉圜。”又云：“近王克敏託人，急欲尋求與中央有直接關係者，向總裁傳達一切。”[1] 這就說明，王克敏始終沒有忘記利用司徒雷登這一線索為日本侵略者的“誘和”策略服務。

三、司徒雷登再赴重慶

日本侵略者始終不放棄對蔣介石的誘和。1940 年 7 月，近衛文麿第二次組閣，松岡洋右出任外相。他決定收回原由軍部等牽線的對華秘密談判，統歸外務省辦理。同年 11 月，他通過原中國交通銀行董事長錢永銘等與蔣介石聯繫，達成初步協議：日本無限期延緩對汪偽政權的承認，無條件從中國撤兵。日本內閣會議本已同意，但是，事隔一日，又在軍部等力量的反對下否決。蔣介石覺得受到欺騙，認為對日本這種“無禮無信之國，不可再理”，指示錢永銘對日“決絕”。[2] 此後，松岡洋右仍企圖挽回，重建與重慶國民政府的聯繫。12 月，松岡派外務省東亞局第一課課長山田專程到北平，動員司徒雷登再次出面幹旋。同月 9 日，二人見面，山田稱：外相松岡洋右經過努力，已獲批准，直接與蔣介石談判，並且已經派東亞局局長赴香港，希望在承認汪精衛政權之前完成談判。山田詢問司徒，何以蔣介石拒絕會見日本代表。司徒雷登以 1940 年 3 月與蔣見面時蔣對此的解釋作答：1. 由於日方代表的既往表現，他無法信任他們；2. 他無法確信，日方來使的言論能真正代表整個日本的國家政策。司徒雷登稱：汪政權為日本軍事當局製造，受日本軍事當局直接、間接的控制，因此，日本承認汪政權並無真正意義。日本的唯一出路是，從中國領土撤退所有的武裝力量，保證中國獨立，這樣，日本代表才能與蔣介石會見，討論和平問題。司徒告訴山田，日本解決中國問題，有兩種政策：一是繼續實行武力政策，征服並控制整個中國，二是改取友好關係，尊重中國領土和主權完整，獲取合法利益。如果日本採取第二種政策，將能重建與美國的友好關係。他說：美國的

1　《趙支誠致朱家驊電》，1940 年 11 月 5 日，朱家驊檔，台北“中研院”近史所藏。
2　《困勉記》，1940 年 11 月 28 日。

基本利益是保持太平洋地區的穩定與和平，為此就必須有一個強大、獨立的中國。隨後，司徒雷登提出十個問題，讓山田轉交日本當局。[1]

司徒雷登曾將與山田會談的情況託寫成信件，寄給英國駐華大使，建議轉呈蔣介石，函稱：

> 去年 12 月 9 日，余與山田約晤，……此人係日外務省東亞局第一科長。山田初則詳述松岡外相如何努力尋求與重慶正式直接談判之機會，並曾遣派東亞局長田尻赴港作此活動，希望於必須承認汪政權以前能有眉目……山田亦承認松岡不過姑妄試之，並未寄過大之希望……山田繼則對於蔣委員長何以不願商談和平，甚表惶惑不解……山田又詢蔣委員長何以不願接見任何日方代表，余稱當余最近見委座時得悉有兩種理由：觀於日人過去之行為，無法對彼等發生信任，而此項人員能否真正代表其舉國之意見，亦無確切把握。[2]

司徒雷登在此前和蔣介石的會談中，已經對蔣的有關想法一清二楚，寫此函，主要為報告情況，觀察蔣的反映，故未提出具體意見。

日本中國派遣軍總參謀長板垣征四郎急謀與中國謀和。1940 年 6 月至 7 月，派賈存德、蔡惠到重慶，與孔祥熙接洽。[3] 同年 8 月，板垣甚至出具親筆保證書，企圖到為中國軍隊所控制的長沙，實行與蔣介石見面的"巨頭會談"。[4]在這些企圖先後失敗後，板垣又於 1941 年 1 月邀請司徒雷登前往南京會商，聲稱願在任何地方，甚至在國民黨統治區內與蔣介石或他的代表進行私人會晤。2月 13 日，司徒與板垣二人在上海會面。板垣稱：有 18 位日軍將領在南京軍事會議上一致表示，渴望結束中日戰爭，"承認蔣介石"，為此，將撤退關內全部日軍，以保證中國國家獨立。板垣並表示：願意接受美國的調解，所有問題都將在中、日、美三方參加的會議中解決，期望羅斯福總統能採取主動，找到使彼此都滿意的解決辦法。[5] 2 月 24 日，司徒雷登託人告訴周佛海，他得到新近從

1　*FRUS*, 1940, Vol.4, pp.466-467.
2　《特交檔案》。
3　參見拙作《蔣介石對孔祥熙謀和活動的阻遏》，《歷史研究》2006 年第 5 期。
4　參見拙作《蔣介石親自掌控的對日秘密談判》，《中國社會科學院學術諮詢委員會集刊》第 2 輯。
5　*FRUS*, 1941, Vol. 6, pp.36-37.

重慶回來的的美國友人消息，"渝無意和平"。[1] 4 月初，司徒雷登乘參加教育文化基金會議之便，再次赴重慶。行前，日本使館參贊向司徒探詢由美國出面調停、結束中日戰事的可能性。司徒答稱：他個人的意見是，如果中日都提出要求，如果中國得到日本撤軍保證，願意談和，美國將出面調停，並參加三方討論。[2] 到重慶後，司徒三次會晤蔣介石，並與孔祥熙、何應欽等長談。他得到的印象是：蔣介石對日本和談條件不感興趣，在重慶感覺不到對日求和的趨向。5 月 7 日，他到上海會見周佛海與陳公博稱："蔣目前無意和平，須俟世界戰爭總結束後解決中日問題。""日本不能持久，故最後勝利必屬於我。"[3]

同年，不少日本政治家，以至高級軍官都意識到解決中日戰爭的必要性，主張：1. 和蔣介石談判；2. 從中國領土、領水撤退全部武裝力量；3. 美國參與。連王克敏都認為，日本不能堅持過這一年。[4] 大概就在這一時期，司徒雷登曾寄宋美齡一函，中云：

> 前信已述及，日本甚願與委員長直接講和，現在亦然，但可使委座願意談判之條件距離尚遠，加以現在國際局勢進展於中國有利，委座堅拒和議，無疑的甚為合理，故只有聽其自然，不可強求，果熟自然蒂落，為時恐亦不遠矣。[5]

從 1938 年起至 1941 年止，司徒雷登數次出入武漢、重慶，企圖說服蔣介石和中國政府，接受他的和平斡旋。本函稱 "委座堅拒和議，無疑的甚為合理"，可見被說服的不是蔣，而是司徒雷登。

太平洋戰爭爆發後，司徒雷登就受到日本華北軍事當局的拘禁。1945 年 7 月，日本侵略者覆亡前夕，日本政府派河相達夫、外務省官員永井洵一、參謀本部官員山崎重三郎到北平，訪問還在拘禁中的司徒雷登，說明日本所面臨的絕境，表示應不講任何條件，立即結束戰爭。司徒雷登提醒說："7 月 26 日的波茨坦會議曾經聲明，結束戰爭的條件是 '無條件投降'，而蔣委員長也已經表

1　《周佛海日記》，1941 年 2 月 24 日。

2　*FRUS*, 1941, Vol. 6, pp.117-118.

3　《周佛海日記》，1941 年 5 月 7 日，第 460 頁。

4　*FRUS*, 1941, Vol.6, pp.322-323.

5　《特交檔案》，《蔣中正 "總統" 檔案》。此函原未繫年。

示同意。因之，我同任何人都不能有所作為。只有勸導日皇與日本新閣從速接納。至於頑強的軍部縱仍提出反對，亦可不予顧及，因為他們的愚蠢已使國家蒙受慘重的禍害。"[1] 司徒雷登認識到，這個時候，歷史已經不給日本侵略者提供機會了。

司徒雷登是美國人，本與中日戰爭無關，他的多次斡旋純係個人行為，表現出他反對侵略，期望中日兩國之間能建立和平、友好與互利關係的善良願望。但是，對於日本軍國主義者來說，其"和平談判"或者是侵略的另一種形式，或者是挽救失敗、逃避懲罰的手段。自然，它要受到當時堅持抗戰的中國政府及其領導人的拒絕，司徒雷登的善良願望最終落空乃是必然的。

抗戰勝利前夕，王克敏通過其女婿周澤岐及其弟宗岐自西安致電宋子文，表示擬赴重慶接洽。宋子文致電蔣介石報告，聲稱"彼輩此來，或與北方日軍投降有關，可否飭雨農派人探詢？"[2] 這是王克敏再次企圖通過宋子文與重慶政府聯繫。自然，沒有任何結果。1945 年 12 月，戴笠在北京設計，以蔣介石名義邀請王克敏、王揖唐等人"共商華北大計"，當場逮捕。

1 《司徒雷登回憶錄》，第 91—92 頁。
2 宋子文檔，第 58 盒，美國斯坦福大學胡佛研究院藏。

「桐工作」辨析

——真真假假的中日特務戰 *

* 本文錄自《找尋真實的蔣介石：蔣介石日記解讀》（2），華文出版社 2010 年版；原載《歷史研究》
2005 年第 2 期，略有修訂。曾獲近代史研究所 2009 年度優秀科研成果一等獎。

日本侵華期間，曾多次向中國方面“誘和”，其中，最為重視的是 1940 年鈴木卓爾、今井武夫在香港和張治平、“宋子良”等人所進行的談判，日方稱為“桐工作”。至今日本文獻中還留有大量資料，有些史家也樂於利用這批資料，以證明蔣介石和重慶國民政府在對日抗戰方面的動搖和妥協。然而，遺憾的是，這一關係重大的談判卻始終缺乏中文資料的證明。本文作者查閱了保存在台灣的蔣介石檔案，發現其中有不少和“桐工作”相關的文件，將這些資料和日文資料兩相比照，便會發現雙方記載差異很大，虛虛實實，真真假假，撲朔迷離。但是，仔細研究上述資料，查勘辨析，我們仍然可以在幾個主要問題上比較確鑿地揭示出事件真相。

一、談判過程與日中兩方記載的異同

　　關於“桐工作”，日文檔案集中收藏於日本防衛研究所戰史室，題為《桐工作關係資料綴》，為當年日本軍令部第一部相關文電的彙編。[1] “桐工作”的參加者今井武夫 1964 年出版述及此事的回憶錄時，也收錄了部分當年文獻。中文資

1　檔案號：支那事變全般—127。日本防衛研究所戰史室所著《大東亞戰史》大量引述了該項檔案。該書有台北“國防部”史政編譯局譯印本，與本文論述有關者分別見於《戰前世局之檢討》、《對中俄政略之策定》兩冊，台北，1991 年。

料則有中方談判參加者張治平的報告、軍統局戴笠向蔣介石的報告、軍統局審查張治平時留下的文件、時在香港參與中日秘密談判的《大公報》主編張季鸞致陳布雷的多通函件等。

比較日中兩方資料，可以發現，雙方對談判的緣起、經過的敘述存在巨大差異。

（一）談判緣起

日方資料記載：1939 年 10 月，日本在中國南京成立中國派遣軍總司令部。11 月底，起用原參謀本部的鈴木卓爾中佐擔任香港機關長，找尋與重慶國民政府的聯絡路線。12 月，鈴木通過香港大學教授張治平的斡旋，要求會見宋子文的胞弟、時在香港擔任西南運輸公司董事長的宋子良。宋初則拒絕，後主動要求會面。12 月 27 日夜，雙方第一次會面。宋提出：日本如尊重中國的名譽及主權，中國有和平的準備，為此希望日本在承認"新中央政府"（指汪精衛政府——筆者注）之前和國民政府認真商談，先行停戰，日本方面保證撤軍。宋同時提出：日本對於不以國民政府和蔣介石為對手的聲明，是否可重新加以研究？能否恢復"七七"事變以前的狀態？能否向蔣介石個人提交有關和平的親啟書信？[1] 1940 年 1 月 22 日，雙方第二次會談，宋稱：重慶方面仍具有日本預料以外的抗戰實力；目前看不出蔣介石有與汪精衛合作的意圖，毋寧說正在努力進行破壞。宋並稱：通過胞姐宋美齡經常獲得接近蔣介石的機會，兩三週內將赴重慶。如有需向蔣介石傳達的事項，願進行轉告。[2] 2 月 3 日，雙方第三次會見。宋子良稱：希望進一步獲悉日方的真意。本人將於 2 月 5 日前往重慶，與蔣介石會談，10 日將攜帶會談結果回港。2 月 10 日，第四次會談，宋稱：自己已向蔣介石及宋美齡彙報，蔣於 2 月 7 日召開國防會議，決定派出代表或最受蔣介石親近的人物來港。鈴木卓爾當即詢問："上述代表是否隨身攜帶蔣介石的委任狀？"[3] 2 月 14 日，日本中國派遣軍總司令部高級參謀今井武夫大佐到達

---

1 《香港電第 81、82 號》，中國派遣軍總司令部《桐工作圓桌會議的經過概要》，見《今井武夫回憶錄》，中國文史出版社 1987 年版，第 329—330 頁。

2 《香港電第 126 號》，中國派遣軍總司令部《桐工作圓桌會議的經過概要》，見《今井武夫回憶錄》，第 331 頁。

3 《香港電第 126 號》，中國派遣軍總司令部《桐工作圓桌會議的經過概要》，見《今井武夫回憶錄》，第 334 頁。

香港，偕同鈴木與宋子良、張治平會面。宋稱：重慶方面將派出攜有蔣介石委任狀且與日本方面有同等地位、身份的代表，並稱宋美齡已到香港。雙方同意在香港召開日華圓桌會議。

中方資料不如日方資料詳細。據張治平在 1940 年 9 月 8 日被審查時向戴笠所作書面報告，其經過是："七七"事變後，張治平到香港避難，從事教育與新聞事業。1939 年 11 月，日本駐港武官石野（芳男）去職，由鈴木卓爾中佐繼任。鈴木是張治平"抗戰前的老友"。1940 年 1 月中旬，鈴木從日本駐港總領事崗崎（勝芳）處得悉張的寓所，突然登門拜訪，向張坦白陳明此次來港所負使命，要求撮合。張當時告以此事不敢過問，將來有此路線時，再行通知。1 月末，張治平偶與軍統在香港的工作人員曾政忠談及，曾即介紹軍統在香港的另一工作人員盧沛霖與張"餐敘"。不久，曾政忠告張稱：盧已奉令，"允於特工、輿情範圍內與敵周旋"。[1] 張轉告鈴木，鈴木致電今井武夫。今井和張治平也是老相識，有"十餘年舊誼"。2 月 8 日，今井武夫約同大本營第八課課長臼井茂樹大佐共同來港，與張治平、曾政忠在康樂道十七號空屋內會談。10 日，今井武夫提出覺書八項，張電呈重慶後，又將原件寄呈。2 月 17 日，張治平奉電召到重慶，報告經過，得到訓示："該覺書之荒謬，尤對於偽滿問題、內蒙駐兵問題與汪逆問題，認為敵方之妄想。"[2] 張治平返港後，即偕曾政忠會晤鈴木，"面斥其非"。同時通知鈴木："欲談和平，須先撤銷汪偽組織，並應有進一步之具體表現。"[3] 鈴木應允親去東京、南京交涉後再談。[4]

上述兩方資料的差異主要表現在兩個方面：1. 起始時間。日方資料在 1937 年 12 月，而中方資料則在 1940 年 1 月。2. 會談次數：日方資料有 1939 年 12 月 27 日、1940 年 1 月 22 日、2 月 3 日、10 日、14 日五次，中方資料則僅有 1940 年 2 月 8 日、10 日兩次。

1940 年 9 月 8 日，張治平被審查時遞呈的書面報告，中稱：2 月 10 日，今井武夫曾向中方提交包含八項條件的覺書，但今井武夫到達香港的時間為 2 月

1 《張治平致戴笠報告》，1940 年 9 月 8 日，《蔣中正"總統"檔案·特交檔·和平醞釀》，台北"國史館"藏。
2 《張治平致戴笠報告》，1940 年 9 月 8 日。
3 《張治平申辯》，轉引自戴笠：《報告》，1940 年 9 月 15 日。
4 《張治平致戴笠報告》，1940 年 9 月 8 日。

14 日，當日日方記錄中無此內容。[1] 經查，今井武夫向中方提出包含八項條件的覺書，時在 3 月 9 日。關於此點，張治平被審查時向戴笠所呈書面報告是錯誤的。詳見下文。

（二）3 月香港圓桌預備會議

日方資料記載：今井武夫會見張治平後，於 2 月 19 日赴東京，向參謀總長閑院宮和陸軍大臣畑俊六彙報，21 日，由參謀次長稟明天皇。3 月 7 日晚，日中雙方在香港東肥洋行座談。8 日晚，正式會談。日方出席者為今井武夫大佐、臼井茂樹大佐、鈴木卓爾中佐；中國方面出席者為重慶行營參謀處副處長陳超霖，最高國防會議秘書主任章友三，宋子良，陸軍少將、侍從次長、香港特使張漢年，聯絡員張治平。會上，日方出示陸軍大臣畑俊六及中國派遣軍總司令西尾壽造所開身份證明書，中國方面第一天未帶來委任狀，第二天由陳超霖和章友三出示了最高國防會議秘書長張群的身份證明書。[2] 中方稱：出發之際，蔣介石提出：應取得日本撤軍的保證；應明確日軍的和平條件；應使會談在極端秘密中進行。當日就中國承認 "滿洲國" 及日軍在華駐兵等問題進行了討論。9 日會談中，日方提出備忘錄（覺書）八條，其重要者為：第一條，中國以承認 "滿洲國" 為原則；第二條，中國立即放棄抗日容共政策；第三條，日華締結防共協定，允許日軍一定時期內在內蒙及華北地區駐兵；第七條，停戰協定成立後，國民政府與汪兆銘派協力合作。[3] 10 日中午，張治平通知鈴木，中國方面委員徹夜協商，大體同意備忘錄，已向重慶請示。同日晚，中方聲稱接到蔣委員長的長篇訓詞，另提 "和平意見" 八條，其主要內容有：關於滿洲問題，中國在原則上同意考慮，方式另商；關於中國放棄抗日容共問題，乃和平協定後中國所取之必然步驟；關於汪兆銘問題，此純為中國內政問題，在和

---

1 《今井武夫回憶錄》，第 129、335 頁。今井在出版回憶錄前，曾於 1956 年 12 月 8 日在《讀賣週刊》先行發表《今井武夫少將手記》。據《大東亞全史》編者考證，該《手記》文中的日期與畑俊六日記等其他史料之日期完全一致，內容也沒有出入。（《戰前世局之檢討》，第 319 頁）今井寫作回憶錄時，利用了他本人的日記和存世檔案，因此所記日期比較準確。例如，今井回憶，他曾於 1940 年 6 月 12 日，借同影佐少將會見周佛海，說明板垣、蔣介石、汪精衛將在長沙會商，要汪參加。周向汪報告，次日，周稱，汪可以去長沙。所述日期和內容與周佛海日記完全相合。今井的回憶錄出版於 1964 年，而周佛海日記至 1986 年才公佈。這種情況，說明今井當年必定留有確鑿的記載。

2 中國派遣軍總司令部：《桐工作圓桌會議的經過概要》，《今井武夫回憶錄》，第 339 頁，參見同書第 131 頁。

3 《備忘錄》，《今井武夫回憶錄》，第 137—138 頁。

平恢復後，以汪氏與國民黨歷史之關係，中國當有適當處置，無庸提為和平條件之一；關於撤兵問題，日本應於和平妥協時，從速撤退在華軍隊。[1]中方建議，雙方各自分別在"備忘錄"與"和平意見"上簽字，遭到日方反對。

3月23日，汪精衛預定在南京成立"新中央政權"的前三天，鈴木應宋子良緊急之邀，與宋會談。宋稱：有蔣介石急電，望轉達板垣征四郎。蔣對日方"備忘錄"大致無異議，但承認"滿洲國"問題受到東北將領反對，正努力說服，要求日方推延汪政權的成立時間。鈴木答以重慶方面須立即派遣秘密代表談判，並於25日前答覆。[2]至期，重慶方面沒有答覆，汪精衛遂於30日在南京舉行"還都式"。

戴笠呈蔣介石的報告中保存有一段《張治平對工作之陳述》，中稱："本年二月，由渝返港後，曾告鈴木，欲談和平，須先撤銷汪偽組織，並應有進一步之具體表現。當時鈴木唯唯久之，往反糾纏，毫無表示。三月中旬，呈奉電令，以敵無誠意，遵即置之不理。"[3]這一《陳述》完全未提3月7日至10日的香港圓桌預備會議及3月23日的緊急會談。但是，其後張治平在被審查時所寫《致鈴木先生函》中則稱："今年一月間，先生在港過訪，密告負有斡旋中日兩國和平之重要使命，請平向我政府方面設法溝通接洽和平之路線，故有本年三月七日香港之會談。當時，除平與先生及今井先生外，尚有敵友章友三先生在座，結果先生出示今井等所提所謂中日和平之八項覺書內容交平設法轉達我政府。"[4]根據此函，可見確有3月香港圓桌預備會議，並且確有包含八項條件的覺書，與今井武夫的回憶相合，同時可證張治平被審查時向戴笠所呈報告中關於此點的謬誤。

（三）5月九龍四人會談與今井、宋子良二人香港海上會談

日方資料記載：3月25日之後，鈴木與宋子良繼續接觸。宋強調"重慶方面有和平誠意，在努力實現中"。[5]4月16日，張治平自重慶返港，聲稱15日

1　《今井武夫回憶錄》，第139—140頁。

2　《（日本）香港機關致參謀次長》，特香港電第210號，《桐工作關係資料綴》，日本防衛研究所戰史室藏，支那事變全般—127。以下凡未注明出處的日文檔案，均同。參見《戰前世局之檢討》，第260頁。

3　戴笠：《報告》，1940年9月15日。

4　《蔣中正"總統"檔案‧特交檔‧和平醞釀》。

5　《香港機關致參謀次長》，特香港電第232號。參見《戰前世局之檢討》，第263頁。

曾面見蔣介石。[1] 5 月 13 日，日方代表今井、鈴木、阪田與中方代表章友三、宋子良在九龍半島一旅館會見。章稱："當前和平的難題是中國承認'滿洲國'問題，與部分日軍駐兵問題。這可以暫放它一放，留待日華恢復和平後，再談判解決。""只要秘密預備會議日華雙方取得一致意見，日華兩軍即可停戰。同時，重慶政府將發表反共聲明。因此，希望在六月上旬仍由上次的原班人馬在澳門舉行第二次會談。"[2] 此次會談時，鈴木從門鎖匙孔中偷拍了宋子良的照片。17 日，今井應宋子良之邀，在香港海面的小艇上會談。宋稱：蔣委員長"內心希望和平確屬事實"。[3]

　　九龍會談在中方文獻中毫無反映。1940 年 5 月底，張治平致戴笠報告稱：他在 4 月自重慶返港後，即遵照上級意見，不再和鈴木卓爾往來。其間，鈴木曾數次訪問張治平，張均以現任香港大學教授兼德國通訊社記者身份，"以採取情報之立場"與之會面，告以"中國決不能接受任何有損領土完整主權獨立之條件"。[4] 鈴木卓爾知道自己的企圖失敗，於 4 月 21 日應中國派遣軍總司令部參謀總長板垣征四郎之召赴南京，5 月 4 日返港，再次邀請張治平面談，張"婉詞拒絕"。其後，鈴木派秘書增田會晤張治平。據談，鈴木此次赴寧返日，會見板垣、今井及參謀次長澤田茂等人，報告在港活動經過，日本首腦部研討中國不能接受和平的原因並給予對策：1. 中國在承認"滿洲國"及防共駐兵兩個問題上，或者不可能接受日本要求，日本為顧全東亞全局，獲得真正和平，可放棄此項要求。2. 中國如同情日本的善意，日本願在雙方獲得諒解之後，運用適當方法，毀滅"共黨"力量，消除中日和平的阻力。又稱，板垣對中國處境困難，頗能了解，故對和平條件，並無任何苛求，日本所亟須明了的是：在雙方停戰或簽署協定後，中國是否可以發表"放棄抗日容共政策"的宣言（同時日本方面也發表撤兵言和宣言）？或是到如何時機，如何階段，可共同發表此項宣言？這樣，日本撤兵才有所根據，不致被認為是"戰敗潰退"。戴笠收到

1　鈴木向中國派遣軍總司令所作報告，1940 年 4 月 26 日，見時在中國派遣軍擔任記錄的井本熊雄的《井本日記》，轉引自《戰前世局之檢討》，第 264 頁。
2　《今井武夫回憶錄》，第 143 頁。
3　《今井武夫回憶錄》，第 144 頁。
4　轉引自戴笠：《報告》，1940 年 8 月 12 日。

張治平上項報告後，於 5 月 23 日以《情渝二三四五號》呈報蔣介石，同時指示張治平：“如敵方不先除汪，中央斷難與之言和，今後不可與鈴木等涉及中日和平問題。”[1]

《張治平對工作之陳述》稱：3 月中旬，接奉電令，敵人無誠意，勿再與鈴木卓爾晤談，張即遵令置之不理。其後，鈴木的秘書增田多次求見，增田並於 5 月間提出和平意見五項，內有“日本對汪政權擬於一二月內不予承認，預為中日和平之最後時機”等語，奉准再與鈴木卓爾晤談，“仍以撤銷汪偽組織為先決條件”。[2]

以上張治平的兩份資料，絕口未提九龍會談與香港海上會談。

（四）6 月澳門會談

日方資料載：6 月 4 日晚，今井武夫、臼井茂樹、鈴木卓爾在澳門與陳超霖、宋子良、章友三、張治平會談，地點為中國方面所租的一所空房的地下室。日方出示閑院宮參謀總長的委任狀，中方出示由蔣介石署名，蓋有軍事委員會大印和蔣介石小印的委任狀。[3] 宋子良所用名字為宋士傑。會談以香港備忘錄為基礎。章友三以空前激烈的態度表示：中國對“承認滿洲國及日軍在中國駐兵問題，絕對難以承認”。並稱：“有汪無蔣，有汪無和平。”他要求日方居中斡旋，或命汪出國，或命汪隱退。[4] 日方對章的發言表示反對。會談兩天，無結果。6 日，宋子良、張治平到旅館訪問今井武夫，雙方磋商後提出，由板垣、蔣、汪三方先行會談。其地點，日方提出在上海、香港、澳門三地中選擇，中方則提出在重慶或長沙。當晚，雙方代表再次在原地下室聚會，中國方面提出備忘錄：滿洲問題在和平恢復後，以外交方式解決之；駐兵問題於和平後，由軍事專家秘密解決之；汪精衛問題，另行商量。日方也提出了自己的意見書：承認“滿洲國”的時間及方法，留有協商餘地；駐兵問題以秘密協定方式約定。[5] 6 月 10 日，今井武夫返回南京彙報，板垣征四郎對蔣、汪、板垣三人

1 戴笠：《報告》，1940 年 8 月 12 日。
2 戴笠：《報告》，1940 年 9 月 15 日。
3 日本防衛研究所藏《桐工作關係資料綴》中有副本。
4 《今井武夫回憶錄》，第 151 頁。
5 《今井武夫回憶錄》，第 151—154 頁。

會談極感興趣，表示有主動進入敵區的決心。20 日，宋子良轉達重慶意見，要求將三人會議的地點設在長沙。[1] 22 日夜，板垣征四郎向汪精衛說明談判情況，汪同意參加三人會談，但希望地點在洞庭湖上。24 日，日本參謀本部次長澤田茂到南京，傳達參謀本部意見：承認"滿洲國"及在華駐兵問題，均不作為"強行之條件"。[2] 22 日，鈴木向宋子良提出，為保障安全，如會談地點選定長沙，則必須交換進行會談的雙方最高負責人的備忘錄。30 日，鈴木向宋子良提出會談的四種方案，供中方選擇。其一為首先舉行蔣、板長沙會談，繼之以停戰，再處理蔣汪合作問題。[3]

張治平《致鈴木先生函》稱："先生復再告奮勇，馳往南京、東京，將圖挽救也。返港後，又力表誠意，要求繼續談商，故有六月三日在澳門作第二次之會談。當時在座者仍為平與敝友章友三先生與先生及今井、臼井兩先生也。平乃以貴國既有誠意，表示求和，則應撤銷汪精衛之偽組織為先決條件，否則無以表示貴國求和之誠意也，但今井等當時則稱對撤銷汪偽組織問題，貴國為顧全信義，礙難辦到，平與章友三先生則堅決表示，如貴國不能先行撤銷汪偽組織，在吾人無繼續晤談之可能。"[4]

6 月 27 日，張治平致電戴笠稱：當月 26 日，鈴木卓爾再次訪晤張治平，聲稱日前赴粵，會晤今井武夫、臼井茂樹二人，得知板垣征四郎意見："只須中國方面有和平誠意，則前言去汪而後言和，則亦未嘗不可。惟於日軍佔領區內進行此事，既與日本信義有礙，且日本亦將起而革命矣。"為了解決這一難題，板垣提出兩個方案："1. 委員長如能予以諒解，請指定地點如長沙或重慶，板垣當偕同汪逆前來謁見，將汪逆交還我中央，當面請和。2. 由委員長指派幹員，在中立地點，如香港或南洋等地，約汪逆商談中日大事，板垣當策動汪逆前來晤談，則汪逆既離日本之佔領區域，則一切悉聽中國之處置。"板垣稱：除此兩辦法外，並無其他先決條件。"無論此事之結果如何，中國必須履行諾言，開

---

1 《香港機關致參謀次長》，特香港電第 310 號。參見《戰前世局之檢討》，第 307 頁；《今井武夫回憶錄》，第 155 頁。
2 《畑俊六元帥日記》，1940 年 6 月 25 日，轉引自《戰前世局之檢討》，第 309 頁。
3 《香港機關致參謀次長》，特香港電第 328 號。參見《戰前世局之檢討》，第 311—312 頁。
4 《蔣中正"總統"檔案‧特交檔‧和平醞釀》。

始和平談判。至於日本方面所持之和平意見，大致如前次所提之覺書，惟其中關於承認‘滿洲國’及防共駐兵問題，暫可不提，留待將來用外交途徑或他種方式解決之。"[1] 板垣表示：自願提供一份"覺書"，由板垣本人與西尾壽造或畑俊六共同簽名，申述願意親來長沙談判的誠意。在轉述板垣意見後，鈴木要求中方在會談前十天通知日方；除板垣外，屆時汪精衛、今井武夫、臼井茂樹及其他軍事、經濟專家數十人將參加，有一艘小型輪船即足用；如中方要求陳公博、周佛海等同來，日方亦願考慮、樂從。[2]

比較上述日中兩方資料，其相同點是：中方對汪態度轉趨激烈，雙方均同意舉行板垣、蔣介石、汪精衛三人會談；其相異點是：鈴木卓爾與張治平會晤時轉述的板垣意見，"將汪逆交還我中央"云云，在日文資料中毫無影跡可尋。

（五）7月會談

日方資料載：7月9日，宋子良向重慶請示後返港，提出新方案：蔣介石與板垣征四郎先行於7月下旬在長沙商議中日停戰問題，蔣介石與汪精衛的會談則於蔣、板會談後另訂。[3] 鈴木同意這一方案。7月11日，中國派遣軍參謀片山二良攜帶《中日實施停戰會談之備忘錄》到港。該備忘錄由板垣親筆書寫並蓋章。其內容為：一、時間：7月下旬。二、地點：長沙。三、方法：蔣與板垣協議中日間之停戰問題。[4] 16日，鈴木卓爾與宋子良的會談中，宋主動提出，將建議派出蔣介石和板垣二人都信任的高級人員到漢口，迎接日本代表，日方則要求這一高級人員必須是張群、孔祥熙或何應欽等。[5] 會談時，宋子良還曾要求板垣攜帶天皇敕命，遭到鈴木拒絕。[6] 7月20日，陳超霖、章友三攜帶蔣介石親筆所書備忘錄到達香港，其內容、格式均與板垣備忘錄相同。21日，鈴木、片山與宋子良、章友三會議，相互出示備忘錄。鈴木、片山共同研究，認為蔣介石所書備忘錄與澳門會談時中方出示的委任狀字跡完全相同，確信為真跡。日方企圖偷拍未成，只在匆忙間拍得"蔣中正"三個簽字，隨即模仿複製，送

1 轉引自戴笠：《報告》，1940年8月12日。
2 轉引自戴笠：《報告》，1940年8月12日。
3 《香港機關致參謀次長》，特香港電第342號。參見《戰前世局之檢討》，第314頁。
4 《支那派遣軍總參謀長致參謀次長電》，總參二特電第468號。參見《戰前世局之檢討》，第315頁。
5 《支那派遣軍總參謀長致參謀次長電》，總參二特電第480號。參見《戰前世局之檢討》，第316頁。
6 《支那派遣軍總參謀長致參謀次長電》，總參二特電第480號。參見《戰前世局之檢討》，第316頁。

往南京審查。[1] 22 日，鈴木與宋子良（署名宋士傑）簽訂備忘錄，將板、蔣會談時間改為 8 月上旬。會後，章友三赴重慶請示。27 日，今井武夫偕片山二良少佐返回東京，向近衛首相及陸、海軍省人員報告，近衛大感興趣，要求“好好地做下去”。[2] 29 日，章自重慶致電鈴木，要求與張治平共同訪問東京。31 日，章返港，與鈴木繼續會談，聲稱近衛既第二次組閣，應發表聲明，明確取消 1938 年的“不以蔣介石為對手”的第一次聲明，同時提出：板、蔣會談時，不可提及“蔣汪合作”問題；板垣應以親筆函表示，取消日汪條約。對此，鈴木答稱，將爭取在板垣親筆函中聲明：“（日方）雖提出善意的意見，但不作為停戰條件處理。”[3]

中方資料載：7 月 2 日，張治平致電戴笠，報告前一日與鈴木再次見面的情況。據稱，鈴木表示：板垣不僅亟欲與中國言和，而且希望在結束戰爭後進一步與中國商訂軍事同盟。此項計劃，已由今井武夫擬成草案，其主要精神為：1. 仿照舊時英日同盟形式，雙方均處於絕對平等地位。2. 消除中日兩國之一切誤會，力圖東亞民族之富強，以抵抗外來之一切壓力。3. 經費共同負擔。4. 設立最高機關，雙方人數相等。5. 以中國之行政院長與日本之首相充任總裁。8. 有效期間無限。9. 不干涉同盟國之內政。10. 互相尊重主權與領土。鈴木並稱：“板垣之意，以為此次中日戰爭實為歷史上最愚笨之行為，及今只得痛自悔過。”7 月 3 日，戴笠覆電，指示張治平稱：“敵方明知汪逆之無用，而仍不肯犧牲之，甚至謂將由板垣偕汪逆來見委座，當面言和等情，足證敵方之無言和誠意，同志以站在採取情報之立場與德國通訊社記者之身份，可與鈴木見面，但對中日和約之問題，萬不可有任何意見之表示。”[4]

7 月 26 日，張治平再次向戴笠報告稱：據鈴木卓爾相告，板垣征四郎曾於最近偕同今井武夫返回東京，覲見天皇，並與海陸軍及參謀本部首要磋商，決

1　《香港機關致參謀次長》，特香港電第 361 號。參見《戰前世局之檢討》，第 317 頁。
2　《大野大佐備忘錄》，轉引自《對中俄政略之策定》，第 8 頁。
3　《香港機關致參謀次長》，特香港電第 377 號。參見《對中俄政略之策定》，第 8—18 頁。
4　戴笠：《報告》，1940 年 8 月 12 日。

定電知張治平，"作末次之試行溝通"[1]：1. 板垣奉天皇令前往長沙，向委員長當面求和。2. 日本不提任何條件，雙方精誠相見，停戰協定成立後，日本迅速撤軍。3. 板垣與委員長會談後，日本保證不干預中國內政，汪偽政權亦聽由中國自行處理。4. 前次所言由板垣帶同汪逆赴長沙，意在交還我中央自行處理，並非帶同談判。今為免除外間誤會，可以不帶汪。5. 板垣與委員長會談時間，愈速愈佳。上項辦法，如中方同意，日方即派員來港，將天皇保證文件交我，磋商板垣赴長沙之技術問題。[2]

比較上述資料可見：這一個月的最大事件是談判雙方相互出示板垣與蔣介石的親筆備忘錄，但張治平在向戴笠彙報時，絕口未提；而所謂板垣"痛自悔過"及準備在戰爭結束後訂立日中"軍事同盟"一事，也不見於日方記載。日方內部文件《調整日華關係的新原則》有"日、滿、華三國"結成"東亞和平之軸心"的提法，[3]中方文獻所稱日方可派員送交"天皇保證文件"一事，日方資料的記載則是，宋子良有過類似要求，但遭到日方拒絕。

（六）8 月會談

日方資料載：8 月 4 日至 11 日，雙方多次會談。日方稱，阿部信行與汪精衞之間正在舉行會議，日汪條約尚不存在。中方同意板垣在親筆函中聲明，不將汪蔣合作問題作為停戰條件，並稱已決定派張群迎接板垣與會。[4]中方表示，不再要求近衞發表新的聲明，但近衞必須向中方提交親筆私人函件。鈴木同意提交近衞私函，但強調中方必須同時提交蔣介石的私函。13 日，中方提出折中方案：日方須先提交近衞私函，然後中方才提交蔣介石的親筆答函。鈴木對此表示為難，但稱須到南京，請上司裁定。[5]

14 日，鈴木赴南京，向派遣軍總司令部彙報："宋子良其人斷定為真。""張治平為人可靠，與重慶中樞聯絡確有其事，假設本工作未直接通達蔣委員長，

1　並無此事。據今井武夫自述，他在 7 月底去東京，30 日會見第二次出任首相的近衞，近衞希望談判成功，但在 31 日會見新任陸軍大臣東條英機時，東條卻認為鈴木與中方的談判是"派遣軍的越權行為"。見《今井武夫回憶錄》，第 157 頁。

2　轉引自戴笠：《報告》，1940 年 8 月 12 日。

3　見《今井武夫回憶錄》，第 337 頁。

4　《香港機關致參謀次長》，特香港電第 388 號。參見《對中俄政略之策定》，第 23 頁。

5　鈴木中佐報告，1940 年 8 月 17 日，見《井本日記》，轉引自《對中俄政略之策定》，第 26 頁。

但至少有秘密通達是不難想像之事。"[1] 19 日，臼井茂樹、鈴木卓爾與派遣軍總司令部的主要幕僚一起商定板垣與近衛首相致中方親筆函的內容，同時完成板垣親筆函的起草："關於汪、蔣合作問題，為達成日華之間，特別是中國內部之圓滿和平，必要時可能將會提出善意意見。但依據不干涉內政之原則，不作為停戰條件之一。"[2] 21 日，鈴木赴東京，向陸軍省部首腦彙報，會上，代近衛首相起草了親筆函："半載以來，閣下所派之代表與板垣中將之代表在香港就中日兩國間的問題交換意見，已獲結果，欣聞閣下近期將與板垣中將會面，余深信此次會談必能奠定調整兩國國交之基礎。"[3] 22 日，東條英機陸相、臼井茂樹、鈴木卓爾等謁見近衛首相，近衛欣然同意。[4] 28 日，鈴木卓爾回到香港，當夜即與 26 日自重慶歸來的章友三會談。[5]

中方資料載：戴笠收到張治平 7 月 26 日的彙報後，正擬向蔣介石報告，收到軍統南京區 8 月 1 日電，聲稱當地盛傳：日軍參謀本部臼井大佐來，由犬養健陪見周佛海，周向其親信楊惺華稱，如能實現和平，我與影佐甚至板垣均願前往，雖有意外，亦所不辭。云云。戴笠當即密令張治平，"在不暴露身份之原則下多方探聽"。[6] 其後，戴笠又先後接到張治平的電報，聲稱：1. 板垣征四郎續電在香港的鈴木卓爾，大意謂：日本內閣雖經改組，但對中國求和之意如舊，板垣本人已獲日皇訓令，靜候我中央許可，徑赴內地，同時保證取消一切偽組織，以之作為求和先決條件。2. 鈴木卓爾最近接東京訓令：甲、近衛決定，可先發一宣言，取消從前不以國民政府為對手的宣言；乙、由板垣立具親筆保證書，保證中日議和後，日本決不理會汪偽政權，完全由國民政府處決之，此後日本決不再干預中國內政。鈴木稱：板垣奉天皇令，向中國最高當局求和，請中方決定地點；為求得信任，日方可立即由近衛親書保證求和之誠意，轉交中國最高當局。[7] 8 月 12 日，戴笠將上述情況書面報告蔣介石，請求指示。

---

1 《井本日記》，轉引自《對中俄政略之策定》，第 27 頁。
2 《井本日記》，轉引自《對中俄政略之策定》，第 30 頁，原譯文字蹇澀，本文有所校改。
3 《井本日記》，轉引自《對中俄政略之策定》，第 31 頁，譯文亦有校改。
4 《井本日記》，轉引自《對中俄政略之策定》，第 31 頁。
5 《香港機關致參謀次長》，特香港電第 351 號。參見《對中俄政略之策定》，第 33 頁。
6 戴笠：《報告》，1940 年 8 月 12 日。
7 戴笠：《報告》，1940 年 8 月 12 日。

據《張治平對工作之陳述》稱：8 月 14 日，鈴木離港飛往南京，同月 28 日回港，約張治平晤談，聲稱今井武夫、臼井茂樹將在澳擇期會見。會談中，鈴木出示板垣的親筆保證書及近衛親筆函件。事後，張治平向戴笠請示"應否接受"，"奉令先探內容具報，暫緩接受"。[1] 又據《曾政忠對張治平之考察》稱：8 月 28 日鈴木卓爾返回香港，催促張治平往閱板垣親筆保證書後，其後即由張繕具報告，交曾政忠由盧沛霖電陳重慶。[2]

關於鈴木此次返港所談，軍統香港區工作人員葉遇霖在致戴笠"冬電"中有更詳細的彙報。該電稱：據鈴木卓爾告，鈴木於 8 月 14 日經台灣赴南京，會見板垣征四郎、西尾壽造多次，並曾會見汪精衛。21 日至東京。22 日，偕陸相東條英機及臼井茂樹總參謀謁見近衛首相，同進午餐，會談至下午三時半。鈴木告訴中方稱：此次無論在南京、東京，均竭力要求先毀汪組織，再進而與中國議和，而日本當局方面則擔心迄今談判的中國代表的真實性，更擔心"毀汪之後，向何人交賬"。會談決定由板垣出具親筆保證書。鈴木並稱："（汪）為日本政略之工具，可有可無。近因吾人之活動，近衛竟拒絕與汪晤面，阿（部信行）、汪談判已暫告擱置。""（日本）事實上已不支持汪偽組織，在汪偽組織不毀而自滅矣。"但是，鈴木也表示："中日如萬一無和平途徑可覓，則日本亦只有利用之耳。"鈴木出示的板垣保證書為："為日華國交，尤其為助於中國內部之圓滿的和平，或須有關於汪提起善意的意見之場合，該問題基於不干涉中國內政之原則處置之，決不認為停戰條件之一，茲為保證之。板垣征四郎。"鈴木並稱：自己已獲得近衛與板垣的授權，還帶來近衛首相的親筆函，要求中國方面轉呈蔣介石。[3]

上述資料顯示：兩方敘述雖仍有諸多不同，但為準備長沙會談，鈴木卓爾確曾先飛南京，取得板垣征四郎的保證書，後又返東京，謁見近衛首相，取得近衛的親筆函件。

通觀日中雙方留下的資料，可以發現，雙方記載有若干相合之處，但是，

1　戴笠：《報告》，1940 年 9 月 15 日。
2　戴笠：《報告》，1940 年 9 月 15 日。
3　戴笠：《報告》，1940 年 9 月 4 日。

也存在巨大的差異。其相合處，自然可以確認其真實性；其差異處，就需要進行仔細的考辨了。

二、軍統局對張治平的審查與“桐工作”的結束

抗戰期間，軍統局負有收集日方情報的任務。張治平與鈴木卓爾在香港開始談判後，戴笠非常關注，不斷向蔣介石彙報，也不斷給予張治平指示。當他獲知日方代表攜帶近衛首相的親筆函及板垣征四郎的保證書到港後，即於9月4日轉報蔣介石，請示是否可以接受上述兩項文件。兩天之後，情況突然發生變化。

8月下旬，板垣征四郎為加強“桐工作”，將和知鷹二少將派到香港。和知鷹二懷疑鈴木所述的可靠性，向時在香港的《大公報》主編張季鸞詢問“真相”。張自1938年起，即在香港和日方各色人物聯繫，刺探消息，供蔣介石決策參考。他從和知鷹二處得悉張治平等與鈴木談判的情況後，於9月2日致函在蔣介石的侍從室任職的陳布雷，彙報所得消息，分析日方何以相信張治平、鈴木談判的原因：一是最初之交涉人攜有“委員長之委任狀”——“研究對日問題諮議”；二是“相信宋子良先生之有力量”；三是“華方交涉人張某、陳某中間曾要求板垣來一信，向華方示閱，而數星期後華方交涉人得到委員長之回信，亦交日方閱看，日方將此信照相帶回”。張季鸞指出：“此為板垣相信此事之最大原因。”張函並稱：“最後華方又要求近衛須有所表示，故近衛來一信。據稱，長沙之會見及岳軍先生之赴漢，皆先已商妥者，現在僅餘畫龍點睛之正式決定而已。”[1] 但是，張季鸞判斷，所謂委員長親筆函件及軍委會委任狀均“徹底為捏造之故事”，“顯係受騙或互欺”。其根據為：“我領袖何以能有回信，此在常識上盡可判斷者。”“所稱交涉人有委任狀，根本即是虛假，中國政府永不會派出有委任狀之人找日方接洽。我軍事委員會現在亦根本無諮議之官銜。”張季鸞猜測：“此事始終與汪逆、周逆有關。”他要求嚴查此事，函稱：“惟有

---

1 熾章（張季鸞）：《致布雷先生》，1940年9月2日。

一點不容忽視者，即有人敢偽造委員長之信件，顯為重大犯罪行為，應加以徹查。"[1] 9月3日，張季鸞再次致函陳布雷，認為"此案敵人陷於極可笑之失敗，但我亦曾受不利之影響。蓋因此使敵人看輕，認為易與，同時，使汪、周便於作祟，故必須徹底糾查。目前最須嚴防者，為再出現委員長覆近衛之假信。"他建議："可令張治平來渝，即禁其離開，而從容詢查之。"[2]

蔣介石得悉張季鸞向陳布雷所報情況後，大為生氣，判斷張治平為汪精衛的"探子"，於9月6日指示戴笠審查。當日，戴笠緊急與已經應召來渝的張治平談話。張強調自己的忠貞，聲稱在與日方八個月的周旋中，"我方堅持非去汪不可"。戴笠則認為日方一定有假，他說："敵方既不肯毀汪，派鈴木之來找我中央路線，必故作（做）圈套，一面則表示誠意與我言和，一面則故放中央有講和空氣，企圖國內外對中央都減少信仰呢！"[3]

9月7日上午，戴笠將張治平軟禁，並派軍統局第三處（掌行動司法）處長徐業道與張談話。張堅決否認所詢各點：1. 否認有偽造軍委會委任令與偽造蔣介石親筆信件之事實。2. 不承認有章友三與陳超霖二人偕見鈴木之事，聲稱八個月來，始終只有本人與曾政忠二人與鈴木卓爾、臼井茂樹、今井武夫等接談。只是"曾政忠之英文拼音與章字同，是否因此誤會，則不可知"。3. 與鈴木卓爾過從已久，早通姓名，決不能冒稱宋子良先生。[4] 張治平與徐業道談話後，又書面補充聲明：1. 本人與曾政忠"從未敢越出範圍"；2. "職等第知運用特務技巧，以整個揭破敵人之陰謀"。張治平稱：鈴木於8月14日赴南京、東京，"活動汪偽組織之撤銷問題"，結果，獲得板垣征四郎的"保證書"與近衛首相的"親筆書"，用以"表示其對撤銷汪偽組織之決心"以及近衛"對委員長誠意"，"希望兩國迅速調整邦交，為建設永久和平之基礎"。他說，自己已經目睹上述兩種函件的內容，但鈴木不願立即交出，鄭重表示，用何種方式提呈中國方面，是一個重要責任問題。張治平並稱：戴笠所獲情報，可能是和知鷹

1　熾章（張季鸞）：《致布雷先生》，1940年9月2日。
2　熾章（張季鸞）：《致布雷先生》，此函署9月12日，從內容判斷，應為9月3日之筆誤。
3　《戴笠與張治平談話經過》，1940年9月6日。
4　徐業道：《報告》，1940年9月7日。

二等與鈴木卓爾"作對"，目的是為了"反間"。[1]

9月8日，張治平致函戴笠，為自己辯護，全面反駁戴笠所示情報，聲稱該件"歪曲事實，言之難盡"。他說，自己與敵人周旋，均與曾政忠及盧沛霖兩同志商量，始末情況，皆經盧沛霖按時電呈，還曾兩次奉召來渝，親向當局詳盡彙報。張治平的辯護共七點：

1. 關於向日方出示蔣介石"委任狀"問題。張治平稱："讀該件，謂職持委狀於去年末見石野，不勝荒謬之至！""今井與鈴木因與職為老友"，"何須有委狀向示？此委狀又從何處得來耶？"

2. 關於蔣介石對日方覺書所提八條的態度。張治平稱："該件謂委座對敵方提出之八條，甚感滿意，尤為荒謬絕倫。"

3. 關於宋子良參加談判問題。張治平稱："該件謂宋子良確參加之，因今井有攝印（影）帶回，並由周佛海所供之多數相片內確認宋子良之相片無誤，此事詢諸宋子良本人，當亦發一大笑。"

4. 關於談判中所持原則問題。張治平稱：3月中旬本人第二次奉召來渝時，上峰訓示"敵人如有誠意，須先取消汪偽組織"，返港後，即以此點與敵人爭辯。5月初，鈴木又約今井武夫、臼井茂樹到澳門，在本人專租的密室內會談。結果，敵方表示，"願回去努力，但要求時機不可失，而以板垣來華（談判）之意相告"。自此以後，"職即以取消汪偽組織之事與之苦纏至今，鈴木此次帶來之板垣保證書與近衛親筆，即針對汪偽組織與表示誠意之舉也"。

5. 關於允許日方攝印（影）蔣介石文件問題。張治平稱："該件謂我方示以委座之文件並令其攝印（影）帶回，此何言耶？""無論何時何地，能證實此事者並在敵方存有此攝印（影）者，甘受國家之極刑。"

6. 關於委派張群赴長沙談判問題。張治平稱："該件又謂，此方已派張岳軍負責此事……張未曾被派。此事始終由職與曾同志負責。"

7. 關於日方談判代表問題。張治平稱："該件內所提鈴木通貞為鈴木卓爾之誤，所謂馬場者，並無其人。"

張治平在該函中說明，經過"八個月與敵之苦纏"，談判已有進展：1. 條件

1 《張治平致徐業道函》，1940年9月7日。

問題，現所爭者為內蒙古駐兵與和平談判後雙方同時發表宣言；2.汪偽組織由板垣保證撤銷之；3.議和方式，由敵酋板垣奉天皇命自甘來華求和；4.作為日方誠意表示，可呈交近衛首相的親筆信函。[1]

次日，張治平在 8 日函後附言，重申沒有偽造蔣介石委任狀的必要："過去八個月與敵周旋期內，敵人因對職信念極堅，一切會談，從未向職索閱或索取委座文件。職亦從未有任何偽造委座文件授諸敵方以博得其信用也。在事實上，職對偽造文件無此需要，又自量絕不可為，深望明鑒之。"[2]

在此之後，張治平繼續申辯：1.關於 1939 年底，張治平持蔣介石任命宋子良、章友三、陳超霖為研究對日問題諮議委任狀，與日駐港武官石野洽談和平問題，張稱："鈴木與治平原係抗戰前夙識"，"由曾（政忠）介識盧沛霖（即係港區與曾之聯絡人），得中央之允許，以特工技術進行。此本年一月間事也"。"今井與治平有十數年之舊交，決不需要偽造諮議委狀。"2.關於陳超霖與宋子良參加談判問題。張稱："僅介紹曾政忠與鈴木等見面，曾化名章友三，並未冒充諮議，僅稱章有中央路線可以轉達，並未介紹宋子良與鈴木相見，更無陳超霖其人。"3.關於張治平出示蔣介石"親筆覆函"問題，張稱："不但委座墨寶，即治平本人亦從未以一字筆跡供敵人利用。每次會談，鈴木屢要求記錄簽證，概予拒絕，更無偽造信件之理。如有此事，願受極刑。"4.關於日方提出板垣與蔣介石在長沙會見，中方派張群赴漢口，陪同板垣前往問題。張稱："敵方求和心切，預定在九月中旬實現，因此，鈴木當時提出福州、洛陽或長沙為會晤地點，治平對此未置肯定答覆。"[3]

根據張治平交代，曾政忠是張治平對日談判時的合作者。戴笠為了查核有關情況，召曾政忠到重慶，詢問有關情況。曾報告稱："張治平自本年二月投效中央以後……對工作頗為熱心，數月以來，確未與汪逆有任何往來勾結。"對張治平"是否偽造文件，冒充諮議"等情況，曾表示"毫無所聞"。[4]

曾政忠來渝前，張治平曾致函曾政忠，要求曾向鈴木處索取近衛親筆函及

---

1 《張治平致戴笠函》，1940 年 9 月 8 日。
2 《張治平致戴笠函》，1940 年 9 月 8 日。
3 《張治平之申辯》，戴笠：《報告》，1940 年 9 月 15 日。
4 《曾政忠對張治平之考察》，戴笠：《報告》，1940 年 9 月 15 日。

板垣保證書，鈴木拒交，聲稱原件"須至適當時期及適當地點方能交出"。9 月 9 日，曾政忠"照錄"板垣保證書日文及中文本各一份，由鈴木在日文抄本後加注保證："本內容與板垣總參謀長所書不相違"。並署名蓋章。[1] 曾到重慶後，將所抄之件交給戴笠。戴笠發現，曾政忠的新抄本與張治平所報舊抄本有同有異。相同處在後段，即"該問題基於內政不干涉之原則處置之，不認為停戰協定條件之一"；而在前段則關鍵之處不同：張所報者為"汪問題"，而曾交來之抄件，則改為"□[2]（蔣）汪合作問題"。戴笠做完上述調查後，於 9 月 15 日向蔣介石報告：

> 張治平接受鈴木、今井之求和，原屬探取情報性質，以撤銷汪偽組織為一試題，以覘敵人求和之誠意與其求和之緩急也。張治平本係偽東亞民族協進會常務委員，與敵偽當有關係，張謂鈴木、今井均其舊交，有相當信賴，此語固未敢盡信。惟張自本年二月經港區運用以來，在工作上尚未見其有不忠實處，但張是否偽造文件、冒充謠議，經多方偵查與研詢，尚不能證明其確有其事。張治平與鈴木等屢次洽談和平，據曾政忠謂，張對於鈴木所提者，確以撤銷汪偽組織為先決問題，但張對吾人是否忠實可靠，亦未敢肯定。

這份報告語氣猶疑，"未敢盡信"、"尚不能證明"、"未敢肯定"云云，說明事件撲朔迷離程度的嚴重，連戴笠這個精明的特務頭子也心中無數，不敢做出肯定判斷。對於"汪問題"之變為"蔣汪合作問題"，戴笠分析說："敵人不肯遽然放棄汪逆，對漢奸仍欲保持信義與作用，實彰彰明甚。"[3] 報告中，戴笠並稱：張治平與今井武夫尚有 9 月 16 日在澳門見面之約，但張所進行的情報工作，已告一段落，"故擬留張在渝，暫不赴港"。此後，張治平即被以擔任"訓練班政治教官"名義，扣留於重慶，直到抗戰勝利，才放回香港。[4]

在蔣介石檔案中，還保存著一份張治平致鈴木的責問函，所署時間為 9 月 28 日。此函或為張治平主動所寫，或為應軍統要求而作。是否發出，不可知。

1　板垣日文保證書抄件，《蔣中正"總統"檔案・特交檔・和平醞釀》。

2　此字原空，當係戴笠避諱之故。

3　戴笠：《報告》，1940 年 9 月 15 日。

4　劉方雄口述：《抗日戰爭中軍統局戰略一例》，台北《傳記文學》第 39 卷第 2 期，第 101 頁。

該函除回顧自 1940 年以來與鈴木在香港的會談經過外，特別指責鈴木"要功心切，不自檢點"，又指責日方"在外間散佈謠言"：

> 一則謂平曾持示軍事委員會委任狀，介紹宋子良、章友三、陳超霖等於去年年底在港晤石野武官，商談中日和平問題，再則謂我蔣委員長對所提八項覺書表示滿意，曾有委員長親筆信交貴方攝影帶回，又謂貴方曾攝有雙方會談時之照片，宋子良亦在其內等語。此種無稽之談，如非先生有意偽造與故意宣傳，平實不知從何而來也？[1]

針對日方所謂宋子良參加談判的說法，張治平要求鈴木將攝得的所謂宋子良原相片"公諸報端，以待證實"。函件末稱：鈴木的所作所為，"足證貴國所謂中日和平之無誠意也，足證先生做事待人之不守信義也。先生失敗矣，咎由自取也。"

張治平雖被扣留在重慶，但重慶方面不願意就此中止和日方的聯繫。曾政忠奉召到重慶陳述不久，即被派回香港，繼續與鈴木卓爾等人周旋。9 月 18日，曾政忠晤見鈴木，按照軍統設計方案通知鈴木，聲稱重慶首腦會議認為："中國之抗戰力尚大"，"無須做出屈辱性和平"，"長沙會議暫行擱置"。對所謂"蔣汪合作問題"，曾表示"不明了日本之真意"，懷疑其中有"謀略"。[2]談話中，曾詢問張治平與汪精衛的關係，鈴木稱：張治平對和平運動確甚熱誠，日方所擬條件，人所不敢向中國高層轉達者，張能，但張有時言過其實，此點日方早已了解。關於張與汪精衛"勾結"一節，鈴木保證"必無其事"。對於重慶方面所提"先行消除汪精衛組織再言中日和平"問題，鈴木明確拒絕，聲稱事實上"諸多困難"，"如中國力持此點，和平前途未可樂觀，諒中國政府已準備再戰數年矣"。[3]鈴木並稱：今井武夫尚在澳門，等待與張治平會談，張既不能回港，本人將赴澳報告，請示今後方針。鈴木約曾政忠 21 日再談。軍統香港區負責人葉遇霖在向戴笠報告上述情況後表示："政忠同志老誠有餘，機智不足，恐難應付鈴木、今井諸人。如鈞座對鈴木等尚有運用之必要，應請指派幹

1　張治平：《致鈴木先生函》，1940 年 9 月 28 日。

2　《井本日記》，轉引自《對中俄政略之策定》，第 39 頁；參見《今井武夫回憶錄》，第 160 頁。

3　《港區葉遇霖致戴笠皓亥電》，1940 年 9 月 19 日，轉引自戴笠：《報告》，1940 年 9 月 21 日。

員來港，就近指示。如僅為表明我方嚴正之態度，則擬於再晤談一、二次後，即囑政忠停止一切活動，以免貽誤機宜。"[1]

9 月 22 日晨，曾政忠再次與鈴木卓爾會晤。鈴木稱，已於 19 日派秘書赴澳門，謁見今井武夫，報告中方態度，他本人則擬於 23 日赴南京，見板垣時，"當盡力促請先行消除汪逆偽組織"。他要求中方提出具體意見與確實辦法："消除之方式與消除以後之辦法"，"如何能使中國確信日本之和平誠意"，"如何使日本在消除汪組織後，不致有不良之顧慮"。鈴木並稱："日本空軍猛炸重慶，但對飛機場始終保全，亦所以使此項活動不致因交通困難而阻遏也。"[2] 24 日，軍統香港區負責人葉遇霖再次將上述會晤情況報告戴笠，戴笠認為鈴木此線已無利用價值，電囑曾政忠停止與鈴木見面。

在中方指示曾政忠"停止一切活動"的同時，日本當局也指示停止"桐工作"。9 月 27 日，鈴木卓爾應召回南京，向派遣軍總司令部報告，總司令部決定暫時取消"桐工作"。10 月 1 日，今井武夫赴東京彙報，登台不久的陸相東條英機嚴令軍方"撒手"。[3] 同時，外相松岡洋右則決定另闢途徑，通過銀行家錢永銘對重慶進行新的"工作"。

三、張季鸞企圖藉機拆穿日方 "把戲" 與中日秘密談判的延續

張季鸞從和知鷹二處得知張治平、宋子良與鈴木卓爾、今井武夫的談判情況後，極為震驚，他一面研判事件性質，探究真相，彙報重慶中央；一面則力圖通過和知鷹二，拆穿日方的"把戲"。

除鈴木卓爾、今井武夫等人外，和知鷹二實際上同樣負有找尋與中國方面談判機會的任務。"九一八"事變後，和知鷹二的主要任務是聯絡胡漢民、陳濟棠、李宗仁等"西南派"反蔣。1938 年日軍進攻武漢前後，和知鷹二的任務轉

---

1 《港區葉遇霖致戴笠皓亥電》，1940 年 9 月 19 日，轉引自戴笠：《報告》，1940 年 9 月 21 日。
2 《香港葉遇霖致戴笠敬電》，1940 年 9 月 24 日，轉引自戴笠：《報告》，1940 年 9 月 25 日。
3 《今井武夫回憶錄》，第 160 頁。

為在香港和蔣介石直接指揮的蕭振瀛談判，當時即與張季鸞相識。但是，和知與板垣征四郎等不同，主張拋棄汪精衛，專以代表國民黨"中央"的蔣介石為談判對象。他對張治平與鈴木、今井之間的談判，不僅不支持，而且"立於競爭、暗鬥之地位"，"曾力予破壞"。1940 年春，今井武夫第一次到港活動，和知即致電他的中國助手何以之，囑其設法向中方揭破："今井來意為蔣汪合流，實際為汪奔走，故亟應破壞之。"[1]

1940 年 7 月，和知鷹二在澳門會見張季鸞。8 月 17 日，和知回東京向陸軍省官員報告，聲稱"本官之工作根本不提和平條件，重點放置於興之所至之打聽"，"蔣中正之意在於希望日華徹底合作，不擬苟合"。[2] 29 日，和知在澳門會見時在香港的重慶工作人員王季文，要求王轉告孔祥熙的秘書盛某，請其促進宋子良工作，但是，卻意外地得到盛某告知："宋子良所進行之工作，那是一樁謀略。"[3] 9 月 1 日，和知向張季鸞打聽"真相"，告以所知，張季鸞感到震驚之餘，認定"鈴木活動，徹底為捏造之故事"。[4] 談話中，和知向張季鸞透露，東京方面對板垣領導的"和平"工作本已失去信任：東條英機陸相懷疑，外相松岡洋右也懷疑，只同意板垣等辦至 9 月底，"若屆時不成，決由政府自辦"。[5] 因此，張季鸞暗示和知，將此事向東京報告，藉以"促成板垣之崩潰，使敵人內部發生重大爭吵"。張季鸞估計："該板垣把戲一旦揭穿，定會發生重大責任問題，而敵人之亂，即我之利也。"[6] 9 月 3 日，張致函陳布雷，告以即將向外界"放出消息"，說"委員長震怒，正徹查其事"，"如是則敵人自知失敗而板垣倒矣"。[7]

和知鷹二在與張季鸞談話中，曾向張故示寬大：如中日雙方停戰言和，"東京只主張內蒙暫駐少數兵，其他無大問題"。張答以"中國是不許任何地方駐

1 熾章（張季鸞）：《致布雷先生》，1940 年 9 月 25 日。何以之，亦作何益之、何毅之，他既為和知鷹二，也為中國方面工作，是個"兩面人"。

2 《石井備忘錄》，轉引自《對中俄政策之策定》，第 47 頁。

3 《石井備忘錄》，轉引自《對中俄政策之策定》，第 47 頁。

4 熾章（張季鸞）：《致布雷先生》，1940 年 9 月 2 日。和知向張季鸞通報情況，時間不明，但 8 月 30 日和知尚在廣州，與張季鸞談話時間必在 9 月 1 日。

5 熾章（張季鸞）：《致布雷先生》，1940 年 9 月 7 日。

6 熾章（張季鸞）：《致布雷先生》，1940 年 9 月 2 日。

7 熾章（張季鸞）：《致布雷先生》，1940 年 9 月 12 日（應為 9 月 3 日）。

兵，不許任何地方特殊化的"。對和知所稱中日談判今後將由東京"收回自辦，另作準備"，張季鸞表示："如作準備，須徹底覺悟，重新檢討，簡單一句話，必須互相承認為絕對平等的獨立國家，凡不合此義者，概不必來嘗試。"[1] 張季鸞通過鈴木和張治平之間的談判"故事"，認定日方"愚昧淩亂"、"荒唐幼稚"，程度太差，"證明去中日可以談話之程度甚為遼遠"，"可決其今後無大的作為"[2]，因此，他不準備與和鷹二發展進一步的關係。張通過何以之轉告和知，"不必奔走，更不必找我見面"。當時，張季鸞聽說，日本陸軍正在力主與蘇聯訂立互不侵犯條約，因此又囑咐何以之勸告和知："決不可對蘇聯樂觀。蘇聯之事，中國知道的多，蘇聯對中國，近來也很好，個中消息雖不能多談，總之蘇聯對日本，可說是無絲毫好意。"[3]

9月4日，和知離港，返回東京，自稱當於15日返回華南，行前表示："板垣始終不脫蔣汪合流之主張，故必須撇開板垣。"張季鸞不願與和知作泛泛空談，託何以之電告和知："不是日政府誠意委託，不必再來；不是日本誠意改變對華政策，誠意謀真正之和平，則不可接受委託。要之與弟何時見面，並不關重要，日政府苟無真正覺悟，見我何用！"[4] 當時，日軍正在準備進軍南洋，搶奪英、法在當地的利益。張季鸞估計，日方"因南進不能決策，甚為焦躁，板垣等又鬧此大笑話。和某歸後，敵人內部，將呈鼎沸之態"。[5] 9月6日，張季鸞致函陳布雷，建議對日方採取"攻心為上"策略。他估計，板垣、鈴木工作失敗之後，日本內閣必將另起爐灶，重新確定與中國的談判路線，因此，通過陳布雷向蔣介石請示：是否可以以"私人觀察"身份向日方提出三項基本要求，即日軍自中國完全撤兵，完全交還佔領地，自動廢止不平等條約？[6]

張季鸞分析，當時日方急於與中國議和的原因，主要有兩方面：1. 為了進軍南洋。他說："敵對南洋，勢在必取，即荷印亦在所必爭，故港、越、新加坡、荷印是一串的問題，一動作就是大事情。若只拿安南，不成一局勢也。

1　熾章（張季鸞）：《致布雷先生》，1940 年 9 月 2 日。
2　熾章（張季鸞）：《致布雷先生》，1940 年 9 月 2 日。
3　熾章（張季鸞）：《致布雷先生》，1940 年 9 月 7 日。
4　熾章（張季鸞）：《致布雷先生》，1940 年 9 月 6 日午前。
5　熾章（張季鸞）：《致布雷先生》，1940 年 9 月 6 日午前。
6　熾章（張季鸞）：《致布雷先生》，1940 年 9 月 6 日午前。

因此海軍堅持，非結束對華戰爭不能南進。"2. 擺脫在中國的尷尬局面。張季鸞稱：日軍在中國的部隊，共 69 個師團，約計在 130 萬人以上；每日軍費由 2000 萬元到 3000 萬元。最近半年，日軍幾乎毫無動作，今後的作戰計劃也無法確定。"老師糜餉，毫無效果，而同時眼看一年或等不到一年之後將失去南進機會，此其所以不得不焦躁也。" 9 月 7 日，張季鸞致函陳布雷，請示下一步談判方針，函稱：

> 綜觀大勢，委員長對於全局之判斷，皆完全符合，弟深致敬佩。現觀敵方殆有逐漸就範之可能，其醞釀應需一兩月之時間，故十月、十一兩月恐為重要時期，現擬得和某來電，再知悉最新敵情之後，即先回重慶。然若彼竟南來，當與一見。總之，現時為適於宣傳之時期，倘蒙指示機宜，不勝厚幸。[1]

和知鷹二曾告訴張季鸞，日軍大本營和日本內閣準備由少數人組成"委員團"，專門負責對華談判，因此，張季鸞詢問："萬一敵方此次更派高級人員一同前來求見時，應如何處理？"他表示："弟現時之個人意見在擬拒見他人，以貫徹私人談話性質之立場。"[2]

在軍統局審查張治平的同時，陳布雷也致函張季鸞，要求他向日方"索要偽件"，以便查清所謂張群"證明書"、蔣介石委任狀及親筆函的真相。張季鸞感到為難，回函稱："板垣尚傾信偽件，正期待其進行。若果正面索取，反恐困難，且使敵人感覺，弟之地位太涉於機密也。"[3]他託何以之致電和知鷹二，聲稱"張群因無端被人出賣，非常憤慨，託索證件以便徹查。同時附告，張群疑為日方捏造，或為汪派作祟。願查明真相"。張季鸞相信和知能辦妥此事，攜件南來；同時也相信"經此一電，亦可使南京敵酋恍然於一場故事之為捏造矣"。[4]

張季鸞曾得到情報：周佛海鑒定鈴木得到的蔣介石所書"委任狀"及"親

1　熾章（張季鸞）：《致布雷先生》，1940 年 9 月 7 日。
2　熾章（張季鸞）：《致布雷先生》，1940 年 9 月 7 日。
3　熾章（張季鸞）：《致布雷先生》，1940 年 9 月 10 日。
4　熾章（張季鸞）：《致布雷先生》，1940 年 9 月 11 日。

筆函"後，指出其均為偽造，板垣征四郎甚為慌急。又得到情報：1939 年板垣任陸相時，日軍為試探蘇聯態度，進攻諾蒙罕（今譯諾門坎——筆者注），如蘇聯不抵抗，即調大部關東軍入關。當時曾由板垣奏明天皇，天皇詢問計劃可靠否？板垣答云可靠。不料日軍大敗，轉而調關內作戰部隊赴援。事後，關東軍及參謀部有關人員一律免職。板垣本來也應該免職，派來中國，是讓他"帶（戴）罪圖功"。"桐工作"出現問題，板垣更為慌恐。[1] 云云。基於上述情報，張季鸞對板垣的倒台頗具信心。

和知於 9 月 4 日返回日本後，曾電告何以之，已向東條英機發出長文，擬在福岡與東條派來的人員見面，或直接赴東京報告。不久即發電稱：東條英機"令彼負責進行"。但是，其後，又發電稱，9 月 10 日在福岡與東京派來的要員會晤，偕飛南京，協商結果，以和知與板垣為核心，辦理此事。和知稱：將於 9 月 15 日或 16 日再飛東京，處理鈴木等失敗的善後事宜，同時取得東京正式委託，再飛南京，然後南下香港。[2]

和知確曾按張季鸞要求，向日本軍方揭發"桐工作"的問題。9 月 12 日，臼井茂樹就曾在向參謀本部有關人員報告時說："據和知少將所調查探知，桐工作係香港藍衣社之謀略，只是使用宋子良而已。""諒蔣中正不會見板垣中將，板、蔣會議無法解決一切問題。蔣中正不至於發親函，所謂蔣之親函是冒牌貨。"[3] 但是，日方不肯也不願意相信和知所報，而寧願相信中國有不同"路線"。9 月 20 日，和知鷹二致電何以之：

> 下記最近之情況，有告知之必要：子良近對鈴木言，彼將為治療疾病出洋外遊，中日和平交涉，急速需要結束。又謂宜昌方面，一週內當有人到達可能云云，暗示張岳軍有出來之可能，表示戀戀不忘之意。日方為使促進正式交涉之實現，當期望中國路線之統一。又有人謂，蔣先生不肯使子良工作中斷，子良背後，有特務人員控制，蔣先生不能使其中止等云。[4]

1　熾章（張季鸞）：《致布雷先生》，1940 年 9 月 17 日。
2　熾章（張季鸞）：《致布雷先生》，1940 年 9 月 17 日。
3　《石井備忘錄》，轉引自《對中俄政略之策定》，第 46 頁。
4　熾章（張季鸞）：《致布雷先生》，1940 年 9 月 23 日下午。

和知鷹二要求何以之轉告張季鸞：最好能命宋子良出洋外遊，然後日方正式向中方提出談判要求，而由東京負責進行。和知很著急，函稱："子良何時出國，祈速賜知為要！"[1]

張季鸞本已判斷張治平、鈴木之間的談判是"把戲"，現在日方卻又提出新材料，說明宋子良和鈴木之間仍在聯繫，這使張季鸞感到迷惑。他決定不再參與中日秘密談判。9月21日，張季鸞要求何以之用明碼電文告訴和知，張季鸞日內離港；同時另用密碼告知：

> 鈴木假把戲我早已一再告之，何以尚如是糾纏？且對我方內部之觀察，飽含污蔑之意，是證明對方不足與談。中國本決無路線問題，我政府從未委託過人，我亦從未受過委託，只因你們來找我，我為個人友誼之計來此。今乃認中國有多少路線，是等於認定我為路線之一。我現在聲明，此路線取消，我不復過問，將來縱有正式交涉，亦勿找我。我之為人，本極惡麻煩之事。今如此麻煩，我厭惡已極，故決計脫離此問題。望彼告板垣，我已自己取消，不願過問矣。[2]

宋子良是否和鈴木確有聯繫呢？張季鸞不能判斷。他將這一問題交給陳布雷。9月21日，張季鸞致函陳布雷，陳述五條意見：1. 觀和知電文，"足知敵方有輕蔑、操縱之意"，但宋子良君是否對鈴木確有此表示，本人沒有"判斷真偽之力，因而不能作有力之反駁"。2. 今井、鈴木的失敗，在敵方內部是"絕大問題"，南京敵人明知是假，尚欲"掙扎蒙混"，板垣負責與中國談判，原以九月底為限，本人"聲明不管，更足以打擊之"。3. 南京敵人的和平攻勢徹底失敗之後，日本只有兩條路可走：一為再變和平攻勢為軍事攻勢，一為由東京發起，正式媾和。此問題日方如何選擇，在不遠期間便可明了。4. 敵軍人本是一丘之貉，但和知有一點特殊，即不僅與"勾汪"工作無關，而且在敵人內部以"反汪"得名，因此可以判斷，如東京正式與中國交涉，必派和知奔走，因此，和知此線索仍應保留。5. 觀察最近情形，我方內部不能不承認"發生毛病"，"當假委任狀、假信問題發生之後，何以宋子良君以行將出洋之身，而尚與鈴木

1　熾章（張季鸞）：《致布雷先生》，1940年9月23日下午。

2　張季鸞：《致陳布雷函》，1940年9月21日晨。原函未署名。

作私人接觸？"他嚴肅表示："此真為不能想像之事！"[1]他還列舉了其他一些和日方秘密聯繫的嚴重事例，要求陳布雷將上述情況呈報蔣介石。23日，張季鸞再次致函陳布雷，說明"自前日向彼方通告不管之後，覺心神為之一舒。蓋國家與領袖受敵輕侮，只有如此斷然表示，為昭雪輕侮之道"[2]。

張季鸞雖已向日方表示"不管"，但是，他仍然對中日談判存有希望。9月23日，張季鸞致函陳布雷云："對今後看法，弟微有不同。弟以為判斷局勢之第一關鍵，在看是否以敵大本營之名義來開正式交涉，果來交涉，即當認定其有若干誠意。""蓋既來交涉，則為承認是國家與國家間之正式議和，一也，汪奸當然取消，二也。"此前，陳布雷認為，日軍進攻安南，中國的對外聯絡線受到威脅，說明日方沒有議和誠意。對此，張季鸞表示："安南問題，當然有威脅我方之惡意，然不能因此之故，即斷定敵人不企圖正式議和。"他說："和戰本為同一問題之兩面，中日現在戰爭之中，而又並無和的頭緒，在我方似不必過於重視其另闢一新戰場之企圖，即藉以判斷其政策如何。"他表示：自己的"工作目的"在於執行一種試驗，即"敵人宣傳願與我政府議和之是真是偽"。他認為，此點關係中國今後半年乃至一年間之"一切抗建工作"。[3]

陳布雷反對張季鸞對"和談"的幻想，要求張季鸞結束在香港的工作，儘早回渝。9月24日，張季鸞覆函陳布雷：取消前函所述意見，自即日起，對外對內均脫離此問題，不再報告和知傳來的敵情；所保管之"港幣小款"，亦不再負保管之責；將向中航公司訂票，儘早動身。[4]

宋子良以蔣介石、宋美齡、宋子文的"至親"身份擅自與日方談判，張季鸞對此深為不滿。正當此際，一件關於宋子良談話的新情報幫助張季鸞做出了判斷。9月24日晚，張季鸞讀到和知鷹二致何以之的最新電文，其要點為：鈴木報告，謂宋子良近談，本月十三、十四、十五三日，委員長曾與戴笠、張群、張治中秘密研究此事。又云：因近日委員長不滿於孔、何二人，故孔、何不參加會議。張季鸞認為，"其最可笑之語為委員長表示，交涉可繼續進行"。

1　張季鸞：《致陳布雷函》，1940年9月21日晨。

2　熾章（張季鸞）：《致布雷先生》，1940年9月23日下午。

3　熾章（張季鸞）：《致布雷先生》，1940年9月23日下午。

4　熾章（張季鸞）：《致布雷先生》，1940年9月24日。

他判斷："無論宋君如何荒唐幼稚，斷不會作此可笑之謠言，是可確定為鈴木所捏造矣。"對於鈴木捏造此類謠言的目的與效用，張季鸞致函陳布雷稱：板垣屢次向國內報告，和平條件業已成熟，並且逼迫近衛寫信向我方表態。近衛信件在我方雖不覺重要，但在日方卻是總理大臣公函，板垣無法卸責，只能繼續不斷造謠，希圖繼續控制軍權，"以達其繼續進行勾汪簽約延長現狀之目的"。[1]

當時，和知鷹二召何以之赴滬。9 月 25 日，何到張季鸞寓所會面，張要何到滬後明確告訴和知，"所有鈴木報告中之宋子良談話，絕對為鈴木捏造"，建議和知向東京切實報告。[2] 同時，張季鸞也要何向和知轉達：為大局起見，在一兩個月之內，如東京確有正式講和誠意，並有適當內容時，允許和知與張通信一次，但僅以一次為限。張稱："當拚其最後之信用轉達一次，蓋中國實在認日本無誠意也。"張並稱，如東京確有進行之意，則個人願忠告：第一，停止進攻雲南及轟炸一類威脅、壓迫行動。第二，須有建立平等的"新國交"的決心，絕對不可向中國方面提出"承認偽滿、中日聯盟"等一類要求，否則張不能轉達。[3] 第三，根據上述兩項作正式之準備，可來一次信，說明派何人負責開談及其他具體事項。張特別強調：當年冬天，準備往陝西終南山養病，和知來信，須在兩個月之內，"過時則我入山已深。無法接頭矣"。何以之向張表示："除非東京真正弄好，彼亦不敢贊成接洽。蓋在板垣之下接洽，則中國上當也。"[4]

張季鸞要何以之轉告和知鷹二的話，有類最後通牒。之所以如此，據張季鸞致陳布雷函，其用意在於：1. 在敵人內部暴露板垣等之欺騙。2. 試驗敵國今後究竟如何。此前，日本早已強迫法國封閉滇越鐵路，英國也一度宣佈封閉滇緬路，中國的對外國際通道先後受阻，抗戰環境愈益艱難。張季鸞認為，形勢斷不能無條件樂觀，個人可以封鎖，國家不容封鎖，保留與和知的聯繫線索，有益無損。之所以只允許通信一次，是為了使之"更為嚴重而有力"。他說："弟近月頗感敵人求結束戰事之心已達頂點。蓋如待其南進順利，穩佔安南，並控制緬甸，而美國又不實際干涉，則彼時敵人心理恐又一變，因此現時之對敵

1　熾章（張季鸞）：《致布雷先生》，1940 年 9 月 25 日早。
2　熾章（張季鸞）：《致布雷先生》，1940 年 9 月 25 日早。
3　此為陳布雷指示張季鸞者。
4　熾章（張季鸞）：《致布雷先生》，1940 年 9 月 25 日夕。

工作，恐正為最緊要而有用之時。”關於宋子良，張季鸞建議，應命其迅速出洋，或令其回渝，藉以“打破敵人和平攻勢”。他提醒陳布雷：“鈴木製造之假故事，方日異月新，喧騰於日人內部”，“觀鈴木造謠之猛烈，則所謂假委狀、假信件，恐係鈴木所捏造。”[1]

儘管張季鸞方面認為談判仍有必要，但是重慶方面已對談判失去興趣，指示將 1938 年蕭振瀛工作期間留在香港的文件全部銷毀，同時對日方採取決絕態度。張季鸞隨即遵令執行，同時指示在港協助自己工作的人員：1. 在何以之離港前，使之相信，張季鸞“決非任何意義之代表”，“亦決不做政府代表”，並非“真正受政府委託之人”。2. 今後不再與何以之來往，避免交談，如何以之下次到港，亦不必理會，“務使何某知問題嚴重，今後無復奔走之餘地”。9 月 27 日，張季鸞致函陳布雷說：

> 前年以來之懸案一宗，至此完全告一段落。弟此次判斷有誤。幸行動上未演成錯誤，一切處理，尚近於明快，此則近年特受委員長之訓練，得不至陷於拖泥帶水。就弟個人論，誠幸事也。[2]

寫此函時，張季鸞確實準備將他在香港搞的特殊工作“告一段落”，然而，正當他回渝在即之際，又接到何以之轉給他的和知鷹二的密電：“鈴木、宋子良工作終止，在東京將開始全面的和平談判，現元老重臣、陸軍、海軍及外務省首腦部在協議中，務以大乘的見地，速求東亞全局之和平及繁榮。”[3] 電文中，和知表示，將於九月末至東京，然後攜帶所決定的《要綱》來澳門，張季鸞可先回重慶，但本人返澳後務求張來澳相晤。和知此電打消了張季鸞“告一段落”的想法，決定另擬策略。

張季鸞認為：從日本方面看，“必須企圖結束對華之戰爭”，“求和運動，必繼續一時”；而從中國方面看，“（現時）實立足於舉足輕重之地位，同時亦到了必須決定長期忍耐封鎖之對日戰爭辦法”，因此，“希望在最短期內，將敵情、友情俱完全弄清，以便下最後的決定”。9 月 30 日，張季鸞致函陳布雷，

1　熾章（張季鸞）：《致布雷先生》，1940 年 9 月 25 日早。
2　熾章（張季鸞）：《致布雷先生》，1940 年 9 月 27 日午。
3　熾章（張季鸞）：《致布雷先生》，1940 年 9 月 30 日下午 3 時。

建議"在最後決定之前",努力於"攻心為上"之對敵宣傳,其內容為:1. 打破日本"戰美之自信";2. 打破其聯蘇之妄想;3. 打破其信賴德國之心理;4. 鼓吹中國之真正憤怒,並打破中國不肯和及不敢和之推測。張表示,他不期待和知鷹二再來會有何結果,但為取得"高等消息及做宣傳"著想,在香港"稍待"還是有用的,"無論如何,我有知悉真正敵情之必要也"。[1] 這樣,張季鸞就又在香港留了下來。

張季鸞在香港的工作一直做到 1940 年 11 月。張要求日軍全面撤兵,不承認汪偽政權。同月 23 日,日方表示接受,要求重慶方面派出正式代表。[2] 但是,日本當局終於捨不得拋棄豢養的傀儡。30 日,日本政府與汪精衛簽訂《中日基本關係條約》,正式承認汪偽政權,以事實嘲弄了張季鸞,也嘲弄了重慶國民政府。

四、"宋子良"是冒牌貨,蔣介石的親筆"委任狀"等是偽件

歷史學家研究歷史,有其局限與幸運。其局限在於,歷史已逝,許多資料散失,事實失傳;其幸運之處在於,有可能見到當時無法見到的敵對雙方,甚至是多方面的資料,從而綜合研判,最大限度地還原歷史,作出比較真實、合理的分析。

根據筆者已掌握的日中雙方資料,比勘辨析,可以確定:

(一)談判中出現的蔣介石"委任狀"及"備忘錄"均是偽件。前文已述,據日方資料記載,談判中,中方曾展示蓋有軍事委員會大印和蔣中正小印的委任狀,其內容為:"茲委派陳超霖、宋子傑、章友三代表研究解決中日兩國事宜,此令。中華民國三十九年六月二日。蔣中正。印。"又,在討論板垣、蔣介石長沙會談時,中方曾出示蔣介石"親筆"書寫的備忘錄。筆者認為,上述兩個文件均為偽件。

1　熾章(張季鸞):《致布雷先生》,1940 年 9 月 30 日下午 3 時。
2　《今井武夫回憶錄》,第 175 頁。

在抗戰前的中日秘密談判中，蔣介石就主張不立文字，不落痕跡。在抗戰爆發以後的中日秘密談判中，蔣更加小心翼翼，不肯給日方提供任何文字根據。張治平等與日方會談，蔣自然不會提供"委任狀"、"備忘錄"一類憑證。而且，更重要的是，蔣一開始就並不積極支持張治平等人與日方談判。1940年3月31日蔣介石日記云："倭寇一面成立汪逆偽中央政會，宣言三十日成立偽組織，而一面又派陌不相識之陳治平來求和議，其條件一如往昔，以試探我方對汪偽出現之心理，其愚劣實不可及。竊恐古今中外亦無此之妄人也。"[1] 這裏的"陳治平"應為張治平之誤。可以看出，蔣當時還搞不清楚張治平是何方人員，但拒談之意很明確。其後，蔣搞清楚張治平的身份了，立即指示戴笠："如敵方不能先行解決汪逆，則張治平不准再與鈴木輩有任何接洽。"[2] 5月下旬，戴笠指示張治平："如敵方不先除汪，中央斷難與之言和，今後不可與鈴木等涉及中日和平問題。"7月3日，戴笠電張治平云："同志以站在採取情報之立場與德國通訊社記者之身份，可與鈴木見面，但對中日和約問題，萬不可有任何意見之表示。"又曾指示，"在不暴露身份之原則下多方探聽"。其後，蔣介石的態度越來越嚴峻。當年5月18日至30日，日本海軍航空部隊大舉轟炸重慶8次。6月6日至8月17日，又轟炸28次。7月2日，蔣介石日記云："對敵人來探和，應皆置不理，以示不受轟炸之威脅。"[3] 8月11日，蔣介石與張季鸞談話稱："敵閥之愚，其求和既急，又欲以板垣親到長沙會晤而以汪同來為餌，其兒戲滑稽，實太可憐，如何能不自殺耶？"[4] 12日，戴笠向蔣介石書面報告張治平與日方多次接觸情況，請求指示。次日晚，研究敵情，蔣介石日記云："敵國又託胡鄂公、何世楨、張治平等各人，各別來見、通問，皆一概嚴拒，此時惟有持之以一也。"[5] 這應該是蔣介石對戴笠請示的回答。9月初，蔣介石從張季鸞函中得悉張治平向日方提供了自己的"親筆"檔後，非常生氣，日記云：

---

1 《蔣介石日記》（手稿本），1940年3月31日；並見《困勉記》，稿本，1940年3月31日。《蔣中正"總統"檔案》，台北"國史館"藏。

2 戴笠：《報告》，1940年8月12日。

3 《蔣介石日記》（手稿本），1940年7月3日；並見《困勉記》，稿本，1940年7月3日。

4 《蔣介石日記》（手稿本），1940年8月12日；並見《困勉記》，稿本，1940年8月11日。

5 《蔣介石日記》（手稿本），1940年8月13日；並見《困勉記》，稿本，1940年8月13日。

"下午研究汪探張治平捏造憑證事，是使我又多一不測，意料不及之經驗也。"[1]
9月15日，日機兩次空襲位於重慶曾家岩的蔣介石官邸，蔣介石當日日記云：
"汪奸派張治平，偽造我中央函件與委狀，以欺敵人，敵人信之，以張治平為我
中央可靠之路線，用力求和八個月，未得成效，今始覺悟，遂更惱怒，炸我寓
所。"[2] 以上材料雄辯地說明，張治平與鈴木談判中出示的"委任狀"、"備忘錄"
與蔣介石無關。

前文已述，日方在見到中方出示的"備忘錄"後，曾在匆匆間拍得"蔣中
正"簽字，送回南京審查。而據周佛海日記，當年7月26日，日方確曾請周審
查真偽，周觀察的結果是"實不甚像"。[3] 這一則材料不僅可以作為上述"備忘錄"
是偽件的旁證，而且說明，它的作偽者並非如張季鸞所認為的是日方。鈴木卓
爾等人決不會自己製造了偽件，又送回去請人審查。

（二）在一系列問題上，張治平等中方人員哄騙了日方。首先是宋子良參與
談判問題。儘管張治平在被軍統審查過程中一再堅決否認，但是，日方談判時
曾從鑰匙孔內偷拍了"宋"的照片，並且也曾交給在南京的周佛海等人核對，
可見，有"宋子良"參與確是事實。這位"宋子良"的照片，經周佛海核對之
後，也認為"與本人不符"。[4] 1941年9月，參與"誘和"活動的日本人松本藏
次就曾指出，所謂"宋子良"，其實是藍衣社的間諜，其目的在於刺探日本秘
密。[5] 1945年夏，這個假扮"宋子良"參加談判的人成了日本上海監獄中的囚
犯，被原日本中國派遣軍特派員，曾在香港會談中擔任翻譯的阪田誠盛認出。
在與今井武夫見面時，此人承認自己是藍衣社的"曾廣"。1955年"曾廣"致
函今井武夫，對當年"冒充宋子良的錯誤深表歉意"。[6] 可見，在張治平等人與日
方談判時，中方確實有人冒"宋子良"之名。

其實，這個冒充"宋子良"的"藍衣社"特務的本名並非"曾廣"，而是在

1 《蔣介石日記》（手稿本），1940年9月6日；並見《困勉記》，稿本，1940年9月6日。
2 《蔣介石日記》（手稿本），1940年9月15日；並見《困勉記》，稿本，1940年9月15日。
3 《周佛海日記》，1940年7月26日，中國文聯出版社2003年版，第327頁。
4 《周佛海日記》，1940年7月26日。
5 《松本藏次致小川平吉電》，轉引自《小川平吉致近衛函》，又，《致射山函》，《小川平吉關係文書》，日本東京みすず書房1973年版，第691—692頁。
6 《今井武夫回憶錄》，第162—163頁。

談判過程中一直與張治平密切合作的曾政忠。前文已述，張治平被審查，並被軟禁在重慶後，軍統局繼續派曾政忠到香港與鈴木卓爾周旋，9 月 18 日、22 日先後與鈴木有過兩次談話。然而，這兩次談話中的"曾政忠"都仍被鈴木視為"宋子良"。19 日，鈴木向今井報告說："根據宋從重慶返回香港所作的報告，九月十三日到十五日在重慶的重要幹部會議上決定，關於滿洲問題及日軍部分駐兵問題，只要日華雙方未取得一致意見，長沙會議暫行擱置。因此，本談判沒有進展的希望。"[1] 鈴木的這份"報告"也傳到了他的對手和知鷹二那裏。和知在致何以之的一份電文中說："鈴木報告，謂宋子良近談，本月十三、十四、十五三日，委員長曾與戴笠、張群、張治中秘密研究此事。"[2] 上述兩通電報表明，9 月 18 日，曾政忠與鈴木卓爾會晤時，雖然已經通知鈴木，張治平可能是汪方人物，但仍然以"宋子良"的身份出現。這是曾政忠冒充"宋子良"參加日中秘密談判的確鑿證據。[3] 和知鷹二另一通電報說："子良近對鈴木言，將出洋療疾，希望中日問題早日結束。又岳軍一週內可到宜昌云云，故板垣對於子良路線，仍認為可靠。"[4] 這通電報告訴我們，曾政忠當時已準備"抽身"，不再以"宋子良"的身份出現，同時，也還在繼續哄騙日方，所謂張群"一週內可到宜昌云云"，即是一例。有意思的是，一直到 1941 年 11 月，為了阻撓日本承認汪政權，軍統特務還在假藉蔣介石的名義，在"宋子良"問題上繼續說假話，欺騙頭山滿和萱野長知二人。[5]

"宋子良"是冒牌貨，自然，參與談判的所謂重慶行營參謀處副處長陳超霖、國防會議秘書主任章友三、陸軍少將張漢年等也都是冒牌貨。根據前文所

---

1 《今井武夫回憶錄》，第 160 頁。

2 轉引自熾章（張季鸞）：《致布雷先生》，1940 年 9 月 25 日早。

3 《今井武夫回憶錄》，第 160 頁。又據同書及《井本日記》（《對中俄政略之策定》，第 42 頁），9 月 21 日，宋子良曾再次訪問鈴木，而據軍統葉遇霖 9 月 24 日致戴笠電，此次的訪問者，仍是曾政忠。此外，鈴木卓爾於 9 月 27 日到南京派遣軍司令部作報告，仍稱 18 日與"宋子良"會談。凡此，均可證明，鈴木卓爾心目中的"宋子良"，乃是曾政忠冒充。

4 佚名密電，1940 年 9 月 23 日。《蔣中正"總統"檔案·特交檔·和平醞釀》。

5 1941 年 11 月 16 日，軍統在香港的工作人員杜石山致函頭山滿、萱野長知，轉達蔣介石"意旨"云："宋子良以運輸事務抵港之日，宮崎（應為鈴木——筆者注）、今井代表板垣將軍，約其晤談，並提交子良以中日二國之和平條件，子良據以為報。當即電實子良，以何資格見板垣將軍之代表，及根據何種機關之命令，以接受板垣將軍之中日二國之和平條件？詎知子良接電，懼而避之美國。旋以該條件甚為苛細，想板垣將軍暢曉軍事，明察世局，必不提出中日兩國不能相安之苛細條件。該條件或係一二軍人之私見，遂不予子良以深究。"見《小川平吉關係文書》（2），第 697 頁。

引軍統香港區葉遇霖致戴笠"冬電",鈴木回港後,曾與葉談話,而據鈴木給上級的電報及派遣軍總司令部有關人員的日記,鈴木當時談話對象即為"章友三",[1]因此,"章友三"應是葉遇霖的化名。

在審查張治平時,張堅持與日方談判中只有他本人和曾政忠二人參加。對於所謂"章友三"其人,張第一次解釋為"曾政忠之英文拼音與章字同,是否因此誤會,則不可知"。"曾"與"章"的英文拼音本不相同,張治平等與鈴木的談判中也並未使用英文,不可能產生誤會。後來則解釋為"僅介紹曾政忠與鈴木等見面,曾化名章友三",兩次說法前後明顯不一,巧言支吾、企圖蒙混之心清晰可見。顯然,張治平可以承認曾政忠化名"章友三",而不能承認冒充"宋子良",因為前者無罪,而後者則關係重大,可能獲罪。

張治平對軍統的交代,不僅時間顛倒,語意支吾,而且真假混雜,包含著若干謊言。例如,他聲稱與鈴木、今井是老相識,與今井且有十多年的情誼,因此,無須身份證明及委任狀。其實,他和今井武夫並無深交[2];日方在與中方人員秘密談判時索要身份證明也並非僅此一例。鈴木卓爾在香港開始"桐工作"時,還在開展"姜豪工作",向姜豪"要求與攜帶有重慶政府中樞有關的身份證明書的人會面"。[3]張治平之所以編造與鈴木、今井的"友誼"謊言,無須身份證明云云,不過說明他心中有"鬼",力圖掩蓋他偽造文件、偽傳蔣介石指示等做法而已。

(三)鈴木等日方談判人員也哄騙了中方。2月3日,鈴木在與"宋子良"第三次會見時曾表示:"處理汪精衛對重慶政府的關係,純屬中國的內政問題,我方似無干涉的必要,可由中國政府妥善處理。"[4]所謂日方同意"去汪"、"毀汪"一類的"甜言蜜語",鈴木不僅在私下對張治平講過多次,對"章友三"也講過。前引葉遇霖致戴笠"冬電"所彙報的鈴木行程及其和近衛會見的時間、

---

1 《香港機關致參謀次長》,特香港電第351號。參見《對中俄政略之策定》,第33頁。又,《井本日記》所記亦同,參見同上書33頁。

2 《今井武夫回憶錄》稱:"宋子良和鈴木中佐的居間人張治平,我在北平大使館武官室工作時,他正在冀東政府任職,他還當過北平的新聞記者。這次奇遇,感到驚異。但只是見過面,對他的身份、性格等,卻一無所知。"見該書第129頁。

3 《今井武夫回憶錄》,第168—169頁;參見姜豪:《"和談密使"回想錄》,上海書店出版社1998年版,第194—196頁。

4 中國派遣軍總司令部:《桐工作圓桌會議的經過概要》,《今井武夫回憶錄》,第332頁。

情況，和現存日文檔案完全相合，可以確證"冬電"轉述內容，來自鈴木本人，而非張治平等編造。一直到 9 月 22 日晨，鈴木與"宋子良"會晤時，仍在向"宋"保證，回南京會見板垣時，"當盡力促請先行消除汪逆偽組織"。[1] 可見，處理汪精衛，取消汪偽組織確是鈴木私下向中國方面作出的保證。前文已經指出，鈴木先後出示的板垣征四郎保證書有所不同，有一個從"汪問題"向"蔣汪合作問題"演變的過程。8 月 14 日，鈴木赴南京、東京之前，向張治平、"宋子良"（曾政忠）出示過"底稿"，主題詞為"汪問題"。當時，即由張抄錄，交曾密存。19 日，鈴木卓爾到南京，與臼井大佐正式為板垣起草保證書，主題詞演變為"蔣汪合作問題"。28 日，鈴木返港，催張治平往閱"保證書"，但鈴木僅出示抄件，主題詞仍為"汪問題"。張閱後即繕寫報告，交曾政忠由盧沛霖電呈重慶。[2] 9 月上旬，"宋子良"（曾政忠）向鈴木索取板垣親筆日文原件，"保證書"的主題詞又變回"蔣汪合作問題"。前後出示的兩種版本，措辭雖只有幾個字不同，但卻是根本性的差異。當時，日方的基本方針是促進汪精衛和蔣介石之間的合作，使南京、重慶兩個"國民政府"合流。鈴木為板垣起草並在 9 月上旬出示的保證書，才反映日方的真實態度，也和 20 世紀今井武夫公佈的內容相合。[3] 由此可見：鈴木出示過的以"汪問題"為主題詞的保證書並不反映包括板垣征四郎在內的日本官方的態度，而是鈴木為了誘使中國方面坐到談判桌前的伎倆。他在和張治平等人的私下接觸中所稱，日本準備拋棄汪精衛，甚至準備將汪交給中國方面，云云，都不過是巧言相，為了哄騙中方而已。

1940 年 2 月，"桐工作"剛剛開始之際。日本參謀總長載仁親王就指示："日華代表在協商處理事變時，可同意中國方面的提案，藉此引誘重慶參加乃至進行分化離間工作。"[4] 鈴木卓爾關於"毀汪"、"去汪"一類"甜言蜜語"，正是對載仁親王策略的運用。

鈴木卓爾哄騙中方非止上述各例。前文已經敘述，9 月 18 日鈴木與"宋子良"會談時，鈴木曾稱，將去澳門向今井武夫彙報，後來又稱，已於 19 日派

1　《香港葉遇霖敬電》，轉引自戴笠：《報告》，1940 年 9 月 27 日。
2　《曾政忠對張治平之考察》，戴笠：《報告》，1940 年 9 月 15 日。
3　《今井武夫回憶錄》，第 158 頁。
4　《參謀總長對實施桐工作的指示》，《今井武夫回憶錄》，第 336 頁。

秘書前往彙報。其實，今井武夫在當月 14 日已經離開澳門，並於 16 日到了南京。[1] 鈴木所云，完全是信口開河。應該指出的是，鈴木卓爾不僅哄騙了中方，而且在關鍵情節上對其上級也有隱瞞。如，6 月澳門會談，中方提出"有汪無和平"，要求日方令汪出國或退隱。此事見於今井武夫記載，並非中方文獻的片面之詞。[2] 但是，鈴木在向其上級彙報時，卻改變為中方僅要求日方對汪作"適當處置"，並可由重慶派遣代表，與汪"協議合作問題"。[3] 這就完全扭曲了中方的態度與立場。又如，9 月初，"宋子良"已經將中國方面對張治平與汪方關係的懷疑，以及張不能回港繼續參加談判等情況告訴了他，這實際上是在通知鈴木，張治平已處於被審查中。但是，這一情況，鈴木卓爾始終未向其上級報告。[4]

（四）據《今井武夫回憶錄》記載，"桐工作"過程中，宋美齡曾於 1940 年 3 月 5 日到港，"從側面協助中國方面的代表"，"宋美齡抵港的消息，經報紙作了報導，因此，我們相信了中國方面的言詞"。有些歷史學家據此懷疑宋美齡此行大有文章，其實，宋此次到港，完全是為了休養。1939 年 12 月 7 日，蔣介石日記云："今日吾妻以療鼻疾割治，甚憂。" 1940 年 2 月 12 日日記云："送夫人到珊瑚壩機場，往香港休養。" 可見，宋美齡此行與"桐工作"無涉。中方"代表"所云，與冒充"宋子良"一樣，同為對日方的哄騙。

五、日方急於求和，軍統藉機玩弄日方

在全面審視日中兩方留下的資料後，現在可以作結論了：

（一）日軍攻佔武漢、廣州等中國廣大地區以後，兵力枯竭，財政困難，已達勢窮力蹙境地，急於與中國方面"停戰"，用戰爭以外的形式鞏固其侵華成果。日方上至天皇、內閣、軍部，下至板垣征四郎等中國派遣軍官員，普遍重視"桐工作"，其原因在此。為了等待"桐工作"的成果，日方不惜推延汪偽政

---

1 《今井武夫回憶錄》，第 160 頁。
2 《今井武夫回憶錄》，第 151 頁。
3 特香港電第 228 號，又 291 號。參見《戰前世局之檢討》，第 300—301 頁。
4 參閱《井本日記》，轉引自《對中俄政略之策定》，第 39—40 頁。

權的成立時間；在汪偽政權成立後，又不惜推延對其"外交承認"的時間，幻想出現"蔣汪合作"的局面。日方談判代表鈴木卓爾之所以不惜卑詞謙態，巧言相餂，乃是為了誘引蔣介石或重慶要人坐到談判桌前來。它既反映出鈴木個人的"要功心切"，更多反映的卻是日方"求和"的急迫性。

（二）日方所謂"桐工作"，就中國方面說來，不過是軍統在香港的幾個小特務對日方的玩弄，目的在於刺取情報。談判中出現的"宋子良"以及重慶行營參謀處副處長陳超霖、最高國防會議秘書主任章友三等人都是假貨，所出示的蔣介石"親筆"委任狀、備忘錄等文件都是贗品，所轉達的蔣介石意見都是假"聖旨"。

（三）談判初起時，汪精衛正依靠日本的支持在南京籌組偽國民政府，因此蔣介石以"先行解決汪逆"為談判條件。其後，汪偽政府成立，蔣介石自感上當，認為日方求和乃是"欺誘"行為，主張嚴拒。但是，為了阻撓日本對汪偽政權的承認，中方並沒有馬上關閉談判之門。"桐工作"在 1940 年 9 月底結束後，重慶方面也還通過幾條線索，虛與委蛇地繼續維持著和日方的秘密關係。

戰爭中，既有戰場上的"角力"，也有談判桌上的"鬥智"。鈴木卓爾、今井武夫與"宋子良"、張治平之間的談判是一種"鬥智"行為，不能要求雙方"忠誠老實"，他們在談判中說假話，提供假材料、假情況是必然的，也是可以理解的。歷史學家的任務就在於謹慎地辨別真假，而不能以假作真，視為信史。遺憾的是，已經出現過這樣的情況，而且似乎還不是個別的。

附記：本文寫作，承臧運祜教授代為收集、複印日本防衛研究所收藏資料，承台北王正華教授代為校核部分資料，謹此致謝。

對蘇外交的一鱗半爪 *

* 本文錄自《楊天石評說近代史》，中國發展出版社 2015 年版；原載《團結報》，1992 年 5 月 20 日；曾收入《楊天石近代史文存・抗戰與戰後中國》，中國人民大學出版社 2007 年 7 月版。

抗戰期間，宋子文在美國待了兩年。他這一時期的檔案大多反映對美外交，但是，也有少數文件，關涉對蘇外交，可以從中看出這一時期中蘇國家關係的一鱗半爪。

　　1940 年 10 月 30 日，張沖致電宋子文云：

> 　　史太林（即斯大林）有函致委座，說明德、義、日同盟，於中蘇兩國表面上有害，實際上有利。詢中日和平談判之謠有無確據，以及問候之詞。

當年 9 月，德、義（意）、日三國在柏林簽訂同盟條約，規定三國要在歐洲、亞洲建立"新秩序"中起領導作用，彼此間以一切政治、經濟手段互相援助。同月 28 日，駐蘇大使邵力子致電蔣介石，建議乘機增進對蘇關係。29 日，蔣介石致電斯大林，宣稱"中國自抗戰以來，外交方針無不期與利害共同之蘇聯一致，中正自去年歐戰發生以來，更無時不思商承教益，俾作指針"，措辭極為謙恭。10 月 16 日，斯大林覆函蔣介石，認為三國同盟改變了日本的孤立狀態，對中蘇不利，但它促使英美改變對日本的中立態度，因而又對中國有利。函稱："中國主要任務，在為保持與加強中國國民軍"，"如閣下之軍隊堅強有力，則中國必不可摧破"。抗戰爆發以後，蔣介石集團曾通過多種渠道和日本秘密談判，1940 年 6 月，日軍佔領宜昌、威逼重慶之後，這種談判活動有加劇之勢，因此，斯大林關心地詢問："現在關於對日議和及和平之可能性，談寫

（論）頗多，余未知此種傳說，與事實有何符合？”在國民黨人中，張沖主張對蘇友好，因此，他將斯大林致蔣函件摘要報告了宋子文。

抗戰初期，英美對日態度舉棋不定，蘇聯是唯一堅決支持中國的國家。1940 年 12 月 2 日，張沖致電宋子文云：

> 蘇使通知，於本月 27 日運到哈密交貨，計飛機 170 架，野炮 200 尊，高射炮 50，輕機槍 800，重機槍 500，並問美方對太平洋及中國及中、美、蘇三國形勢上有無方案，似此時蘇方頗為起勁。

1937 年 8 月，中蘇簽訂互不侵犯條約。其後，蘇聯即陸續以飛機、軍械及軍事技術人員幫助中國。1940 年 11 月 25 日，蘇聯駐華大使潘友新會晤蔣介石，告以蘇聯政府可以向中國提供飛機、大炮、輕重機槍等物。蔣介石表示，希望在本年內，至遲明年 2 月止，化凍之前，能將上項物資運到中國境內。本電所云，12 月 27 日運到哈密交貨，當即此事。宋子文接電後，非常高興，於同月 9 日覆電云：

> 冬電欣悉。蘇聯開始運輸大量軍械，軍氣民心為之一振。其採取陸運，恐欲避免日本知悉。此後如有消息，請隨時見告。

當時，中國抗戰正處於艱苦階段，迫切需要軍援，宋子文的興奮是可想而知的。

德國在歐洲的主要進攻口標是蘇聯。1940 年 7 月，希特勒開始擬訂進攻蘇聯計劃。12 月 18 日，希特勒簽署命令，將進攻蘇聯的日期定為 1941 年 5 月 15 日。從 1941 年 2 月起，德國開始秘密地向蘇聯邊界調集軍隊。為了全力對付德國侵略者的進攻，蘇聯政府力謀與日本妥協。4 月 13 日，與日本簽訂互不侵犯條約，內稱：“蘇聯誓當尊重滿洲國之領土完整與神聖不可侵犯性，日本誓當尊重蒙古人民共和國之領土完整與神聖不可侵犯性”。這一內容嚴重地損傷了中國的主權和利益，但重慶國民政府決定低調處理。4 月 15 日，國民黨中央宣傳部部長王世杰致電駐美大使胡適云：

> 日俄協定事，除由外部就滿蒙問題聲明立場外，我將不對蘇作其他批評，以免造成反蘇印象，為敵利用。請密囑有關人員注意。

此電雖是打給胡適的，但宋子文屬於有關人員之列，所以此電就保存在宋子文檔案裏了。

從 1941 年 3 月日本外相松岡訪問莫斯科並受到斯大林和莫洛托夫接見之日起，重慶國民政府就很緊張，多方打聽雙方談判內容。為此，邵力子曾訪問蘇聯外交部次長拉代夫斯基。拉代夫斯基守口如瓶，答稱 "純為禮貌"。蘇聯駐華大使潘友新也告訴張沖：蘇聯對外政策不變；蘇聯決不為自己而犧牲人家的利益；松岡過蘇，因蘇日並未絕交，照例予以招待云云。蘇日條約一公佈，國民黨內部自然很激動，幾經議論，才確定了王世杰傳達給胡適的方針。

蘇日條約第二條規定：締約國之一方成為一個或數個第三國敵對行動的對象時，則締約國之他方，在衝突期間即應如約保持中立。當時，中日處於敵對狀態，如果根據這一條，蘇聯就不能繼續援助中國，因此，各方極為關心蘇聯對中國的態度。4 月 17 日，邵力子自莫斯科致電胡適云：

> 巧日，見 Molotov（莫洛托夫），詢蘇日約第二條是否適用於中日戰局。據答：該約專為蘇聯保持和平，與中國無涉，談判時亦未提及中國，不影響中國抗戰。謹密聞，並請轉告子文先生。

4 月 21 日，張沖又致電宋子文云：

> 蘇使見委座，謂蘇日條約不妨礙中蘇關係，松岡與莫談話中並未提到中國問題。蘇俄決不改變，而且不能改變援華政策。西北運輸及顧問工作如常。謹聞。

從根本態度上說，蘇聯反對日本侵略，其所以與日本簽訂互不侵犯條約，主要是為了麻痹日本，穩定東部邊境局勢，避免陷於兩面作戰的艱難境地。宋子文讀到張沖的電報後，一顆緊繃著的心鬆弛了下來，在張沖電報上批了兩個字："至感！"

儘管蘇聯願意支持中國抗戰，但是，1941 年春，德軍大舉進攻巴爾幹半島諸國，進一步進攻蘇聯的態勢已經很明顯，為了準備對付德國侵略軍，蘇聯開始自顧不暇了。4 月 23 日，宋子文接到署名 "一七號" 的來電，電云：

邵力子電孔，莫洛托夫謂巴爾幹情勢惡化，俄須注意西方，中國政府訂購各貨不能供給，料美國援助無影響云。邵謂僵局難打開，以後只有向美購。

"一七號"當係宋子文在國內的情報人員。此後，蘇方對中國的武器援助大減，但是，兩國間的換貨貿易仍然繼續，蘇方仍然繼續供應中國部分軍用物資。5月28日，張沖致電宋子文云：

> 蘇方上週給汽油 2500 噸，機油 940 噸，及其他器材。似蘇日中立條約對中國不受約束。如我內外無大變化，蘇仍將接濟我國。我在蘇尚有 6千餘萬元押品之軍火。

6月22日，德軍以龐大的兵力進攻蘇聯，蘇德戰爭爆發。23日，宋子文致電張沖云：

> 兄前有促進蘇美合作之願，惜兩國互相疑忌，今德蘇決裂，美對蘇態度將有轉變，前願易了，亦未可知。德日對蘇有無密約？日寇此後向何方發展？德宣戰後，蘇對我有何表示及中共之言論？均請探詢，佇候示覆。

兄，宋子文自稱。在很長時期內，美國盡力避免同德國和日本發生軍事衝突，中立主義的情緒甚囂塵上。但是，宋子文估計，隨著蘇德戰爭的爆發，美國的態度將有轉變。這一估計是正確的。他促進"蘇美合作"的願望也是有利於國際反法西斯的鬥爭的。果然，就在宋子文致電張沖的同一天，美國代理國務卿威爾斯發表聲明，認為任何反希特勒主義的鬥爭都將促進美國的國防和安全，暗示了美國中立主義立場的轉變。同月 27 日，張沖電覆宋子文所提各種問題。7月3日，宋子文致電張沖云："蘇軍潰敗太速，不容我輩作國際之工作矣。"蘇德戰爭爆發後，德軍長驅直入，迅速佔領白俄羅斯、烏克蘭等大片領土，軍鋒指向莫斯科。這是宋子文所始料不及的，他感到促進蘇美合作的國際工作不好做了。

然而，形勢比人強。不待宋子文的斡旋，蘇美之間就加快了合作的步伐。當年 7 月，蘇聯軍事代表團和羅斯福總統的密友戈‧霍普金斯分別訪問了對方的國家。9月底至10月初，蘇聯、英國、美國的代表就互相給予軍事援助問題在莫斯科舉行會議，國際反法西斯戰線開始形成。

1941年12月7日，日軍偷襲珍珠港。次日，美英對日宣戰，在此情況下，蔣介石也希望蘇聯對日宣戰。12月12日，斯大林致電蔣介石，答稱：本人認為蘇聯力量目前似不宜分散於遠東，蘇聯當然必須與日本宣戰，但準備需要時間。12月16日，外交部部長郭泰祺致電宋子文，將斯大林電的大略告訴他：

> 史丹林答覆委員長節略，謂蘇站在同一陣線，日本將來必破壞中立協定，但目下西方戰事吃緊，希望我方弗逼其立即對日宣戰云云。

郭泰祺還告訴宋子文：“英方答覆關於訂立同盟一節，美方對於聯合指揮一節，均在同情詳細考慮中。”12月9日，丘吉爾致電蔣介石：“英國與美國業被日本攻擊。我等向為良友，現則同對一敵共同奮鬥矣！”16日，羅斯福致電蔣介石，提議在中國重慶、新加坡、莫斯科三地分別召開軍事會議，籌設永久性機構，“以設計及指揮我等共同之努力”。重慶國民政府夢寐以求的局面很快就要出現了。

抗戰期間，蘇聯對中國提供軍火，中國則向蘇聯提供鎢、銻、桐油、茶葉等物資。其中，向蘇聯交運礦產品的工作由資源委員會負責。1942年9月5日，宋子文致錢昌照電云：

> 蘇因高加索危迫，必盡力廣事開闢，我為救急起見，合作未始非計。商量情形，仍請續示。

此電所討論的具體“合作”事項不明，但它說明，在蘇聯處於危難之際，中國方面也是努力幫助蘇聯的。

珍珠港事變前夜的中美衝突與交涉 *

* 本文錄自《找尋真實的蔣介石：蔣介石日記解讀》（4），東方出版社 2018 年版；原載《近代史
  研究》2015 年第 2 期。

美國長期大量向日本出售鋼鐵、石油等戰略物資，助長其侵華實力。1939
年 7 月，蔣介石致電羅斯福，建議美國採取辦法，削弱日本的戰鬥力與經濟
力。同月，美國政府宣佈廢止美日商約，對日實行經濟制裁。1941 年 4 月，日
本向美國提出《美日諒解案》，企圖通過談判，減輕美國對日本的經濟壓力。
羅斯福為避免美國過早陷入大西洋和太平洋同時兩面作戰的不利局面，提出退
讓、妥協方案，企圖在一定時間內放鬆對日本的經濟封鎖。蔣介石堅決反對美
國政府改變對日政策，憤而以"國際道義"與"人類道德"相責，胡適、宋子
文也積極與美方交涉，最終，美國對日政策由有限度的妥協恢復為全面強硬，
美日談判破裂。日本指責美國已徹頭徹尾地成為蔣介石的代言人，於 12 月初突
襲珍珠港等地，太平洋戰爭爆發。

一、美日談判，美國為推遲戰爭，
擬向日本提出妥協方案

很長時期內，美國以孤立主義為其外交政策，以"不干涉"為原則，不
主動捲入任何外部軍事衝突，但對日本，則長期持綏靖立場，向其大量出售鋼
鐵、石油等戰略物資，名為中立，而實際上支持日本侵華。據統計，日本所需
廢鋼的五成，十分之九來自美國，所需石油，百分之八十也來自美國。1939 年

7月20日，蔣介石致電美國總統羅斯福，建議對日採取經濟報復手段。美國政府隨即宣佈於半年後廢止美日商約，對日實行經濟制裁。美國政策的這一改變沉重地打擊了日本的黷武、侵略政策。日本政府深知，解決中國問題，推行向東南亞擴張的"南進"政策，必須妥善處理和美國的關係，調整日美外交。1940年冬，美日兩國的一些非官方人士開始接觸。1941年4月16日，日本駐美大使野村吉三郎與美國國務卿赫爾會談，美日談判由民間轉向官方。[1]當時，日方提出《日美諒解案》，企圖通過談判促使美國減輕其對日的經濟壓力，承認日本對中國的侵略成果，誘使重慶國民政府接受其投降條件，美國政府則企圖在中國等問題上做出某種讓步，以此拆散德、意、日三國同盟，拖延日本進攻美國的時間，防止在大西洋和太平洋同時兩面作戰的不利局面。9月6日，日本御前會議批准日本政府與大本營聯絡會議通過的《帝國國策執行要領》。該文件提出"最低限度的要求"多項，其主要內容有：美英不得干涉或妨礙日本對"中國事變"的處理，關閉滇緬路，停止對蔣政權的軍事、政治及經濟援助；確保日本在華駐軍；容忍日本與法屬印度支那的特殊關係；美英須協助日本獲得所需物資，恢復對日通商，保證向日本供應其生存所必需的物資等。文件提出，以10月下旬為限，做好對美國、英國、荷蘭的戰爭準備，若屆時談判不成，將立即對美、英、荷蘭開戰。文件同時提出"最大限度的承諾"，不以法屬印度支那為基地向除中國以外的近鄰地域行使武力，在確立公正的遠東和平後，有意從法屬印支撤兵，等等。[2]

同日，日本政府向美國政府提出一份新的《日美諒解草案》，要求美國承諾不採取任何不利於日本的措施，取消對日本的資產凍結令，在此前提下，日本才考慮撤退在華軍隊。日本的這一要求遭到美國拒絕。10月2日，美國向日本提出《備忘錄》，重申"作為國家關係"的四項基本原則。首相近衛認為日本對美開戰，不可能長期支持，主張暫受委屈，"捨名求實"，形式上靠近美方提案，而在實質上堅持在中國駐兵。10月16日，日本近衛內閣第三次總辭職。

1　赫爾（Cordell Hull，1871—1955），或譯霍爾，本文為統一，一律稱"赫爾"。

2　日本外務省編：《日本外交年表與主要文書》（1840—1945）下卷，日本東京原書房1988年第6版，第544—545頁。

18 日，主張對美強硬、算賬的東條英機內閣成立，軍國主義極端派掌權。11 月 5 日，日本御前會議制定第二次《帝國國策遂行要領》和《對美交涉要領》，視為日本"不可再讓"的方案。其中《帝國國策遂行要領》規定談判不成，即於 12 月 1 日發動對美戰爭。

《對美交涉要領》又稱"對美交涉最終案"，分甲乙兩案。同日，日本政府派來棲三郎為特使飛赴美國，協助野村進行談判。11 月 7 日，日方向美國國務卿赫爾提出甲案。20 日，改提乙案。該案共 4 條：1. 日美兩國政府承諾，雙方均不在法屬印度支那以外的東南亞及南太平洋行使武力。2. 日美兩國政府協力確保在荷屬東印度獲得必要物資。3. 雙方通商關係恢復至資產凍結以前的狀態；美國向日本供應其所需石油。4. 美國政府不採取妨礙日中兩國和平努力的行動（包含停止對蔣援助）。[1] 日本提出這一方案，其目的在於用有關在法屬印度支那問題上的讓步，換取美國在中國問題上的讓步，解除其經濟封鎖。

談判中，日方要求談判一個"臨時過渡辦法"。美方認為日方所提要求不能接受，但同意草擬"臨時過渡辦法"。美方要求，日本承諾撤退現駐印度支那南部的部隊，並不再補充，美國政府允許變通其凍結在美日本資產及出口貿易限制條例。大約在 11 月 20 日，羅斯福親筆手書一份備忘錄給美國國務卿赫爾。其內容為以下 4 條：

1. 美國恢復對日本的經濟關係 ——（向日本供應）一定數量的石油和大米，以後再增加。

2. 日本不再向印度支那、滿洲邊境，或南方的任何地方增兵（荷屬、英屬殖民地或暹羅）。

3. 日本同意，即使美國捲入歐戰，日本也不援引（德、意、日）三國條約（加入戰爭）。

4. 美國介紹日本與中國會談，但美國不參加雙方對話。

該《備忘錄》標明有效期為"六個月"，說明"太平洋的協議以後再議"。[2]

---

1 日本外務省編：《日本外交年表與主要文書》（1840—1945）下卷，日本東京原書房 1988 年第 6 版，第 555 頁。

2 《美國對外關係文件集》（*FRUS*），1941，Vol.4，p.626。

赫爾根據羅斯福提出的備忘錄，擬就以三個月為期的"臨時過渡辦法"，其內容有：日本不對東北亞、北太平洋地區、東南亞和南太平洋地區採取軍事行動，從印度支那南部撤軍，駐紮於印度支那北部地區的日軍不超過 2.5 萬人；美國同意修改凍結在美日本資產的命令，每月向日本供應不超過 60 萬美元的原棉和一定數量的民用石油，從日本進口生絲等。[1]

當時，英國政府正傾注全力於歐洲戰場，"反對任何可能惹怒日本的舉動"，深恐一旦日本繼續前進，英國就毫無餘力保護它在亞洲的利益，因此，也寄希望於美日談判，期望華盛頓與東京達成諒解，使日本不再進一步在遠東擴張。關於此，當時中國駐英大使顧維鈞回憶說："實際上，它的政策就是在不損害自身利益的情況下，竭力討好日本，而不惜犧牲別國的利益，特別是中國的利益。英國人企圖使日本不要在中國以外的地域打仗。"[2]

11 月 22 日、24 日，赫爾先後兩次向中、英、澳、荷四國駐美使節通報他所草擬的"臨時過渡辦法"，徵求意見。

很長時期內，美國的孤立主義、中立主義勢力強大。這股勢力，反對美國參加或捲入國際戰爭。為了爭取美國的同情和援助，1939 年 7 月 20 日，蔣介石派老資格的外交家顏惠慶到美國，會見羅斯福，交換對"遠東大局"的意見，建議對日採取經濟報復手段。蔣介石認為，美國當時可以採用的"有效武器"，包括：絕對禁止對日輸出軍用材料與軍用品，特別是鋼鐵與石油；禁止日本重要物品輸入，增加日本物品進口稅率；不許日本船隻使用特種商港等。蔣介石在致羅斯福函中說，上述辦法，可以"削弱日本戰鬥力及其一般經濟力之失效"，"已足使日本之軍閥，感覺美國道義與輿論之力量，而不敢繼續漠視"。[3] 6 天後，美國政府宣佈美日兩國於 1911 年簽訂的《友好商務通航條約》於半年期滿後失效。1941 年 7 月 26 日，美國政府宣佈凍結日本在美國的全部資產，約合 1.31 億美元，實際中斷對日貿易。8 月 1 日，美國在事實上實施了包括石油在內的對日本的全面禁運。美國政府採取的上述措施通稱經濟封鎖政策。它們

1 《美國對外關係文件集》（*FRUS*），1941, Vol.4, pp.643-644。

2 《顧維鈞回憶錄》第 5 冊，中華書局 1987 年版，第 37 頁。

3 台北中國國民黨中央黨史委員會編：《戰時外交》（1），第 83 頁。

沉重地打擊了日本的對外侵略擴張政策，極大地限制和阻遏了日本進一步擴大對華和對東南亞侵略的陰謀。

羅斯福於 11 月 20 日左右提交赫爾的備忘錄顯示，美國政府企圖恢復已經凍結的美日經濟關係，解除經濟制裁，換取日本不向印度支那等地增兵，用以爭取時間，推遲日本對美國的進攻，同時企圖介紹日本與中國會談，調解日中關係。這自然是從原來的立場上大步後退，是對日本的重大妥協和讓步。

二、胡適兩電報警，蔣介石強烈反對美國對日妥協

美日談判期間，赫爾曾斷斷續續地向中國駐美大使胡適透露過部分情況。11 月 21 日，胡適電告蔣介石，從赫爾處得知，日方急於和美國成立一個 "經濟放鬆之過渡辦法"，其中有日本 "從安南撤軍" 一項，似屬可信。赫爾表示，談判能否繼續，取決於三大問題：1. 日本是否繼續成為希特勒的同盟助手。2. 美國近年來所主張的經濟互惠政策，其基礎是和平的貿易之路。3. 美對中國問題，曾屢次聲明其根本原則，日本是否已決心尊重此等根本原則。在電報中，胡適告訴蔣介石，日本談判特使來棲三郎已電請日本政府請示，目前尚無繼續談判的基礎。[1]

11 月 22 日，胡適再次致電蔣介石，報告當日早晨與赫爾的會談情況。赫爾先與英國、澳大利亞、荷蘭三國駐美使節會談。下午，約中國駐美大使胡適參加。赫爾稱，據各方面形勢看來，現時的戰爭尚有拖延時間的必要。目前安南局勢似乎最為吃緊。中國政府擔心日本用火力由越南進攻雲南，英國與荷蘭政府擔心日本侵略泰國和緬甸。對此，各方面雖已略有準備，但恐怕此時尚不足以應付在大西洋和太平洋這 "兩大洋全面作戰" 的局面。因此，希望與諸位商量一個假設的問題，即日本如能撤退在安南全境的軍隊，或僅留兩三千人，不再向其他新方向進攻，從而求得一個將經濟封鎖略微放鬆的 "暫時過渡辦法"。這樣做，是否可以暫時解決中國西南面的危機，並使其他各國謀得較長

---

1 《蔣中正 "總統" 檔案事略稿本》卷 47，台北 "國史館" 2010 年版，第 484—485 頁。

時間，以增強海空實力？英國大使同意“此時似尚有拖延時間之必要”，但他表示，對日經濟放鬆，必須不使日本能夠藉此機會積儲軍用物品，擴大其軍力。胡適詢問赫爾：1. 所謂不向其他新方向進攻者，是否包括中國在內。2. 所謂經濟封鎖放鬆者，以何者為度？剛才英國大使所稱，不可使日本積儲軍用物品云云，是否有具體限度。針對胡適所問，赫爾答稱：“所謂不向其他新方向進攻，僅指由越攻滇，恐不能包括中國全境。關於放鬆經濟封鎖問題，美日雙方尚未談到具體辦法。日方堅決希望，解除所凍結的日本在美資金，使其得以購買油類與糧米等物。”他表示，美方仍擬繼續維持出口管理的特許辦法，不會全面放開。在赫爾回答之後，胡適表示：此兩點皆與中國有密切關係。1. 敵不能南進或北進，則必用全力攻華，是我獨被犧牲，危險甚大，切望注意。2. 經濟封鎖是美國最有效之武器，實行至今，只有 4 個月，尚未達到其主要目的，必不可輕易放鬆。敵人由越攻滇，我國軍隊當奮力抵禦，所缺乏者是空軍。我國盼望英美助我抵抗，而不願英美因此放鬆其最有效之經濟武器。”[1]

在英使辭出後，赫爾要胡適稍待。胡適重申所言最後兩點。赫爾表示：“日方曾要求美國停止援華政策，我自始即撇開不理，在根本問題上日美談判很少接近之處。來棲三郎在三五日之內即將束裝回國，這是意中之事。”赫爾強調，剛才所談，“只是探討有無暫時過渡辦法之可能，除蔣委員長及郭泰祺外長外，乞不與他人談論此事”。電末，胡適補充說：“頃又得密訊，日方原提案，只是撤退安南南部的日軍，所謂自安南全境撤退，僅是赫爾的意見。”[2]

美日談判攸關中國戰局與中國前途。自來棲三郎赴美後，蔣介石一直高度關注美日談判的情況。他了解美國孤立主義、中立主義力量的頑強，擔心美日談判出現對中國不利的局面。11 月 17 日，國民參政會第二次大會在重慶開幕。開幕前一日，他就決定要在第二天的報告中有針對性地放話，“使美國不能與倭使來棲有妥協餘地”，“使敵國知英美在遠東軍備確已完成，而發生恐懼”。[3] 次日，蔣介石在開幕詞中宣佈：自從羅斯福與丘吉爾制定《大西洋憲章》

---

1 《蔣中正“總統”檔案事略稿本》卷 47，台北“國史館”2010 年版，第 488—491 頁。
2 《蔣中正“總統”檔案事略稿本》卷 47，台北“國史館”2010 年版，第 488—492 頁。
3 《蔣介石日記》（手稿本），1941 年 11 月 16 日。

以來，國際反侵略陣線已成事實，民主國家相互合作，共肩維護人道與正義的使命。他說："我可以斷言，英美不僅在利害上與榮譽上絕不會與日本做任何妥協，而在他們的主義上與責任上也必然要挺身起來，與中國共同消滅這一個侵略禍首，不然所謂正義人道與文明，都將完全失其意義了。"他又說："英美各國在遠東的軍事準備最近業已完成，他們民主國家無論為實行條約義務，或保全本國利益，斷不能背棄這個義務，而違反其一再宣示之神聖的主義。""這是千鈞一髮的時機，要我們使旋轉乾坤的全力，我們中華民族在這個時期，要須盡其最大的努力，以求得最後的勝利。"[1] 這篇講稿，經過蔣介石精心構思、修改，"自覺多有獨到之見"。講完當天，他樂觀地估計，他的這篇開幕詞"對敵國之神經必發生影響，使美倭談判無法繼續"。[2] 在"先亞後歐"還是"先歐後亞"的戰略安排上，蔣介石一向主張"先亞後歐"。18日，他在日記中明確寫道："警告歐美，對德、意根本解決歐戰，必須以先肅清東方之日本，以太平洋為控制大西洋之根據。"[3] 不難想像，在這樣的時刻，美國的對日妥協和讓步會對蔣介石形成怎樣思想上和感情上的巨大衝擊。

11月24日，蔣介石日記云："接閱美國所擬對倭放鬆妥協之條件，痛憤之至，何美國愚懦至此！從此可知，帝國資本主義者惟有損人利己，毫無信義可言。昔以為美國當不至此，故對美始終信仰，其非英可比，今而後知世界道德之墮廢，求己以外，再無可信之所謂與國友邦也。然而本來如此，乃余自癡，信人太過，何怪他人。"[4] 此前，蔣介石曾盛讚羅斯福所領導的"偉大國家"是"中國危難中之真友"，他的就任第三任總統是"世界和平的曙光，且為人類正義之福音"。蔣甚至希望美國能"出而領導遠東問題"，"使英、美、法、蘇對遠東問題能共同一致對日"。[5] 由於美國政府提出對日妥協方案，至此，蔣介石的感情發生了180度的變化，對美國和羅斯福總統進行了最嚴厲、最尖銳的批判。

當日，蔣介石手擬覆胡適電，陳述對美國放鬆對日經濟封鎖政策的極度不

1　國民參政會秘書處：《國民參政會第二屆第二次大會紀錄》，1942年9月。
2　《蔣中正"總統"檔案事略稿本》卷47，台北"國史館"2010年版，第468—469頁。
3　《蔣介石日記》（手稿本），1941年11月18日。
4　《蔣介石日記》（手稿本），1941年11月24日。
5　台北中國國民黨中央黨史委員會編：《戰時外交》，第86—87、110頁。

滿，認為這一政策的實施將使中國抗戰立見崩潰。電稱："此次美日談話，如果在中國侵略之日軍撤退問題沒有得到根本解決以前，而美國對日經濟封鎖政策，無論有任何一點之放鬆或改變，則中國抗戰必立見崩潰。以後美國即使對華有任何之援助，皆屬虛妄，中國亦不能再望友邦之援助，從此國際信義與人類道德，亦不可復問矣。請以此意代告赫爾國務卿，切不可對經濟封鎖有絲毫之放鬆，中亦萬不信美國政府至今對日尚有（如）此之想像也。"[1] 本電手稿中原有"請以此意告羅總統與赫爾國務卿"一語，後來蔣介石將"羅總統與"等四字刪去，只對赫爾一人說話，這雖然減弱了批判鋒芒，但"國際道義與人類道德"等語，仍然表達了蔣介石對美國政府的強烈失望、憤怒與譴責。[2]

同日，赫爾再次召集中、英、荷、澳四國外長會議，進一步說明美國擬向日方提出的"臨時過渡辦法"。羅斯福《備忘錄》擬定的對日經濟放鬆有效期是 6 個月，赫爾此次則說明，"臨時過渡辦法"的有效期僅有 3 個月。他特別說明，這一時間的確定係出於軍方需要，"據海陸軍參謀部的報告，現時實需兩三個月的準備時間"。他進一步聲稱："日本既以和平為標幟而來，美方不能不有一度之和平表示，以為對和平及對世人留一個記錄。"關於日本留駐安南的軍隊，22 日會議時赫爾原稱"僅留兩三千人"，此次則坦承："無論如何不得超過 2 萬 5 千人。"對此，胡適立即表示，2 萬 5 千人其數過多，實足威脅我國。荷蘭、英的使節都同意胡適的意見，覺得此數不妥。[3]

會後，胡適立即致電外交部長郭泰祺，報告四國外長會議情況，說明美方用意及美國軍方的態度。這時，他對說服美國政府已不抱希望，認為美國外長"此舉似亦有其苦心，恐不易阻止"。他要求中國外交部"迅速電示中央方針，以便遵行"。[4]

胡適已無信心，蔣介石卻不肯就此甘休。11 月 26 日下午，蔣介石接胡適24 日來電後，立即囑咐外交部長郭泰祺覆電，堅決反對美國政府的妥協政策。郭雖然認為，美國所提"臨時過渡辦法"在事實上對中國"無大害"，但他仍然

1　《蔣中正"總統"檔案事略稿本》卷 47，台北"國史館" 2010 年版，第 499—500 頁。
2　台北中國國民黨中央黨史委員會編：《戰時外交》（1），第 55—56、149 頁。
3　《蔣中正"總統"檔案事略稿本》卷 47，台北"國史館" 2010 年版，第 520—521 頁。
4　《蔣中正"總統"檔案事略稿本》卷 47，台北"國史館" 2010 年版，第 523 頁。

在致胡適電中表示："在精神與心理上將於我軍民各方發生甚巨大之影響"，希望胡按照蔣介石致胡適及宋子文兩電的指示，"堅持反對"。電中，郭並詢問胡適："究竟美政府真意如何？""當日談話時，赫爾是否曾明言，此臨時協定三個月後當不致再行續訂？""美方對介公電有何反應？"[1]

蔣介石對美國政府所擬"臨時過渡辦法"危害的認識遠較郭泰祺嚴重。當晚，蔣介石手擬覆胡適長電，要求胡適面告赫爾，說明日方正在宣傳，美日間已經達成協議，因而中國人心動搖。他要求美國立即宣明"與日決不妥協之態度"，藉以安定人心，挽回大局，免使中國抗戰前功盡棄，民族犧牲虛擲。電稱："美日談判延宕不決，因之日本在華三日來宣傳美日妥協已密訂協定，其內容以中日戰爭美國不再過問，則日本亦不南進，雙方解除資產凍結為要點。此種謠傳日甚一日，因之全國人心惶惑，軍事經濟之動搖，皆有立即崩潰之現象。如美政府希望中國再為太平洋全局與民主主義繼續抗戰，而不至失敗，則惟有請美政府即時宣明與日決不妥協之態度，並聲明如日在華侵略軍隊之撤退問題，未有根本解決以前，則美國對日之經濟封鎖與凍結資產之一貫政策，決不有絲毫之放鬆。如此日本必能轉變其威脅態度，即不然，日本亦決不敢與美開釁，至多不過停止交涉而已。是則中國軍民心理方可安定，大局尚有挽救之望。否則中國四年半之抗戰，死傷無窮之生命，且遭受歷史以來空前未有之犧牲，乃竟由美政府態度之曖昧遊移，而為日本毫不費力之宣傳與恫嚇，以致中國抗戰功敗垂成，世界禍亂迄無底止。" 1938 年 9 月，英德等國在慕尼克召開會議，結果，英國首相張伯倫向希特勒妥協，從而犧牲捷克、波蘭。蔣介石的電報以此為例，警告美國，必須以當年的張伯倫為戒，立即鮮明地表達對日本的不妥協態度。電稱："回憶往年，英德妥協，捷克、波蘭遭受無故犧牲之痛史，殷鑒不遠，能不惶悚！務望美政府當機立斷，不再因循，坐誤時機。"他要求胡適將此意代達羅斯福總統。[2]

---

1 《蔣中正"總統"檔案事略稿本》卷 47，台北"國史館" 2010 年版，第 523 頁。
2 《蔣中正"總統"檔案事略稿本》卷 47，台北"國史館" 2010 年版，第 524—526 頁。11 月 29 日，蔣致電胡適稱："如尚未轉達美政府，則此時可不再交。" 12 月 3 日，胡適電覆，因 26 日晚，美已重申其基本原則立場故未交去。見《蔣中正"總統"檔案事略稿本》卷 47，第 544 頁。

三、蔣介石再電宋子文，宋向美國海、陸、財 三部部長求助

為了爭取美援，並與羅斯福交換意見，蔣介石於 1940 年 6 月任命宋子文為國民政府赴美特使，授以商洽全權。宋子文不負委任，成績突出。同年 10 月，與美國達成二千五百萬美元的鎢砂借款。12 月，獲得一億美元的糧油、坦克和穩定貨幣的平准基金借款。1941 年，繼續簽訂《金屬借款合約》與《平准基金協定》。5 月 6 日，羅斯福宣佈《租借法案》適用於中國，撥給中國總值二千六百萬美元的物資。鑒於宋子文和美國已經建立的良好關係，因此，在反對美國對日妥協方針時，蔣介石自然要充分發揮宋子文的作用。

11 月 24 日，蔣介石致電胡適，要求胡將本人 22 日、24 日的電報抄送宋子文"密察"。[1] 11 月 25 日，蔣介石又親自致電宋子文，要求宋設法將上述兩電之意，轉告主張對日強硬的美國海軍部長諾克斯和陸軍部長史汀生二人，向他們"口頭說明此事嚴重之程度"，同時，蔣也要求宋子文將電報譯送美國總統行政助理居里。居里曾在 1941 年 2 月訪問重慶，和蔣介石進行過近 30 個小時的談話，主張美國給予中國和英國同樣的待遇。蔣電稱："如美對日經濟封鎖或資產凍結果有一點放鬆之意念，或有此種消息之泄露，則我國軍心必立受影響。因兩月以來，日本在華宣傳，多以本月內美日談話，必可如計完成，故我國南北各方動搖分子確有默契，只要美日一旦妥協，或美國經濟封鎖略有一點放鬆，則中日兩國人民觀感，即視為美日妥協已成，中國全被美國犧牲。如此全國人心不僅離散，而亞洲各國失望之餘，因其心理之激變，必造成世界上不可想像之慘史，從此中國抗戰崩潰固不待言，日本計劃乃可完全告成。果至此時，美國雖欲挽救亦不可能。此豈中國一國之失敗？"電報強調："此時惟有請美國政府立即宣明與日本決不妥協之態度，並聲明如日本在華侵略之軍隊撤退問題未有根本解決以前，美國對日經濟封鎖政策決不有絲毫之改變放鬆，則中國軍民心理方可安定，大局方有補救。否則美國態度曖昧，延宕不決，而日本對華之宣傳必日甚一日，則中國四年半之抗戰，死傷無數之生命，遭受歷史以來空前

---

1 《蔣中正"總統"檔案事略稿本》卷 47，台北"國史館" 2010 年版，第 500 頁。

未有之犧牲，乃由美政府態度之曖昧遊移，而與日本毫不費力之宣傳與虛聲恫嚇，以致中國抗戰功敗垂成，世界禍亂迄無底止，不知千秋歷史，將作如何記載矣。"[1]

上電發出後，蔣再電宋子文，要求他將電文抄送胡適，與胡"切商對美有效之交涉方法"，通力合作，"總使美政府能迅速明白表示其對日決不妥協之態度。關係重大，務請協力以赴之"。[2]

宋子文接到蔣介石 25 日電後，感到時機緊迫，立即按照蔣的指示，訪問美國軍部首腦。當日，宋子文會見海軍部長諾克斯。諾克斯聽了蔣的意見後，"極為動容"，首先向宋子文保證："請信我為中國忠實友人。今以友人地位奉告中國，絕對無須顧慮。不過以政府立場，有許多話恕不能奉達以慰蔣委員長耳。"

諾克斯雖言之諄諄，但宋子文需要的不是空言保證，他對諾克斯說："足下之言，我無不信之理，但委員長為中國軍事領袖，責任綦重。值此危急存亡之際，凡不以事實根據之安慰，恐無裨補。據胡大使猜赫爾之言，要求日本停止南進或北進，不提中國，是日本更將全力進攻中國。如有此種情形，中國軍民心理必將崩潰。"

諾克斯說明，赫爾"並未將全部條件告胡大使"。他透露說："美國種種條件，要求日本必須徹底改變其政策。假使日本接受，其內閣必被推倒，絕不能維持二十四小時。依我推測，日美戰爭時期已到，戰事發生，各事皆易解決矣。"

諾克斯聲言，美國提出的條件是要求日本"徹底改變"政策，這與胡適從赫爾處所得到的"妥協"消息大為不同，宋子文便用種種方法繼續探詢，諾克斯進一步透露說："此次主要條件之一，即為日本脫離軸心。日本今日方與軸心國家續訂五年之約，焉能立即取消？總之，日本切腹之時已非遠矣！"

宋子文對諾克斯透露的消息將信將疑，再問："據胡大使轉告赫爾談話，此次不得不商擬暫時辦法，因海陸軍參謀本部要求最好再有三個月之期間，以資準備。"

---

1 《蔣中正"總統"檔案事略稿本》卷 47，台北"國史館"2010 年版，第 506—508 頁。
2 《蔣中正"總統"檔案事略稿本》卷 47，台北"國史館"2010 年版，第 508—509 頁。

諾克斯承認對日作戰須有準備時間，但美方已有準備，不須以做出"犧牲"去準備，他說："任何海陸軍均無準備完全之終期，時間充裕自屬更佳。但在今日已有之準備，我輩固不必再因準備之故，而有任何犧牲。處置日本，易如反掌。"

儘管諾克斯透露了絕密消息，並對解決日本問題表示了極為樂觀的態度，但宋子文仍然疑慮難消。他說："據胡大使見告，赫爾於星期一談判之後，頗現驚慌之色。澳洲公使亦有同樣之感想。"

對於赫爾在與日本談判結束之後的"驚慌"表情，諾克斯解釋說："赫爾年高體弱，乃緊張狀態，非驚慌也。日本已到絕地，中國應感覺欣幸，無須顧慮。"

在諾克斯一再保證後，宋子文不好再說什麼了，便提出另一問題："謠傳德國攫奪全部法國海軍，對於美國計劃是否有礙？"

德日同盟，德國奪取了法國海軍，宋子文擔心會因此妨礙美國的軍事行動。對此，諾克斯仍然不以為意，回答說："即使如此，因訓練等事，德在六個月內亦不能使用。"

諾克斯最後告訴宋子文說："英國無勝德之武力，美國必須在大西洋、太平洋即行參戰。"他要求宋子文，"勿向任何人宣泄談話內容"。

美國既在大西洋對德作戰，又在太平洋對日作戰。這對中國是喜訊，也是蔣介石等人長期以來的期望，但是，宋子文深知美國軍方和美國國務院的意見並不一致，電告蔣介石稱："諾為人甚為積極，向來主戰，與國務院相反，所以是否能代表美國政府全體意見，及所言美方確未將所有條件盡告適之，尚待事實證明。"[1]

在和諾克斯談話之後，宋子文還於 11 月 25 日晚約美國財政部長摩根韜共進晚餐。摩根韜對向中國提供財政援助態度積極，他批評美國國務院"態度向來懦怯"，特別提起兩年前的中美桐油借款一事。當時，中國方面提出，以桐油換取美國貸款，但赫爾擔心日本將進行報復，使美國捲入戰爭，反對該項貸

---

[1] 《蔣中正"總統"檔案事略稿本》卷 47，台北"國史館"2010 年版，第 509—512 頁；吳景平、郭岱君編：《宋子文駐美時期電報選》（1940—1943），復旦大學出版社 2008 年版，第 133 頁。

款。後來摩根韜利用赫爾去南美參加會議的機會，才得以使貸款告成。他說："凍結日本資產，我已費兩年心力，艱難可知。美日談判，何等重要，事前亦未與我相商，殊不免令人反感。"他向宋子文表示："日美妥協，不易實現。對於日本，只有以武力制裁。"[1]

早在 11 月 6 日，史汀生就曾邀宋子文午餐，對宋表示，援華重於援蘇，"中國在蔣委員長領導之下，已抗戰四年餘，今滇緬路為生命線關係，焉可不加以支援！"[2] 12 月 2 日，宋子文會見史汀生，史稱："蔣委員長困難情形，可想而知。同情之餘，應有數言，略表慰藉。"他向宋透露："今日陸軍已準備妥當，雖一個月後更有把握，亦可毋須等待。"當宋子文表示，中國所最擔心者是 "不適當之暫時辦法" 時，史汀生只說了 "中國不必" 幾個字，就不再說話了。[3]

四、羅斯福召見宋子文與胡適，宋慷慨陳詞，羅無詞可答

英國原是美國對日綏靖政策的支持者。丘吉爾在得知羅斯福對日讓步的決定後，覺得美國的讓步將使中國的處境更為困難，危及歐洲戰局，於 25 日至 26 日夜間覆電羅斯福稱："如果中國崩潰，我們的共同困難將大大增加。"[4] 丘吉爾的態度迅速影響了羅斯福。

羅斯福是美日談判的最高決策者，宋子文在訪問美國軍方和財界首腦的同時，通過兩條渠道和羅斯福聯繫。一條是通過中國國防供應公司的法律顧問高可任（Thomas Cochran），另一條是通過協助羅斯福處理日常事務的行政助理居里。二人都和羅關係密切，屬於羅的親信和智囊。

11 月 26 日下午兩點半，羅斯福約見胡適與宋子文，談話約 1 小時。

1 吳景平、郭岱君編：《宋子文駐美時期電報選》（1940—1943），復旦大學出版社 2008 年版，第 15 頁。
2 吳景平、郭岱君編：《宋子文駐美時期電報選》（1940—1943），復旦大學出版社 2008 年版，第 128 頁。
3 吳景平、郭岱君編：《宋子文駐美時期電報選》（1940—1943），復旦大學出版社 2008 年版，第 130—140 頁。
4 〔英〕阿德諾·托因比等編：《軸心國的初期勝利》，上海譯文出版社 1983 年版，第 1097 頁。

羅斯福首先介紹美國與日本的會談情況，他說："蔣先生因滇緬路危機，多次來電商量救急之方。後日本特使來棲到美，表示不希望美國調解中日和議，因此中日整個問題無從談及。後來日方提出的臨時過渡辦法中，有不再增加南越軍隊一項。我考慮此中或可有幫補中國解決滇緬路危急的途徑。赫爾外長在討論臨時過渡辦法時，注重減少安南日軍人數，使之不能危害滇緬路。赫爾的本意首先取得中國、英國、荷蘭、澳大利亞四國同意後，再與日本開談。美方方案迄今尚未向日本提出，但昨晚我方得到報告，日本軍艦三十餘艘由山東南駛。已過台灣南下，所運軍隊約三萬至五萬人，可見日方毫無信義。似此情形，與日本的會談即無繼續可能，太平洋上'大爆發'恐已不遠。"言至此，羅斯福再次強調："此案不但未交去，談話或即有中止之可能。"他說："聞蔣先生對此事頗有誤會，甚感焦慮，請代為解釋。"

在羅斯福介紹情況之後，胡適發言說明中國政府的憂慮，他說："我政府之意旨，側重兩點：一則經濟封鎖之放鬆，可以增加敵人持久力量，更可以使我抗戰士民十分失望灰心；二則敵人既不能南進與北侵，必將集中力量攻我國，是我獨蒙其害，而所謂過渡辦法，對此全無救濟。"

羅斯福承認美國的"臨時過渡辦法"確有缺點，他說："外長所擬辦法，只限於局部的臨時救急，其中確不能顧到全部中日戰事。譬如當前有兩個強盜由兩面攻入，若能給五元錢使其一人多彎幾十里山路，以便全力以抗其他一人。我方用意不過如此。"

在羅斯福承認美國"辦法"的缺點後，宋子文進一步闡明美國"辦法"對中國的危害，他說："美國以日本不侵犯西比利亞及荷屬東印度、泰國、新加坡為恢復有限制的經濟關係之交換條件，我國軍民心理必以為無異表示日本對華可以進攻。日本軍事佈置有三點：一、攻西比利亞；二、南進；三、全力侵略中國。前兩者既不可行，中國勢必獨受其禍。"

關於羅斯福所稱"滇緬路之保護"問題，宋子文分析說，此點"固屬重要，但僅限制日本越北駐軍亦屬無濟於事，日方仍可以越南為運輸根據，調遣大軍，由桂入滇，且此者為歷史上戰爭必經之路。即便滇緬路暫時不受攻擊，其他區域仍不免於蹂躪，滇緬路仍舊感受威脅也"。

宋子文的結論是，美國對日“有限制的恢復經濟關係，殊不能使中國軍民了解。中國軍民只知解除封鎖，日本即可獲得油料，以供飛機轟炸。是以蔣委員長深為焦慮，認為日美一旦妥協，即是中國被犧牲，中國軍民抗戰之心理，勢不能維持。是以余敢謂，如因欲保護滇緬路而放鬆經濟制裁，中國寧願抵抗敵軍之攻擊。蓋放鬆經濟封鎖，影響中國軍民心理至大，抗戰前途，不堪設想也”。[1]

據宋子文向蔣介石報告，此時“羅總統無詞可答，態度似露窘狀”。[2] 最後，羅斯福只是說：“現時局勢變化多端，難以逆料。一兩星期後，太平洋上即有大戰禍，亦未可知。余至盼蔣先生對余等勿邃生誤會，則幸甚已。”[3]

胡適和宋子文會見羅斯福後，二人追思羅斯福所談，聯名致電蔣介石報告：（一）所謂“臨時過渡辦法”，尚未提交日方，此一點（胡）適在外部已得證實。（二）在未得四國同意之前，或不致開談，只此一點，當再向外部方面證實後續報。（三）若日方此時增加南面軍力，則談話即可決裂，而戰事或將不免。[4]

宋、胡聯名電發出後，宋子文又單獨密電蔣介石，說明羅斯福談話中的“可注意各點”。其中談道：

1. 總統首謂，鈞座或因所聞不實，似有誤會云云，實則鈞座 25 日電（《有電》）之動機，乃根據胡適廿二、廿四日兩電報告赫爾、美、澳、荷各使談話之事實。

2. 胡適兩電，頗有美國原則已定，事在必行之意，故不能再事商量。但總統云，向來主張美方之提議，先向關係友邦徵求同意，再向日本提出。

3. 赫爾前所持主要理由，為美陸海軍不得不要求三數月之時間，俾得充分準備，總統則隻字不提。

4. 總統云，昨日據報，日本由山東海上運輸二三萬軍隊南下，正值兩國談判之時，而有如此行動，是無誠意，談判似難繼續等語。總統是否藉此轉圜，未可妄測。

1 吳景平、郭岱君編：《宋子文駐美時期電報選》（1940—1943），第 136—137 頁。
2 吳景平、郭岱君編：《宋子文駐美時期電報選》（1940—1943），第 135 頁。
3 吳景平、郭岱君編：《宋子文駐美時期電報選》（1940—1943），第 137 頁。
4 吳景平、郭岱君編：《宋子文駐美時期電報選》（1940—1943），第 137 頁。

5. 總統以美方提案乃完全注重保護滇緬路，經文一再申述，按照提案，該路仍不能避免威脅，各地仍不能避免蹂躪，則中國毋寧因抵抗攻擊而犧牲，不願因日美妥協之故而崩潰。

6. 胡適過分相信美國國務院，以為赫爾方案，為循守美國既定政策，不可變更，故不願在原則上力爭，僅在駐越北日軍的多寡問題上計較。捨本逐末，何濟於事。此次若能挽回犧牲中國之厄運，實由鈞座義正詞嚴之一電。胡適對於美政府權要素少接洽，僅與英、澳各使約略商談，真象（相）不明，幾致貽誤事機。[1]

宋子文和胡適同時在華盛頓負責對美外交，爭取美援等工作，二人在工作中互有意見。此電中，宋子文既肯定蔣介石 11 月 24 日電義正詞嚴，對於挽回美國妥協政策的巨大作用，又批評胡適持事不堅、真相不明等缺點。電末，宋子文特別申述："當此千鈞一髮之際，適之不能勝任，殊可危慮矣。"不久，宋子文被迅速提升為外交部長，1942 年 9 月，蔣介石批准胡適辭去駐美大使一職。

五、美國顧問拉鐵摩爾支持蔣介石

在說服美國改變對日妥協政策方面，除了胡適、宋子文之外，羅斯福派到蔣介石身邊的政治顧問拉鐵摩爾也起了重要作用。

拉鐵摩爾於 1920 年來華，任職於上海英商安利洋行，不久轉入英國人在天津開辦的《京津泰晤士報》任星期週刊編輯。他曾沿絲綢之路到新疆旅行，又曾赴中國東北考察。"九一八"事變後任《太平洋事務》季刊編輯。1941 年 7 月，以羅斯福的私人代表名義再次來華。

蔣介石接到胡適的報警後，即與拉鐵摩爾討論。11 月 24 日，拉鐵摩爾致電居里，報告蔣介石在得知美國對日妥協政策之後的狀況。電稱："委員長對此有強烈之反應。其激動之狀，實前所未有。"他建議居里向羅斯福總統"急切陳言"，說明美國"鬆弛經濟之壓迫，或解除資金之封存，以期解除滇緬路之威

---

1 吳景平、郭岱君編：《宋子文駐美時期電報選》（1940—1943），第 135 頁。

脅，勢將增強日本在中國其他各線之軍事優勢，而使中國感受危險。除非日本撤退所有在華部隊，美國壓力之鬆弛，不論其為實質的，或表面的，皆將使中國趨於崩潰"。

1940 年 8 月，英國屈服於日本壓力，不顧世界輿論，悍然封閉中國的國際通道滇緬路，曾經在中國引起巨大震動，中國政界一度出現與英國絕交的呼聲。拉鐵摩爾以此為例說："即使有關於妥協之最微弱之傳聞，亦將動搖中國對美之信心，其程度且過於滇緬路之封閉。英國前已因此而長時期喪失其威望。日本與中國之戰敗論者，將立刻利用此種失望，高呼東方一體以共抗西方之陰謀。中國被棄於生死關頭，則其感傷決非以往之援助，或繼續之協助所能補償。"電報警告美國，絕不能使中國政府喪失對美國的信心，電稱："委員長對總統守信其一貫之政策，具有深刻之信念。但必須為先生告者，如果中國對美之信心，因關於日本之外交勝利以逃避其軍事之失敗而喪失，則以後之局勢，雖委員長亦不能掌握矣。"[1]

11 月 26 日，居里覆電拉鐵摩爾，保證羅斯福的"根本態度迄未改變"，對日本的提案"無關重要，不必重視。若獲成立，其條件自將公佈。如能以適當方法發表，則中美二國民眾對於此事當亦能了解"。他表示，屆時日本的經濟封鎖雖然得到部分解除，但空軍燃料並未包括在內，中國的滇緬路可以免受嚴重威脅，而且美國仍然"控有減弱日本經濟力量之方法"。居里特別表示，中美兩國皆須計劃 1942 年之新攻擊，美國將加大對中國的軍事援助，在三個月內，中國將可獲得澳洲中部之強力空軍、大炮、坦克、彈藥及兵工材料等。居里聲稱，以他個人觀察，"中國為獲得自由計，則其長期之利益，至少某一方面，軍事當較外交為重要。請向委座代陳，凡有關前線事項，裏無不在進行中"。[2]

11 月 26 日，拉鐵摩爾再次致電居里，報告蔣介石得知美方對日所提方案要點後的"驚訝"，認為美方此舉比之當年英國封鎖滇緬路還要"惡劣"。蔣希望，羅（斯福）總統能夠明了，基本問題不在條件文字，而在離開原則，犧牲

1 《蔣中正"總統"檔案事略稿本》卷 47，台北"國史館"2010 年版，第 500—502 頁。
2 《蔣中正"總統"檔案事略稿本》卷 47，台北"國史館"2010 年版，第 502—503 頁。

中國，冷漠無情。電稱："中國戰事將因遭遇可怖艱難而趨困頓，租借法案之援助仍須相當時日方能生效，而美國建議之讓步，將立使日本復行更生。美日談話之延宕不決，業已普遍引起嚴重之驚駭。因美國態度之堅定，顯可致日於敗亡。若美不即公開宣明日本一日不撤退在華軍隊及接受推翻侵略之基本解決，美國亦一日不放鬆資金之凍結與其他之限制，則中國之失敗論調勢必倡狂。資金既已凍結，油類既已禁運，如再予以放鬆，則其影響所至，為害無窮。"[1]

此前，閻錫山受美日談判影響，誤判形勢，正處於動搖妥協中。9 月 11日，閻錫山的部下與日本華北佔領軍訂立停戰協定，蔣介石正苦心積慮，防範閻錫山等將領叛變投敵。[2] 拉鐵摩爾表示："山西統治者及其他軍已有一時之動搖，日本對彼等最有力之引誘，即為美國終將妥協。如欲中國維持團結，繼續抗戰，則對暗中滋長，謂民主國家將犧牲中國以助長侵略者之謠說，必須予以反擊。經五閱月之廣泛接觸，鄙人已確信中國不能停留於孤立狀態中，而必須尋求與國。其國民之意向則願在目前和將來，與美國相聯結，但懼美棄遺之危險繼續增長，勢非重予保證不可。"[3]

拉鐵摩爾的這些電報對於促使羅斯福改變原擬妥協方案，提出對日強硬新方案，顯然再加了一把助力。

六、美國政府向日本表明強硬態度

蔣介石、拉鐵摩爾的電報，胡適、宋子文對美國高層的遊說終於發生作用。11 月 26 日晚，赫爾向日本野村大使面交"試擬的，並無拘束性"的文件，提出關於美日兩政府國及所有其他政府之間的四條基本原則：

> 1. 每一個及所有國家及領土完整及主權不可侵犯的原則。
> 2. 對別國內政不干涉的原則。

---

1 《蔣中正"總統"檔案事略稿本》卷 47，台北"國史館" 2010 年版，第 530—531 頁。
2 〔日〕衛藤審吉等：《近代日中關係史年表》，日本岩波書店 2006 年版，第 610 頁。參見《蔣中正"總統"檔案史略稿本》卷 47，台北"國史館" 2010 年版，第 557—600 頁。
3 《蔣中正"總統"檔案事略稿本》卷 47，台北"國史館" 2010 年版，第 529—532 頁。

3. 平等原則，包括商業機會與待遇的平等。

4. 在原則上信賴國際合作和協調，以避免爭端與和平解決糾紛，並用和平方法與程序改善國際形勢。[1]

以上 4 條，最早由赫爾在 1941 年 4 月 16 日和野村大使的談判時提出，10 月 2 日在《美利堅合眾國備忘錄》中重申，此次是第三次提出。[2]

文件同時提出美國與日本及與其他國家和人民間的五條"經濟關係"原則，如在國際商務關係中"不歧視"、"經濟合作"、充分保護消費國家及消費人民的利益，建立有助於繼續發展的國際金融制度等。

文件的重點是提出美國政府與日本政府所擬採取的十項步驟。在這些步驟中，美日將締結貿易協定，互相給予對方最惠國待遇，彼此解凍在各自國家的存款，但是，日本卻必須首先停止對中國和法屬印度支那等地的侵略：

1. 美國政府與日本政府將致力於締結英帝國、中國、日本、荷蘭、蘇聯、泰國及美國間的多邊不侵犯公約。

2. 兩國政府將致力於締結美、英、中、日、荷、泰等國政府之間的協定。依據該協定，各政府擔任尊重法屬印度支那的領土完整，遇有印度支那的領土完整遭受威脅時，並應立即互相協商，以便採取必要與適宜的手段，藉以應付上述威脅。

3. 日本政府從中國及印度支那撤退所有陸海空軍及警察武力。

4. 美國政府與日本政府無論在軍事上或政治上或經濟上，不支持除去暫時以重慶為首都的中華民國政府以外任何其他政府或政權。

5. 兩國政府放棄在華所有治外法權，包括有關公共租界及專管租界之各種權益，以及 1901 年辛丑和約中的權利。

按照以上五項，特別是其中第三項，日本侵略中國所取得的利益和成果都將吐出來，從中國撤兵，放棄對汪偽政權的承認，重慶國民政府成為中國當時唯一合法的政府。

據說，日本特使來棲三郎早已探得美國政府準備妥協的消息，原本以為大

---

1 《美國與中國的關係（白皮書）》，《中美關係資料彙編》第 1 輯，世界知識出版社 1957 年版，第 492—493 頁。

2 參見 *FRUS*, 1941, Vol.4, pp.153-154；*FRUS, Japan*, 1931-1941, Vol. pp.656-661。

事已定，因此在奉召進入美國國務院時，滿面笑容，及至收到書面答覆時，懊喪而返。[1]

美國時間 27 日晨，赫爾召集美籍記者會，通報美日談判情況，給宋子文的感覺是"似為談判決裂之先聲"。[2]

同日，合眾社電稱：據消息靈通方面的觀察，美日談判成立協定，解決"遠東糾紛"已經完全沒有機會。電訊將美國此項最後變故的原因歸之於中國，說明"因為中國向白宮請求的結果，使美國打消對日妥協的計劃，仍舊堅持原有的強硬政策"。[3]

在赫爾向日本使者遞交文件之前，羅斯福再次召見胡適和宋子文，要求中國完全信任自己和赫爾，他誠懇地說，自己和赫爾等"無時不注重中國之利益"。[4]

當日，蔣介石日記云："本日美國對倭提議之內容，完全照余所要求者提出，與昨日以前之妥協態度根本改變。昨晚家人與拉顧問皆憂憤之際，余曰，外交形勢無常，今日之不好消息，即可變成明日之好消息也。今果如此應驗矣，是窮理盡性之效乎？"[5]

羅斯福在很短的幾天內，大正大反，大起大落，戲劇性地迅速改變其對日政策。對於這一過程，宋子文於 11 月 28 日致蔣介石電有細緻的分析。關於赫爾，宋子文說："美國國務院為緩和派所包圍，該派亟欲與日本妥協，雖犧牲中國，亦所不惜。赫爾原擬延宕時間，但因來棲為壓制日本國內激烈派，要求赫爾須於 26 日，嗣改 29 日以前有一辦法。這無異於哀的美敦書。赫爾焦灼之餘，不得不順從緩和派的意見。"關於美國軍方，宋子文說："軍方固已有相當準備，在國務院徵詢是否需要延長準備時間時，從'準備本無終期'的角度出發，自然歡迎延長。"關於羅斯福，宋子文認為，總統雖"明知日美戰事不可避免，但政治家素喜運用手腕，又以為過渡辦法於中國無多大損害。故加贊同"。關於居里，宋子文認為，居里本人雖堅決反對，但身為羅斯福部屬，人

1　《蔣中正"總統"檔案事略稿本》卷 47，台北"國史館"2010 年版，第 542 頁。
2　《蔣中正"總統"檔案事略稿本》卷 47，台北"國史館"2010 年版，第 535 頁。
3　《蔣中正"總統"檔案事略稿本》卷 47，台北"國史館"2010 年版，第 536—537 頁。
4　《王世杰日記》第 3 冊，台北"中央研究院"近代史研究所出版社 1990 年版，第 194 頁。
5　《蔣介石日記》（手稿本），1941 年 11 月 27 日。

微言輕，羅又向來"主見甚強"，因此不敢表態。及至羅斯福得知蔣介石的態度後，感到過渡辦法確實不妥，其時，美國政府中又有重要人物向羅斯福進言，羅斯福遂於 26 日午後召見宋子文與胡適。密談後，羅斯福即召見赫爾，決定放棄臨時過渡辦法，改用原先在準備決裂時所定的基本原則。

電末，宋子文恭維蔣介石說："挽回危局，全仗鈞座剛明沉毅之決心，非惟救中國，亦救美國，而正義公道，亦賴以維持。歷史命運，往往決於片刻。追述經過之餘，益增欽服。"[1]

宋子文的這些話，蔣介石讀起來當然很舒服。當日日記云："此次美國對倭態度之強化，全在於自我態度之堅定與決心之堅毅，尤在於不稍延遷時間，得心應手，窮理致知，乃得於千鈞一髮時旋轉於頃刻也。而內子力助於內，子文輔佐於外，最為有力。否則，如胡適者則未有不失敗者也。"[2] 從本電可以看出，在蔣介石決策過程中，宋美齡也發揮了積極作用。

宋子文在接到蔣介石 25 日電後，立即分別轉達史汀生和諾克斯，這兩位軍方首腦都分別鮮明表態，赫爾對宋子文的做法深為不滿。蔣介石得悉後，致電宋子文慰問："此次幸賴兄在各方努力呼籲，乃得轉敗為勝。國務院不滿一節，何足用懷。尚望以後不斷注意，期能收得更大之功效也。"[3]

12 月 5 日晚，蔣介石與拉鐵摩爾顧問談話，次日再談。蔣稱："至此，我國根本之危機已成過去，實乃我外交史上之最大成功。"他推測日本必定不敢立即還手，將拖延時日，等待德國在歐戰中進展時，再圖對美報復。當時，拉鐵摩爾即將回美，蔣建議他切告羅斯福："當此利害成敗之關頭，必須對倭進一步用武力壓迫，方可使其早日就範，且可使其倭國內之和平派抬頭，則遠東形勢，在此四個月內，未始不可告一段落也。"

蔣介石的這段談話說明他完全低估了日本侵略者的瘋狂性和冒險性，同時，也對中國的抗日戰爭做了過於樂觀的估計。他對拉鐵摩爾透露，將在 1942

1　《蔣中正"總統"檔案事略稿本》卷 47，台北"國史館"2010 年版，第 539—543 頁。王世杰亦持相同的看法。他在 1941 年 12 月 8 日的日記中說："此次英美兩國之捲入戰爭，係因拒絕對日作任何妥協；美政府態度如此堅決，大半係因中國反對妥協（前月蔣委員長致羅斯福之電，尤有重大關係）。"見《王世杰日記》第 3 冊，台北"中央研究院"近代史研究所 1990 年版，第 204 頁。

2　《蔣介石日記》（手稿本），1941 年 11 月 28 日。

3　《蔣中正"總統"檔案事略稿本》卷 47，台北"國史館"2010 年版，第 545 頁。

年 6 月以前，完成反攻武漢、廣州的計劃，在 1943 年 6 月以前，完成反攻東北的部署。此前，宋子文曾電告蔣介石，美國有輿論認為，中國可以承認"滿洲國"，用以換取日本交還其他的中國佔領區。宋建議蔣加強在美國關於中國東北的宣傳。[1] 因此，蔣介石特別要拉鐵摩爾轉告羅斯福，"中國決不能放棄東北，否則新疆、西藏皆將不保，外蒙亦難收復"。其結果是，日、俄、英等國"四面環伺，步步緊逼"，爭奪在中國的利益，遠東與世界的戰爭將"迴圈不已"。他說："如欲求太平洋上長期之和平而無戰爭，或赤禍之患，惟有使中國能獨立自主，而不受他國侵略之一道，以中國傳統歷史與精神，皆為一和平而反侵略之民族。"[2]

七、日軍偷襲珍珠港，蔣介石力促組成世界反法西斯統一戰線

沒有資料可以證明，日本政府了解蔣介石、胡適、宋子文等這一時期和美國政府交涉的情況，但是日本政府很敏感地意識到其間的關係。12 月 1 日，日本御前會議得出結論："美國已經徹頭徹尾地成為蔣介石的代言人。""日清戰爭、日俄戰爭和中國事變以來的一切成果將付諸流水。"會議決定"對美、英、荷開戰"。[3] 12 月 2 日，裕仁天皇批准海軍軍令部總長發出的第 12 號命令，將攻擊日期定為 12 月 8 日。其間，羅斯福總統曾正式責問日本，何以在越南集中兵力，對美國提案，為何迄無回答。又曾親自致函日本天皇，勸阻日軍南進。

12 月 8 日（美國時間 12 月 7 日）凌晨 2 時，日軍在馬來半島登陸。3 點 25 分，日本海軍聯合艦隊偷襲珍珠港，擊沉美國主力艦 4 艘，重傷 4 艘，擊毀擊傷美機 230 架，同時轟炸香港、馬尼拉等地，摧毀美國在菲律賓的大部分飛機。4 時 20 分，野村和來棲向赫爾手交日本的最後通牒和向美、英宣戰的天皇詔書。日本在覆照中指責美國"順從重慶方面之願望"，"漠視日本在對華戰爭

1　吳景平、郭岱君編：《宋子文駐美時期電報選》(1940—1943)，復旦大學出版社 2008 年版，第 132 頁。
2　《蔣中正"總統"檔案事略稿本》卷 47，台北"國史館" 2010 年版，第 593—596 頁。
3　日本外務省編：《日本外交年表並主要文書》(1840—1945)下卷，日本東京原書房 1988 年版，第 564 頁。

中所受之犧牲，威脅日本帝國之生存，侮辱其尊榮與威望"，與英國及其他國家"合謀阻撓東亞新秩序之建立，並使中日兩國繼續戰爭，以保持英美之利益"。[1]至此，太平洋戰爭爆發。同日，美、英對日宣戰。

日本突襲珍珠港，蓄謀已久。其所以發生於 12 月初，則是美國政府接受中國政府意見，改變對日妥協政策所致。多年以後，美國政府在回顧 1941 年的美日談判的發展過程時曾經說："日本所要求的若干項之一，即是美國不再繼續援助正在抵抗日本侵略的重慶政權。美國拒絕停止援華和美國不願意對中國主權的原則上有所讓步，這些就是 1941 年 12 月 7 日日本偷襲珍珠港的一部分原因。日本的侵略，突然結束了雙方非正式的會談。"[2]

重慶獲知日軍偷襲珍珠港，時在 12 月 8 日凌晨。當日上午 10 時，國民黨召開中央常會特別會議緊急討論，決定對日、德、意宣戰。蔣介石隨即向蘇、英、美大使建議成立軍事同盟。12 月 9 日，蔣介石通電全國各戰區，宣佈這是一個新起點，"自茲我國乃真正參加世界共同反侵略之戰爭"，"與英、美、蘇聯等諸友邦並肩作戰，共負摧毀侵略暴力保衛整個文明之使命"。[3]同日，羅斯福致電蔣介石，告以美國已對日宣戰，號召"所有參加此奮鬥之一切國家"，向中國軍民學習，集中力量，專一意志，共同奮鬥。電稱："本國得與閣下及閣下所領導之偉大民族相為聯合，本人殊以為榮。"[4] 12 月 10 日，蔣介石覆電羅斯福，對美國所受攻擊表示悲憫，電稱："際茲悲慘之時，美國亦遭詭詐侵略者之攻擊，中國人民對於美國人民所曾給予之幫助與同情，重申謝忱。為吾輩目前共同之戰鬥，中國將貢獻其所能與其所有，願與美國相聯合，以待太平洋與全世界於暴力之災禍及無窮之詭詐下獲得解放也。"[5]同日，蔣介石接見在重慶的美軍事代表團團長馬格魯德將軍，建議由美國出面，商訂中、英、美、蘇、荷五國軍事協定，以重慶為參謀會議地點。12 月 16 日，羅斯福致電蔣介石，建議最遲在 12 月 17 日，由蔣在重慶召集聯合軍事會議，交換情報，討論在東亞戰

---

1 《對米覺書》，〔日〕加瀨俊一著：《日本外交史》，日本經濟新聞社 1965 年版，第 302—312 頁；《蔣中正"總統"檔案事略稿本》卷 47，台北"國史館" 2010 年版，第 602—604 頁。
2 《美國與中國的關係》（白皮書），《中美關係資料彙編》第 1 輯，世界知識出版社 1957 年版，第 98 頁。
3 《蔣中正"總統"檔案事略稿本》卷 47，台北"國史館" 2010 年版，第 633 頁。
4 台北中國國民黨中央黨史委員會編：《戰時外交》（3），第 44 頁。
5 台北中國國民黨中央黨史委員會編：《戰時外交》（3），第 45 頁。

區的最有效的陸海軍行動，以擊敗日本及其盟國。12 月 23 日，中、英、美三國代表所組織的重慶軍事會議成立，通過遠東聯合軍事初步計劃 6 條。次日，蔣介石電告羅斯福，提議在華盛頓組織最高聯合軍事總機構，制訂作戰計劃，並派宋子文為最高軍事會議的中國總代表。

1941 年 12 月 31 日晚 9 時，羅斯福約見宋子文，商談發表聯合宣言，在座者有英國首相丘吉爾及蘇聯駐美大使等。羅斯福稱：將由英、美、俄、中四強先行簽字，其餘各國將於明日簽字。宋子文當即代表中國簽字。[1] 1942 年 1 月 1 日，美、英、蘇、中等 26 個國家在華盛頓簽署《聯合國家宣言》，世界反法西斯統一戰線正式形成。中國的抗日戰爭由此進一步獲得世界許多國家的同情、聲援和支持，成為取得最後勝利的最大、最堅強的保證。

1937 年，淞滬戰役失敗，南京危急，國民政府決定遷都重慶。當時，蔣介石主持國防最高會議，發表演說，題為《國府遷渝與抗戰前途》，中稱："現在侵略國家的對面，一定會產生一個英、美、法、蘇的聯合陣線來，可以說國際形勢，已被我英勇抗戰所改造了，如果我們繼續努力抗戰下去，一定可以達到各國在遠東敵視日本，包圍日本的目的。一定使日本陷於絕對的孤立。這個目的是不遠的，是很容易達到的。"[2] 歷史的發展證明，蔣介石當時的估計是正確的。

1　葉惠芬編：《中華民國與聯合國史料彙編》，台北"國史館" 2001 年版，第 4 頁。
2　秦孝儀編：《"總統"蔣公思想言論總集》卷 14，台北中國國民黨中央黨史委員會 1984 年版，第 656 頁。

中國抗戰與世界反法西斯聯盟 *

* 本文錄自《找尋真實的蔣介石：蔣介石日記解讀》（4），東方出版社 2018 年版；原為 2015 年 8 月 20 日在上海長寧區圖書館的演講。

各位聽眾，下午好！

我講的時間一個多小時，爭取不超過一個半小時，然後留下半個小時的時間互動，歡迎大家質疑，一起來討論。我有五個字的保證，"假話絕不講"。保證所講的話都可靠，有歷史文獻、檔案做根據。

一、中日兩國的強弱差距

首先要講的第一個問題，是中日兩國的強弱差距。抗日戰爭是發生在中國和日本之間的戰爭，要講清楚這個問題，首先需要研究兩國的國情。日本是當時世界的工業強國之一，從 1931 年到 1937 年日本的工業增長速度年均是 9.9%，抗戰爆發的 1937 年，日本的工業總產值大概是 60 億美元。我們中國只有 13.6 億美元，也就是說，日本的年產值是當時中國的 4 倍還要多。打仗離不開鋼鐵，當時日本的鋼產量是 580 萬噸，中國的鋼產量只有 4 萬噸，所以日本的鋼產量是中國鋼產量的 145 倍。要打仗，飛機要開動、坦克要開動、汽車要開動，不能沒有石油。當時日本的石油是 169 萬噸，中國只有 1.31 萬噸，日本的石油產量是中國的 129 倍。

在 1937 年，日本的武器生產能力可以做到每年生產飛機 1580 架、大口徑火炮 744 門、坦克 330 輛、汽車 9500 餘輛，造船就是造軍艦、造輪船的能力，日本造船能力每年是 40 餘萬噸，造艦能力每年 5 萬噸。而我們不能夠生產一架飛機、一門大口徑火炮、一輛坦克、一輛汽車，所以說在這方面，當時中國的能力是零。當時中國僅僅能生產少量的小型艦艇，主要的部件和原件還必須要進口。在 1937 年的時候，中國只能夠生產步兵輕武器和小口徑的火炮。

戰前，日本的總兵力是 448 萬人，中國的總兵力大概是 200 萬人。當時的日本有作戰飛機 1600 架，中國只有 223 架。日本有艦艇 285 艘，中國僅有 60 餘艘。以步兵師為例，日本每個師共 21945 人，中國只有 10923 人。陸軍主要的武器是步槍，日本的“三八大蓋”射程是中國的“漢陽造”和“中正式”的兩倍。輕機槍日軍每個師配備 541 挺，中國的每個師只能配備 274 挺。重機槍日軍每個師是 104 挺，中國的軍隊只有 54 挺。野山炮這種重型武器，日軍每個師裝備 64 門，中國軍隊僅僅是 9 門。可見，當時的中日兩國，日本在國家的經濟力量、軍事力量方面處於絕對優勢的地位，而中國國家的經濟力量、國家的軍事力量處於絕對劣勢。

當時中日兩國的差距不僅表現在國力、軍力上，而且表現在國家的統一與分裂的歧異上。日本實行天皇制，國家統一，上下齊心，弘揚武士道精神。而中國呢？1932 年，日本人在東北成立了偽滿洲國。此外廣東、廣西、四川、雲南、貴州、西康、陝西、新疆等省的控制者都心懷異志，南京國民政府的號令範圍只有長江中下游的有限幾個省份。

以上是我從當時中日兩國國力、軍力和國家的統一幾個方面對兩個國家所做的考察，總體來說，日本是一個強勁的對手，而中國是一個落後的農業國家，是一個非常衰弱、非常落後的國家。過去中國有句話大家很熟悉，叫“棋逢對手，將遇良才”。我想中日兩國當時不是對手，不能稱得上是勢均力敵。這是我想講的第一個問題。

二、中國抗戰必須爭取和利用外力

第二個問題，我想講的是中國抗戰必須爭取和利用外力。中國雖然是大國，但是落後，因此一定要爭取和利用外部的力量。早在 1921 年，中國著名的軍事家蔣百里將軍就提出，日本的戰略是速戰速決，要儘快滅亡中國。當時日本的一個陸軍大將跟日本天皇有個對話，天皇問日本將軍說："你看打中國需要多長時間？"那個將軍回答："一到兩個月。"也就是說日本人原來估計用一到兩個月的時間，就可以把中國消滅掉。蔣百里將軍針鋒相對地提出一個戰略，叫持久消耗戰略。也就是"拖"，拖到什麼時候？拖到國際局勢發生變化，拖到西方的戰爭和東方的戰爭合流。

蔣介石在 1936 年 6 月跟英國的一個經濟學家李滋羅斯有一段對話，蔣說："對日抗戰是不可避免的，中日兩國一定會打一仗。由於中國的力量尚不足以擊敗日本的進攻，我將儘量使之拖延。"蔣介石的意思是要拖延，打持久戰。"當戰爭來臨時，我將在沿海地區做可能的最強烈的抵抗，然後逐步向中國的內陸撤退，繼續抵抗。最後，我們將在西部的某省，可能是四川，維持一個自由的中國，以待英美參加，共同抵抗侵略者。"也就是說，蔣介石繼承了蔣百里將軍的思想，要打持久戰。蔣介石講這段話的時間是在全面抗戰爆發之前的一年，蔣介石已經對於抗日戰爭的發展和它的前途做了一個正確的估計。要爭取外國的力量、要爭取外國的幫助，首先靠誰？爭取誰？過去歷史學界有一個很有影響的看法，說南京國民政府是"親英美派"，蔣介石跟英國、美國友好，說英國、美國是南京國民政府的主子，蔣介石一定會按照他主子的命令去反抗日本。但是歷史表現出來的情況，完全和這位或這幾位歷史學家所說相反，蔣介石首先並沒有要求英國、美國的援助，首先是向社會主義國家的蘇聯求援。

1932 年 12 月，也就是"九一八事變"以後的第二年。蔣介石把一位老外交家顏惠慶派到蘇聯去，跟蘇聯的外交部長商談恢復邦交。中蘇兩國本來有外交關係，但是 1929 年斷交了。蔣介石曾在日記裏寫了一段話，他說："與俄復交，跟蘇聯恢復外交關係，可以使日本人害怕。"日本人怕什麼呢？日本人最害怕的地方就是我國首先要採取的對策。蔣介石認為，日本人最害怕的是蘇聯，所以我首先要做的是跟蘇聯恢復邦交。

1937 年中蘇兩國簽訂了一個條約，叫《互不侵犯條約》。名義上是互不侵犯，實際上是一個同盟條約，是一個互相幫助的條約。有了這個條約，蘇聯人就可以向中國運送武器，可以向中國運送飛機，可以向中國派顧問、派飛行員來支援中國。所以說最早援助中國的國家是蘇聯。蔣介石和南京國民政府跟蘇聯結成同盟之後，才爭取同英國、美國結盟。1937 年 12 月南京淪陷，然後就是武漢會戰。在武漢會戰之前，廣州失陷。廣州、香港地區原來是英國的勢力範圍，日本人佔領了廣州，所以蔣介石就召見當時的英國駐華大使卡爾，跟他談了幾個小時，就講華南地區跟你們英國關係密切，是英國的勢力範圍。現在日本人佔領了廣州，你們要有所動作。也就是說，蔣介石想爭取英國支持中國抗戰。但是最後這位卡爾大使只表示同情中國。

三、中國抗戰外交路線的確立

早在 1937 年 10 月 28 日，當時上海"八一三抗戰"已經打了一段時間了。蔣介石到蘇州對軍隊幹部發表演講，題目叫《以光榮的犧牲求最後的勝利》。蔣介石講："如果單靠我們一國現有的軍事力量，與它對抗，我們建設未成，準備不足，當然不容易打敗它。""但是我們是被侵略的國家，我們是為國家生存而戰，是為維護國際正義而戰，這種神聖偉大的民族抗戰，世界各國除了日本之外都要同情我們、贊助我們，我們就可以用國際形勢來壓迫敵人。"也就是說，蔣介石把希望寄託在國際，想要動員國際力量來壓迫日本。

1938 年 11 月 16 日，南京淪陷前夕，蔣介石在南京主持國防最高會議，他的演講題目叫《國府遷渝與抗戰前途》，國民政府已經決定遷往重慶。在演講中，蔣介石講："現在侵略國家的對面，一定會產生一個英、美、法、蘇的聯合陣線。可以說國際形勢，已被我英勇抗戰所改造了，如果我們繼續努力抗戰下去，一定可以達到各國在遠東敵視日本、包圍日本的目的，一定使日本陷於絕對的孤立，這個目的是不遠的、是很容易達到的。"此時國民政府的外交方針已經定了，即跟英國、美國、法國、蘇聯組成聯合陣線，組成反對日本法西斯的同盟。

為了這個目的，國民政府，包括蔣介石做了很多努力。我下面舉了幾個例子，看看國民政府、看看蔣介石當年是怎麼努力地促成世界反法西斯聯盟的形成的。1938 年 12 月 11 日，蔣介石跟美國大使詹森談話，說："中國一定要爭取成為太平洋上獨立自由的國家，我們期待著與美國共同擔負世界和平的責任。"1939 年，當時的立法院長孫科正在蘇聯訪問，蔣介石告訴孫科，英國和俄國正在談判合作，希望蘇聯方面不要忘記遠東，並且希望能夠促成中、俄、英、法在遠東的合作。這是蔣在通過孫科對蘇聯方面做工作，要在遠東聯合蘇聯、英國、法國。蔣介石並且要孫科當面去告訴蘇聯領袖斯大林，要向斯大林講清楚，中國的抗戰與世界和平的關係，讓英國、法國都能夠透徹的了解，讓我們中國參加反侵略的團結，與各國民眾進一步地做伸張公理正義的共同努力。另一方面，蔣介石再次接見英國駐華大使卡爾，督促英國政府儘快與蘇聯締結軍事同盟，不僅英國、蘇聯在歐洲要團結，而且要讓它推廣到遠東和亞洲。當時的香港受英國的殖民統治，蔣介石告訴英國大使說，如果你們英國需要的話，我們提供 20 萬受過訓練的軍隊。這 20 萬軍隊歸英國指揮、調度，我們共同在遠東地區、在香港地區反對日本侵略。

做了蘇聯的工作、做了英國的工作，又做法國的工作。蔣介石給當時中國駐英大使顧維鈞打電話說："這次英國和法國在新加坡開軍事會議，是否可以將中國與法國在遠東的軍事合作確定下來？希望法國政府能夠讓中國參加，並且有所準備、有所決定。"此後，蔣介石又會見美國的總統顧問拉鐵摩爾。蔣介石告訴他，我國對日抗戰已經四年了，但是四年以來只有我們中國一個國家抗戰，孤立於民主陣營之外，單單的我們一國在跟日本打。請他轉告羅斯福總統，促成英、蘇兩國與中國建立同盟，參加英國、美國、澳大利亞、荷蘭的太平洋聯防會議，藉以保證中國與其他民主國家立於平等地位。可惜，中國政府以及蔣介石的這些努力，並沒有能夠馬上起作用。

四、中國政府反對英美對日妥協與世界反法西斯
聯盟的組建

我下面講的問題是中國政府反對英美妥協。有一位歷史學家批評我，說：蔣介石為什麼抗戰呢？他是英國人、美國人的"走狗"。他為什麼抗戰呢？是因為他的主子讓蔣介石抗戰，所以蔣介石聽他主子的話，參加抗戰。這種說法

是錯誤的，沒有根據的。事實是，中國政府對英美的妥協行為做了鬥爭，英美才分別投入抗日鬥爭。請看事實。

英國這個國家老奸巨猾，他對日本長期採取的是妥協、綏靖政策，什麼叫綏靖政策呢？就是安撫他，讓他別鬧，讓他愛幹什麼就幹什麼。中國當時的駐英大使顧維鈞曾經回憶，他說：“英國的政策就是在不損害自身利益的情況下，竭力討好日本，而不惜犧牲別國的利益，特別是中國的利益。英國人企圖使日本不要在中國以外的地域打仗。”

1939 年，英國駐日本的大使叫克萊琪，跟日本外相有田八郎在東京有一個談判，談判的內容就是說，日本人你別打英國，你別侵犯我英國在遠東的利益。你不要去碰香港、不要去碰新加坡，那麼英國支持你。在英國、日本互相談判的時候，蔣介石發表了一個演說，他說：“任何對於日本之讓步，將必妨害中國，將必違背九國公約之規定。”就是說，英國這麼做，就等於幫助日本侵略，就等於幫助日本撕毀九國公約，英國怎麼可以背信棄義，甘與侵略國相附而放棄對華久遠之誼？從這段演說可見，中國政府明確反對英國跟日本妥協。

中國政府做的最重要的一件事情，是反對美國跟日本妥協，當時的情況是，英國、法國在歐洲已經跟德國打起來了，美國很有可能在太平洋跟日本再打起來。美國人可能陷入一個叫“兩洋作戰”的局面，什麼叫“兩洋作戰”？即在大西洋跟德國打，在太平洋跟日本打。這個“兩洋作戰”對美國是不利的，所以美國人想盡可能避免既和德國打，又和日本打的這種局面，美國總統羅斯福就寫了一個備忘錄，恢復和日本的經濟、貿易關係。

抗戰爆發以後，蔣介石曾經給羅斯福打過一個電報，說美國如果要幫助中國的話，一定要對日本採取經濟方面的制裁。當時日本需要戰略物資，需要鋼鐵、石油、銅、鉛，需要大量的戰略物資。日本是一個小國，沒有鋼、沒有鐵、沒有石油，什麼都沒有。那麼日本人為什麼能夠進攻中國？它的這些戰略物資從哪兒來呢？從美國買。90% 以上的鋼、石油、銅、鉛都是美國人賣給日本人的，所以蔣介石跟美國總統提出，你要幫助我中國抗戰，但卻把鋼鐵、石油賣給日本人，這個怎麼行呢？蔣介石希望美國人對日本採取經濟封鎖、經濟制裁，不要把東西賣給日本人。羅斯福當時聽了蔣介石的意見，宣佈廢止美國和日本方面的貿易協定，不賣了。另外，還凍結日本在美國的財產，因為當時日本在美國大概有 1 億多美元的儲備。美國不賣鋼鐵了、不賣石油了、財產凍結了，日本就沒有辦法打仗。這以後，日本和美國之間就開始談判，談判的主題就是，生意要繼續做，鋼鐵、石油也要繼續賣，日本在美國的存款要解凍。結果，美國準備恢復對日本的經濟關係，向日本供應一定數量的石油和大米，以後再增加。原來，不賣石油，飛機沒法上天、坦克無法開動、汽車無法開動，現在美國表示石油繼續賣，美國政府準備向日本妥協。

國務卿赫爾在羅斯福備忘錄的基礎上又定了一個辦法，叫"臨時過渡辦法"。美國同意修改凍結在美日本資產的命令，而且表示繼續把石油賣給日本人，另外還從日本進口生絲。這就在羅斯福妥協的基礎上進一步妥協了，這個妥協的結果，就使得日本可以進一步向中國、向東南亞發動侵略戰爭。

我請大家看蔣介石的一段日記，日記裏是這樣的，看到了美國人所考慮到的對日本放鬆妥協的條件，痛憤之至。為何美國愚懦至此？他說：美國人怎麼這麼笨、怎麼這麼懦弱。蔣介石下了一個結論，說："從此可知，帝國資本主義者惟有損人利己，毫無信義可言。"這個"帝國資本主義者"，罵的是美國。蔣介石表示：我過去以為美國人不會這樣的，對美國人始終信仰，認為美國人和英國人不一樣。從今以後，我就知道世界道德之墮落，看來我們中國除求己以外，沒有可以相信的朋友。世界道德本來就是這麼糟糕、本來如此，我太傻，過於相信別人了。蔣介石在日記裏既自我檢討，又嚴厲地批評美國。

我講到這裏，是不是會有讀者認為，蔣介石也就是在日記裏罵罵美國就是了，他敢公開地罵美國嗎？當天蔣介石打了一封給胡適的電報。胡適當時是中國政府駐美國的代表。蔣介石在電文中說："從此國際信義與人類道德，亦不可復問矣。"他要求胡適把這個意思告訴美國的國務卿赫爾，切不可對經濟封鎖有絲毫的放鬆，說我蔣中正也不相信，美國政府到今天，對日本人還有那麼多的幻想。晚上，蔣介石又打了第二封電報，說現在由於美國向日本妥協，所以我們中國人心動搖，要求美國政府立即表明跟日本決不妥協的態度，"藉以安定人心，挽回大局，免使中國抗戰前功盡棄，民族犧牲虛擲"。蔣介石一天之內給胡適發了兩封電報，要求胡適向美國方面提出交涉。

除了胡適，當時中國政府還有個代表，即宋子文。蔣介石給宋子文打電報說：如果美國還是這麼對日本妥協的話，那麼中國四年半的抗戰，死傷無數的生命，遭受有史以來空前未有的犧牲，都是因為美國政府的曖昧遊移。這樣做下去的話，中國的抗戰就功敗垂成，世界上的災難就不會完結。蔣介石在電報裏，給了美國一個非常嚴重的警告，說你跟日本妥協，以後的歷史會怎樣記載你們美國？！

胡適把蔣介石的意見告訴了羅斯福，宋子文也把蔣介石的意見告訴了羅斯福。羅斯福就找胡適和宋子文談話，說美國這個"臨時過渡辦法"確有缺點。羅斯福承認錯了。蔣介石除了通過胡適、宋子文對美國提出抗議，還給丘吉爾打了電報。丘吉爾在凌晨打電話給羅斯福，說你不要這麼做，你不能跟日本妥協，說，我們為中國擔憂，如果中國的戰場垮了，那麼我們歐洲戰場危險就會大大的增加。蔣介石抗議，丘吉爾反對，所以羅斯福跟外交部長研究之後，最後決定"拋棄這椿蠢事"，不再跟日本妥協。

美國不妥協了，向日本提出了很強硬的條件。日本火了，12月1日，日本御前會議得出結論，"美國已經徹頭徹尾地成為蔣介石的代言人"。如果按照美國人的新的強硬條件的話，那麼日清戰爭、甲午戰爭、日俄戰爭、盧溝橋事變，所有的成果都將付諸流水。御前會議決定，對美國、英國、荷蘭開戰，裕仁天皇批准海軍軍令部總長發出命令，將攻擊日期定為12月8日。

日本人在給美國的回答裏面指責美國順從重慶方面的意願。12月8日4時20分，兩個日本代表向美國政府遞交了最後通牒和向美、英宣戰的天皇詔書，突襲珍珠港，太平洋戰爭爆發。日本人發動太平洋戰爭蓄謀已久，它之所以發生在12月初，是由於美國政府接受了中國政府的意見，改變了對日妥協政策所致，因此在12月8日，美國、英國也對日本宣戰。

同樣在12月8日，蔣介石代表中國政府表示，將竭其全力與美、英、蘇聯及其他諸友邦共同作戰，以促成日本及其同盟軸心國家的完全失敗。蔣介石並且提出，應該成立軍事同盟，這個同盟應以美國為領袖。1941年12月10日，蔣介石在重慶接見美國軍事代表團團長，提議建立中、英、美、蘇、荷蘭五國的軍事合作，訂立互助協定。12月10日，蔣介石致電駐美代表宋子文，建議制訂中、美、英、荷四國聯合作戰計劃。1941 年 12 月 16 日，羅斯福致電蔣介石，建議蔣在重慶召開聯合軍事會議，產生一個永久機構來指揮。1941 年 12 月 31 日晚上，羅斯福約見中國代表宋子文，商談發表聯合宣言。羅斯福提出，將由英、美、俄、中四強先行簽字，其餘各國將於第二天簽字，宋子文當即代表中國簽字。1942 年 1 月 1 日，美、英、蘇、中等 26 個國家在華盛頓簽署《聯合國家宣言》，世界反法西斯統一戰線就此正式形成。中國的抗日戰爭，由此進一步獲得世界更多國家的同情、聲援和支持，成為取得最後勝利最堅強的保證。

我前面所講的是，中國政府在反對英國妥協裏邊起了重要作用，中國政府在改變美國政府的立場上起了重要作用。由於美國政府從向日本妥協轉變為對日強硬，因此日本發動了"珍珠港事變"、發動了"太平洋戰爭"，促成了世界反法西斯聯盟。在這個過程中，中國政府、蔣介石都起了很重要的作用。

五、美蘇兩國是反法西斯力量的主力軍

前些年有一個日本的 NHK 的記者到北京訪問，談到日本的戰敗問題。我講了一句話，"你們日本被我們中國打敗了"。這個日本記者馬上表示說，"楊先生你這樣講不對，我們日本不是被你們中國打敗的，我們日本是被美國打敗的"。為什麼好多日本人到現在還不承認是被中國打敗的？我想，這主要是因為他們只看到了美國的作用。

當年，美國打日本主要是在太平洋上，叫"太平洋戰爭"。美國人採取的戰術叫"跳島戰術"。太平洋上好多島，怎麼打呢？打下一個島，再跳打另外一個島。例如中途島戰役，日本喪失了航空母艦 4 艘、巡洋艦 1 艘、飛機 275 架、陣亡 3500 人。另外一個戰鬥叫萊特灣之戰，日軍 4 艘航空母艦、3 艘戰列艦、6 艘巡洋艦和 12 艘驅逐艦被擊沉，飛機損失數百架，並有 1 萬多名飛行員和水兵陣亡。沖繩島戰役，日軍死亡至少有 10.7 萬人。還有硫磺島，在 1945 年 2 月 19 日晨，在 900 餘艘戰艦、2000 餘架飛機的支援下，美軍以 22 萬之眾的兵力，對只有 2.2 萬人的日軍守衛的硫磺島發起進攻。美軍全殲島上 2.2 萬日軍，但是美軍也付出了 2.8 萬人傷亡的沉重代價。戰役使得美國陸戰 3 師的戰

鬥部隊傷亡 60%，而陸戰 4 師、5 師戰鬥部隊的傷亡更是高達 75%，美軍陸戰部隊幾乎失去了戰鬥力。

我講這些例子是說明，美軍在太平洋的戰鬥裏邊，每打一個島嶼都要付出沉重的代價、付出巨大的犧牲。所以羅斯福受不了了，羅斯福覺得美軍這麼打的話，犧牲沉重，所以他要找尋一個"捷徑"，讓美國人、美軍死得少一點，後來這個"捷徑"終於找出來了，就是原子彈。

1945 年 8 月 6 日，美國向日本廣島投下了第一顆原子彈，9 號向長崎投下了第二顆原子彈。在此期間，蘇軍出兵東北。1945 年 8 月 8 日，莫洛托夫接見日本駐蘇大使，遞交宣戰書，蘇軍 150 萬人進軍東北，經過一週激戰，蘇軍傷亡 2 萬餘人，殲滅日本關東軍 8 萬人。15 日，日本天皇宣佈投降詔書，8 月 18 日下午，關東軍司令部下令投降，60 餘萬關東軍成為俘虜。

世界反法西斯戰爭為什麼勝利了？過去有一個說法，叫"蘇武、屈原之爭"。蘇武是指靠蘇聯的武裝，蘇聯紅軍打東北，這叫蘇武。屈原是指日本屈服在原子彈前面。蘇聯的武裝和美國的原子彈，誰的作用大？這叫"蘇武、屈原之爭"。這場爭論從"二戰"勝利之後一直到現在還有。

但所謂"蘇武、屈原之爭"完全沒有考慮到中國和其他反法西斯國家的作用，這是大缺點，在分析世界反法西斯戰爭勝利的原因時是不完整、不全面的。

六、中國參加世界反法西斯聯盟之後

我下面講的一個問題是：中國參加反法西斯聯盟之後，中國做了什麼，中國的作用是什麼？

第一是蔣介石訪問印度，爭取印度參加反法西斯聯盟。印度是僅次於中國的人口大國，但是印度這個國家地位很尷尬。印度是英國的殖民地，所以印度人為了獨立，要反對英國，但是英國又是中國的同盟國，是中國的戰友。如果印度站到日本方面、站到德國方面，不堪設想。在這個情況下，蔣介石、宋美齡去訪問印度。這是他們夫婦在抗戰期間第一次離開中國，去調解英國和印度的矛盾。蔣介石夫婦對英國的殖民政府講，你們對印度要寬大一點、寬容一點，要允許印度自治。另外蔣介石、宋美齡又跟印度的兩個政黨領袖（尼赫魯、甘地）講，你們要參加反法西斯陣營，跟我們中國合作打日本，至於印度獨立，將來再說。蔣介石、宋美齡要去印度訪問，誰不高興，誰反對呢？英國反對，英國的丘吉爾反對。他想印度是英國的殖民地，中國的領導人跑到印度去幹什麼？

丘吉爾反對蔣氏夫婦訪問，特別反對蔣介石到瓦達去會見甘地，寫信給蔣，要蔣好好思索可能帶來的嚴重後果。英國的印度總督會見宋美齡，要求蔣不要首先會見在新德里的尼赫魯，被宋拒絕了。蔣要求英方安排與甘地見面，英方提出在第三地見面。1942 年 2 月 18 日，蔣夫婦在加爾各答會見了甘地，提出中印共同奮鬥，尋求兩國合作的共同基礎，甘地沒有回答。蔣回到中國以後，提醒英方，對印度的國大黨要寬容。1942 年夏，英國與國大黨談判決裂，逮捕了甘地與尼赫魯，丘吉爾提出彼此不干涉內政，反對蔣介石釋放國大黨尼赫魯、甘地的要求。

丘吉爾頑固不化，蔣曾經想爭取羅斯福的幫助，但是英美同盟使羅斯福不願意插手，就勸蔣避免任何交涉。後來宋美齡到美國去演說，強調印度獨立對於同盟國的重要性，要求無條件釋放甘地、尼赫魯。丘吉爾給英國的外交大臣艾登寫信，認為宋美齡是"麻煩製造者"，是"被寵壞了的小孩"，準備向中國提出抗議。所以從這件事情可以看出來，當時中國政府一心一意地要調解英國和印度的矛盾，目的是防止印度被拉進法西斯陣營，要求他們站到反法西斯陣營。儘管這一件事情由於英國的反對，沒有能夠完成，但是中國政府的努力是值得肯定的。

第二個重點要講的是，派遣遠征軍出戰緬甸。緬甸是中國的南方鄰國，緬甸對中國有特殊的重要性。中國抗戰需要接受外國的軍火、需要接受外國的援助，靠什麼？首先靠香港，香港被日本佔領了，所以這條路斷了。然後就是靠滇越鐵路，雲南到越南的鐵路，由於越南被日本佔領了，這條路也斷了。最後只剩下滇緬公路，從雲南到緬甸的公路。西方國家對中國抗戰的援助都是先運到緬甸的仰光，然後通過緬甸的公路運到中國的西南方。日軍為了截斷中國抗戰的國際通道，所以一定要佔領緬甸，一定要斬斷這條公路。所以說中國一定要援助緬甸，但是緬甸又是英國的殖民地，丘吉爾不願意中國的軍隊進入緬甸。一直到仰光被日軍佔領了，丘吉爾才勉強同意中國政府軍隊進入緬甸。中國軍隊進入緬甸以後，打的第一仗是同古保衛戰。同古是緬甸南部的戰略要地。中國軍隊作戰的第 200 師，杜聿明是首任師長。杜聿明升為軍長以後，由戴安瀾繼續當師長。當年中國遠征軍有一首戰歌，"槍在我們肩上，血在我們胸膛。到緬甸去吧，走上國際的戰場"。戴安瀾師長的軍隊到達同古的目的，本來是支援英軍，守住仰光這個海口城市，但是在中國軍隊到達之前的一天，英國已經下令撤離仰光，所以英國人實際上是在騙中國軍隊，讓中國軍隊掩護他們撤退。中國的軍隊在同古奮戰了 12 天，傷亡約 2500 人，消滅了日軍 5000 多人，在一個夜裏撤退了。對中國軍隊的表現，英國的《泰晤士報》說："被圍守軍以寡敵眾，與其英勇作戰的經過，實使中國軍隊之光榮簿中增一新頁。"日軍一個軍官叫橫田，他說南進以來，從未遭遇過像這樣的勁敵。勁敵是誰呢？就是中國的軍隊。

第二個戰鬥是仁安羌之戰。孫立人將軍以少數部隊把日軍打敗了，將 7000 個英國兵救出來，所以 4 月 20 日這一天，就被定為克服仁安羌解救的日子，孫立人被英國國王授予帝國司令勳章，這是中國遠征軍第二次打得很漂亮的一個戰鬥。

第三個戰鬥是攻克密支那。密支那是緬北的重鎮。中國軍隊為了打通當時正在建設的中國和印度之間的通道——中印公路，另外是為了減低駝峰航線的危險。駝峰航線是一條空中航線，是一條飛越喜馬拉雅山的航線。為了減低駝峰航線的危險，就是要把密支那拿下來，讓駝峰航線的安全度提高。另外要使得日軍在緬甸北部的軍隊，讓他沒有後路。這一次戰鬥是由中國的鄭洞國將軍指揮的。英國人不想打這場戰鬥，英國人只想保住印度，另外只想控制香港，控制東南亞，所以反對在密支那進攻日軍。由於美國方面的支持，最後密支那這場戰鬥還是發生了，打了 100 天，把密支那拿下來了。密支那拿下來之後，中國駐印軍完全掌握了緬北的主動權，滇緬戰場形勢完全改變，美國將軍的評價是：中國士兵完全能同世界上的任何軍隊媲美，吃苦耐勞、長時間任勞任怨。在密支那戰鬥裏邊，美國先後換過三位美國的戰地指揮官，不斷地擴大中國將領的指揮權，最後由中國將領指揮全部的作戰行動。

1943 年 10 月，中國駐印軍——遠征軍的一部分，從印度出發進攻緬北日軍。兵力 12 萬人，一年半中，收復緬甸大小城鎮 50 多座，挺進 2400 公里，解放了緬甸國土 13 萬平方公里。與此同時，在雲南的怒江以東的中國遠征軍 16 萬人，1944 年 5 月反攻，經過 8 個多月的苦戰，收復滇西全部失地 38000 平方公里，斃傷日軍 21000 人。英軍和中國遠征軍兩軍合計，打死日軍 48850 人，中國遠征軍傷亡 79154 人，有 2900 人長眠在緬甸的土地上。這是中國加入世界反法西斯聯盟做的第二項工作。

打擊、牽制、困擾日本，是中國軍隊做的第三項工作。從 1937 年冬到 1940 年冬，日本在中國的陸軍佔其陸軍總數的 78%，最高時達 94%。"二戰"戰區是 2200 萬平方公里，中國戰區是 600 萬平方公里，德、日、意的法西斯軍隊是 1100 萬人，中國抗擊了其中的 240 萬人。由於中國戰場的存在，由於中國軍隊的抗戰，第一，阻礙了日軍的北進計劃，使得蘇聯得以加強歐洲戰場，避免兩線作戰，專心致志地對付希特勒的部隊。從 1941 年春到 1944 年秋，蘇聯先後從遠東地區調集了 54 萬人、5000 門大炮、33000 多輛坦克到歐洲。這對於保衛蘇聯的歐洲國土以及最後反攻，擊潰德軍起了重要的作用。

斯大林曾經講過這樣一段話，他說："只有當日本侵略者的手腳被（中國）綑住的時候，我們才能在德國侵略者一旦進攻我國的時候，避免兩線作戰。"英國首相丘吉爾也說："如果日本進取印度洋，必然會導致我方在中東的全部陣地崩潰。而能夠防止上述局勢出現的，只有中國。"羅斯福對他的兒子小羅斯福講，"假如沒有中國、假如中國被打垮了，你們想一想有多少師團的日本兵可以調到其他戰場作戰？他們可以馬上打下澳洲、打下印度，並且一直衝向中東。日本可以和德國配合起來，舉行一次大規模的反攻，在近東會師，把俄國完全隔離開，吞併埃及，斬斷通向地中海的一切交通線。"

中國政府對於世界反法西斯聯盟是忠誠的，在中日漫長的戰爭過程中，據統計，日本人曾經跟國民政府談判過 12 次，想把中國政府拉到日本方面來，讓蔣介石和汪精衛合流，但是都被重慶政府、被蔣介石拒絕了。有一個很典型的例子。有一年，日本人找到蔣介石在香港的代表，說只要重慶政府坐到談判桌上來，跟日本談判，日本保證兩條，第一拋棄汪精衛，第二可以把汪精衛殺掉。孔祥熙覺得這個條件很好，只要坐到談判桌前來談判，日本人就拋棄汪精衛，而且可以把汪精衛殺掉，這不是很好嗎？所以孔祥熙就給蔣介石寫信，說條件不錯，馬上派人到香港談判。但是蔣介石在孔祥熙的報告上批了一行字，說如果有人繼續借汪精衛來勸我跟日本人談判，殺無赦。蔣介石用非常堅決的態度拒絕了跟日本人談判。

1942 年，德國的戈林，希特勒的第二把手，派一個代表到瑞士跟蔣介石的代表桂永清談判，建議訂立《中德軍事密約》，共同進攻印度，讓西方的德國軍隊和東方的日本軍隊聯合起來。蔣介石指示嚴詞拒絕，不可以跟希特勒合作。

中國政府參加反法西斯聯盟以後一個最大的活動就是開羅會議。1943 年中期，盟國開始考慮舉行一次最高級的會議，討論對於軸心國的作戰和戰後安排。蘇聯因為當時還沒有對日作戰，所以斯大林沒有參加。第一次在開羅，是羅斯福、丘吉爾、蔣介石，叫開羅會議。第二次是在伊朗的德黑蘭，羅斯福、丘吉爾和斯大林參加。開羅會議討論遠東，德黑蘭會議討論歐洲。開羅會議決定恢復中國主權，要把日本佔領的東北、台灣、澎湖、遼東半島歸還中國，決定對日本的懲罰辦法。關於要不要保留天皇制，決定由日本人民自己來決定。會議還討論了戰後對日本的軍事管制，羅斯福提出來以中國為主，蔣介石提出要以美國為主。關於戰爭賠償問題，蔣介石提出來要實物賠償。會議還討論了周邊國家的獨立問題，關於朝鮮，中國方面主張讓朝鮮自由獨立，但是英國提出來不講獨立，只寫明脫離日本的統治即可。由於中國政府堅決主張，所以後來《開羅宣言》明確表示，朝鮮要獨立。12 月 1 日《開羅宣言》發表："三國之宗旨，在剝奪日本自 1914 年第一次世界大戰開始後，在太平洋上所奪得的或佔領的一切島嶼，及使日本在中國所竊取之領土如東北四省、台灣、澎湖列島等歸還中華民國。其他日本以武力或貪欲所取之土地，亦務將日本驅逐出境，我三大盟國稔知朝鮮人民所受之奴隸待遇，決定在相當時期使朝鮮自由與獨立。"開羅會議的意義在於：第一，中國首腦跟美國、英國的首腦平等會晤，共商世界大事，這是中國歷史上從來沒有的事情。第二，開羅會議宣言反映了中國人民恢復國家主權和領土完整的願望。

七、兩個聯盟與中國抗日戰爭勝利的原因

最後談一個問題，中國抗戰勝利的原因。中國抗戰為什麼勝利了？我認為是由於兩個同盟的存在。國內是以國共為基礎的各民族、各階級、各黨派、各階層、各團體的統一戰線。有了這個統一戰線，才有了正面與敵後兩個戰場。國際是以美、蘇、英、中為主體的世界反法西斯同盟。如果沒有第二個同盟，中國單獨對日作戰的話，最終我相信中國也會勝利，但是時間會更漫長，不止8年，可能會更長，困難也會更大。大家一直在熱議中國抗戰勝利的原因，熱議中國戰場的作用。這裏，我想介紹毛澤東在 1956 年和南斯拉夫共產主義聯盟代表團講的一句話，毛澤東說：“第二次世界大戰中我們是一個支隊，不是主力軍。”[1] 我想毛澤東的這一句話是值得我們深思的，中國的抗戰是世界反法西斯戰爭的重要組成部分，中國戰場是世界反法西斯戰場的東方主戰場，這個戰場在打擊日軍、牽制日軍、困住日軍方面起了很重要的作用。我剛才引用了斯大林、引用了丘吉爾、引用了羅斯福的話，他們都承認中國戰場在打擊日軍、牽制日軍、困住日軍方面的作用，讓日軍的雙腳陷在中國戰爭的泥塘裏邊拔不出來，這是重要作用，但是，我們不能忘記世界反法西斯戰線的其他國家，特別是美國和蘇聯的作用。毛澤東講：“我們是一個支隊，不是主力軍。”這當然反映了毛澤東的謙虛，但是我認為，也反映了世界反法西斯戰爭的實際。我們既不能否定中國戰場的作用，但是也不應該誇大它的作用。

我今天想講的就是這麼多，謝謝大家來聽我的報告，下面各位聽眾有什麼問題提出來我們一起來討論。

問：我有一個困惑，關於日本大軍進軍中國、侵略中國，目的是要進行殖民統治，攫取我們的資源，這是本質。但是它的官方的理由到底是什麼？我看了很多書，一直沒有得到解答。他不可能公開說，我要攫取你的國土，我要拿你的資源，他總有一個說法，天皇說法，或者是政府的說法。

楊天石：日本人侵略中國，壞事做絕，但是言辭很美好、很動聽、很有誘

---

1 《吸取歷史教訓，反對大國沙文主義》，《毛澤東外交文選》，中央文獻出版社、世界知識出版社 1994 年版，第 257 頁。

惑力。"大東亞共榮圈"、中日兩國"善鄰友好"等等。當然，這都是騙人的鬼話。

問：過去我們說是 8 年抗戰，從 1937 年"盧溝橋事變"開始，現在抗戰 70 週年，新的提法是 14 年抗戰。我想問一下楊老師：你對於 8 年抗戰和 14 年抗戰的說法怎麼看？

楊天石：到底是 8 年抗戰還是 14 年抗戰，這個爭論早就有了。多年以前，就有很多學者主張中國抗戰是 14 年。現在大多數學者的看法，包括我的看法是，中國的抗戰分兩個階段。第一個階段叫局部抗戰階段，從"九一八事變"開始，包括後來的長城抗戰、"一二八"淞滬抗戰、綏遠抗戰等等在內，就是從"九一八"到盧溝橋事變，這叫局部抗戰階段。從"七七"盧溝橋事變開始到 1945 年日本投降，是全面抗戰的階段。兩個階段加起來 14 年。我想這個看法大家都可以同意。

問：日本為什麼要發動"太平洋戰爭"，它的動機是什麼？把美國拖入戰爭，對日本有什麼好處？

楊天石：日本人為什麼打了中國不夠，還要去打東南亞，目的是搶奪戰爭資源。我剛才講了，日本是個資源小國，它的領土上什麼也沒有，沒有鋼鐵、沒有石油，它強佔了東南亞，就是為了搶東南亞的豐富戰略資源，特別是石油。

問：所謂"大東亞共榮圈"這個說法的背後，我聽到還有一個老同志說過，就是說，亞洲是亞洲人的亞洲，中國現在被很多的西方國家欺負，如設立租界、掠奪資源什麼的。他們在"大東亞共榮圈"的背後是怎麼做的？

楊天石：這是日本人的謊言。日本人想用種族的觀念來掩蓋它的侵略實質，它是把人類分成兩種人。一種是黃種人，一種是白種人。它實際上是侵略我們、欺負我們，但是打出來的旗號卻是黃種人要求解放，要把西方人趕走。這是它的煙幕彈。

跟德國還是跟英、美站在一起？*

—— 抗戰時期中國外交的一次重要選擇

* 本文錄自《找尋真實的蔣介石：蔣介石日記解讀》（2），華文出版社 2010 年版。

一、英國對日妥協，孫科、白崇禧等主張
"聯德、絕英、疏美"

1940 年 7 月 1 日，國民黨在重慶召開五屆七中全會。2 日，討論外交問題，首由外交部長王寵惠報告國際形勢，談到日本逼迫法國政府關閉滇越鐵路，斷絕中國對外通道，成功後又逼迫英國斷絕中國通過香港和緬甸的對外交通，英國正在考慮中，等等。孫科聽後起立"放炮"說："以英國目前之態度，香港且將放棄，勢將屈服，亦無疑義。唯吾人應明白表示，如緬甸方面亦允敵請，吾人只有取西北路線，積極聯絡蘇、德。德在歐洲已穩操勝券，吾人更應派特使前往。除外交外，並應發生黨的關係。英國在歐已無能力，必將失敗也。"[1]

抗戰初期，中國政府將香港作為與歐美各國進行貿易，特別是軍火貿易的中心，大量戰略物資通過香港運入內地。據統計，1938 年 6 月前，通過香港運進中國的軍需物資，每月約 6 萬噸，主要有炸彈、飛機、機槍、雷管、導火線、炸藥、火藥、子彈、高射炮、防毒面具等。日本力謀截斷這一通道，英國政府則不憚犧牲中國利益，曲意迎合日本要求。自 1939 年 1 月起，港英當局禁止經香港陸路邊界對華出口武器和彈藥。1940 年 6 月 24 日，日方向英國政府

1　《王子壯日記》第 6 冊，第 184 頁；《王世杰日記》第 2 冊，第 301 頁。

提出，關閉滇緬公路和香港邊界，不僅要停止運輸武器和彈藥，其他燃油（特別是汽油）、卡車、鐵路物資等，也均在禁運之列。6 月 28 日，日軍宣佈封鎖香港。孫科在五屆七中全會的發言，正反映了對英國和港英當局有關政策的強烈不滿。

王寵惠的報告還談到德國進攻法國，法國政府投降一事對遠東的影響。1939 年 9 月 1 日，德軍突然進攻波蘭。3 日，英、法對德宣戰。次年 4 月至 5 月，德軍陸續攻佔丹麥、挪威、荷蘭、比利時、盧森堡等國。6 月，法國和英國的軍隊前往比利時抗擊德軍。德軍繞過英法軍隊主力，侵入法國，英法軍隊急忙南撤，遭德軍包圍。英軍 33.6 萬人幾乎丟棄了全部武器裝備，於 5 月底、6 月初撤回英國，英國隨即遭到德軍飛機的猛烈轟炸。孫科所稱，“英國在歐已無能力”、“德在歐洲已穩操勝券”，指此。在此情況下，孫科建議中國政府派“特使”前往德國，加強和德國政府及希特勒掌權的民族社會主義工人党（納粹党）的聯繫。

蔣介石建立南京國民政府以後，認為德國的“物質”和“人才”均可借用，因此實行“聯德”方針。“九一八”事變後，蔣籌劃“對日秘密國防”，一面讓德國顧問參與整理兵工廠計劃；一面派人赴德，接洽經濟合作，以貨易貨，從德國取得軍火供應。之後，德、日、意先後結盟，蔣介石逐漸改變對德態度。1938 年 2 月，德國承認偽滿洲國，國民黨內部要求對德絕交的呼聲日漸增強。3 月，蔣介石本擬派朱家驊赴德，因歐局緊張，決定緩行，但仍不同意與德絕交。同年 5 月，德國政府下令召回德籍顧問，停止向中國發賣武器之後，蔣介石決定“對德應不即不離”。11 月 24 日，德國延遲中國駐德大使陳介呈遞國書日期，蔣介石認為“實我莫大之恥辱”，致電行政院長孔祥熙及外交部長王寵惠，命陳介託辭離德，或正式召其回國，電稱：“否則國家與政府威信與體統全失，此種恥辱將無法湔雪矣。”[1] 此後，中德關係即處於冷凍狀態。孫科在五屆七中全會上的發言，實際上是在要求國民政府“聯德”，重建中德之間的熱絡關係。孫科的發言得到了許多國民黨高層人員的支持。[2]

---

1 《戰時外交》（2），第 690 頁。
2 《王世杰日記》第 2 冊，1940 年 7 月 9 日，第 303 頁。

國民黨五屆七中全會後，國際局勢對中國愈加不利。6 月 29 日，日本外相有田發表包括南洋在內的"東亞門羅主義"聲明。7 月 6 日，羅斯福總統授權秘書歐爾利發表談話，聲言"美國無意干涉歐亞兩洲之領土問題，美政府希望並認為應當實現者，即世界各部分及各洲實行門羅主義"。[1] 這份聲明給世人的感覺是美國只關心美洲的事情，不關心亞洲正在發生的戰爭。7 月 17 日，英國政府不顧中國政府的抗議和聲明，在東京簽訂《封鎖滇緬路運輸的協定》，緬甸國防部隨即佈告，禁止摩托、汽油、汽車、軍火及鐵路材料經緬甸運往中國。18日，國防最高委員會召開第 38 次常務會議，孫科再次發言，要求改變此前的外交路線。他說：

> 我國外交政策日趨困境，似不能再以不變應萬變之方法應付危局，因法既屈服，英又將失敗，美為保持西半球，亦無餘力他顧，勢必退出太平洋，放棄遠東。我之外交路線，昔為英、美、法、蘇，現在英、美、法方面，均已無能為力。蘇雖友好，尚不密切。
>
> 今後外交，應以利害關係一變而為親蘇聯德，再進而謀取與意友好之工作，務必徹底進行。

美國與英國關係密切，在德軍攻陷巴黎後，羅斯福立即向英國保證，將以美國的資源幫助英國。孫科認為，美國援助英國，自然無暇顧及亞洲，因此美國也靠不住。他主張，在英、法助日，中斷運輸線，已妨害我國之後，中國應即採取激烈行動，召回駐英、法大使，退出國際聯盟。"藉以對美表示民主國家辜負中國，使中國迫於生存，改走他道。"發言最後，孫科要求主持會議的孔祥熙以及王寵惠部長和張群秘書長向蔣介石報告，從速決定方策。[2]

自 1934 年之後，中國政府即企圖聯合蘇聯，抗衡日本。1937 年 8 月，兩國簽訂互不侵犯條約，實際形成了戰略上的對日同盟關係。孫科要求"親蘇"，有其正確性，但要求"絕英、疏美，聯德、聯意"，這就是在要求和當時世界上的主要反法西斯國家決裂，轉而投向法西斯陣營了。

討論中，鄧家彥表示："親蘇聯德，極端贊同。"張厲生表示："親蘇聯德，

---

1 《大公報》，1940 年 7 月 12 日，第 2 版。
2 《國防最高委員會常務會議記錄》，台北中國國民黨黨史委員會 1995 年影印本第 2 冊，第 476 頁。

應如何進行，希望徹底檢討，獲得共同意見……"孔祥熙是會議代主席，他說："我國外交政策，現在應予檢討，改走有利途徑。"1938 年 5 月 3 日，英國與日本簽訂協定，承認日本在中國佔領區內所有海關稅收，一律存放日本正金銀行。1940 年 1 月，日本為攫取中國存放於天津英租界交通銀行的白銀，封鎖天津英租界，日方加緊壓迫，英國遂與日妥協。孔祥熙主管財政，因上述二事也對英國強烈不滿，並且不看好英國與德作戰的前途。他支持孫科的意見，聲稱"英對我關稅及天津存銀問題處處出賣中國，當不能再事虛與委蛇。德國軍人尤其國防部中人有許多做過我國顧問，對我頗有好感，要做聯絡工作，似亦不難。德英戰事，英雖不屈服，恐亦難免失敗"。[1]

抗戰爆發，英國為保護它在遠東的利益，處處遷就日本，激起了中國人民的普遍憤怒。王子壯在日記中憤憤地寫道："最可恨者，英人以緩和日人，免攫奪其遠東殖民地，則以吾國為犧牲，斷我交通以制我，希望在此時期以與日本議和，狡詐險惡，何以如此！"[2] 王只是國民黨中央的一個小秘書，他的這頁日記反映出當時許多普通中國人的情緒。

除孫科等人外，作為軍事家的白崇禧也主張聯德，並與蔣介石辯論。關於此，蔣介石在 1941 年 1 月 13 日回憶說："當此之時，我中央外交方針，幾乎全體主張聯德，而孫哲生、白健生等為尤烈。"[3] 一時間，國民黨中央幾乎一片"聯德"聲。

二、蔣介石堅持中國外交政策不變

怎麼辦？是與軍事上處於頹勢的英、法站在一起，還是與正在侵略歐洲、軍事上不可一世的德國站在一起？這取決於當時掌握中國最高權力的蔣介石。

7 月 5 日，蔣介石在七中全會講話，闡明中國的外交方針是廣泛團結友好國家，孤立日本。他說："我國現行之外交政策，大致仍遵一貫之抗戰到底方

---

1 《國防最高委員會常務會議記錄》，台北中國國民黨黨史委員會 1995 年影印本第 2 冊，第 478 頁。
2 《王子壯日記》，1940 年 7 月 19 日。
3 《困勉記》，稿本。

針，友好各邦，以對暴日。"接著，蔣介石分析，英法雖然失敗，但不足以撼動太平洋形勢。在蔣介石看來，太平洋形勢決定於美蘇兩大國。兩大國不變，則太平洋形勢如舊。他說："現在美國已實行擴軍，較我們所料增加三倍，及太平洋設防等，均足以威脅日本，所以我們預定的目標依舊，不過因此時間要延長些罷了。"[1]

美國長期實行門羅主義和中立主義、孤立主義政策，標榜不過問美洲以外的事情，尤其不願捲入中日戰爭，但是，羅斯福總統已在做加強太平洋防務的準備。6月30日，美國艦隊調回夏威夷。7月4日，中央社自華盛頓報導，羅斯福將於下週提交新國防計劃，諮請國會追加國防預算50億美元，其中40億用於陸軍，10億用於海軍。蔣介石由此看出，美國和日本有利益衝突，不可能長期聽任日本侵略勢力在亞洲和太平洋地區為所欲為。美國擴軍、增防等行為，均足以威脅日本，有助於中國抗日。8日，蔣介石應美國全國廣播公司之邀，對美演說，宣稱中美兩大民族利害相關，美國應迅即採取行動，援華制日。

儘管英國和法國長期侵略中國，蔣介石個人極端不喜歡英國，但是，在反對德國侵略歐洲這一點上，英法是站在正義方面，蔣介石表示要"一本立國仁厚的精神"，在可能範圍內"還要幫助他"。蔣介石相信，英國由於其遠東利益所關，在世界反侵略戰爭中，必將對中國"親善"。蔣介石的這一估計是正確的。後來英國雖然仍輕視中國，排擠中國，但還是和中國結成了反法西斯同盟。

關於對德，蔣介石說："德國的友好關係我們始終保持。他雖然對不起我，但我們依然派大使前往。歐戰起時，有人主張對德絕交，我認為與我們以日本為唯一敵人之方針有違。我們現在證明了我們方針的正確。現在也不必著急。德國實際上已傾向我國。以前有戈林及里本特羅夫親日，現在戈林的態度也轉變了。"蔣不贊成派"特使"赴德，認為在大戰之際，德國"實際上對我們是不能援助的"。[2]

由於蔣介石堅持外交方針不變，7月6日，七中全會通過的《對於政治報告之決議》中稱："美與蘇均超然歐戰之外，我自當本一貫之方針加緊努力，增

<hr>

1 《王子壯日記》第6冊，第381頁。
2 《王子壯日記》第6冊，第382頁。

進相互間之合作；對於英、法，盡力維持固有之關係；對德、意等國不僅以維持現存友誼為滿足，更宜積極改善邦交，以孤敵勢，並打破敵之陰謀，以期有裨我抗戰建國之前途。"[1] 這一決議，將中美、中蘇關係作為中國外交重心，表示將"本一貫之方針加緊努力"，對英、法，表示"盡力維持固有之關係"；對德、意，表示將"積極改善邦交"，其目的在於"孤敵勢"，最大限度地孤立正在侵略中國的敵人——日本。

7月9日，蔣介石致閉會詞："我們常有國際環境之變化，即思改變政策以資應付，殊不知今日各國均有國策，決不能如古人效秦廷之哭，即可實際助我。我唯有從自強不息中使世界認識我之實力，始能活用外交於國際。"[2] 公元前506年，吳楚相爭，楚國危殆，申包胥到秦國向秦哀公求援。秦哀公一時拿不定主意是出兵還是不出兵，申包胥在秦廷痛哭七日，終於感動秦哀公，出兵援楚。蔣介石這裏借申包胥的故事批評孫科，向德國求救行不通，必須"自強不息"，靠自己的"實力"才能站住腳跟。

這一時期，蔣介石曾認真思考、研究過對德關係。他的決定是維持現狀。在與白崇禧辯論時，蔣介石堅決表示："此次則決不能因德大勝而更求交好，徒為人所鄙視也。"又稱："此時親德，決不能由我強求而得親也。國際大勢莫測，當暫處靜觀，以待其定。"[3] 他決定對德外交僅限於經濟、軍學、文化等方面，"不用正面外交，亦不積極，以免英、美、蘇俄之顧忌"。[4] 這時，蔣介石雖然還沒有決定對德絕交，但他的外交天平明顯地倒向"英、美、蘇俄"。他對美國的要求是：一、支持英國，迅速在遠東合作，反對日本侵略。二、美國長期以戰略物資供應日本，在日本向中國宣戰時，美國必須禁止向日本供應戰略物資。[5] 蔣介石的結論是："我們的政策還是依太平洋上主要的國家來決定我們的外交方針。我們在國內是堅持抗戰到底的國策，對外是按照九國公約美、英諸國的意向來解決遠東問題。"[6]

---

1 《中國國民黨歷次代表大會及中央全會資料》下，第635頁。
2 《王子壯日記》，1940年7月9日。
3 《困勉記》，稿本。
4 《蔣介石日記》（手稿本），1940年7月10日。
5 《蔣介石日記》（手稿本）。
6 《王子壯日記》第6冊，第382頁。

蔣介石的決定起了安定人心的作用。7月6日，錢昌照致電正在美國的宋子文："哲生主張聯德後，頗多回應。幸介公昨說明外交方針不變。"[1] 同日，"七號"也致電宋子文："哲生主聯俄德，總裁訓話，略謂對英、法仍親善，對德亦不必急於拉攏，因彼海軍無力達太平洋以助我。美、俄均仇日。戰事須俟歐戰結束後結束，恐亦不遠。"[2] 與此同時，蔣介石的決定也得到了國民黨中央宣傳部部長王世杰等人的支持。7月10日，王世杰專門到蔣介石的黃山官邸表示，外交政策不可改變，"聯德"等於放棄立場，沒有任何實際好處。在場的王寵惠、張群則主張對德"敷衍"，事實上反對孫科、白崇禧的主張。[3]

三、中國外交在既定的軌道上行駛，避免了 "二戰"後淪為戰敗國的噩運

蔣介石否決了孫科、白崇禧等人的意見後，繼續推進聯絡英美的外交方針。

7月28日，蔣介石致電英國首相丘吉爾，聲明"唯有中國戰勝並保持其獨立，英國遠東利益方能保存"。他要求英方為兩國利益計，從速恢復緬甸運輸線。[4] 9月27日，德、意、日三個法西斯國家締結同盟條約。10月14日，蔣介石召見英國駐華大使卡爾，商談中、英、美合作問題。蔣介石表示，"中國人為具有自尊心之民族"，英美必須"以平等待我"，在此基礎上才能討論軍事、經濟與政治合作。卡爾詢問前一時期國民政府內部"傾向德國"的情況，蔣介石坦率相告：

> 我等中國人素講信義，既不甘屈服於強國之威脅，亦不鄙視戰爭失利之國家。法國屈服之後，中央領袖確有大部分主張重新考慮我國策者，然我人仍主張堅守此項原則，不應更張。我人絕不改變我國家之特性。

卡爾再問，中、英、美聯合對日作戰時，中國是否對德宣戰，蔣介石明確答

---

1 《宋子文檔》，42-5，美國胡佛檔案館藏。
2 《宋子文檔》，42-5，美國胡佛檔案館藏。
3 《王世杰日記》第2冊，1940年7月6日，第304頁。
4 《戰時外交》（3），第116頁。

覆："我自應對德宣戰。"[1] 這就將中國政府在外交方面的抉擇正式通知了英國政府。

美國長期奉行不與其他國家建立同盟的國策。10 月 31 日，蔣介石再見卡爾，提出中英兩國先訂同盟，而僅與美國成立"紳士協定"，內容為：在戰爭中，美國擔任空軍，中、英擔任陸軍。11 月 1 日，蔣介石約見卡爾及美國駐華大使詹森，面交《中美英三國合作方案》，其原則部分規定：一、認定中國之獨立自由為遠東的和平基礎，亦即太平洋整個秩序建立之基礎。二、堅持九國公約門戶開放與維護中國主權、領土、行政完整之原則。三、反對日本建設東亞新秩序或大東亞新秩序。方案提出相互協助的具體條目四項：甲、英美與日本，或英美兩國中任何一國與日本開戰，中國陸軍全部參戰。乙、英美兩國共同或個別借款給中國，總數為美金二萬萬至三萬萬元。丙、美國每年借給中國戰鬥機 500 至 1000 架。丁、英、美派遣軍事與經濟、交通代表團來華，組織遠東合作機構。[2] 18 日，蔣介石再次召見卡爾，提議立即開始中英軍事合作談判。同日，又約見詹森，表示"不論將來之發展如何，敝國必與英美合作到底"，"在中、英、美之合作中，我人當隨美國之領導"。[3] 次年 2 月 21 日，蔣介石甚至向卡爾表示，倘戰事在新加坡發生，中國願派 15 萬人至 30 萬人赴新助戰。[4]

英美此時仍不願意捲入對日作戰，蔣介石的《中美英三國合作方案》遭到拒絕，但他堅持聯合英美的方針卻逐漸發生良好作用。9 月 26 日，羅斯福下令自 10 月 16 日起對日禁運一切廢鐵，走出了制裁日本的重要一步。10 月 17 日，美國復興銀行董事長瓊斯表示：中國可接受美國 1 億元之借款。22 日，《中美鎢砂借款合同》簽訂，貸款額 2500 萬美元。27 日，美國國務卿赫爾發表演說，表示將繼續援助中國。11 月 30 日，美國政府聲明，不承認汪偽南京政府。次日，羅斯福立即宣佈予中國 1 億美元貸款。12 月 29 日，羅斯福發表《爐邊談話》，宣稱"任何國家都不能對納粹姑息縱容"，"現在就要不遺餘力地支持那些正在保衛自己並抗擊軸心國的國家"，"我們必須成為民主制度的巨大兵

---

1 《戰時外交》(2)，第 40—42 頁。
2 《戰時外交》(1)，第 107—108 頁。
3 《戰時外交》(1)，第 101—102 頁。
4 《戰時外交》(2)，第 73—74 頁。

工廠"。[1] 31 日，羅斯福親自致電蔣介石，表示"凡能實際妥適盡力之事，必悉力以促其成"。[2] 1941 年 1 月 5 日，美國財政部長摩根索向記者宣告，中國平准基金談判即可簽字，將以 5000 萬元貸給中國，協助中國穩定法幣。10 日，羅斯福向國會提出《軍火租借法案》，為打破中立主義、孤立主義，從軍事上援助中國等反侵略國家提供了法律依據。

美國援華態度日益明朗，英國隨之跟進。在美國鼓勵下，10 月 8 日，丘吉爾宣佈，自 10 月 18 日起重新開放滇緬路。11 月 14 日，英國成立緊急救濟會，以英鎊 100 萬元救濟中國難民。11 月 30 日，英國和美國同時聲明，不承認汪偽南京政府。12 月 10 日，英國政府宣佈，貸予中國"平准基金借款"及"信用借款"各 500 萬英鎊。雖然後來的歷史證明，道路曲折，阻礙尚多，但是，中國仍然和英美等國結成了世界反法西斯同盟，並最終取得了對軸心國的完全勝利。

當時，英、美援助中國的姿態和表現雖然是初步的，但蔣介石看到了未來發展的前景，他覺得，當初拒絕孫科、白崇禧的"聯德"意見完全正確。蔣於 1941 年 1 月 13 日的筆記云："若余當時不堅持，聽健生等之言而違美、聯德，則英、美今日不僅不願與我合作，其必聯倭以害我，我處極不利之地矣。撫今追往，思健生等之幼稚如故，實不勝為國家前途憂也。"[3]

在"聯德"還是堅持"聯英美"的選擇上，孫科、白崇禧迷惑於希特勒的一時勝利，確實幼稚、荒唐，而蔣介石的選擇則是明智、正確的。試想，如果孫、白等人的意見被採納，中國和中華民族的命運和希特勒綁在一起，那麼"二戰"結束，中國將不是戰勝國，而是戰敗國，那是多麼可怕的場景！

1 《爐邊談話》，中國社會科學出版社 2009 年版，第 125—129 頁。
2 《戰時外交》（1），第 126 頁。
3 《困勉記》，稿本。

拒絕德國拉攏，阻撓德日會師印度洋

—— 抗戰期間中德關係探秘之一 *

* 本文錄自《找尋真實的蔣介石：蔣介石日記解讀》（2），華文出版社 2010 年版。

宋子文檔案中有一份署名"羽謹呈"的報告，篇幅不大，但卻包含著極為重大的歷史內涵。全文如下：

> 此間曾盛傳前總顧問"鷹屋"（Falkenhausen）有赴日本消息，經電詢林秋生，其 7 月 10 日來電云：電詢事，容再告。國社黨今年曾三派弟舊識"洋克"氏（Jahnke，為戈林親近人）向我方遊說，背盟突攻印度，與德合作，委座並無具體答覆。此事係由桂永清兄經辦，未便早日電告，但 2 月 3 日曾提及。如"鷹屋"有日本之行，或與此事有關。生。10 日。羽謹呈。7 月 13 日。[1]

右上角有"密"字，並畫有三個圓圈，以示特別重要。所用信紙上端有 China Defense Supplies，INC 等字，可知這是抗戰時期宋子文在美國創立的中國國防供應公司的信紙。所署"羽"為譚延闓長子譚伯羽。

譚伯羽名翊，別字習齋，湖南茶陵人。1920 年赴德國勒登大學學習電機工程。1924 年畢業，在柏林實習，旋歸國。1928 年夏赴柏林，任中國駐德使館商務調查部副主任。1929 年歸國，任上海兵工廠工程師。1933 年再赴柏林，任駐德使館商務專員，一等秘書。1937 年隨宋子文赴歐考察，任考察副使。1938 年任駐德商務參事。1941 年中德絕交後離德，奉命赴美，協助宋子文工作。1942

---

1 《宋子文檔》，46-6。

年歸國。此報告寫於歸國之前，時為 1942 年 7 月 13 日。

桂永清，字率真，江西貴溪人。黃埔一期畢業。參與組織孫文主義學會，成為蔣介石的親信。1930 年赴德，留學於步兵學校，結識後來成為納粹第二號人物的戈林。1934 年歸國，任中央軍校教導總隊長。歷任首都警備副司令，第46 師師長、第 27 軍軍長。1940 年 7 月被蔣介石派任駐德武官。1941 年 7 月中德絕交，桂永清等轉移到瑞士的伯爾尼，仍然從事對德聯絡和情報工作。

林秋生，當時國民黨駐歐洲的工作人員，經常向國內提供德國情報。初駐德國，後移瑞士。

函中提到的"鷹屋"，指曾任蔣介石軍事顧問的德國人法肯豪森。譚伯羽根據美國華盛頓地區的傳聞，向熟悉德國情況的林秋生求證，法肯豪森是否有日本之行。林秋生不能肯定是否確有此事，但他卻向譚伯羽傳遞了一個驚人的消息：今年以來，德國國社黨（納粹）曾三次派一個名叫洋克的人和桂永清談判，要求中國與德國合作，合攻印度。林與桂當時同在瑞士，負責收集有關德國的情報。電中稱桂永清為"兄"，可見關係密切，所述自然具有可信度。

一、德國繼續調停中日戰爭，蔣介石一再拒絕

南京陷落前後，德國大使陶德曼應日方要求，出面調停中日戰爭，為蔣介石否決。此後，希特勒政權企圖繼續調停，拉攏中國。1940 年 10 月 1 日，桂永清電告蔣介石，聽說德國擬妥中日和議方案，要中國承認偽滿，日方擬撤退華中、華南日軍，與中國經濟合作。[1] 6 日，納粹第二號頭子戈林自前線返回柏林，密約桂永清談話。戈林盛讚"日本優點"，指出中國軍事、政治、經濟弱點及蔣介石困難情形，認為"如日本集中全力，專向中國主力及所在地不斷攻擊，則早已收效"。桂永清當即告以中國"抗戰必勝之原因"。戈林稱："日本為我同盟國，中國為我好友。德、意勝英後，中國必更困難。中國絕少戰勝希望。況日本只欲得一部分生存土地，不如合理言和。"桂永清答稱："中國為祖

---

1 《蔣中正"總統"文物》，002-090103-016-160。

宗、歷史、子孫生存而戰，現已握住敵國弱點，必待日本根本崩潰，放棄其大陸政策而後已。"戈林繼稱，中國絕無力驅除日軍出境。桂永清答稱：委員長"為革命黨領袖，從鬥爭中所造成意志堅定之三十萬軍官，五百萬戰士，亦非任何勢力所壓倒"。二人對談約兩個半小時。戈林最後表示"希望中日和平"。事後，桂永清向蔣介石彙報，請求指示要點，"俾便應付，以維邦交"。[1] 11 日，蔣介石指示桂永清："最好暫不直接表示態度。如其不再來問訊，更不必直接答覆，但可間接使戈知我國之意，如領土、主權、行政不能完整，則無和平可談之意也。"[2]

11 月 11 日，德國外長里賓特洛甫約中國駐德大使陳介談話，聲稱日本新內閣成立，急圖解決中日問題，擬於近日內承認汪精衛在南京成立的政府，德國與意大利因與日本結盟，將隨之承認，其他國家或將繼起，中國抗戰必將更加困難。里賓特洛甫稱：如閣下認為有和解可能，則請轉告蔣介石及中國政府，"切勿誤此最後時機"。[3] 20 日，蔣介石將陳介來電大意告在美國的宋子文和駐美大使胡適，並且特別增加了一些原電所沒有的內容，如：借里賓特洛甫之口批評英美所稱援助："口惠而實不至"，德宣稱"中國若與日本議和，或竟加入軸心，則德國可保證，必忠實履行其和平條款，決不至違約"。蔣介石增加這些內容，意在通過宋、胡二人催促美國政府對中國提出的兩國合作方案做出回應，早日予以確切答覆。[4] 21 日，蔣介石覆電陳介：聲稱"我國堅決抗戰，實為保持我主權之獨立與領土主權之完整。不論國際局勢如何變化，我只求達到抗戰目的"。"日本果欲言和，自應將其侵入我國領土之陸、海、空軍全部撤退。"蔣介石這時仍然希望維持中德關係，分化日、德聯盟，叮囑陳介轉告德方："當知日本控制中國後，對德終屬無利而且有害；反之，中國之獨立與主權仍能維持，則將來德國對華之經濟與發展，自屬無可限量。"[5]

德國調停中日戰爭的意圖持續到 1941 年。當年 1 月，法肯豪森將軍的副官

---

1 《蔣中正"總統"文物》，002-090103-016-162。

2 《蔣中正"總統"文物》，002-020300-044-068。

3 《戰時外交》(3)，第 699 頁。

4 《事略稿本》，1940 年 11 月 20 日。

5 《戰時外交》(3)，第 673—674 頁。

長格魯（Krummasher）密告譚伯羽：德方逐漸注意中日問題，外交部有出面調停可能，意謂英國無力調停，美因對日關係，不便調停，以德國出面調停最為相宜，於德也有利。格魯徵詢譚的意見，譚答"以日退兵為前提"。[1]

中國幅員廣大，資源，特別是人力資源豐富，具有重大的戰略價值。在同盟國和軸心國的對壘中，中國顯然具有舉足輕重的位置。德國之所以一再勸中國與日本議和，目的在於加強軸心國的力量。

蔣介石豔羨德國的軍火、科技和統治手段，對盧溝橋事變以來德國外交的親日政策長期持忍耐態度。1941 年 7 月 1 日，德國承認汪偽政權。蔣介石認為已到忍無可忍階段。當日日記云："德國太無理性，應斷然與之絕交也。" 次日日記抨擊希特勒近年來的"侮華"政策，"可謂極矣"，"若不再與絕交，則國格將有所損"。[2] 當日，中國政府宣佈對德絕交，關閉駐德使館，召回商務專員譚伯羽。12 月 9 日，宣佈與德、意兩國處於交戰狀態。

二、德方多次與桂永清會談，要求秘密締結《中德軍事密約》，合攻印度

中德絕交，中國宣佈與德國處於交戰狀態。但是，德國仍然企圖拉攏中國。1942 年，德國有關方面企圖引誘中國締結《中德軍事密約》，將中國綁到軸心國的戰車上。德方的談判代表是戈林的親信洋克（亦作楊克、楊氏、某翁，為統一，本書一律稱洋克），中方代表則是原駐德武官桂永清。

上引林秋生電稱洋克為"舊識"，其實，洋克也是桂永清的舊識。

1941 年 5 月，洋克曾向桂永清建議，中國方面出資 100 萬美金，他的"現成機構"可以破壞經由葡萄牙等地運送軍火、汽油、鋼鐵的日本船舶，蔣介石對此很感興趣，但旋即為德方所阻。[3] 中德絕交後，洋克向桂永清表示，"德國承認汪偽，為德國政府之恥，德民族決不如此"。[4]

1 《蔣中正"總統"文物》，002-080103-032-009。
2 《蔣介石日記》（手稿本）。
3 《蔣中正"總統"文物》，002-070100-046-043。
4 《蔣中正"總統"文物》，002-090103-016-181。

中國宣佈與德國處於戰爭狀態後，洋克派人到瑞士向桂永清表示：德國對中國政府向德宣戰，"不甚仇視，但望不至實際衝突"。他聲稱，將於次年 1 月下旬到瑞士與桂晤談。[1]

1942 年 1 月，洋克親到瑞士，與桂永清連談三日夜，為桂分析國際形勢，指責"美國抄襲英國殖民政策，將來亦必視中國為榨取利益之區，決不能以平等待遇"。此前，英國的兩艘主力艦"威爾士親王"號及"反擊"號被日本擊沉，洋克據此分析，世界海軍形勢已有變化，日本佔領南太平洋後，英、美在兩三年內不可能打擊日本。中德兩國則由於地理及政治關係，數百年以後也不會有衝突可能。他表示："現在因絕交而宣戰，皆為一時情勢所迫，非兩國本意。"因此，他建議由中國方面向德國提出，訂立軍事密約。洋克分析其好處是：密約成功，德國可以居間促成中日簽訂停戰協定，使日本不受牽制，或能得到中國援助，共同制俄。同時，德國在取得直達中國的航空線後，即能以實力援助中國從事建設，牽制日本。他並要求與桂永清交換對"雙方有利而無害之消息"。桂永清表示不贊成締結"軍事密約"，聲稱"中國素重信義，不尚詭詐，恐不如吾人私談之有興趣"。洋克則稱："政治但求成功，不可固執。"他表示即回柏林，努力進行，待 2 月中旬再來瑞士，聽取答覆，詳談辦法。桂永清覺得洋克此來，"確係得上級同意，有目的之行動"，26 日，他向蔣介石請示："是否有答覆及虛與委蛇之必要。"[2]

2 月上旬，洋克及其秘書再來瑞士伯爾尼，詢問桂永清：密約事有無答覆。桂稱："茲事體大，不能率爾答覆，請告我以較詳辦法及德國對日所施壓力，是否能發生實際影響。"洋克答稱："德國壓力在日本未與英、美和平談判以前當然有效。此後則為中德合作，而非德日合作。其餘明日再談。"桂永清判斷，洋克此行"如非受命，決難出德境閒談"，於 2 月 12 日再次電告蔣介石。[3]

洋克與桂永清的談話持續到 2 月 16 日。洋克稱：來此以前，曾得希特勒主要幹部同意，如中德能開始軍事密約談判，當由希特勒親自派一名將官來瑞

---

1 《蔣中正"總統"文物》，002-090103-016-188。

2 《蔣中正"總統"文物》，002-090103-015-004。

3 《蔣中正"總統"文物》，002-090103-015-005。

士。當時，德國外長里賓特洛甫親日，洋克表示，此事當不使里賓特洛甫聞知。洋克繼續宣揚密約成功後對兩國的有利之處，如“應付現局及將來世界和平會議”，“防範英、日中途妥協”等。他因為未能得到中國方面的明確答覆，顯得很焦急，堅持在得到答覆後再來瑞士。關於互換情報一事，桂永清答稱：中國在各國無此類組織，從私誼上，彼此可以互通消息，但“對某事負責之情報，非有政府命令決不能辦”。16日，桂永清電告蔣介石，聲言蔣如不便電示，可囑侍從室主任賀耀祖示意，俾有遵循。[1]

3月14日，蔣介石覆電桂永清，告以所發二電均已閱悉，以後此類事情不可再用舊密本發電，以防泄漏。洋克如有具體辦法及意見，可囑其先行提出，今後“可以私人關係與之不斷連絡（聯絡），不必峻拒”。蔣並規定了此後通電的“代名詞”：“可進行”之代名詞為“不可”，“不可進行”的代名詞為“切不可”，“從長計議”的代名詞為“勿談”。當時，蔣介石已決定派軍事委員會秘書齊焌赴歐，從事秘密工作，為了保密，蔣決定將此電及密碼本10種交齊焌，隨軍事代表團出國時親自帶交桂永清。蔣特別叮囑：此種要電密碼，只可使用一次，用完即應作廢。[2] 此電表明，蔣介石還不清楚德國的意圖，要桂永清具體了解德方的“辦法及意見”。

6月9日，洋克與桂永清再次會談三小時。桂按照蔣介石指示，要求洋克先行提出具體建議，轉呈蔣介石考慮，得到答覆後才能作為“討論基礎”。洋克聲稱，即日返德，密報戈林，轉商政府，有結果後或本人，或派人攜書面答覆來瑞。他同時談到兩項困難：1.得悉東京密令：為保障日本生存起見，千萬注意，不可使希特勒與蔣介石重新發生關係。如有發現，應以全力破壞。2.日本在太平洋軍事進展，對德毫無裨益。德國所需要者為日本攻俄，但日俄關係日臻親密，我軍部如再提出中日停戰條件，恐不為中國諒解。桂永清急於摸清德方的底牌，答稱：“建議係表示真實意見，不能強制對方執行。凡德方所要言者，不妨儘量提出，好在係絕對秘密，即使不能實現，亦可增加好感。”

洋克與桂永清的談判，雖然前後三次，有幾個月時間，但都在外圍兜圈

1　《蔣中正“總統”文物》，002-090103-015-001。

2　《蔣中正“總統”文物》，002-070200-014-026。

子，即在此後，洋克終於和盤托出了前引林秋生電所稱"突攻印度，與德合作"的核心內容。這樣，蔣介石就警醒了，其6月18日日記云："對德國路線，勿再探索為宜，以桂永清非長於此，不如嚴令拒絕之。"[1] 隨後，蔣介石即命陳布雷以陳本人的名義覆桂永清一電，全文云：

> 　　此事切勿繼續偵察，如前途再有任何提案，只將其內容記取後即可，以兄本人之意，當面婉辭謝絕，以為此種提案，決（絕）不可能，亦難轉達其意，覆絕為要，但對楊個人之感情，仍可聯絡也。若其不再來談更好，切勿由我方再去探索。佳電所用密本與底稿一併毀滅，切勿再用。布。[2]

"兄"，蔣介石對桂永清的稱呼。"此種提案，決（絕）不可能，亦難轉達其意"，這是蔣介石代桂永清設計的拒絕洋克的答詞。蔣介石這時關心的是加強反法西斯陣營的力量，爭取反法西斯戰爭的勝利。當年2月，蔣介石與宋美齡訪印，力勸英國與印度之間化解矛盾，共同投入反法西斯戰爭，現在德方卻要中國"背盟"，"突攻印度"，自然會被蔣介石拒絕。

三、德、日的"會師"計劃與蔣介石拒絕德國拉攏的意義

德日確有會師計劃。

德軍攻蘇，在佔領烏克蘭糧倉後，進一步的計劃是奪取高加索油田，進而攻佔近東、蘇伊士運河等地，截斷英、美對蘇援助的通道。據德國陸軍總參謀長哈爾德回憶，希特勒曾向他提出，分兵越過伊朗，進駐波斯灣，與日本"在印度洋會師"。[3] 日本外務大臣重光葵在《昭和的動亂》一書中也說：希特勒"認為大軍南侵，從烏克蘭進攻高加索，將石油控制在手，可斷絕英、美從波斯灣方面對蘇的援助，使德國的勢力伸展到中亞細亞，再與印度方面的日軍遙遙相

1　《蔣介石日記》（手稿本），胡佛檔案館藏。

2　《蔣中正"總統"文物》，002-010300-047-029。

3　〔美〕威廉・夏伊勒著，董樂山等譯：《第三帝國的興亡》下卷，世界知識出版社2012年版，第1074頁。

對，取得聯繫。日本軍部從締結三國同盟以來，也是這樣考慮的。日本海軍在中途島戰敗後，仍與陸軍一起，電令在柏林的野村武官，勸希特勒調德軍進攻高加索"。[1]

為了實現會師計劃，1942年3月23日，德國外長里賓特洛甫和日本駐德大使大島會談，商討軸心國的戰略，要求日本佔領錫蘭和馬達加斯加等地，以配合德軍向中東和高加索的進軍。日本在偷襲珍珠港得手，攻擊英國兩艘巨艦成功，取得局部海上優勢後，也曾制訂了一個用五個師攻打澳大利亞、奪取錫蘭，與希特勒在印度洋上會師的計劃。1942年初，日軍攻入緬甸，其下一步計劃就是進攻印度，實現會師目標。

中國的情報人員早就掌握了德方的計劃。1942年2月27日，齊焌致宋子文電云："接歐友電，稱德擴大增兵，正積極計劃春季攻勢，以高加索為攻點，期與日本會師波斯灣。"[2]同年5月29日，齊焌自瑞士致電宋子文稱："希特勒有通過伊朗佔波斯灣之企圖。"[3]齊焌的這些訊息當然會首先通報給蔣介石。

德日會師印度洋的計劃相當危險。一個是西方的法西斯，一個是東方的法西斯。他們的攜手會增長氣焰，沉重打擊國際反法西斯力量。據印度人巴蓋特·拉姆·泰勒瓦爾（Bhagat Ram Talwar）回憶，當年，他為爭取德國支持其反英活動，曾在阿富汗與納粹德國外交官幾次會談，納粹外交官員告訴他："德國人顯然並不想佔領整個俄國領土，他們的戰略只是想在佔領部分俄國領土後，將在俄國的軍事力量與中東的軍事力量會合。"當巴蓋特詢問這位外交官，這是否意味著德國軍隊將從俄國進入伊朗和伊拉克，進而會師中東地區。他說："'不錯'。如果他們達到預期的目的，那世界上就沒有什麼力量阻擋他們去完成他們的最後使命。"[4]這種估計，充分反映出德國納粹分子對會師結果的樂觀期待。

美國總統羅斯福也充分認識到德日這兩個法西斯會師的危險性。1943年，

---

1 〔日〕重光葵著，齊福霖等譯：《日本侵華內幕》，解放軍出版社1987年版，第323頁。

2 《宋子文檔》，46-4。

3 《宋子文檔》，46-5。

4 *The talwars of Pathan Land and Subhas Chandra's Great Escape*, People's Publishing House (P) Ltd, New Delhi, 1976, pp.160-164.

他在開羅會議期間對他的小兒子直言不諱地說：

> 假如沒有中國，假如中國被打垮了，你想一想有多少師團的日本兵可以因此調到其他方面來作戰？他們可以馬上打下歐洲，打下印度——他們可以毫不費力地把這些地方打下來，他們並且可以一直衝向中東⋯⋯日本可以和德國配合起來，舉行一個大規模的夾攻，在近東會師，把俄國完全隔離起來，割吞埃及，斬斷通過地中海的一切交通線。[1]

羅斯福的這段話是從中國堅持抗戰，拖住日軍主力這個角度進行分析的。他認為，如果中國軍隊被打垮，大批日軍投入其他戰場，衝向中東，與德軍會師，對世界反法西斯戰爭的發展來說，其結果將是災難性的。如果我們換一個角度分析：蔣介石接受德國拉攏，與德合作，命令當時在緬甸與日軍作戰的中國遠征軍進攻印度，從而促成兩個法西斯會師，其結果不也同樣是災難性的嗎？幸虧，蔣介石沒有這樣做。

四、納粹已經到了窮途末路

蔣介石要桂永清拒絕德國的要求，但是，仍可聯絡洋克"個人之感情"，因此，洋克與桂永清之間此後仍有聯繫。

當年 10 月 17 日，洋克再到瑞士，與桂永清晤談二日。洋克聲稱，"某事"經戈林、希姆萊轉達希特勒，現奉希姆萊之命，來瑞士轉達兩點：甲、德政府準備與中國政府正式取得聯繫，希望雙方秘密指派正式代表人員，以便秘密商討戰時及戰後互相合作有利之事件。乙、德國為中德將來合作計，願為中日和平繼續努力，希特勒本人已徵得日本同意，願將以前所提和平條件收回，希望中國方面要求不可過高，示有談判可能。洋克強調："此二點如毫無結果，乃中德兩國之不利。"桂永清答稱，現在情勢較前數月不同，不敢直接向蔣介石報告，只能託友人相機轉達。[2]

1　小羅斯福著，李嘉譯：《羅斯福見聞秘錄》，上海新群出版社 1949 年版，第 42 頁。
2　《蔣中正"總統"文物》，002-090103-015-010。

二人談話中，洋克還就中德關係和德國狀況發表了看法。如："英美無法以武力戰勝德國，將來可獲得合理和平。如迫至非作戰到底不可時，則不能不使用非人道毀滅性武器，爾時恐非歐美在歐洲登陸，而為德國在美國登陸。"又如："英美在戰爭時期需要中國，故極力拉攏，戰後必忌中國強盛，不為中國建立國防重工業，而德國則不但為經濟互利計，願幫助中國建立重工業，即為對付俄國計，亦需強盛之中國在亞洲大陸牽制俄國。蓋以戰後之俄國十年後即可恢復原狀，不能不預先著手。"當桂永清建議德國與俄國停戰時，洋克稱："由中日之停戰或可促成德俄之停戰。"這些談話的主旨仍在吹噓德國強大，不可戰勝，英美不可信，中國應與德國結盟，並與日本議和。

1943 年 2 月，瑞士盛傳中國以 500 萬工人幫助蘇聯，洋克多次派人到瑞士詢問桂永清。27 日，洋克突然到瑞士與桂見面，"以中國友人及受德政府密派資格"提出疑問。洋克首先詢問桂永清"對於德國戰爭觀察如何"。桂稱，德國偏重武力忽略政治，坐失良機。現在政治已成僵局，軍事陷於被動，戰勝極難，只有速謀和平，方可挽救險局。洋克承認"德國以人力缺乏，樹敵太多，戰勝絕無希望"。上年 10 月 23 日談話中，洋克曾力闢外傳推倒希特勒之事絕不可信，而此次談話則承認斯大林格勒德軍覆滅及其他失敗，犧牲 50 萬人。"苟非希特勒固執己見，本可避免。"他表示，德國內部"議論衝突甚劇，近來漸次露骨"，有可能出現"德國新政府"，英、德正在秘密談判，可望妥協，共同對俄。

從洋克的談話中，桂永清感到，洋克當時"隱身"於希姆萊集團，正在為將來的軍部、政府做"準備工作"。[1]

1944 年 11 月初，洋克突然派人到瑞士看望桂永清，表示"德國戰爭已經絕望，戰爭結束愈快愈好"，"希望戰事結束後，即刻與中國取得聯絡"。12 月 12 日，桂永清在巴黎旅館門前，突然遇見洋克的秘書馬固斯。馬稱，他受洋克密派至德軍第一線突擊隊，希望藉機潛入英軍後方，代表洋克接洽內應。12 月 21 日，馬向法軍自首，法軍當局表示，如馬願與美國駐巴黎當局接洽，可以負

---

1 《蔣中正"總統"文物》，002-090103-016-190，1943 年 3 月 5 日。

責介紹，但馬一心赴英，桂永清於是資助其 1 萬法郎。[1]

此電說明，由於納粹已經到了窮途末路階段，內部分崩離析，連洋克這樣的人都在拋棄納粹，找尋出路了。

此後，桂永清和洋克的聯繫中斷。

1 《蔣中正"總統"文物》，002-090103-016-192。

蔣介石與德國內部推翻希特勒的地下運動 *

＊ 本文錄自《找尋真實的蔣介石：還原 13 個歷史真相》，九州出版社 2014 年版。

蔣介石 1942 年 1 月 10 日日記《本星期預定工作》第一條云：“對德運動倒戈工作之進行。”次日日記《預定》欄第六條云：“派齊焌赴瑞士。” 1 月 14 日日記云：“運動德國軍隊倒戈計劃應告知羅斯福總統。”怎麼回事？1942 年年初，中國抗戰正處於艱難時期，蔣介石怎麼會將手伸到歐洲，管起推翻希特勒政權的事來了？

　　日記中提到的齊焌（1905—1981），字子焌，河北高陽人。其父齊宗頤（壽山），清末譯學館學生，與蔡元培同時留學德國，民初任教育部僉事。齊焌曾留學德國 Munchen 高等工業學校，後任軍事委員會秘書，兼任德文翻譯。1937 年 6 月，隨孔祥熙、陳誠等訪問德國，訂購軍火，受到孔的倚重。1938 年 10 月，參與《中德貨物互換及貸款合同》談判。1940 年 7 月，和桂永清一起被蔣介石派往德國，任駐德使館武官，對外則以“經濟專員”的名義活動，在德國軍事、經濟兩界結下廣泛人脈。[1]

一、德國內部反納粹力量求助於蔣介石

　　1940 年 9 月，齊焌到達柏林，繼續結交德國軍政兩界人士。1941 年初，蔣

1　齊焌無傳，其生平資料據委員長侍從室三處所製表格、“總統府”人事登記卷及其他檔案綜合寫成。

介石本擬召還齊焌，但駐德大使陳介卻不願放人，致電蔣介石稱："數月來，與各方面聯絡探訪，深資臂助。若遽召還，恐啟德方猜疑，且資敵方快意，並使經濟界之為我奔走關懷者絕望。處此重要時期，以暫留為宜。"[1]

齊焌聯繫的主要人物之一是軍火商人克蘭（Hans Klein，1879—1957）。1934 年 1 月，克蘭在柏林與塞克特上將、國防部長柏龍白、經濟部長沙赫特等組織德國工業產品貿易會，簡稱"合步樓"（HAPRO），從事對華軍火貿易，任經理。同年 8 月 23 日，與孔祥熙在中國廬山簽訂物物交換貿易合同。1936 年 4 月重定協約，由德意志銀行向中國貸款 1 億馬克，供物物交換時資金周轉之用。他在德國政府中沒有官職，但與經濟、外交、國防等方面的首腦都過從甚密，與中國的孔祥熙、何應欽、翁文灝等人也關係匪淺。1936 年，獲國民政府頒發的勳章。1937 年在齊焌陪同下訪華，會見蔣介石。1939 年 9 月，德軍進攻波蘭，挑起世界大戰。在此前後，德國內部逐漸形成了一股反對希特勒政府的內外政策，特別是反對其對外侵略擴張政策的力量，克蘭是商界代表性的人物。

齊焌聯繫的另一人物是內閣部長沙赫特（H. Schacht，1877—1970）。沙赫特，經濟學博士。1916 年，任德國國家銀行董事，1923 年任總裁，受命拯救德國貨幣危機，獲得成功，被譽為"金融怪傑"。1934 年 8 月，任希特勒政府經濟部長。1937 年，因反對希特勒和戈林的過度軍備支出政策而辭職。1939 年被免除德國國家銀行總裁職務，但仍保留內閣成員的虛銜。他反對德、意、日三國同盟，主張對華友好。1940 年 10 月 15 日，齊焌向蔣介石彙報與沙赫特密談印象稱："彼對三國聯盟甚不謂然。"[2]次年 1 月 21 日報告云："昨晤沙博士，對我國前途極表樂觀，再三為鈞座祝賀。"[3]

齊焌聯繫的第三位人物是德國國防經濟廳廳長托馬斯（G. Thomas，或譯托瑪思、湯麥司，1890—1946）。托馬斯，1908 年參加步兵第 63 團，任少尉。自 1928 年起，到柏林國防部軍隊武器辦公室參與處理軍備問題。1933 年 12 月，倡議"在中國設立一個代表德國工業界的統一代理處"。次年 1 月，"合步

1 《事略稿本》，1941 年 1 月 27 日。
2 《蔣中正"總統"文物》，002-090103-00016-167。
3 《蔣中正"總統"文物》，002-090103-00016-173。

樓"，即應運而生。[1] 1939 年，成為最高統帥部經濟與軍備局長官。他認為進攻波蘭將觸發世界大戰，德國的原料和糧食都不足以支持這場戰爭，因此，堅決主張"把希特勒搞掉"。[2] 他因負責軍備，須從中國進口鎢砂，與譚伯羽、齊焌、桂永清等接觸頻繁。[3]

以上三人，托馬斯是"合步樓"公司的倡議者，沙赫特參與創建"合步樓"，克蘭是"合步樓"的經理。三人都主張對華友好，反對希特勒的戰爭政策，形成"三人組合"。特別是托馬斯，他既堅決反對希特勒的戰爭政策，又在軍內聯繫廣泛，是反希特勒派別的中堅力量。

"三人組合"向齊焌透露反對希特勒的密謀是在 1941 年。當年 4 月，沙赫特偕夫人到瑞士旅行，與避居當地的克蘭商定，希望蔣介石派宋子文自美國到瑞士商談。同年 5 月 15 日，克蘭約齊焌到瑞士會面。克蘭告訴齊焌，已在德國國內秘密聯絡大量"友人"，準備將來組織新政府，改善國際外交。29 日，克蘭派其原私人律師愛爾哈特上尉自柏林到瑞士與齊焌繼續晤談，長達八日。愛爾哈特稱：將來，德蘇大戰必不可免，德軍上下將領均對國社黨當局嚴重不滿，反對政府者大有人在，均正秘密進行中，以備將來有所作為。"國內友人"希望克蘭先生代表德方，認真尋覓國際路線，沙赫特博士、托馬斯將軍均請克蘭轉託蔣介石，"負責代德國友人與羅斯福、丘吉爾取得相互間的諒解與聯絡"，至於"德國內部如何解決，一般友人自有辦法"。愛爾哈特要求齊焌立即飛赴重慶彙報。事後，齊焌即電告蔣介石，要求返渝，得到蔣的同意。6 月 9 日，齊焌返回柏林。12 日，再次會見愛爾哈特上尉。愛爾哈特當時在托馬斯將軍部下工作，充當托馬斯和克蘭之間的聯絡員，他建議齊焌盡速會見托馬斯和沙赫特。此後，齊焌即在柏林緊張活動。其日程及會晤情況如下：

1. 6 月 13 日，齊焌到德國國防部經濟署會見托馬斯將軍。托馬斯主要關心希特勒下台，恢復和平後，西方各國能否公平合理地對待德國。托稱："我們對委座（指蔣介石——筆者注）之賢明政治態度及其抵抗決心十分欽佩。""如

1　聯邦軍事檔案館，Wi/IF5. 383，"機密指令"，轉引自柯偉林：《德國與中華民國》，鳳凰出版集團 2006 年版，第 135 頁。

2　《第三帝國的興亡》中卷，第 603、653、755、773 頁。

3　參見《蔣中正"總統"文物》，002-090103-00016-182。

世界各大政治家確有正大決心，樹立一公平和平，則為全世界之福。當然，將來談判最大障礙為希特勒，我們亦知希氏退休然後可談，但我們不願（在）在希氏退休（後），德國仍無公正和平地位。事當慎重，故須先獲得國際間之保證。"托馬斯保證，新政府成立後，"除去經濟合作、資源分配公允，並共同解決失業問題以外，我們對西歐各國毫無野心。""我們將裁（軍）到 50 萬或30 萬。"托表示，自己別無要求，"惟望戰爭早日結束，和平早日恢復。"[1] 屆時自己將退職，與克蘭同到中國一行，協助"委座"建設中國。

2. 6 月 14 日上午，齊焌到沙赫特的柏林私人寓所與沙會晤。沙很高興，聲稱："好極了！好容易有了辦法。"他說："吾尋覓路線，已非一日。""現看世界各國領袖，只有蔣委員長一人為最適當。不但對英美有關係，而對我德人亦特有好感。而吾輩德人又最相信委座，尤其德國軍人備予崇拜。""只希望委座以委座之地位，以委座之人格與聲望，肯幫助德國告知羅斯福、丘吉爾，德國已有勢力雄厚人眾，準備取消目前政局。"他表示：希望取得"國際間之諒解"，保證在希特勒"退役"後即可恢復"真正和平"，否則，德國內部不會採取任何舉動。"如得到此項諒解，則德國內部我們自有辦法。"沙赫特盛讚羅斯福，認為不失大政治家作風，希望蔣介石能派大員與羅一談。他表示，自己仍是德國政府的"不管部長"，自奪取奧國以後，政府就沒有召集過內閣會議，因此，自己對希特勒等一二人決定的政策不能負責。他特別對齊焌說："若不知兄為委座親信人員，何敢露骨如是。"並說："希特勒等嚴禁人民自由發表意見，並自有野心，與軍人勢不兩立，兼以希特勒窮兵黷武，民間不滿，已非一日。此間準備舉動之人已不是少數，各方面力量雄厚，直達國社黨高級幹部，但不能一一相告，今若在國際間得到保證，則可更為易辦。"

3. 6 月 17 日下午，齊焌往見拉伯蘇將軍，拉稱："此種局面終不是永久現象，將來終有一日改變，變化之速，亦必突然。但請轉達委座，我國國人敬佩委座之為人，為數甚眾。"

4. 6 月 18 日下午，托馬斯將軍在其公館為齊焌餞行。托稱："委座為中國

---

1 《蔣中正"總統"文物》，002-080106-00060-008。

無二之領袖"，"（中國）最大難關亦已過去，將來國際合作，仍以委座是賴"。

5. 6月19日下午，齊焌到沙赫特公館晤談。沙闡述未來新德國的內外政策設想：

（1）國際和平原則：以耶穌博愛精神共謀福利，以道義為國際談判基礎，恢復國際相互間之信用，遵守條約。

（2）共同解決麵包問題。資源公允分配，經濟合作，國際貿易自由，打破層層關稅。工業與農業國家相互調整其差別，工業先進國家援助落後國家建設，提高世界上之生產以增強購買力。共同解決失業問題、社會問題，共商調整貧富過甚之分。國際合作，消滅國際化之共產主義及馬克思主義。

（3）民族自決。各國獨立自由。國家政體應允許人民有參政機會，以免少數人霸權、獨斷專行。歐洲無自主能力的弱小國家應允許其自主加入某鄰居大國的經濟政治範圍。

除以上設想外，沙赫特並向齊焌闡述了工作步驟：

（1）如委座肯代為努力，英美領袖贊成，請用最速、最秘密的辦法報告，並請英、美負責人表示：只要求希特勒退休，並不仇視德國國民。如德國國民推翻希氏，則戰事即可甘休，德國可根據上述原則獲得真正和平。

（2）最好以英、美民眾團體方式聲明，保證將來國際和平條件。

（3）各國作戰，仍照各國原有計劃繼續進行，談判、商洽完全是另一件事。如聯絡順利，相互呼應，宣傳得法，從旁協助喚醒德國國民，則事情將更易辦理。

（4）通訊地點以瑞士最為相宜。除克蘭先生外，亦可與沙赫特在瑞士的代表哥則臥斯博士一談。

（5）德國內部變化以今年秋季為宜，其時當在德國軍隊解決蘇德戰事至相當程度之際。沙赫特最後叮囑齊焌："以後吾人性命全在兄等之手，切望謹慎進行為禱，甚望早日獲得好消息，並請敬候委座。"

至此，齊焌已經掌握了"三人組合"反對希特勒的基本情況及其計劃。6月22日晨，蘇德戰爭爆發。24日下午，齊焌到德國國防部會見托馬斯，討論蘇德戰事。27日下午，齊焌再次到國防部，向托馬斯報告，德國政府將承認汪偽政權，托不信，聲稱不久以前，希特勒還表示，決不輕易承認汪偽，希特勒不至於"不智如此"，當晚，托馬斯打電話給齊焌，證實確有此事，已通過開泰勒及戈林、希特勒之間的聯絡武官轉託戈林，向希特勒陳說利害，但恐已難挽回。28 日上午，齊焌與托馬斯會晤。托懊喪萬分，表示承認汪偽實為最大錯誤，惟望"賢明如委座者，不致怪怨德國國民，德國友人對委座之信任決不改變"。齊焌告以中國政府必將與德絕交，托馬斯表示，無論如何必須恢復邦交，他希望蔣介石能批准齊焌早日歸來，充當與"德國友人"之間的"聯絡員"。

德政府於 7 月 1 日宣佈承認汪偽，中德隨即絕交。2 日中午，托馬斯及沃爾夫公司經理普朗克博士邀請中國駐德大使陳介午餐，對兩國絕交表示"至為遺憾"，決心繼續維持中德友好關係。飯後，托馬斯私語齊焌：吾人所談之事，現在更應進行。他要齊焌與克蘭詳細商討，早日動身。

7 月 3 日晚，齊焌離開柏林。4 日到瑞士。6 日再赴柏林。7 日會見托馬斯，托表示，中德兩方友人切不可改變友好關係。他甚願不久後到瑞士一行，與克蘭晤商一切，必要時，克蘭應親赴重慶。托馬斯估計，德軍的對蘇戰爭必將勝利，將來共產主義的俄國將不復存在。當晚，齊焌再次離開柏林。8 日到瑞士，與克蘭詳談。克蘭表示，自己是中國"唯一老友"，現在希特勒、里賓特洛甫承認汪偽，中國更應全力幫助（我等），反對希氏。他說，"我雖德人，但常以中國利益為念"，希望蔣介石"勿置德國對委座最忠實之老友於不顧"。他希望蔣介石能委派大員與齊焌到歐一行，在瑞士與德國方面的"要友"商量，而且可以就近赴英，與顧維鈞商量，加派人員在歐活動。他並提出，希望蔣介石能提供他和夫人的中國護照，以便必要時經美來華。

此次談話，克蘭向齊焌透露了若干最重要、也是最機密的內情：德國國防軍中有十餘位元帥，連同老友萊謝勞將軍在內，內心都對當局至為不滿，但萊謝勞是希特勒委任的元帥，不可能輕易舉旗變政，因此將來的領導人會是其他人。愛爾哈特上尉曾建議，以戈林為政變時的臨時元首，克蘭表示不贊成，因為戈林的罪惡並不少於其他納粹分子。克蘭並稱：托馬斯是現役大將，柏林武裝警察司令達律格將軍等都參與密謀。他表示："事之成否，全賴委座同意，相信羅、丘兩氏亦聰明人，未見不予最嚴重之考慮。"通過談話，齊焌了解到，在德國軍隊中反對希特勒的力量已經相當龐大。

在談話中，克蘭特別要齊焌轉告蔣介石，中國應努力促成中、英、美三國戰事協定，在三個國家的利權尚未得到完全恢復時，三國之一不得單獨與任何軸心國家成立停戰協定或和平協定，以免中日人之計。[1]

早在 1938 年至 1939 年之間，德國國內、軍內就逐漸形成反對希特勒的派別。其中一部分人熟悉西方，他們既希望"搞掉希特勒"，又希望在建立沒有希特勒的新德國後能與英、法平等相處。這一部分人曾通過幾條渠道和英國人，包括丘吉爾、艾登聯繫，也有人和在瑞士的美國戰略服務處的艾倫·杜勒斯聯繫。[2] 另一部分人則親華，希望通過蔣介石與美國、英國建立聯繫，得到美國、英國的保證。克蘭、沙赫特、托馬斯的"三人組合"就是這一部分人的代表。

二、蔣介石決定派齊焌赴歐，聯絡德國反納粹力量

齊焌摸清了德國內部反納粹力量的情況後，即向蔣介石申請歸國彙報，經蔣批准。7 月 14 日，齊焌致電蔣介石，告以此次返國，"事關德國國內演變情形及國際大局，信其極為重要"。[3] 月底，齊焌到達紐約，將上述情況向宋子文作了通報。約在 10 月上旬，回到重慶。

齊焌在回國之前，已於 7 月 15 日在瑞士寫成《機密報告》（一）。回到重慶後，又陸續寫成三份機密報告。其時間分別為 10 月 10 日、13 日，11 月 13 日。其間，蔣介石曾於 10 月 28 日召見齊焌。[4] 在上述《機密報告》中，齊焌向蔣介石詳細地陳述了德國內部反納粹力量的發展情況以及他們對蔣介石的要求，內稱："彼等籌劃已非一日，實力甚巨，有軍部及經濟（界）人物為其後盾，雖國社黨警察之防範甚嚴，而範圍日益擴大，德國民眾如能得到國際上項保證，則潮流奔放，事將易辦。" 齊稱，根據沙赫特的意見，"德國政變以秋季為宜"。"德國人對鈞座至深信仰"，"請鈞座接受此項偉大問題，恢復世界和

1　《蔣中正"總統"文物》，002-080106-00060-008。
2　參見《第三帝國的興亡》，第 761、812—814、1196—1197 頁。
3　《蔣中正"總統"文物》，002-090103-016-176。
4　《事略稿本》（48），第 324 頁。

平，救德民出永久戰爭"。其具體要求是，請蔣介石"委託人員一人，代為向英美領袖人物（接洽），以期獲得相當保證，再求進一步聯絡"。[1] 報告送呈後，暫無回音。

齊焌回國後，克蘭一直焦急地等待消息。10 月 25 日，克蘭自瑞士致電齊焌，告以收到抵渝之電，詢問在華盛頓時的電報是否收到。電稱："德內部情況日益嚴重，將來演變，當不出吾人之已意料。事關重要，深盼兄早日返來，以利前途。到渝後晉謁委座，諭示如何？急盼相告。"[2] 電報中，克蘭告訴齊焌：桂永清做事不甚小心，寫給托馬斯將軍的信件被德國當局查獲，給托馬斯帶來嚴重麻煩。托馬斯大為不悅，拒絕再與桂永清有任何來往。克蘭並稱：托馬斯將於下月初來瑞士一談。11 月 18 日，齊焌將克蘭來電呈報蔣介石，意在促蔣做出決定。

齊焌提供的是極為重要的情報，但蔣介石一直在思考，沒有立即做出決定。12 月 7 日，日軍偷襲珍珠港，太平洋戰爭爆發。國際局勢的變化使蔣介石立即亢奮起來，迅速採取一系列對策。

12 月 8 日，蔣介石在國民黨中常會講話，提議太平洋反侵略各國應立即成立正式同盟，由美國領導，成立同盟國盟軍總司令部；英、美、蘇三國與中國一致對德、意、日宣戰；聯盟各國應相互約定，在太平洋戰爭勝利結束之前，不與日本單獨媾和。當日下午，蔣介石約見美國駐華大使高斯和蘇聯駐華大使潘友新，提議中、英、美、蘇、荷、澳等國結成軍事同盟，在美國領導下共同作戰。同日晚，又召見英、美兩國駐華武官，建議成立中、美、英、荷四國聯合作戰機構。

12 月 9 日，中國政府發表文告，正式對日宣戰，同時，宣佈對德、意處於戰爭狀態。當日，羅斯福、丘吉爾分別致電蔣介石，表示將加強友誼，共同奮鬥，征服暴日。第二天，蔣介石分別覆電，除表示願貢獻其所能，與友邦共同奮鬥，掃除共同之敵外，又連續發表《告全國軍民書》和《告海外僑胞書》，號召與英、美、蘇等友邦並肩作戰。

---

1 《蔣中正"總統"文物》，002-080106-00060-008。
2 《蔣中正"總統"文物》，002-080106-060-007。

12月11日，蔣介石致電羅斯福、丘吉爾、斯大林，提議反軸心國組織聯合軍事會議。12日，羅斯福覆電，同意蔣介石的意見，在重慶召集第一次聯合軍事會議。12月17日，中、英、美、蘇四國軍事代表在重慶集會，商定在重慶設立包括荷蘭在內的五國聯合作戰機構。蔣介石提出，盟國應集中兵力於東亞，在1942年內擊敗日本。

12月23日，中、英、美三國代表再次在重慶召開軍事會議，決定在重慶設立由何應欽主持的中、美、英聯合參謀會議，在緬甸設立中英聯軍統帥部，建立中國遠征軍。31日，羅斯福致電蔣介石，建議組織中國戰區，以蔣介石為統帥，指揮在中國、安南、泰國境內的聯合國家部隊。次年1月1日，中、美、英、蘇、荷等26個國家在華盛頓簽訂《對法西斯軸心國共同行動宣言》，世界反法西斯聯盟正式形成。

克蘭等人仍在焦急地等待齊焌和中國方面的消息。太平洋戰爭爆發後，克蘭再次致電齊焌，希望早日獲得中國方面的"諒解"，以便進行，同時希望電匯2萬美元，請蔣介石"並予協助"。[1] 12月10日，齊焌電告宋子文，由於日美開火，蔣介石似乎暫時無暇積極討論德國問題。[2] 同月18日，克蘭再電齊焌，表示"友人等仍盼繼續努力，代為進行"。[3]

正是在克蘭等不斷來電催促，世界反法西斯同盟已經形成的狀況下，蔣介石終於在1942年1月做出決策，派齊焌赴瑞士，策動德國軍隊倒戈，並且將有關計劃報告羅斯福。

在世界反法西斯戰爭的戰略上，蔣介石一向主張"先亞後歐"，反對英、美的"先德後倭"策略。他擔心，盟國全力注意德國，將使東亞戰局延長，日軍即可利用當地民族的"反殖民"心理，反對英美，東亞戰局將不可收拾。因此，儘管他認為"此時德國崩潰，於全局非利"，但是，權衡之下，他還是向瑞士派出了齊焌。[4]

1　轉引自《齊焌渝來電》，1941年12月10日，《宋子文檔》，46-3。

2　《齊焌渝來電》，1941年12月10日，《宋子文檔》，46-3。

3　《齊焌渝來電》，1941年12月23日，《宋子文檔》，46-3。

4　參見《蔣介石日記》（手稿本），1942年1月14日。

三、齊焌赴歐，轉報反納粹力量的舉事時間和條件

1942 年 3 月，齊焌奉蔣介石之命到達瑞士，以該地為基地進行工作。之所以選擇瑞士，一是因為瑞士與德國鄰近，交通方便，更主要的原因則是當時德國內部的反納粹成員不少人聚居該地，聯絡方便。

齊焌到達瑞士首都伯爾尼之後，陸續發回的情報有：

1942 年 5 月 19 日、22 日、24 日各電報告：1941 年冬，德軍損失嚴重，希特勒計劃在南線截斷英美的援俄路線，企圖通過伊朗佔領波斯灣；德日積極合作，達成日本攻俄諒解；德國雖盼日在遠東成立攻俄第二陣線，但日本則堅欲在南洋陣地鞏固後，出其不意攻俄。[1]

1942 年 8 月 18 日、20 日、21 日、27 日各電報告：德陸軍在蘇損失至巨，作戰日益困難，無相當軍隊可以調派；希特勒希冀在夏季攻勢前，儘快擊潰俄軍，進至烏拉爾，然後倡言和平，形成包括歐洲大陸、北歐、巴爾幹在內的“大德勢力範圍，由德獨裁”；德國仍力促日本進攻西伯利亞。電報並稱：“（德軍）冬季糧食日難，人心將極度不滿，國民多數不盼侵略勝利消息，渴念和平。英美宣傳轟炸將日漸劇烈，倘符實，德國內部反對派活動將易於發展。若第二陣線亦成事實，德大局必更嚴重。”

1942 年 8 月 31 日續電報告：“日本調停德蘇（戰爭）傳說及其成功可能性，不敢置信，正在探洵（詢）。”“淪陷區各國仇德心理普遍堅決，並與日俱進。”“9 月初旬可獲新消息”，“報告前面呈重要事件之進展程度”。所謂“前面呈重要事件”，即指德國反納粹力量推翻希特勒政權的計劃。

1942 年 9 月 8 日發電報告：日本政府因德國不斷逼迫，令駐德大使大島向希特勒承諾，準備向蘇聯西伯利亞進攻；德軍部認為，中國最近反攻目的，在於減輕蘇俄負擔；日前隆美爾元帥曾奉新令，急求攻破英軍陣線，佔領埃及。

希特勒進攻蘇聯，初期進展順利，但是逐漸受到蘇軍的頑強抵抗，德軍失敗連連。在此情況下，希特勒不思反省，一意孤行，接連免除了布勞希奇、博克、龍德施泰特、勒布、古德里安、赫普納等高級將領的職務，自任陸軍總司

---

1 《齊焌瑞京來電》，《宋子文檔》，47 2。

令。1943 年 1 月底，克蘭致電齊焌，報告希特勒指揮失誤，德軍將領與希特勒發生矛盾等情況，電稱："希特勒獨信在冬初擊潰俄軍。自第二次攻勢未成以後，陸軍將領曾勸嚴守斯莫陵斯克（即斯摩棱斯克——筆者注），準備來春攻勢，希竟強令進攻，內部不和，後以俄反攻，德慘敗，內部意見更深，將領頗多免職或辭職，（希特勒）自兼陸軍總司令，準備堅守。"[1] 1943 年 2 月，蘇聯軍隊在斯大林格勒全殲德軍，德國內部矛盾加劇。一方面德軍高級將領與希特勒發生爭執，迫使希特勒不得不讓出部分軍權。另一方面，德國人民對希特勒的怨憤也在增加。有關情況，齊焌不斷向蔣介石和宋子文通報。

關於軍方。4 月 8 日齊焌發電稱："德大將與希特勒及重要納粹爭執，尚未解決，但大將如勃克曼斯坦及其他友人多數恢復總司令職權，雖然總指揮權尚未掌握，但積極指導目前作戰。希特勒經此次東線慘敗刺激，神經頹喪。"電中所稱 "其他友人"，指秘密參與反納粹的德軍高級將領。關於德國民眾，同電報告稱："軍民對希特勒及納粹信仰消滅殆盡，且國內恐怖政策日厲，小職工商一律停頓，中等階級遭摧殘，國民怨懣。"該電的核心部分是反納粹力量的動態。電稱：

> 查此間重要友等，對大局前途甚感（有）把握。雖然事關艱巨，日期不能預定，但希望今年 6 月內有最後之動作。

當時，英美方面對戰後德國提出了許多苛刻的條件，反納粹力量不願接受這些條件。電稱：

> 探報重要友等，仍盼推翻希特勒，徹底消滅納粹黨及主義以後，德國獲國際平等地位。然最近英、美對處置戰後德國種種表示，例如無條件投降，長期解除軍隊，監視教育，改革德國民精神，英美派員掌握敵方行政等，能否辦到且無論，結果即武力佔據德國一二十年之久，等於殖民地待遇，德人此種憂慮甚（重），願早日改革德內政，本民主精神，平等自由，求國際合作之友（人）等工作甚感困難。[2]

1　轉引自《齊焌渝來電》，《宋子文檔》，46-4。
2　《齊焌瑞京來電》，《宋子文檔》，47-2。

齊煥擔心："英美倘堅持此項苛求，則未來德國新政府，亦有寧與蘇俄徹底合作，不願淪為英美殖民地之可能，似應注意。"[1] 據德方資料，反納粹分子當時對西方的要求是：在他們逮捕希特勒並推翻納粹政府後，盟國就同德國媾和，與非納粹政府談判一項體面的條約。如遭拒絕，就轉向蘇聯。[2] 德方資料和齊煥電所云，完全一致。

顯然上電所云，都是德國反納粹力量與齊煥交涉的內容，也是反納粹力量希望通過中國取得的國際保證。蔣介石理解他們的意圖，於是接到齊煥的電報後，立即致電時在白宮訪問的宋美齡，要她轉告羅斯福總統，請其注意，電稱：

> 據報，最近納粹對內宣傳，常以英、美最近戰後政策之種種表示，與前年《大西洋憲章》日形歧異，致使德國各方深恐如無條件投降，英、美長期解除德國軍備，監視教育，並主接防德國地方行政等，致一般願早日推翻希特勒者，均躊躇不前。倘英美堅持此種苛求，則未來德國新政權，寧願與蘇聯合作，不願淪為英美之殖民地等情。為促成德國內部運動起見，此種心理不可忽視。希將此意對美政府委婉說明，加以注意。[3]

宋子文也接到了齊煥的上述電報，他沒有馬上向羅斯福彙報，而是首先核實情況。5 月 8 日，宋子文覆電齊煥，解釋英、美方面之所以條件苛刻的原因："弟意英美因懼俄德速和，故發表對德如此苛刻條件。現德在北非及俄境慘敗，聯軍力量日益膨脹，並已決定侵歐，德失敗不過時間問題。"宋子文表示"急欲得知者"：1. 德內部是否如上電所述，將於 6 月對希特勒有最後動作？2. 聯軍佔北非，可利用地中海航線，德是否將由西班牙攻直布羅陀？當時，德國方面在蘇聯境內發現殘殺數千被俘波蘭軍官的墳墓，宋子文也希望了解："內容如何？"[4] 5 月 19 日，齊煥覆電宋子文，報告希特勒的權力雖有削弱，但納粹黨人尚在頑抗：

1 《宋子文檔》，47-2。
2 《第三帝國的興亡》下卷，第 1196—1197 頁。
3 轉引自《古達程渝來電》，《宋子文檔》，47-2。按，古達程，名兆鵬，宋美齡秘書，曾在蔣介石侍從二處工作。
4 《致齊煥電》，《宋子文檔》，46-6。

納粹與正統軍人爭權，自東線慘敗，尤以史丹林格（勒）大犧牲。若非軍事領袖自動改正希特勒作戰計劃，收拾殘局，兼天氣驟暖，否則不堪設想。如此費盡力量，亦未能迫希特勒讓出政權，因納粹黨及其信徒拚命反對所致，且希特勒少年團訓練新完成，未上火線，盲從黨部之青年士兵為數尚巨。蓋黨部深信一旦失軍權根據，生命終了，故頑抗。[1]

齊焌稱，在此情況下，反納粹力量的顧慮在於："倘予武力解決，必大流血，甚至內亂，全國瓦解，乃友（人）等極欲避免者。" 他報告說：希特勒已經決定今春對蘇繼續取攻勢，擊潰蘇軍佔領莫斯科。然後分兵援助墨索里尼，抵抗英、美。希特勒堅信，德、意在突尼斯能支持到今秋，從而將英美聯軍對歐洲大陸的總攻擊延至今年底或明年初。與希特勒的估計相反，德軍中的反納粹將領認為，德軍對蘇聯的進攻必遭挫折，至多勉強招架，蘇聯大反攻之時，德國民眾及軍隊必對希特勒及納粹的殘餘希望盡失，屆時將是反納粹力量的舉事之時。電稱：

友等認為彼時方可有把握，不必終流血，短期內痛快解決，並認為此種事件之開始，當在今年 6 月，但大局演變莫測，友等亦不能預定確期。然於 6 月起，最近將來動作之期不遠矣。

1941 年沙赫特在會見齊焌時，就曾預言，反納粹的舉事時間在當年 6 月，現在則推遲到 1943 年 6 月了。這一年，反納粹力量確實有所動作，不過，造成巨大影響的舉動還要等到 1944 年。

四、德國軍隊中的反對希特勒運動與 1944 年的未遂政變

克蘭、沙赫特、托馬斯最初希望在國內外、軍內外的壓力下，能夠迫使希特勒 "退職"。其具體計劃是：在東線和西線的高級司令官按照預先約好的暗

---

1 《齊焌瑞京來電》，《宋子文檔》，47-2。

號，一齊拒絕作為總司令的希特勒的命令，藉以製造混亂局勢。在此情況下，前陸軍參謀部總參謀長貝克大將立即依靠駐守柏林的部隊，奪取政權，解除希特勒的職務。[1] 不過，他們很快認識到，這是一種幻想。1941 年秋，陸軍中有部分年輕軍官提出："殺死希特勒是最乾脆的。也許是唯一的解決辦法。"[2] 於是，便有種種暗殺計劃的提出，並且逐漸形成了"貝克—戈台勒—哈塞爾密謀集團"。

1942 年 1 月中，反納粹分子派遣駐羅馬大使哈塞爾去巴黎與維茨勒本元帥秘密會談，又去比利時和駐軍司令長官法肯豪森將軍會談，策動他們參加新的密謀計劃。同年春，反納粹分子選定以貝克大將為領導。11 月，反納粹力量在斯摩棱斯克森林中舉行秘密集會，原萊比錫市長戈台勒親自勸請東線中央集團軍司令克魯格陸軍元帥積極參加清除希特勒的活動。其後，又想動員保羅斯將軍和曼斯坦因元帥。

1943 年 2 月，戈台勒計劃在 3 月份發動政變，誘使希特勒到斯摩棱斯克集團軍總部，"將他幹掉"。其辦法：以兩瓶偽裝的"白酒"為炸彈，或在希特勒和將領聚會、吃飯時爆炸，或在希特勒回去的飛機上放置炸彈。以此為信號，在柏林發動政變。但是，當時雷管沒有點燃。據德國資料，反納粹密謀分子進行了不下六次暗殺希特勒的嘗試。其中有一次，他們在希特勒乘飛機巡視俄國戰線後方的時候，把一顆定時炸彈放在他的飛機裏面，只是因為這顆炸彈沒有爆炸，密謀才告失敗。

希特勒的大本營設於德國臘斯登堡的"狼窩"。1944 年 7 月 20 日，陸軍上校馮·施道芬堡將定時炸彈安放於希特勒作報告的會議桌一側，準備在炸死希特勒後，立即宣佈暗殺成功，切斷通訊線路，在柏林的反納粹分子立即接管首都，佔領廣播電台，宣佈新政府成立，以貝克任國家元首，維茨勒本任武裝部隊總司令，戈台勒為總理。但是，由於偶然的原因，爆炸僅使希特勒受了輕傷。政變失敗，在 11 個半小時內政變被平息。共處死 4980 人，逮捕 7000 人。

蔣介石在 7 月 22 日就確知德國發生政變，日記云："本週倭閣東條已倒，

---

1 《第三帝國的興亡》下卷，第 1064 頁。
2 《第三帝國的興亡》下卷，第 1064 頁。

德國希特勒被刺未死，敵方之命運失敗在即，固為可慰。然而敵國敗後我不能自強，則雖勝猶敗，究有何益乎！因之焦灼更甚矣。”[1] 由於文獻缺乏，我們還難於確指克蘭、托馬斯、沙赫特在上述政變中的具體作用，但是，可以確認的是，托馬斯將軍、沙赫特博士這兩位和齊焌聯繫的人在“狼窩”事件後都被逮捕了，在 1942 年 2 月派人向蔣介石表示“忠誠”的法肯豪森將軍也被逮捕了。[2] 同樣由於文獻缺乏，我們也還難以了解蔣介石和宋子文向美方轉達有關信息的後續情況，但是，上文已經闡明，蔣介石通過宋美齡向羅斯福總統通報過情況，轉達過反納粹分子的條件。當然，我們也還不了解克蘭在政變中的具體活動。但是，我們可以肯定，中國方面曾向克蘭的反納粹活動提供過資助。1943 年 4 月 7 日，宋子文覆電齊焌：“茲匯美金 3 萬元計合瑞士法郎 12 萬 9000 元，收到後，希秘密設法交克蘭，最好取出鈔票，分次交給，以免外間注意。”4 月 16 日，齊焌自瑞士覆電云：“克蘭囑呈如下：鈞座鼎力協助，無任感謝。深知辦理款事異常困難。茲承高誼優待，銘感五中。實因進行要事，需款孔殷，否則不敢有擾。收據自當遵照來電，簽妥交齊君矣。克蘭敬候。”這裏所說的“進行要事”，當然暗指推翻希特勒的有關活動。電末，齊焌有按語云：“此次又勞清神。克君感仰至深。款已到，決遵示用極妥密辦法，分批撥給不誤。”[3] 這當然不會是唯一的資助，在宋子文檔案中，還可以查到其他資助的痕跡。由於克蘭早已避居瑞士，因此，他逃過了希特勒的大逮捕。1944 年 12 月 28 日，克蘭曾通過齊焌致電蔣介石祝賀新年，電稱：“元旦在即，謹此恭賀。敬祝政躬康泰，並熱望中國民族自由戰爭早獲勝利。鄙人惟願意忠誠不懈，貫徹始終，追隨左右，以期有益於中國。”[4] 可見，他逃過了劫難。

　　沙赫特、托馬斯被捕後，囚禁於南提羅爾的下多夫集中營裏，看守他們的秘密警察正打算將他們全部處決，5 月 4 日，盟軍的先頭部隊趕到，法肯豪森、托馬斯、沙赫特等人成為美軍俘虜。1945 年 5 月 7 日，《紐約時報》發表

1　《上星期反省錄》，《蔣介石日記》（手稿本），1944 年 7 月 22 日。
2　唐縱《在蔣介石身邊八年》載：“1942 年 2 月 8 日，桂永清自瑞士來電，法根（肯）豪森派人表示忠誠，並對德國戰爭前途不甚樂觀，彼不主張再大舉攻俄云。”群眾出版社 1991 年版，第 255 頁。
3　《宋子文檔》，47-2。
4　《蔣中正“總統”文物》，002-90103-016-191。

有關消息，蔣介石得知後，於 5 月 15 日致電宋子文，要他向美方通報情況，予以解救。電稱："如此消息果確，應設法與美軍部交涉，由中國保證其為（對）聯合國家最同情之德人，且與我聯合國甚多之協助。因彼等早已在其國內獨持異議，作推翻希特勒運動之重要分子也。何如？請酌。"[1] 蔣介石的這封電報，意在為法肯豪森、沙赫特、托馬斯等提供反納粹的證明，以供盟軍甄別。這說明，蔣介石對於有關情況是十分清楚的。

---

1 《宋子文檔》，58-5。

蔣介石與德國內部推翻希特勒的地下運動補述 *

* 本文錄自《找尋真實的蔣介石：還原 13 個歷史真相》，九州出版社 2014 年版。

一、蔣介石日記中的發現與爭論

　　蔣介石 1942 年 1 月 10 日日記《本星期預定工作》第一條云："對德運動倒戈工作之進行。"次日日記《預定》欄第六條云："派齊焌赴瑞士。" 1 月 14 日日記云："運動德國軍隊倒戈計劃應告知羅斯福總統。" 幾年前，我沿此線索追尋，查閱藏在美國的宋子文檔案，台灣的中德關係檔案以及其他資料，終於發現：希特勒上台後，特別在其發動第二次世界大戰後，德國內部逐漸形成多股反對希特勒的力量，其組成人員為部分軍方人士、政府官員和商人，目的在於推翻或暗殺希特勒，建立一個沒有納粹的新德國，和西方世界發展和平關係。1942 年，其中一股力量的三個代表性的人物克蘭、沙赫特、托馬斯曾和中國駐德武官齊焌聯繫，企圖通過蔣介石，打通和美國總統羅斯福、英國首相丘吉爾等人的關係，取得支持和諒解。同年，蔣介石派齊焌作為特使赴歐，聯絡克蘭等人，支持其推翻希特勒的行動。2010 年，我曾將有關史實寫成專文，發表於台北《傳記文學》雜誌當年第三期，題為《抗戰期間中德關係的驚天秘密》，副題為《蔣介石（派人赴歐），策動德國軍隊推翻希特勒》。[1] 後來迅速改

1　原題為《蔣介石派人赴歐，策動德國軍隊推翻希特勒》，後為台北《傳記文學》編者刪簡為《蔣介石策動德國軍隊推翻希特勒》。

題為《蔣介石與德國內部推翻希特勒的地下運動》。[1] 文章發表後，受到老友、著名歷史學家汪榮祖教授的質疑，他緊接著在台北《傳記文學》發表文章，駁斥拙文。為此，我們陸續各撰二文，展開論戰。近年來，我又發現了幾項資料，因作補述，以補前文不足。

二、新發現之一，蔣介石將消息告訴蘇聯駐華大使潘友新，要他轉告斯大林

抗日戰爭期間，中蘇兩國結盟。第二次世界大戰爆發，中蘇成為反法西斯同盟國，兩國關係進一步密切。1942 年 10 月，蘇聯駐華大使潘友新奉命回國述職，16 日，蔣介石約潘到重慶曾家岩官邸晤談，討論兩國間的貿易及合辦獨山子油礦等問題。談話中，蔣介石表示："今後貴我兩國邦交務求更趨密切，所有兩國間一切交涉，務須趨上正軌。"潘也表示："我兩國間只要遇事能開誠相與，則無不可商量解決之問題。"由於潘曾提到此次返國，沒有"滿意之消息"帶回，感到歉然，蔣介石即向潘透露一項絕密消息：德國軍中很快即將發生"革命"，要他將這一絕密消息轉告斯大林。當時二人對話如下：

> 蔣：大使稱回國無好消息報告政府，余願趁今日與大使話別之際，贈以最好之消息，即德國內部革命已在醞釀，且很快即將發生。雖其爆發之期，尚不可逆料，但吾人如能努力促成，必可早日實現。此項消息，請面告史達林先生，暫勿為其他人道。

> 潘：委座所示德國革命，內容如何，可得聞否？
> 蔣：此乃極確實之消息，其內容尚不克詳告，但已知有軍人參加。
> 潘：余亦知德國政治情勢不穩。
> 蔣：政治不穩，尚易補救，軍隊參加革命，其勢可危。
> 潘：是否軍隊反戰情緒高漲所致？
> 蔣：不僅反戰而已。

1　見拙著《找尋真實的蔣介石：蔣介石日記解讀》第 2 輯，香港三聯書店、北京華文出版社 2010 年 6 月版。

潘：此誠最好之消息。歸事謹當面告斯達林先生。倘希特勒能愈早坍台，我民主國即愈快勝利。[1]

由於當年 1 月，蔣介石已將齊焌派赴瑞士，自 3 月起，齊焌即陸續向國內通報德國反納粹人士的活動情況，因此，蔣介石與潘友新所言德國內部革命已在醞釀，顯然即指克蘭、沙赫特、托馬斯等人推翻希特勒的計劃。

1941 年 6 月 22 日，希特勒按照事先擬訂 "巴巴羅沙" 的計劃，出動 190 個師，3700 輛坦克，4900 架飛機，47000 門大炮和 190 艘戰艦，分三路以閃電戰的方式突襲蘇聯。同年 7 月 3 日，斯大林發表廣播演說，號召全蘇人民全力以赴，同希特勒法西斯殊死鬥爭。初期，蘇軍缺乏準備，倉促應戰，有 28 個師被全殲，70 個師人員武器損失過半。9 月底，德軍大舉進攻莫斯科。1942 年 5 月，德軍將戰略重點轉向南線。7 月下旬，進攻斯大林格勒，一度突入市區，與蘇軍展開巷戰，該城危殆。蔣介石在這時將德軍內部正在醞釀革命的消息告訴潘友新，要他轉告斯大林，對於正在指揮軍隊與德軍進行巷戰的蘇聯領導人和軍隊來說，自然是一個 "最好之消息"。蔣稱："德國內部革命已在醞釀，且很快即將發生。雖其爆發之期，尚不可逆料，但吾人如能努力促成，必可早日實現。" 蔣介石所稱 "吾人"，自然包括中國和蔣介石本人在內，可見蔣對這一正在醞釀的 "有軍人參加的" "德國內部革命"，所持的是 "努力促成" 的態度。這和他 1942 年 1 月日記所稱 "運動德國軍隊倒戈計劃" 是一致的。同年 11 月 11 日，蔣介石日記云："對德國 '內容' 與處理方針，明告羅斯福。" 這年 1 月蔣介石就曾在日記中表示要將有關計劃告知羅斯福，這裏所說是第二次。羅斯福當時是美國總統，國際反法西斯戰線的領袖和統帥。蔣日記所稱 "內容" 當指德國內部反納粹力量的發展情況；所稱 "處理方針"，當指中國政府的態度與對策。日記對此略而未述，但毫無問題，應是 "努力促成" 的具體措施。可惜，蔣的日記寫得過於簡略，沒有透露更多的細節。

---

1 《戰時外交》（2），第 534—537 頁。

三、新發現之二，宋美齡向美國政府通報，
美國政府無意利用德軍內部力量

蘇軍在斯大林格勒的抵抗極為頑強。至 1942 年 9 月底，蘇軍固守的地段雖然局限於伏爾加河西岸的狹長地帶，縱深不到 1 公里，但德軍卻一直不能完全佔領斯大林格勒。為此，德軍第六集團軍司令保盧斯鑒於寒冬即將到來，下令猛攻。11 月 19 日拂曉，蘇軍在斯大林格勒附近開始大規模反攻，11 月 23 日，蘇軍合圍德軍第六軍團全部。希特勒命令德軍 "戰鬥到最後的一兵一卒一槍一彈"，並命令曼施坦因將軍率領的裝甲重兵集團實施救援，但被蘇軍所阻。11 月 26 日，蔣介石日記云：

> 俄國史大林城解圍，德軍師長以上投降者三人，被俘數萬人，此為德軍從來未有之敗象。而其軍部與希脫勒意見不一致，其內部必有一日之崩潰，固早在意料之中，如果希脫勒倒時，沙哈脫等組織新政府之前，先來電要求示余保證其德國之地位時，將如何應之？[1]

斯大林格勒之戰是蘇德戰爭的轉捩點，也是世界反法西斯戰爭的轉捩點。當時，這一戰役尚在進行中，但是，蔣介石已經從齊焌來電中得知，希特勒強令進攻，而其將領則主張暫取守勢，意見分歧，內部崩解，希特勒必將失敗。蔣介石由此估計，親華的沙赫特（沙哈特）等德國內部的反納粹力量可能乘勢而起，成立新政府，屆時，將會要求中國政府保證新政府的 "地位"。

早在 1941 年，沙赫特等就在和齊焌的談話中提出，要求蔣介石委託一人，代表德國反納粹力量和羅斯福等人聯繫。1942 年 4、5 月間，蔣介石致電時在白宮訪問的宋美齡，要她向羅斯福 "委婉說明"，在德國反納粹力量推翻希特勒後，能夠寬待 "新政權"。電稱：

> 據報，最近納粹對內宣傳，常以英、美最近戰後政策之種種表示，與前年《大西洋憲章》日形歧異，致使德國各方深恐如無條件投降，英、美長期解除德國軍備，監視教育，並主接防德國地方行政等，致一般願早日

---

[1] 《蔣介石日記》，1942 年 11 月 26 日。

推翻希特勒者，均躊躇不前。倘英美堅持此種苛求，則未來德國新政權，寧願與蘇聯合作，不願淪為英美之殖民地等情。為促成德國內部運動起見，此種心理不可忽視。希將此意對美政府委婉說明，加以注意。[1]

此電表明，蔣根據情報，認為當時德國反納粹力量擔心推翻希特勒政權後，英美仍堅持類似"無條件投降"的"苛求"，因此"躊躇不前"，並有"與蘇聯合作"的可能，蔣因此希望宋美齡向美國政府"委婉說明"，不再堅持原條件，以便解除德國反納粹力量的顧慮，勇敢行動。蔣此電對英美政策的分析和對德國反納粹力量的"心理"判斷是否準確無誤，可以討論，也都可以批評，但其希望"促成德國內部運動"的意圖卻是清晰明白的。

宋美齡收到蔣此電後是否立即和羅斯福談過，文獻缺乏，不敢妄斷。此際，由於蘇軍在斯大林格勒的勝利，蔣介石估計納粹力量崩潰之期不遠，想起沙赫特等人的囑託，因此，蔣介石再次電催宋美齡和美國政府聯繫。12月23日，宋美齡在華盛頓與羅斯福的私人顧問哈里·霍普金斯談話，廣泛討論對德戰爭與戰後對蘇聯的政策等各方面的問題。霍普金斯當時參與美國政府和英國、蘇聯之間的所有重大的戰略決策，實際上是白宮的第二號人物，有"影子總統"之稱。霍普金斯告訴宋美齡：德國近來拉攏日本甚力。宋美齡遂乘機向其探詢："德國普魯士之軍官可否利用，以圖結束戰事？"霍普金斯答稱："羅總統訣不願為此期有任何談判。"[2] 宋美齡這裏所稱"德國普魯士軍官"，指的正是與克蘭、沙赫特密切聯繫的托馬斯等德國軍中反納粹力量。有關事實，具見於宋美齡12月24日致蔣介石的《敬電》中。

德國內部的反納粹力量成分複雜，大部分人係德國軍官或政府官員，因此，英國、美國當局都對之持不信任態度。1941年1月，丘吉爾就指示英國外交部，對德國反抗力量"徹底沉默"。霍普金斯對宋美齡所言，說明羅斯福所持態度與丘吉爾大體相同。他們都決心以武力徹底摧毀納粹德國，不準備舉行任何談判，也不準備利用任何德國內部的反納粹力量。

---

1 轉引自《古達程渝來電》，宋子文檔，47-2。按，古達程，名兆鵬，宋美齡秘書，曾在蔣介石侍從二處工作。

2 《蔣夫人致蔣介石敬電》（1942年12月24日），《事略稿本》（52），第136頁。

榮祖教授先是批評蔣電"實不知所云","不切實際，不明底細"，而且大膽假設，宋美齡並未向羅斯福通報此電。他說："宋美齡是否轉達，也沒有下文，也未見羅斯福的回應的記錄，只能說不了了之，毫無影響。"[1] 後來又認為，宋美齡的國際知識比蔣介石豐富得多，很可能未將此電送達羅斯福。[2] 我當時雖認為，宋美齡不將如此重要的電報轉達是"不可思議"的，但是，因資料不足，未能以有力的證據反駁榮祖教授。現在宋美齡致蔣介石《敬電》的發現，證明宋確曾向羅斯福的顧問霍普金斯談過有關情況，表達過利用德國反納粹軍官打敗希特勒，結束戰爭的願望，希望榮祖教授能夠審視此電，重新思考自己的判斷。

克蘭、沙赫特、托馬斯三人一開始和齊焌聯繫時，就曾明確表示，"德國內部如何解決，一般友人自有辦法"，並不期望中國涉入推翻或暗殺希特勒的具體行動，其目的僅在於，通過齊焌，向蔣介石回報，再通過蔣介石，建立和羅斯福等美、英政要的聯繫，在建立新德國的時候取得其支持和某種承諾。上述資料證明，蔣介石、宋美齡沒有辜負克蘭、沙赫特、托馬斯的希望，確實這樣做了。至於是僅做了一次，還是幾次，每次的情況如何，則有待於新資料的發現。不過，由於德國反納粹力量"自有辦法"，不希望外人插手，美方對利用德國內部力量一事又沒有興趣，所以，蔣介石自然沒有可能更多地做什麼了。

榮祖教授在文章中論述德國反納粹力量"為免戰爭擴大而推翻希特勒"，"為挽救德國而推翻希特勒"，種種分析，我都曾鮮明地表示同意。我只是想證明，蔣介石確有支持德國反納粹力量的"企圖"，同時也確有部分行動，如派齊焌赴歐聯絡，要宋美齡向美國政府通報，爭取美國支持，以及以三萬美金接濟"進行要事"的克蘭等。如果榮祖教授承認這些，我也就沒有必要呶呶不休。榮祖教授曾經很風趣地說過，有登上月球的念頭和實際登上月球是兩回事。旨哉斯言！沒有登上月球而稱之為登月人，大謬，但是，有人動過念頭，有過某些計劃或行動，謂之為起念人，誰曰不宜？

1 汪榮祖：《蔣介石策動德軍推翻希特勒質疑》，台北《傳記文學》2010 年 4 月號，第 128 頁。
2 汪榮祖：《請問"驚天秘密"在哪裏？》，台北《傳記文學》2010 年 7 月號，第 126 頁。

四、"三人組合"的發展與結局

克蘭、沙赫特、托馬斯的"三人組合"持堅定的反納粹立場。1944 年 7 月 20 日，德國反納粹力量在臘斯登堡的希特勒的大本營製造了"狼窩"事件。陸軍上校馮・施道芬堡將定時炸彈置於希特勒做報告的會議桌一側，計劃在爆炸成功之後，在柏林的反納粹分子立即行動，舉行政變，接管首都，以貝克大將為國家元首，以戈台勒為總理，建立新德國。然而，由於偶然原因，希特勒僅受輕傷。蔣介石在事變後的第二日，就得知有關消息。在日記中寫道：本週倭閣東條已倒，德國希特勒被刺未死，敵方之命運失敗在即，固為可慰，然而敵國敗後，我不能自強，則雖勝猶敗，究有何益乎？因之焦灼更甚矣！[1] "狼窩"事件後，希特勒大肆逮捕、屠殺反納粹人士。沙赫特、托馬斯先後被捕，秘密警察本擬將二人殺害，因盟軍趕到，三人遂成為美軍俘虜。蔣介石聞訊，曾致電宋子文，要宋向美國政府證明，二人均"獨持異議，作推翻希特勒運動之重要分子"。有關情況，我在《蔣介石與德國內部推翻希特勒的地下運動》中已有敘述，茲不贅論。

沙赫特、托馬斯和"狼窩"事件有無關係？據旅德學者萬驚雷先生研究，沙赫特於 1943 年初被希特勒解除職務，處於秘密警察的監視中。沙赫特感到危險，切斷和反納粹領袖格德勒的來往。他是"狼窩事件"的知情者，但不是核心策劃者，也不在政變後準備成立的新政府成員的名單中。戰後，沙赫特在紐倫堡國際戰爭法庭被起訴，1946 年被宣佈無罪釋放。1970 年去世。時已 93 歲。托馬斯則反對暗殺希特勒，主張由陸軍舉行合法政變，將希特勒及其政府成員逮捕後交國家法庭審判。自 1943 年之後逐漸脫離反納粹力量，因此，對"狼窩"計劃全然不知。[2] 1946 年 12 月 29 日，在被美軍關押期間因重病去世。克蘭，在"狼窩"事件前避居瑞士，逃過劫難，1943 年曾因"進行要事，需款孔殷"，從宋子文處秘密得到 3 萬美元資助。戰後，他通過法律途徑尋求財產賠償，1957 年 3 月 13 日被駁回，其理由是："並不是因為其政治立場，而是因

1　《上星期反省錄》，《蔣介石日記》，1944 年 4 月 22 日。
2　萬驚雷：《沙赫特為什麼求助於蔣介石》，台北《傳記文學》2010 年 8 月號。

268

為他與蔣介石大元帥的私人關係而捲入到與希特勒的衝突之中。如果不是希特勒不認同其經商理念，則其完全有可能與納粹進行合作，所以他不是直接受害者，沒有資格要求賠償。"這顯然是當時東德政府的態度。同年，克蘭去世。

反納粹的"三人組合"中，人們對沙赫特、托馬斯二人了解較多，關於克蘭，則了解甚少。幾年前，我曾經給兩位研究中國近代史的德國學者寫信求教，均無答覆。我也曾請我的助手賈旺娟女士乘赴德短期進修之便，收集相關資料，但她因不能閱讀德文，所得甚少。進一步研究克蘭，也許是深入推進、擴展本課題的重要途徑。[1]

1 關於"二戰"前的克蘭，復旦大學吳景平教授有《漢斯·克蘭與抗戰前的中德關係》一文，見其所著《國民政府時期的大國外交》，上海人民出版社 2012 年版。

蔣介石企圖策動「德國軍隊倒戈」的史實應該得到承認

——敬答汪榮祖教授

最近讀到汪榮祖教授發表在台北《傳記文學》2010 年 4 月號上面的大文《蔣介石策動德軍推翻希特勒質疑》，深受教益。汪文係針對發表在同刊 3 月號上的拙文《抗戰期間中德關係的驚天秘密》而發，我很感謝他的指教，其中的許多觀點，如，"德國將領為阻止侵略戰爭而反對希特勒"，"為免戰爭擴大而推翻希特勒"，"為挽救德國而推翻希特勒" 等，和拙文並無矛盾，我都同意。不過，我也感到遺憾，榮祖教授誤讀拙文，板子打錯了地方。此外，文章在幾個關鍵問題上的觀點或為武斷，或是假設，都缺乏必要的證明，主觀成分似嫌太重，因此，不足以服人。好在榮祖教授是我多年老友，學術上的切磋問難是朋友之道的重要表現。有話就直說了！倘有冒犯或言重之處，望榮祖教授諒之。

一、誤讀拙文，板子打錯了地方

汪文一開始就寫道："凡是讀過第二次世界大戰歷史的人，對於戰爭期間部分德軍將領試圖推翻希特勒及其納粹統治，應該耳熟能詳，絕非什麼'秘密'，但若說此事由蔣策動，確是'驚天秘密'，不僅應該作為《傳記文學》的封面故事，全世界的媒體都應該報導這個新聞。" 可見，汪文主旨在於討論：此事是否"由蔣發動"？汪文由此展開，從實際發生、發展過程論證德軍部分將領從事推翻希特勒活動的原因，"絕非外國策動"，與"蔣"無關，蔣介石不可能策動德軍將領。他不是事件發生之"由"。

　　而拙文呢，一開始是這樣寫的："1942 年，正是對日作戰的艱難時期，中國的事情已經讓蔣介石焦頭爛額，應接不暇，怎麼可能會派人赴歐，策動德國軍隊，推翻希特勒的納粹政權？然而，蔣介石日記明明寫著：'對德運動倒戈工作之進行。' '派齊焌赴瑞士。' '運動德國軍隊倒戈計劃應告知羅斯福總統。'"又寫道："也許有人會說：蔣介石日記不可信。甚至會說：蔣介石在騙人。然而，太平洋彼岸胡佛檔案館的宋子文檔和太平洋此岸台北的國史館中，都保存著不少相關檔案。將這些文獻加以綜合考察，你就不得不承認，本文所述，千真萬確。"可見，本文主旨在於討論蔣介石日記所述是否可信，他是否有過策動德國軍隊，推翻希特勒的企圖，是否為此做過部分努力。文章由此展開，論證蔣介石確曾派人與德國反納粹人士有聯繫，他確有策動企圖，並為此做過某些努力。

　　人所周知，文章的首段所起的作用是破題。比較汪文與拙文的破題，人們不難看出，汪文與拙文，討論的問題雖然相關，但實際的主題各不相同，企圖回答的問題也相差很大。汪文討論蔣是否事件發生之"由"，是否有重大作用，拙文討論蔣與事件有無關係，是否做過某些努力。至於蔣的這種努力是否發生過作用，或有多大作用，由於材料不足，本著"知之為知之，不知為不知"的原則，本文並未回答。榮祖教授用他設定的主題來檢查我的文章，將我推到極為無知、十分荒唐的位置上，然後加以批評，自然"滿擰"，對不上口徑了。

　　"二戰"期間德國推翻希特勒的地下運動是該國部分將領和其他反納粹人士自發、自主地發動起來的。醞釀多年，參加人數眾多，行動多次。據不完全統計，僅僅付之實施而因種種原因未能成功的主要暗殺計劃就有六七個之多。我在拙文第三段中就指出："早在 1938 年至 1939 年之間，德國國內、軍內就逐漸形成反對希特勒的派別。"在第六段中，我概略地敘述了德國軍隊中的反對希特勒地下運動的發展過程，包括"密謀集團"的形成以及幾次謀殺希特勒未遂的簡況。我提到了貝克大將、哈塞爾、維茨勒本元帥、福肯豪森司令，以及戈台勒等人的作用，其中許多事件都發生在 1942 年 1 月之前，那時，蔣介石尚未派齊焌赴歐"運動德軍"，不言自喻，和蔣介石毫無關係，我的相關行文中也完全沒有提到蔣介石，然而，榮祖教授卻理直氣壯地責問我："那些德國將領早於1942年之前就要推翻希特勒，原因為了與英、法等同盟國議和，避免全面戰爭，出於愛國心，何待蔣介石策動'倒戈'？"不錯，榮祖教授講得完全正確，但是，拙文有這樣的意思嗎？榮祖教授是不是有點無的放矢了呢？

榮祖教授還在"倒戈"一詞上做文章，認為"倒戈是投向敵方，絕對與事實不符"。這就使我很不解了，被希特勒派到前方的將領不按照軍令去與敵方作戰，卻反過來企圖推翻作為主帥的希特勒，不是"倒戈"是什麼？

齊焌留學德國，1940年7月被蔣介石派任駐德武官。何以在1942年1月，又被蔣介石派往瑞士，付以"運動德國軍隊倒戈"的重任呢？原因在於德國內部人士"三人組合"的要求。關於此點，拙文第一段有充分的表述。齊焌從克蘭、沙赫特、托馬斯那裏了解到德國內部反對希特勒的力量已經相當"雄厚"，"實力甚巨"，"籌劃已非一日"，只是想通過蔣介石"尋覓國際路線"，取得羅斯福、丘吉爾的"國際保證"，因此才要求回國，向蔣介石彙報，而蔣介石也正因為得知德國的反納粹力量已經力量龐大，蓄勢待發，覺得事有可為，才決定派齊焌赴歐"運動"。拙文何曾說過，德國內部本來風平浪靜，將領們全無反對希特勒的願望，其所以發展為規模巨大、前赴後繼、可歌可泣的反納粹運動，全由蔣介石的"策動"呢！

1944年7月20日的未遂政變是齊焌受命到歐洲之後的事情。榮祖教授應該注意到，我在敘述這一事變時，也仍然隻字未提齊焌，未提蔣介石。只是在敘述政變失敗之後的情況時，我極為謹慎地寫了幾句話："蔣介石在7月22日就確知德國發生政變。"又寫道："由於文獻缺乏，我們還難於確指克蘭、托馬斯、沙赫特在上述政變中的具體作用，但是，可以確認的是托馬斯將軍、沙赫特博士這兩位和齊焌聯繫的人在'狼窩'事件後都被逮捕了，在1942年2月派人向蔣介石表示'忠誠'的法肯豪森將軍也被逮捕了。"這似乎是在有意牽扯蔣介石了。然而，這裏的每一句話都有資料根據。我並沒有因此作出齊焌或蔣介石曾經策動或參與此次密謀的任何表述。在法肯豪森將軍派人向蔣介石表示"忠誠"這一點上，我特別寫明，其事發生於1942年2月，自然，和1944年7月的未遂政變沒有任何關係。文章最後，我在敘述蔣介石出面擔保，福肯豪森、托馬斯、沙赫特等三人都是"推翻希特拉運動之重要分子"之後，只說了一句話："這說明，蔣介石對於有關情況是十分清楚的。"如此而已。我何曾說過，1944年的未遂政變是"由蔣策動"之類的話語呢？為什麼？因為我懂得，有一份證據，說一份話，歷史學家在沒有充分證據之前不能根據推想去下判斷。

這裏，榮祖教授也許會問，你的文章的副題不是明明白白地寫著，"蔣介石策動德國軍隊推翻希特勒"嗎？不錯，確實如此。然而，拙文僅限於論證蔣有無這一企圖，是否為此作過某些努力，不是在論證德國反納粹運動的發生與發展的緣由及其過程，也不曾論證蔣的努力對於地下運動的實際作用，更不曾論證這種作用有多麼重要。因此，拙文的正題是《抗戰期間中德關係的驚天秘密》，僅就中德關係的發展、變化而言，並未採用《德國反納粹政變的驚天秘密》一類題目，其原因在此。

榮祖教授當然不了解，拙文文題有過幾次變遷。就正題言，原來的題目是《蔣介石與德國內部推翻希特勒的地下運動》，後來才改為現題。就副題言，最初是《蔣介石日記解讀》，後來改為《蔣介石派人赴歐，策動德國軍隊推翻希特勒》，意在說明蔣"派人赴歐"及其目的。在排校過程中，"派人赴歐"四字被刪，我猜想可能是因為字數太多了，就沒有改回去。不知道榮祖教授的誤讀是否與此相關？但我以為，榮祖教授如果比較仔細地閱讀拙文，特別是破題，是應該不致發生這樣的"誤讀"的。

二、關於德國反納粹人士的向外求助對象和 對蔣介石的"阿諛"之詞

拙文指出，當時反納粹將領向外求助有幾個方面：一部分人曾通過幾條渠道和英國人，包括丘吉爾、艾登聯繫，也有人和在瑞士的美國戰略服務處的艾倫·杜勒斯聯繫。另一部分人則親華，希望通過蔣介石與美國、英國建立聯繫，得到美國、英國的保證。克蘭、沙赫特、托馬斯的"三人組合"就是這一部分人的代表。榮祖教授承認，德國反納粹將領和英國方面"早有渠道"，從1942年底開始到"二戰"結束，與盟軍在瑞士的接觸主要通過美國戰略服務處

主任杜勒斯，這與拙文的觀點一致，但是，榮祖教授由此斷言：拙文認為德國反納粹人士要求“蔣介石代向英美求和，更有違常識”。這就可以討論了。

拙文的觀點不是憑空想像，而是有齊燉寫給蔣介石的《機密報告》作為根據的。有關引證，具見拙文，不再抄錄。根據《機密報告》，克蘭、沙赫特、托馬斯的“三人組合”和齊燉曾多次共同研究反對希特勒的有關問題，要求蔣介石代為聯繫羅斯福等人，其時在 1941 年 4 月至 7 月期間。而汪文所述，德國“地下運動”和艾倫·杜勒斯建立聯繫是在 1942 年底，已在“三人組合”與齊燉談話一年多之後。怎麼能用發生在後的事情否定發生在前的事情呢？

德國反希特勒的地下運動是緩慢地、逐漸發生、發展、壯大的，其參加人員逐漸增多，並沒有形成高度嚴密、互通聲氣的組織，也沒有形成如臂使指、上令下行的領導系統。其中有一部分人和英國有聯繫，會和英國方面聯繫；另一部分人和美國人有渠道，自然會和美國人交往。鑒於這種聯繫的極端機密性（否則是要掉腦袋的！），他們自然不會向其他地下運動的成員通報：更不會下令：我這裏已經和西方掛鈎了，你們就不要再找尋別的門路了，自然，更不會也不可能禁止其他人士找尋其他門路。其情況，可以說是各自為政，各顯神通。早在 20 世紀 30 年代，蔣介石和德國政府、德國軍隊之間就建立了相當緊密的聯繫，大批德國將領到中國工作，其間，中德之間的經濟、貿易往來也日益密切，中國向德國購買軍火，德國從中國取得鎢砂等戰略物資。在這一過程中，德國社會、德國政府和軍隊內部都形成了一股親華力量，克蘭、沙赫特、托馬斯就是他們的代表。在希特勒悍然發動對外侵略戰爭時，他們因反對這一戰爭，而企圖推翻希特勒，建立一個沒有納粹的德國。但是，他們又擔心，新的德國可能受到英美的不平等待遇，因此，希望找到渠道，聯繫英美領袖，得到國際保證。蔣介石在當時是中國抗戰領袖，而且已經和英美，特別是和羅斯福建立了同盟關係，宋子文已經作為蔣介石的代表派往美國。在這樣的情況下，他們通過長期相熟的齊燉求助於蔣介石，有什麼奇怪的呢？榮祖教授要批評拙文“有違常識”，首先就應該否定齊燉《機密報告》等資料的真實性，證明《報告》所云“三人組合”向蔣介石求助一事子虛烏有，他的批評才能成立。然而，榮祖教授文中又明確表示：“我們並不懷疑這些材料的真實性。”這樣，榮祖教授的批評豈不是失去立足之點了嗎？

自 1937 年起至 1941 年，蔣介石領導中國軍民單獨對日抗戰已經四年，在此情況下，德國反納粹運動中有部分人士親華、親蔣並不奇怪（例如，福肯豪森將軍就是這樣的人物）。他們選擇蔣介石作為求助對象，在和齊焌交談時，說過部分歌頌蔣氏的話，這並不奇怪，然而，榮祖教授卻毅然斷定，這是齊焌的"加料"，目的是為了"阿諛奉承，討好主子"，請問，榮祖教授作這樣的判斷有什麼根據？是不是武斷了一點？

三、宋美齡是否向美國政府轉達了反納粹人士的要求和條件？

1942 年 1 月，蔣介石在決定派齊焌赴歐，聯絡德國反納粹人士之後的第四日，曾經在日記中寫道："運動德國軍隊倒戈計劃應告知羅斯福總統。"從常理上講，"運動德國軍隊倒戈"十分重要，德國反納粹人士又要求蔣介石充當他們與羅斯福之間的溝通人，自然，蔣介石應該會及時將有關情況向羅斯福通報。然而，有關資料至今尚未發現。所幸的是，筆者發現了蔣介石在 1943 年 4 月致宋美齡的一封電報，中云：

> 據報，最近納粹對內宣傳，常以英、美最近戰後政策之種種表示，與前年《大西洋憲章》日形歧異，致使德國各方深恐如無條件投降，英、美長期解除德國軍備，監視教育，並主接防德國地方行政等，致一般願早日推翻希特辣者，均躊躇不前。倘英美堅持此種苛求，則未來德國新政權，寧願與蘇聯合作，不願淪為英美之殖民地等情。為促成德國內部運動起見，此種心理不可忽視。希將此意對美政府委婉說明，加以注意。

這封電報是蔣介石支持德國內部反納粹人士推翻希特勒，建立德國"新政權"的鐵證。為什麼？第一，當時，宋美齡正在白宮訪問，和羅斯福關係密切，聯繫也很方便，她是代替蔣介石向羅斯福通報有關信息的最合適的人選。第二，蔣介石在電報中表示，"為促成德國內部運動起見"，可見，蔣介石十分明確地支持德國內部的反納粹運動，希望"促成"。第三，此電現存於美國胡佛檔案館的宋子文檔案中，它是蔣介石的侍從室秘書古兆鵬在奉命發電時偷偷地給宋子文發送的一份副本。這一情況，排斥了包括齊焌在內的任何人偽造的可能。

我很高興，榮祖教授沒有懷疑這通電報的"真實性"，但是，他批評此電"實不知所云"，而且大膽假設，宋美齡並未向羅斯福通報此電，這就又值得討論了。

蔣介石此電係根據齊焌1943年4月8日電而發。齊焌在該電中闡述了德國反納粹人士"仍盼推翻希特拉，徹底消滅納粹黨及主義以後，德國獲國際平等地位"，但是，他們擔心"新政權"成立後，英美仍將要求德國"無條件投降，長期解除軍隊，監視教育，改革德國民精神"，派員掌握德國行政，長期佔據德國，使德國等同於殖民地，因此希望英、美降低條件，善待德國，否則，將與蘇聯合作。蔣介石收到此電後，認為反納粹人士的要求有其合理性，為了解除這批人士的顧慮，早日將其推翻希特勒，建立"新政權"的計劃付諸實施，於是，決定向羅斯福通報。由於英美兩國領導人簽署的《大西洋憲章》對處理納粹已有嚴厲規定，因此，蔣介石要求宋美齡向美方"委婉說明"，請其"注意"。

《大西洋憲章》簽署於1941年8月，共8條，其基本精神是：不追求領土或其他方面的擴張，不承認通過侵略造成的領土變更，尊重各國人民選擇其政府形式的權利，恢復各國人民主權，各國在貿易和原料方面享受平等待遇，促成一切國家在經濟方面最全面合作，重建和平等等。不錯，《憲章》第八條確實規定：在一個更普遍和更持久的全面安全體系建立之前，必須解除納粹國家的武裝。但是，解除武裝不等於"無條件投降"，德國反納粹運動成功以後所建立的"新政權"自然也不等於被盟軍擊敗希特勒政權之後的德國，假如對"新政權"之下的德國實行"殖民地待遇"，長期佔領，自然與《大西洋憲章》的基本精神"歧異"。

蔣電提到："倘英美堅持此種苛求，則未來德國新政權，寧願與蘇聯合作，不願淪為英美之殖民地。"榮祖教授批評此為"不明國際情勢"，是"不切實際，不明底細之言"。汪文稱：德軍將領多反共，更怕赤化，雖有些反共親俄者一方認為，與蘇聯議和或較容易，斯大林也乘機宣傳反希特勒而不反對德人民，比英美無條件投降中聽，但最晚在 1943 年 10 月亦放棄了此一幻想。可見，汪祖教授也承認德國反納粹人士中確實有"反共親俄"，企圖走俄國路線者在，只不過到了 1943 年底，這部分人已經"放棄此一幻想"。然而，榮祖教授忘記了考證蔣介石上引致宋美齡電的時間，那是在 1943 年 4 月，"反共親俄"者還沒有"放棄"幻想呢！

榮祖教授又大膽假設，宋美齡根本沒有向羅斯福通報此電。他說："宋美齡是否轉達，也沒有下文，也未見羅斯福回應的記錄，只能說不了了之，毫無影響。"又說："宋美齡如沒轉達給羅斯福或事出有因。"其實，德國內部反納粹人士的地下運動事屬絕密，當時的許多資料都沒有留下，或者根本就沒有記錄，也可能雖有記錄，但是我們尚未發現。中國方面的有關資料就更加如此。即以蔣介石、與宋美齡之間的函電來往論，數量很多，然而，今天能看到的只是很少、很少的一部分，上引蔣介石致宋美齡電就不見於台北國史館的現存檔案中，齊焌致宋子文的許多電報也不見於今之"蔣檔"。未見"記錄"，不等於不曾發生過，也不等於沒有。所以歷史家的唯一辦法，就是"上窮碧落下黃泉"，到處去找，實在找不到就存疑，不能既不去找，就匆匆忙忙做出有利於己，卻違背常情的結論。當然，榮祖教授會辯解說：我這是推測呀，我不是加了"如"，加了"或"字嗎？是的，榮祖教授這裏沒有下武斷式的結論，然而，人們會問，宋美齡是否遵蔣之命向羅斯福通報，本來有兩種可能：從常理看，推翻希特勒是大事，宋是蔣的代表，蔣要她向羅斯福通報，宋沒有理由不通報，因此，通報的可能性大，而不通報的可能性小。榮祖教授為何樂於傾向未曾通報這種較小的可能呢？要說"不了了之"，榮祖教授所承認的反納粹人士和丘吉爾、艾登、杜勒斯的聯繫也都可以說是"不了了之"，因為，同盟國最終採取的是武裝摧毀希特勒政權，並未採納地下運動人士的暗殺或政變建議。

歷史學是實證科學。歷史家的一切判斷、結論都只能建築於可靠的史實之上。有一說一，有二說二，有多少材料說多少話，決不可在材料嚴重不足的情況下說三、說四，更不可將想像、假設和推斷作為事實。正因為如此，在宋美齡是否向羅斯福轉達蔣電這一問題上，儘管我傾向於可能性較大的一種狀況（宋不轉達是不可想像的），但是，拙文並未做出明確結論。至於羅斯福的回應，就更缺少資料了。因此，拙文特別寫了一句：「由於文獻缺乏，我們也還難以了解蔣介石和宋子文向美方轉達有關信息的後續情況。」筆者沒有也不可能查閱中美檔案中與此相關的全部文獻，所以，只能這樣說，非不願也，實未能也。難道榮祖教授徹底查過嗎？

四、宋子文提供的三萬美金是否被齊焌或克蘭"吞沒"了？

拙文提到，早在 1941 年 12 月，克蘭就曾致電齊焌，希望蔣介石電匯 2 萬美元，用於推翻希特勒的地下運動，但是，同樣由於文獻缺乏，敝人難以得知，蔣介石是否當時即如數匯款。到了 1943 年 4 月，宋子文通知齊焌，已匯出美金 3 萬元，計合瑞士法郎 12 萬 9 千元，要求齊焌收到後，設法分次秘密交給克蘭，這樣，宋子文匯款資助一事就可以肯定了。同時，敝人也查到了克蘭通過齊焌發給宋子文的感謝電，鄭重表示，"自當遵照來電"，簽妥收據交給齊焌。電末，齊焌並有按語稱："此次又勞清神。克君感仰至深。"可見，宋子文匯款或援助之舉，並非第一次。至此，克蘭妥收宋款也應該可以確定了。然而，榮祖教授卻接連提出疑問。第一，參加地下運動的"將領之多，層次之高，根本不需要外來的金援"；第二，3 萬美金"下落不明"，"如何用在反希特勒的活動上，全無交待。""不知齊焌是否吞沒了這筆錢？也不知道那位在反希特勒運動中名不見經傳的軍火商是否收入自己的口袋？"這些地方表明，榮祖教授思慮周密，能於常人不疑之處有疑，很值得學習。然而，敝人覺得，榮祖教授的這些疑問，應屬過慮。第一，參加地下運動的德國人士確實層級很高，元帥、將軍、司令多的是，但是，這些人有錢，不等於他們願意自己掏錢推翻希特勒，也不等於參加地下運動的人士個個有錢。克蘭原是軍火商，自然家財殷實，但是，他當時流亡瑞士，缺少活動經費完全可能。第二，地下工作需嚴格保密，盡可能不留或銷毀任何可能導致事件暴露的痕跡，特別是不能留下文字依據。榮祖教授要求知道 3 萬美金的去向及使用細節，是否對地下工作的特點有欠考慮？要求是否過苛？他們能像今天的出差人員一樣拿出詳細的報銷單據來嗎？懷疑齊焌或克蘭貪污，是否過於敏感？法律上講究無罪推定，榮祖教授在沒有任何證據的情況下，卻輕易地作有罪推定，恐怕不很合適吧？

五、蔣介石企圖策動德國軍隊 "倒戈" 的事實應該得到承認

對榮祖教授的《質疑》文章提出了許多 "反質疑"，現在應該回到拙文原來的主題上來了。

第一，1942 年 1 月，蔣介石在日記中寫下了 "對德運動倒戈工作之進行" 等三句話，說明他確實有策動德國軍隊推翻希特勒的企圖。日記在蔣身前和去世後都沒有發表過，不會是為了沽名釣譽而有意編造的吧！

第二，蔣介石確實派了齊焌這樣一個人赴歐。齊焌是 "德國通"，多年在德國學習、工作，和德國軍界、經濟界廣有聯繫，蔣介石派出齊焌這樣一個人物是合適的。儘管我們不知道齊焌到了瑞士之後如何與反納粹人士聯繫，說過什麼話，做過什麼事，但是，他發回了大量關於德軍和反納粹運動的機密情報（拙文只引用了一部分），說明他的工作是努力的，有成效的。

第三，克蘭、沙赫特、托馬斯三人在 1941 年就向齊焌提出，要求蔣介石聯繫羅斯福、丘吉爾，以便得到國際保證，在推翻希特勒之後，盟軍能善待 "新政權"。照道理，1942 年，齊焌到瑞士之後，是要對克蘭等人當年的要求做出回答的，但是，這方面的資料現在還沒有發現。所幸，敵人找到了 1943 年 4 月蔣介石致宋美齡的電報，該電表明，他沒有辜負 "三人組合" 的希望，也表明，他有意 "促成" 德軍推翻希特勒，建立德國 "新政權"。

第四，蔣介石向德國反納粹運動提供的資助總數現尚不明，但是，他至少通過宋子文提供過三萬美金。

以上四點，恐怕都無法否認，事實上榮祖教授的洋洋灑灑的大文也並未否認。只要以上四點可以成立，那麼蔣介石曾企圖策動德國軍隊倒戈，推翻希特勒的事實就可以成立。拙文的基本目的也就達到了。退一萬步講，即使榮祖教授能用充足的資料證明，他的大文中所有的判斷和假設都能夠成立；甚至於

能夠證明，克蘭和齊焌等通同作弊，目的是騙取蔣介石和宋子文的美金，我覺得，拙文的基本觀點似乎也不受影響。關於此點，榮祖教授稍加思索，當不難明白。關於中德關係，學術界研究已多，但是關於抗戰期間的中德關係，有關成果還很薄弱，其實，這一領域還有何大開闊和發展的餘地。衷心希望榮祖教授和敝人的這次辯論能引起更多學人和相關人士的關注，推進這一研究繼續向前發展。

憎而應知其善 *

——再答汪榮祖教授

* 原載台北《傳記文學》2010 年 9 月號。

台北《傳記文學》2010 年 7 月號發表了汪榮祖教授的《請問驚天秘密在哪裏》，是對於拙文《抗戰期間中德關係的驚天秘密》和《蔣介石企圖策動"德國軍隊倒戈"的史實應該得到承認》二文的再質疑，榮祖教授的文章寫得比較長，牽涉的問題比較多，一一辯論，似無必要，也會使讀者生厭，因擇其要，再作此文以答之。過此以往，倘無新資料、新證據，僅作文字爭論，將不再作覆。

一、學術辯論的大忌是轉移命題

拙文《抗戰期間中德關係驚天秘密》提出了下列事實：

1. "二戰"期間，德國內部存在著反納粹力量，他們企圖推翻希特勒，建立沒有希特勒的新德國。自 1941 年 6 月起，其中的克蘭、沙赫特、托馬斯"三人組合"曾多次聯繫中國當時的駐德武官齊焌，希望齊向蔣彙報，得到蔣的支持，為之聯絡羅斯福、丘吉爾等西方領袖，保證在推翻希特勒之後，西方國家能平等對待新德國。

2. 蔣介石得到齊焌的彙報後，於 1942 年 1 月做出決策，派齊作為特使赴歐，聯絡德國反納粹力量，其日記自記云，其目的在"運動德國軍隊倒戈"。

3. 1943 年 4 月，蔣介石致電時在白宮訪問的宋美齡，轉達德國反納粹人士的要求，要她與美國政府協商，善待推翻希特勒以後成立的新德國。

4. 1943 年 4 月，宋子文應流亡在瑞士的克蘭的要求，向反納粹力量提供三萬美元的經濟資助。

5. 1944 年 7 月 20 日，德國反納粹力量計劃刺殺希特勒，同時在柏林等地起義。事變失敗後，沙赫特、托馬斯被捕，被囚於集中營。在將被處決前夕，盟軍趕到。為了便於盟軍甄別，蔣介石迅速致電宋子文，要他向美方說明，沙赫特、托馬斯等均係德國 "推翻希特拉運動之重要分子"。

上述五點，均就中德關係的發展、變化而言。榮祖教授責問我，"驚天秘密" 在哪裏？其實，我的題目已經作了明確回答：自然，這個 "秘密" 要從 "中德關係" 中去找。"二戰" 前，中德關係本來良好，蔣介石也曾對希特勒相當崇拜，然而，太平洋戰爭爆發後，中德關係劇變，蔣介石不僅宣佈對德處於戰爭狀態，而且派特使聯絡德國內部從事地下活動的人士，支持他們推翻希特勒。請問，以前中外學界知道這些事情嗎？有一本書或一篇文章敘述過這些事情嗎？如果情況確是這樣，那麼，不是 "秘密" 是什麼？至於說 "驚天秘密"，這本是一種比喻，形容其出人意表、超出常情的程度，可以見仁見智。榮祖教授覺得此詞 "誇張"，但總不能否認它是 "中德關係" 中的一項 "秘密"，是一件出人意表、超出常情的事件吧！

學術辯論的基本要求是雙方所論必須是同一命題。假如雙方命題不一，這種爭論也許很熱鬧，但實際上各說各話，並無多大意義。我在《蔣介石企圖策動 "德國軍隊倒戈" 的史實應該得到承認》一文曾經指出："汪文與拙文，討論的問題雖然相關，但實際的主題各不相同，企圖回答的問題也相差很大。汪文討論蔣是否事件發生之 "由"，是否有重大作用，拙文討論蔣與事件有無關係，是否做過某些努力。"假定榮祖教授要針鋒相對地反駁我，那就應該證明：1. 蔣介石不曾派齊焌赴歐，其目的也非聯絡德國反納粹力量。2. 蔣介石根本不曾發電宋美齡，指示她向美國政府轉達德國反納粹人士的要求。3. 蔣介石也不曾通過宋子文，給德國反納粹力量提供資助或其他幫助。然而，榮祖教授對這三件事都無法否認，卻洋洋灑灑大談特談德國反納粹力量是自發的、自覺的、完全不需要外力策動云云。讀者這裏不難發現，榮祖教授已經轉移了命題，做的是另外一篇文章，即德國反納粹運動發生、發展的內在原因。榮祖教授的文章雖然做得很長，很理直氣壯，然而，卻無法推翻拙文提出的幾條證據，更無法回答：德國反納粹運動雖然自發、自覺，但是，別人就不可以從旁或從外加以鼓勵、支援、協助、促進嗎？難道自發、自覺和外力的鼓勵、支持、協助、促進是絕對排斥的嗎？還有，遠在亞洲、忙於抗日的蔣介石派人赴歐，支持德國反納粹人士推翻希特勒，這自然出人意表、令人驚異，但是，它和蔣介石在反納粹運動中的實際作用大小並不是一件事。榮祖教授力圖證明，蔣介石的作為"毫無成效"，"連邊都摸不到"，從而論證此事毫無出人意表、令人驚異之處。這種論證方法，榮祖教授難道不覺得是在偷換命題嗎？

任何歷史事件都發生於特定的歷史空間中，因此，評定其意義也不能離開特定的歷史領域。蔣介石派人赴歐，支持德國內部人士推翻希特勒，在中德關係這一領域來說是重要的；但是，在德國的反納粹運動中，就不一定重要。打一個比方。中國某科學家得了諾貝爾獎，對於中國人來說，是大事，甚或是特大喜事；但是，某一美國科學家得了諾貝爾獎，可能就讓人感到平平常常了。

德國反納粹運動有一個發生、發展的過程，前後涉及許多人。據統計，1944 年 7 月的未遂政變後，被希特勒政權處決者近 5 千人，逮捕者 7 千人。雖然其中可能有濫殺、濫捕的情況，但實際涉案的人肯定不在少數。反納粹運動也曾經有過不少小集團，如拙文提到的貝爾—戈台勒—哈塞爾集團，以及未提到的克萊騷集團等，但可以肯定，它們決不可能是一夜之間出現的，並且始終沒有發展成為全國性的、統一的、秘密組織，自然，在一段時期內會出現各自為政的情況。榮祖教授批評我杜撰"三人組合"這一名詞，其實，貝爾—戈台勒—哈塞爾集團、克萊騷集團等何嘗不是歷史學家的命名！關鍵不在於是否"杜撰"，而在於是否反映實際。"三人組合"是由於中方資料發現而提出的新問題，需要仔細地核查、開掘克蘭、沙赫特、托馬斯三人及其他相關資料，才能對他們的作用做出比較準確的判斷，與之相聯繫的齊煥、蔣介石等人的作用也才會比較明晰。不去深入研究，匆匆忙忙地做結論、下判斷是輕率的。

榮祖教授在文章中說："後人讀史有其後見之明，（蔣介石日記）說要'運動德國軍隊倒戈'，就不要隨之起舞，去找尋"驚天秘密"，而其思路宜從'根本不切實際的空想'展開。"原來，榮祖教授也不否認蔣介石確有"運動德國軍隊倒戈"的念頭，只不過應斥之為"根本不切實際的空想"罷了。然而，榮祖教授這樣寫，問題就接著來了：德國的"三人組合"準備推翻希特勒，希望得到蔣的支持。蔣介石應該怎麼辦？他是置之不理呢？還是予以支持？假如蔣置之不理，榮祖教授肯定要大張撻伐。幸好，蔣介石採取行動，予以支持，得以免受榮祖教授的撻伐，但終究還是逃不過榮祖教授的抨擊："根本不切實際的空想"。蔣介石真是怎麼做都無法討好，難呀！

榮祖教授熱衷於分辨"倒戈"與"政變"二者在語義上的區別，強調"二戰期間德國軍隊從來沒有倒過戈，也沒有被推動倒了戈"。榮祖教授似乎沒有想過，1942 年 1 月，當蔣介石從齊焌處得知"三人組合"的計劃時，他有可能像榮祖教授這樣咬文嚼字地斟酌，是"運動德國軍隊倒戈"，還是"運動德國軍隊政變"嗎？克蘭等已經將德國內部反納粹運動的情況和計劃說得清清楚楚，事實上後來德國反納粹力量確曾多次策劃暗殺希特勒，推翻希特勒，何以一到蔣介石想插手，就成了"根本不切實際的空想"呢？再說，1944 年 7 月，當同盟國與德國交戰之際，德國的元帥、將軍們計劃在暗殺希特勒之後，立即出動軍隊，接管首都，佔領廣播電台，宣佈成立新政府，不可以視為對原國家元首、軍隊統帥的一種"倒戈"行為嗎？

二、三分證據只能說三分話，但是，
沒有證據也能"說話"嗎？

榮祖教授教導我：三分證據只說三分話，而我卻說了十分話。謝天謝地，榮祖教授還承認我有三分證據，至於是否說了十分話，則拙文俱在。除了標題受到榮祖教授指摘外，其正文，榮祖教授能舉出"三分證據說了十分話"的例子嗎？

以"三分證據只說三分話"這一原則來反求於榮祖教授，則似乎沒有證據也在"說話"，其假設的"大膽"令人震驚。例如，克蘭、沙赫特、托馬斯都說了些恭維蔣介石的話。本來嘛，求人幫助，說些恭維話，也是人之常情。但是，榮祖教授卻一口斷定，這是齊焌的"加料"，是奴才對主子的阿諛之詞。在榮祖教授看來，"西洋人"、"德國軍人" 不可能說 "歌頌蔣氏的話"，這裏，倒使我想起羅斯福《爐邊談話》中對蔣氏的稱讚："在與蔣介石總司令的會晤當中，我看出他是一位富有遠見卓識和英勇無畏精神的人，他對眼前及將來的諸多問題見解獨到。" 也使我想起，早在 1938 年，德國中國研究學會的漢斯·席普爾（Hans Schippel）就曾發表過長詩，讚頌蔣介石為 "中國的偉大元帥"。後來，法肯豪森也曾在他的回憶錄中讚揚蔣介石 "的的確確是一位出類拔萃的人物"，"他具有超凡的人格，以'偉人'稱之，洵非虛語"。"我是最崇敬他的人，也是最忠於他的部下。"[1] 既然羅斯福、席普爾、法肯豪森都可以 "歌頌" 蔣氏，為什麼和中國友好，有求於蔣的 "三人組合" 不會說幾句 "歌頌" 的話呢？榮祖教授責問說："'阿諛奉承'之詞，白紙黑字俱在，如果不是齊焌的 '加料'，何不拿出原文來看。機密檔只有譯文而無原文，並不尋常。" 這裏，榮祖兄似乎很嚴謹，很機警，然而克蘭等人恭維蔣氏的話，都是在柏林與齊焌會晤時的口頭表述，事後才由齊焌寫入給蔣氏的《機密報告》，怎麼可能有德文原文？榮祖兄要我 "拿出原文來看"，豈非不通事理的苛求！當然，榮祖教授也還可以大膽假設：那個寫長詩的德國人一定接受了國民黨的賄賂，這自然也是一種 "可能性"，然而，這種 "可能性" 不會很大吧！榮祖教授還特別提到福肯豪森，似乎這樣典型的 "德國軍人" 不可能向蔣介石 "輸誠"，然而，1942 年 2 月，當中德已成敵國，法肯豪森卻特別派人到瑞士向中方駐歐人員表示 "忠誠"，這說明什麼呢？

　　榮祖教授這種類似的苛求還表現在對宋子文資助的三萬美金的 "下落" 的追問上。拙文已經指出，這是秘密工作，不可能留下單據，當然也不可能留下哪怕是很籠統的錢款用途表。榮祖教授批評我 "忘了齊焌的報告是《機密報告》"，難道 "在機密報告裏也要保密"！榮祖教授似乎沒有注意到齊焌的《機密報告》寫於 1941 年 7 月，而宋子文的資助則在 1943 年，其用途怎麼可能寫入其《機密報告》？而且克蘭已經表示："收據自當遵照來電，簽妥交齊君"，何可再要求其立即報告具體用途？近代以來，共產國際和蘇共曾多次以美元或盧布大量資助中共，似乎也從未要求中共彙報使用情況。榮祖教授又責問說：

1　台北《傳記文學》第 19 卷第 5 期，第 48 頁。

"那三萬美金下落不明，不可以質疑嗎？"自然，可以質疑，但是，質疑必須在情理之中，不能一質疑就想到克蘭或齊焌會將美元裝到自己的口袋中去。

榮祖教授對拙文提出的幾個關鍵證據的態度大都如此。他沒有可能否定證據本身，就以假設性的問題加以否定。這種假設性的問題可以引人思考，但是，由於沒有可靠的證據，也就沒有什麼說服力。用台灣的一句流行語來說，"聽聽就可以了"。

三、時間錯亂的質疑與答辯

歷史事件除處於特定空間中外，還處於特定的時間中。時間觀念，對於歷史家尤其重要、否則，只能製造思維混亂。

拙文論述，"三人組合"向蔣介石求助的內容是通過蔣建立和美國羅斯福總統的聯繫。榮祖教授為了證明此事不可能，聲稱，自 1942 年底至"二戰"結束，德國反納粹組織已經和艾倫·杜勒斯建立了聯繫，"何必要由一個軍火商通過齊焌經由蔣介石轉達"？然而，當我指出，"三人組合"提出相關要求，其時在 1941 年 7 月。至此，榮祖教授已經沒有可能堅持原論，就將拙見接過去，轉而論述齊焌—蔣介石—羅斯福此線"無效"，他說："發生在後的事情正可否定發生在前的有效性。如果蔣介石已經為反希特勒將領與美國取得聯繫於一年以前，而且行之有效，又何必要重啟爐灶呢？"接著，榮祖教授就振振有詞地陳述："令人感到奇怪的是，德國人竟如此昧於當時的國際形勢，即使不知蔣介石與羅斯福之間的'同盟關係'受盡屈辱，也應知道這關係是很不平等的。蔣自己都無法爭取到平等地位，如何為'新德國'爭取平等？"須知，1941 年 12 月，是羅斯福提議，建立中國戰區，以蔣介石為統帥，指揮中國、安南、泰國境內的聯合國部隊，給了蔣介石以很高的地位和榮譽；也是羅斯福，在開羅會議前後，力主中國應為四強之一。在"三人組合"企圖通過蔣介石與美國建立聯繫的 1941 年，蔣介石何嘗"受盡"羅斯福的"屈辱"？中國何嘗與美國處於"很不平等"的地位？顯然，榮祖教授把後來發生的事情移前了。這種時間錯亂的質疑或答辯有多大意義呢！

四、憎而應知其善

對歷史人物，人們有不同的態度與感情。榮祖教授長期不喜歡蔣介石，多年來一貫批蔣。這一點為我所深知。我不想、也不可能改變榮祖教授對蔣的態度，然而，一個客觀的、公正的歷史學家，在評價歷史人物時，必須跳出個人好惡的小天地，力爭做到憎而知其善，愛而知其過；敬之不增其功，厭之不益其惡。只有這樣，才能寫出準確、全面、具有高度科學水準的歷史著作來。

蔣介石派特使赴歐，支持德國內部的反納粹運動，本來是件好事，不管其實際效果如何，總應該多少加以肯定吧？然而，在榮祖教授筆下，似乎一無可取。無論如何，這總不是一種鄭重的、科學的態度吧？

榮祖兄問我："二戰"勝利後，"蔣之'豐功偉業'有哪一件不鉅細靡遺地公諸於世？為什麼不提這一件'驚天'的偉業呢？"這裏，我想提醒榮祖教授的是，僅以中德關係言，還有一些事，蔣介石不曾公開講過，國民黨也不曾宣傳過。例如，1940年，當希特勒的軍隊橫掃歐洲，孫科、白崇禧在國民黨高層提議聯德，為蔣所拒絕。又如，1942年，德方曾派人與中國有關人員談判，企圖拉攏中國締結《中德軍事密約》，"合攻印度"，亦為蔣介石嚴令拒絕。這些事，拙著香港三聯版及大陸版《找尋真實的蔣介石：蔣介石日記解讀》第二集均有敘述，歡迎榮祖教授核查、質疑。

榮祖教授的文章還提到："楊兄說克蘭無官職，卻又登了他全副戎裝，掛滿勳章的照片，令人錯愕。"我要說明的是，此照為編者所加，事前我不知道。至於拙文原題以及改題的情況，我前已說明。其副題，原為《蔣介石派人赴歐，策動德國軍隊推翻希特勒》，意在說明蔣派人赴歐的目的，即我的答辯文章所謂"企圖"也。題中"策動"二字，應是語法中的"未然形"，而非"已然形"，只是漢語中無法表達。刊出前，"派人赴歐"四字被刪。我看過小樣，認為副題可能過長，就沒有改回去。如果因此而引起榮祖教授的"誤讀"，責任在我。

宋美齡與丘吉爾 *

* 本文錄自《找尋真實的蔣介石：蔣介石日記解讀》（2），華文出版社 2010 年版；原載《南方都
市報》（歷史專版）2008 年 11 月 4 日、6 日。

1943 年 11 月 22 日，開羅會議開幕前夕，英國首相丘吉爾拜會蔣介石夫婦。見面時，丘吉爾和宋美齡之間有下列問答：

> "你平時必想，丘某是一個最壞的老頭兒吧？" 丘問。
> "要請問，你自己是否為壞人？" 宋反問。
> "我非惡人。" 丘表白。
> "如此就好了。" 宋答。[1]

　　這一場對話很短，但很有意思。丘吉爾的提問說明他內心明白，蔣氏夫婦對他印象很壞。而宋美齡的反問也很機智。因為在蔣氏夫婦心目中，丘吉爾確實很壞，但是，這是外交場合，總不能直白回答："是。你是壞人。" 如果回答 "不！你是好人" 呢？這雖然符合外交禮儀，但又違心，違背宋美齡對丘吉爾的認識與感情。

　　宋美齡與丘吉爾之間，有過一段短暫但卻相當劇烈的觀點交鋒。

1　《蔣介石日記》（手稿本），1943 年 11 月 22 日，胡佛檔案館藏。

一、反對丘吉爾的"先歐後亞"論，批評其戰後排擠中國的圖謀

在世界反法西斯戰爭中，中國與英、美之間是盟友，有著共同的目標，但是，彼此間同時又存在著諸多分歧。在戰略上，有"先歐後亞"與"先亞後歐"之爭，即同盟國是集中力量，先擊敗歐洲的德國法西斯呢，還是先擊敗東方的日本法西斯？丘吉爾是"先歐後亞"的主張者，而蔣介石則是"先亞後歐"的主張者。雙方都把美國作為遊說對象，爭取美國能站到自己一方來。

美國最初贊成"先歐後亞"，對中國的援助不是數量太少，就是遲遲不能落實。1942 年 6 月，美國軍方甚至將原已確定加入中國戰場的空軍調往非洲。同年 11 月，宋美齡訪美，固然是為了治病，但也肩負爭取美國政府和人民支援中國抗戰的任務。1943 年 1 月，羅斯福、丘吉爾等在北非的卡薩布蘭卡召開軍事會議，確定以歐洲戰場為重點。同年 2 月 12 日，蔣介石指示宋在美國國會演講時，要特別著重說明："今後世界重心將由大西洋移於太平洋，如欲獲得太平洋永久和平，必須使侵略成性之日本，不能再為太平洋上之禍患。"[1] 蔣介石的這一通電報，顯然是要宋美齡遊說美方，將戰略重心轉移到太平洋方面，首先打擊日本侵略勢力。在整個訪美過程中，宋美齡也一直在為貫徹蔣的這一戰略主張而努力。

丘吉爾堅決維護其"先歐後亞"論。1943 年 3 月 21 日晚，丘吉爾發表廣播演說稱："吾人可擊敗希特勒，余作此語，即表示希特勒及其作惡之力量，將被粉碎，了無餘存，然後吾人終將前往世界之另一方面，懲處貪婪殘暴之日本帝國，拯救中國於長久磨難之中，解放吾人本身及荷蘭盟友之海外領土，並使日本對於澳洲、紐西蘭及印度海岸之威脅，永遠解除。"[2] 丘吉爾這裏明確提出，在徹底消滅希特勒的法西斯力量，使之"了無餘存"之後，才能前往"世界之另一方面"，向東方的日本法西斯進攻。

丘吉爾提議，美、英、蘇三大國立即會商成立戰後的世界機構，討論"有

---

1 《蔣委員長自重慶致蔣夫人電》，《戰時外交》（1），第 791 頁。
2 《中央日報》，1943 年 3 月 23 日第 2 版。

效裁軍＂，審判戰爭＂罪魁禍首及其黨徒＂，交還劫掠物資與美術品，防止＂未來期間再發生戰爭＂以及＂廣泛之饑饉＂等種種問題。他說：＂吾人必須希望三大勝利國家之團結，確能無負其最高之職責，且彼等不僅將顧及其本身之福利，亦將顧及一切國家之福利與前途。＂[1] 他並提出，在這一機構中成立歐洲委員會與亞洲委員會，而＂第一件實際工作＂，就是＂設立歐洲委員會與確定歐洲問題之解決辦法＂。

從 1937 年起，中國人民抗擊日本侵略已達 6 年。丘吉爾的演說完全無視中國人民長期、英勇的抗戰自救歷史，以高傲的姿態聲稱將在擊敗德國後到東方去＂拯救中國＂。這種典型的＂先歐後亞＂論對於渴望得到國際協同作戰的中國軍民來說，自然不是好消息，對於接受蔣介石委託，負有爭取美國援助重任的宋美齡來說，自然也不是好消息；其由美、英、蘇協商成立聯合國，＂總攬一切＂，處理戰後問題的建議，對於中國政府和中國人民來說，自然也極不公平，反映出其一貫的輕視、排擠、敵視中國的立場。

宋美齡聽到丘吉爾的演說後，即深感有加以駁斥的必要。3 月 22 日晚，她在芝加哥發表演說，總結此前的國際聯盟的經驗教訓說：＂過去每一共同努力之失敗，在其固有之弱點，即襲用老套把戲，互相妒忌，各謀私利。＂國際聯盟成立於第一次世界大戰後，標榜＂促進國際合作，維持國際和平與安全＂，而實際上成為鞏固帝國主義列強統治體系的工具。接著，她含蓄而尖銳地批評丘吉爾成立戰後世界機構的意見：＂有若干人士之主張，對於戰後各民族更密切之合作，不啻樹立欄障，而猶自以為高明。＂宋美齡提出：＂良心告訴吾人，為防止將來之毀滅與屠殺計，不應專著眼於本國之福利，而應兼顧其他民族之福利也。＂[2] 這裏，宋美齡實際上已經批評到了問題的核心，即丘吉爾的民族利己主義。

宋美齡的觀點與蔣介石完全一致。3 月 24 日，蔣介石日記云：＂丘吉爾前日演詞，專以先解決歐戰為唯一算盤，而稱英、美、俄為三大戰勝國家，實無

---

1 《英相播講戰後問題，盼即會商世界機構，擊敗德國後懲處暴日》，《重慶大公報》，1943 年 3 月 23 日第 1
  張第 2 版。
2 《蔣夫人在芝加哥運動場發表演講講詞》，《戰時外交》（1），第 812—815 頁。

視我國與輕侮亞洲之觀念毫無改過，更無覺悟。"[1] 他感慨地在日記中寫道："我國一日不能自強，則任何帝國主義亦一日不能消滅，如此人類永無自由解放之日。"[2]

宋美齡演講前，曾致電美國總統羅斯福，請他收聽自己的演講；演講後，又主動徵詢羅斯福的意見。羅斯福表示，與宋有"同一感想"。美國國務卿赫爾告訴宋美齡，羅斯福正設法邀請美國"行政負責人"發表演說，"對付英國"。其後，紐約、芝加哥的報紙紛紛發表文章，肯定宋美齡的主張："以後全世界各國不得專顧一國本身的利益，而應以全人類利益為制，努力益使防止戰爭之再發，維持永久之和平。"[3]

儘管宋美齡在演說中不點名地駁斥了丘吉爾排擠戰後中國國際地位的言論，但是，在美國的公眾場合公開批評一個盟國的領導人總不大合適。因此，她巧妙地派人聯繫美國上下議院的外交委員會主席及各委員，請他們出面表態，就歐亞先後、戰後中國務須列入四強及亞洲和平與中國關係等問題發表意見。[4] 3 月 25 日，美國國會民主黨領袖麥克卡麥克發表演說稱："當此必須擊敗希特勒納粹主義之際，遠東之重要性亦不容忽視，該處有殘酷且居心惡毒之敵人與吾人對峙，吾人之英勇盟友中國，亦在世界戰爭中之另一戰場奮鬥。擊敗希特勒誠為首要問題，然吾人亦不能容許一種印象存在，即擊敗日本乃吾人考量中之次要問題。余深知容許此一印象存在，則其全亞洲尤其中國人民灰心未有逾於此者，遠東方面必須以勇猛不怠及日益用力之態度從事作戰。中國之自由獨立乃美國人民所重視者。"[5] 他又說："中國於勝利之後，參加和平會議與國際會議，其地位非以一獲救之兒童之地位參加，而自有其正當之地位。世界之未來和平須由美、中、英、蘇四國維持。任何和平會議，如無蔣委員長領導之中國代表與其他聯合國家之代表以平等之條件發言，則會議永遠不能成為完善。"他明確聲明："我們不能存有擊敗日本為次要之觀念，中國必須出席和平

1 《蔣介石日記》（手稿本），1943 年 3 月 24 日。
2 《蔣介石日記》（手稿本），1943 年 3 月 28 日。
3 《蔣夫人自紐約致蔣委員長電》，《戰時外交》（1），第 841 頁。按，此電應為 1943 年 3 月 24 日發，該書誤繫於 5 月 24 日。
4 《蔣夫人自紐約致蔣委員長電》，《戰時外交》（1），第 841 頁。
5 《世界未來和平，須中美英蘇維持》，《中央日報》，1943 年 3 月 26 日第 2 版。

會議，應有他合理之地位，並非為一被救之兒童。中國為四強之一，應決定將來之和平會議。"[1] 在麥克卡麥克之外，喬治、白朗等人也紛紛表態。同日，美國國務卿赫爾表示："東西軸心均應摧敗，美國不存軒輊之見。"[2] 由於美國政治家們紛紛表示不同意丘吉爾的觀點，迫使正在美國訪問，商談美、英、蘇三國合作的英國外交部長艾登不得不出面發表演說，糾正丘吉爾的觀點。

3月26日，艾登在馬里蘭州議會演說，強調"整個戰爭不可分割"。他向中國保證，"英國將協助中國對日本進行作戰，直至獲得最後勝利而後已"，"且中國在戰後之和平期間，將與美、蘇、英三國分擔完全之責任。""中國不必懷疑吾人，吾人將不至忘記，（中國）多年以來獨立抵抗侵略之經過。""各聯合國家尤其美國、不列顛聯合國、中國與蘇聯在平時與戰時應共同行動。"[3]

艾登訪美，本不打算發表演說，其所以改變主意，顯然與受到宋美齡策動的美國輿論的攻勢有關。在艾登發表演說的當晚，宋美齡立即向宋藹齡通報說：

> 以前我國對外人總抱請求、客氣態度，以致外人認為老實可欺。丘吉爾經妹駁斥後，艾登在美本不打算演說，其所以突然改變方針者，實因妹芝加哥演詞使然。丘吉爾前屢言英、美同種血統關係。現艾登則謂自由乃個人之護照；丘吉爾完全不提中國，艾登則謂中國必為四強之一，實已改變論調。凡此種種，均係妹在美工作結果。[4]

艾登既糾正了丘吉爾演說的謬誤，宋美齡立即加以肯定。27日，宋美齡在舊金山通過秘書表示："蔣夫人聆悉英外相艾登在馬里蘭州發表之演說後，曾謂中國得與彼具有明確思想及誠懇目標之發言人之國家，結為盟邦，實引以自豪。"[5] 宋美齡並未直接表態，而是由秘書代言，顯然，宋美齡的態度有某種保留。畢竟艾登不是丘吉爾，而且，一次演說也不意味著英國政府決心改變多年來對中

---

1 轉引自《蔣夫人自紐約致孔祥熙夫人電》，《戰時外交》（1），第842頁。
2 《赫爾評丘吉爾演說之嚴正表示》，《中央日報》，1943年3月27日第2版。
3 《中央日報》，1943年3月28日第2版。
4 《蔣夫人自紐約致孔祥熙夫人電》，《戰時外交》（1），第842頁。按，該書將此電繫於1943年5月26日，亦誤。
5 《中央日報》，1943年3月29日第2版。

國的一貫惡劣態度。當時中國與英國的關係既有聯合抗敵的一面，又有維護民族尊嚴、保衛國家權益的鬥爭一面，但是，這種鬥爭應該有節制，有分寸，硬軟適宜，冷熱適度，宋美齡此次駁斥丘吉爾演說，很聰明，也很策略。

在公開場合，宋美齡以秘書代言方式肯定艾登對丘吉爾錯誤言論的更正，有其必要，但是，蔣介石並不將此點看得很重要。在他看來，這不過是英國這個老牌殖民帝國的欺騙手段。3 月 28 日，蔣介石日記云："丘吉爾演說遺棄我中國，其對我侮辱可謂極矣，但此為其坦白肺腑之言，實於吾有益。其後艾登雖在美為其修正補充，不過更增英國虛偽欺詐之劣行而已。"對於所謂"四強"之說，蔣介石認為，這只是一種"虛譽"，何況丘吉爾連這一種"虛名"也不肯給予中國，蔣介石強烈感到，丘吉爾無信。他在日記中寫道："英國對聯合國之信約及其屢次之諾言，尤其對《大西洋憲章》之煌煌宣言，皆因此消失殆盡。前後如此二人，英國拐騙手段暴露無遺，余斷此拐子末日必不遠矣。"[1]

丘吉爾的"先歐後亞"論將導致對東方反法西斯戰場的忽視，影響美國對中國的援助。3 月 28 日，宋美齡於舊金山記者招待會上講話，聲稱美國實際上已受日本攻擊，而德國對於美國的攻擊迄今尚限於言論而已。[2] 1941 年 12 月，日本偷襲珍珠港，這是 19 世紀墨西哥戰爭以來美國領土第一次遭到攻擊，從此，美日進入交戰狀態。蔣介石很欣賞宋美齡的這一論點，認為它有助於改變"二戰"中美國長期奉行的重歐輕亞政策，在日記中寫道："余妻在舊金山答記者問，而德只以口頭反美之語，對美民必發生影響也。"[3]

宋美齡的觀點迅速得到美國朝野的廣泛同情與理解，得到英聯邦國家的支援，也迫使丘吉爾修正和調整原來的戰略。4 月 19 日，澳大利亞外長伊瓦特在美國宣稱，美國已表同意，盟國所受日本威脅最大，解除暴日武裝始有安全。[4] 27 日，美國明尼蘇達州眾議院議員兼眾院海軍委員會委員梅文瑪斯提出，聯合國家必須改變卡薩布蘭卡會議確定的戰略，須同時認識日本之威脅，立即集中

---

1 《蔣介石日記》(手稿本)，1943 年 3 月 28 日。
2 《中央日報》，1943 年 3 月 30 日第 2 版。
3 《蔣介石日記》(手稿本)，1943 年 3 月 30 日。
4 《中央日報》，1943 年 4 月 21 日第 2 版。

美國軍力，對付太平洋上的"可怖之危機"。[1] 5 月 11 日，丘吉爾率領龐大的代表團訪美，與羅斯福及美國軍方舉行太平洋軍事會議。

在此期間，美國形成更強烈的支持中國、重視太平洋戰場的輿論。14 日，紐約《每日新聞》刊出漫畫：宋美齡與羅斯福、丘吉爾共坐，其間有巨大地球儀一具，宋美齡指著地球儀說："尚有太平洋在。"另有漫畫指出，美國對中國的援助"太少"、"太遲"。17 日，美國參議院軍事委員會委員陳德勒發表談話，呼籲參議院和美國人民共同向羅斯福、丘吉爾施加壓力，促進對日採取攻勢戰，而暫緩對德採取行動。陳稱：美國如不將軍事力量用於太平洋方面，則中國仍將遭遇重大困難之威脅。[2] 在此背景下，丘吉爾的態度有所改變，羅丘會談作出了重視太平洋戰場，加強支援中國，和中國聯合，共同進攻侵緬日軍的一系列決定。[3] 19 日，丘吉爾在美國兩院演講，保證英國對日本即取發動"無休止、無憐憫性之戰爭"，他說："吾人一息尚存，吾人血管中一日血流不息，則吾人即將發動此種戰爭。""現駐印度東部之大批英軍與海空軍，在對日作戰中，必將居於顯著之地位。"他並且向中國討好，保證給予中國以"有效與立時之援助"。[4]

早在 4 月 14 日，宋美齡就在紐約接見記者，建議由美、英、蘇、中四大國成立戰後世界委員會，處理有關問題。[5] 因此在 5 月 19 日的演說中，丘吉爾沒有重提所謂美、英、蘇三大"勝利國"組建未來世界機構的問題。

顯然，在反對丘吉爾的"先歐後亞"論和排擠中國戰後國際地位這兩個問題上，宋美齡都是勝利者。她的相關言論和作為不僅表現出她熱烈的愛國主義思想，而且也表現出她卓越的外交才能。對此，蔣介石曾肯定說："華盛頓羅丘會議結果，對我中國戰區之將來作戰比前已有進步"，"此乃吾妻赴美最大之效用，比之任何租借案之獲得為有益也"[6]。

1 《中央日報》，1943 年 4 月 30 日第 2 版。
2 《中央日報》，1943 年 5 月 19 日第 2 版。
3 關於此次羅丘會談的積極成果，可參看 1943 年 5 月 27 日宋子文致陳誠電："此次羅丘華府會議，羅已得丘同意，不能專顧歐洲，同時太平洋各方面須向日敵攻擊。對緬事有較前更切實之佈置，定期執行。"見《宋子文檔》，46-6，胡佛檔案館藏。
4 《中央日報》，1943 年 5 月 21 日第 2 版。
5 《中央日報》，1943 年 5 月 16 日第 2 版。
6 《蔣介石日記》（手稿本），1943 年 5 月 31 日。

二、不訪問英國，不和丘吉爾見面

宋美齡飛抵美國後，於 1943 年 2 月 12 日在美國參眾兩院發表演說，受到熱烈歡迎。18 日，到華盛頓，羅斯福總統和夫人親到車站迎接。19 日，出席白宮記者招待會，發表談話，羅斯福當場表示，將盡力援助中國，"上帝所能允許之事無不可辦"。[1]

英國方面見到宋美齡訪美成功，不甘落後，英國外相艾登於 2 月 24 日在下院宣佈，英政府殷望蔣夫人訪英。[2] 兩天後，英國國王與王后通過英國駐美大使哈利法克斯，邀請宋美齡訪英，並在白金漢宮下榻。蔣介石覺得由英王與王后的名義邀請，禮儀隆重，"卻之不恭"。但是，印度獨立運動領袖甘地正在獄中絕食，其生命已進入危險狀態。幾天前，蔣介石剛剛致電宋美齡，聲稱"決不願英政府出此無人道之舉動，而妨礙英國之榮譽"，要求宋美齡面商羅斯福，設法勸英國政府立即釋放甘地。[3] 蔣介石認為，宋美齡在這樣一個特定時候接受訪英邀請，不是很合適，決定暫不作覆，而將問題留在甘地"絕食滿期，無礙或釋放"之時。[4] 不過，蔣介石考慮到英王與王后的邀請分量，而且考慮到中英的同盟關係，於次日迅速改變主意，致電宋美齡說："英皇英後既正式邀請，如再拒絕將甚失禮，應即應允。"[5] 這樣，宋美齡的訪英之行似乎定案了。

3 月 21 日丘吉爾發表的"先歐後亞"以及排擠中國的演說，使蔣介石很生氣。3 月 26 日，蔣介石致宋美齡電云："訪英問題，不必肯定，亦不必答覆。觀丘吉爾廿一日演詞，對世界問題仍無覺悟，對中國觀念毫無變更，將來政治似無商榷餘地。如吾人此時訪英，將被視為有求於人，否則，亦只有為其輕侮，或反被其欺詐耳。"[6] 蔣介石感到，英國方面邀請宋美齡訪問，不過是虛應故事，不會有助於改善中英關係，也不會取得任何積極性的成果。

顧維鈞是駐英大使，重視中英關係，主張中、英、美三國形成核心關係，

1 《蔣介石日記》（手稿本），1943 年 2 月 21 日。

2 《中央日報》，1943 年 2 月 25 日第 2 版。

3 《蔣委員長自重慶致蔣夫人電》，《戰時外交》（1），第 802 頁。

4 《蔣介石日記》（手稿本），1943 年 2 月 26 日。

5 《古達程致宋子文電》，1943 年 2 月 27 日。《宋子文檔》，胡佛檔案館藏。古達程是蔣身邊的工作人員，經常將蔣的電報密報宋子文。

6 《蔣委員長自貴陽致蔣夫人電》，《戰時外交》（1），第 818 頁。

因此贊成宋美齡訪英。3月24日，顧專門飛赴舊金山，和宋詳細討論訪英的利弊，動員宋"勉為一行"。[1]最初，宋美齡認為丘吉爾的演說"約翰牛"的味道太濃，不願接受邀請。顧維鈞則說明取得英國和美國的友誼對於穩定中國作為世界大國國際地位，以及對於戰後國內開發和建設計劃的重要。他說："我們既需要美國，同時也需要英國在經濟和技術上給與幫助。" 他勸宋美齡 "要講求實際，不要意氣用事"。並稱："如果拒絕邀請，將使英國喪失體面，感情受挫，以至可能完全放棄其爭取中國友誼的希望。"[2]宋美齡擔心到英後的接待規格不如美國，也擔心她的訪英會傷害印度人民的感情，但她還是表示，只要對國家有利，她還是要去。她答應仔細考慮之後再和顧維鈞研究。27日，顧維鈞再次會晤宋美齡。宋稱，希望先和艾登談談再作決定。宋覺得，艾登胸襟開闊，同情進步思想，不久前的演說又糾正了丘吉爾的蔑華言論，因此對艾登頗有好感。29日，顧維鈞飛返華盛頓，與艾登商量。艾登表示，已決定於30日離開美國訪問加拿大，三天後即將返回英國報告，行程無法更改。顧詢問艾登：有無可能在從加拿大回來之後和蔣夫人見面，艾登答稱，這樣會晤顯得太神秘，國內可能引起各種懷疑和猜測。他保證，蔣夫人訪英將受到最崇厚、隆重的接待，甚至說，如果不能令中方滿意，"你們可以砍掉我的頭"！[3]

艾登既託辭拒絕與宋美齡會面，宋美齡乃發表聲明，說明因 "體力關係" 不能接受邀請。4月2日，宋美齡在舊金山召開記者招待會。會上，有記者詢問宋美齡的訪英計劃，宋答稱："深願有此一行，然此事須由醫生決定，其醫生最近之一句囑咐，乃彼在此次旅行之後，應立即返回臥室休養云。"[4]

宋美齡在和顧維鈞見面之後，確曾認真考慮英國之行問題。4月4日，宋美齡的隨行人員孔令傑通知顧維鈞，宋美齡已有七八成準備接受英國邀請，要顧為宋草擬兩份演講稿，上下院各一份。同日下午，孔令侃則通知顧維鈞，蔣夫人訪英之事可能已成定局。在和宋美齡見面時，宋對顧表示，計劃在5月3日左右飛赴倫敦，逗留時間不超過兩週。她要顧為她至少準備三篇講稿。28

1　《駐英大使顧維鈞自華盛頓呈蔣委員長電》，《戰時外交》（1），第823頁。
2　《顧維鈞回憶錄》（5），中華書局1987年版，第262頁。
3　《顧維鈞回憶錄》（5），中華書局1987年版，第266頁。
4　《中央日報》，1943年4月4日第2版。

日，顧維鈞會見宋美齡，準備面交擬好的講稿，但宋告訴顧，自己身體一直不大好，蕁麻疹更厲害了，也許根本去不成了。她問顧：現在先回國，今年晚些時候再去英國是否合適？顧答：英國對她的訪問盼了那麼久，又那麼誠心誠意，不趁這個時候去，會影響效果。現在不立即從美國去，英國必然會感到失望。顧從宋美齡處告辭之後，向孔令傑打聽情況，孔稱："不是有了什麼新情況，僅僅是她的健康問題，近幾日她感到很不舒服。"[1]

這一時期，宋美齡在是否訪英問題上有過猶豫，但蔣介石則仍堅決反對。4月2日，蔣介石日記云："艾登已由美國赴加拿大，而未與吾妻會晤，此乃由丘吉爾演說所造成之結果。吾妻既發表英駐美大使面邀其訪英，而以體力關係未能允諾其請之意，則明示拒絕，彼自不便再謀晤面請求，此乃吾妻感情與虛榮之感過甚所致，然丘吉爾既侮辱吾國至此，自無訪英之理。"[2]

羅斯福也一直不贊成宋美齡訪問英國。其原因：一是認為訪問不會有什麼成果，一是擔心宋美齡的身體和安全。5月5日，宋美齡明確告訴宋子文，她不去英國了。[3] 5月7日，宋美齡致電蔣介石，告以羅斯福"不希望妹至歐，蓋恐使妹身體更壞，且德人聞妹在英必派機轟炸，亦屬問題也。彼告妹赴英之議，現赴似非時候也，妹已定取消赴英之意也"。[4]

宋美齡決定取消訪英計劃不久，適逢丘吉爾再次訪問美國，準備和羅斯福舉行第五次會談，並召開太平洋會議。蔣介石希望宋美齡乘此機會與丘吉爾會晤，他致電宋子文說："三妹既不訪英，則乘丘在美之機，最好與之會晤一次，此乃政治上之常道，不能專尚意見與感情，照現在外交形勢似有謀晤之必要也。請與三妹詳商之。"[5] 同日，蔣介石再電宋美齡勸告說："丘吉爾既到華府，如能與其相見面，則於公私皆有益。此正吾人政治家應有之風度，不必計較其個人過去之態度，更不必存意氣，但亦必須不失吾人之榮譽與立場。"[6] 他建議

1 《顧維鈞回憶錄》（5），中華書局1987年版，第279—281頁。
2 《蔣介石日記》（手稿本）。
3 《顧維鈞回憶錄》（5），第286、288頁。
4 《蔣夫人自紐約致蔣委員長電》，《戰時外交》（1），《中華民國重要史料初編——對日抗戰時期》，台北中國國民黨中央委員會黨史委員會編印1981年版，第835—836頁。
5 《蔣委員長自重慶致外交部長宋子文電》，《戰時外交》（3），第229頁。
6 《戰時外交》（1），第839頁。

由顧維鈞出面，與英使哈立法克斯先行接洽，而後由羅斯福總統介紹。[1] 連發兩電之後，蔣介石仍不放心，於 15 日再發第三電，電稱："此次丘吉爾在美，終須設法會面方好。"這時候，蔣介石正懷疑美國方面不贊成宋美齡與丘吉爾會晤另有用心，因此特別提醒宋警惕："各方面或有不願丘與吾愛相晤者，應加注意。"但是，蔣介石也覺得，由中方自動要求與丘吉爾會面或亦不便，因此提出一種曲折方法，設法讓英使哈立法克斯知悉，促成會見。蔣介石特別叮囑，在與丘吉爾會見時，如丘面約訪英，則當面允其請。"以最近經驗與國際形勢，吾愛能順道訪英，實與中國有益也。"[2]

丘吉爾抵達華盛頓後，羅斯福夫人立即到紐約會見宋美齡，告訴宋，丘吉爾願意有機會見見蔣夫人，她相信重慶也願意蔣夫人會見丘吉爾。孔令侃要顧維鈞去華盛頓會見哈立法克斯，以顧的名義提出約會建議。孔並且提出，蔣夫人是女性，由丘吉爾來拜望比較合適。5 月 15 日，顧維鈞到華盛頓會見哈立法克斯，表示宋、丘談一次，勝過我們談十次，對兩國關係會有好影響。16 日，哈立法克斯通知顧維鈞，丘吉爾稱，羅斯福總統將邀請蔣夫人於 23 日（星期五）到白宮參加午宴。宋子文得悉後也認為宋美齡應該出席。他說："中英關係不大好，再來一次誤會會使局面更糟。"不過，宋美齡還是以已與醫生約定打針時間而斷然拒絕了這次邀請。孔令侃向顧維鈞解釋道："作為婦女，應該由丘吉爾來拜會；作為政治家，只能雙方遷就。她最多可以在（紐約）海德公園接見他。"孔並稱："現在中國對日戰爭不很順利，蔣夫人不應顯得過分遷就，不然的話，他們會爬到她頭上的。"[3] 羅斯福明白宋美齡的拒絕理由不過是託詞，將午宴改到 26 日（星期一），但仍然遭到宋美齡的拒絕。顧維鈞告訴哈立法克斯說：宋美齡正在進行一系列治療，療程不宜中斷，坐火車到華盛頓，將使療程停歇過久。5 月 26 日，宋美齡親自對顧維鈞說，丘吉爾目中無人，一定要她去華盛頓見他，她謝絕了。因為在國際關係和個人關係上，禮儀和尊嚴都至關重要，必不可少。她表示同意顧的觀點："在外交上個人儀表和風度至關重要，

---

1 《戰時外交》（1），第 839 頁。

2 《蔣"總統"家書》，1943 年 5 月 15 日，第 399 號，台北"國史館"藏。

3 《顧維鈞回憶錄》（5），第 302 頁。

缺少這些，就會處於不利地位。"[1]宋美齡告訴顧，肯尼迪曾告訴她，丘吉爾非常想和她見面。當顧表示這樣當然可以給丘吉爾臉上增光時，宋美齡立即表示："放心，不會幫他這個忙。"[2]

蔣介石不贊成宋美齡拒絕與丘吉爾會晤的決定。5 月 18 日日記云："正午，接妻電，不願與丘吉爾會晤，固執己見，而置政策於不顧，幸子文尚能識大體，遵命與英美抗爭也。"[3]據說，當羅斯福聽到宋美齡拒絕到華盛頓會見丘吉爾時，曾經驚呼："那個女人瘋了！"多年以後，顧維鈞在撰寫回憶錄時也表示："原因可能是婦女往往比較主觀，或許蔣夫人在這件事情上又比較感情用事。我不知道她是否曾和委員長充分商量過。無論怎麼說，被邀訪英和在美國未同丘吉爾會晤這兩件事，處理欠妥。我對兩事均甚惋惜，我深知英國人也不愉快。"[4]蔣、顧的看法是見解之一，對於宋美齡不見丘吉爾一事，人們可以有各種各樣的見解。可能有人以為不妥，有人以為正確。這裏要指出的是，當時英國是強國，丘吉爾是英國的首相，事實上是英國的第一把手。在這樣一個老大帝國的首相面前，宋美齡投以藐視，力圖保持自己的，事實上也是民族的尊嚴，而毫無趨炎附勢的奴顏媚骨，這是難能可貴的。

1 《顧維鈞回憶錄》（5），第 307—308 頁。
2 《顧維鈞回憶錄》（5），第 308 頁。
3 《蔣介石日記》手稿本。
4 《顧維鈞回憶錄》（5），第 312 頁。

蔣介石正告丘吉爾:「藏事為中國內政」*

——抗戰期間的中英關係

* 本文錄自《找尋真實的蔣介石:蔣介石日記解讀》(2),重慶出版社 2018 年版;原載《南方都市報》(歷史專版)2008 年 1 月 8 日、10 日。

一、宋子文舌戰丘吉爾

1943 年 5 月 20 日，美國總統羅斯福與英國首相丘吉爾等人在華盛頓舉行太平洋會議。中國外交部長宋子文應邀參加。會議的主題是討論對日作戰，特別是討論同盟國對在緬日軍的協同作戰問題。不料，丘吉爾在發言中突然說：

> 最近聽說，中國有集中隊伍進攻西藏之說，使該獨立國家大為恐慌，希望中國政府能保證，不致有不幸事件發生。[1]

為了侵略西藏，英國長期在"主權"（sovereignty）和宗主權（suzerainty）兩個概念上玩弄花招。但是，英國官方仍然不得不長期承認"中國對西藏擁有宗主權"。現在丘吉爾以首相身份，在太平洋會議這樣的國際場合公然聲稱西藏是"獨立國家"，是一件十分嚴重的事情。因此，宋子文立即反駁：

> 並未聽說有此項消息。西藏並非首相所謂獨立國家。中英間歷次所訂條約，都承認西藏為中國主權所有，當早在洞鑒之中。

在宋子文的嚴詞反駁下，丘吉爾不得不表示："西藏為不毛之地，英國對之並無野心，只希望吾人此時集中精力，對付共同敵人，萬勿分耗力量而已。"

---

1 《戰時外交》（3），第 233 頁。

會後，宋子文立即致電蔣介石彙報。蔣於 23 日回電：

> 丘吉爾稱西藏為獨立國家，將我領土與主權完全抹煞，侮辱實甚，英國竟有如此言動，殊為聯合國共同之羞辱，應向羅總統問其對於丘言作何感想，及如何處置。西藏為中國領土，藏事為中國內政，今丘相如此出言，無異於干涉中國內政，是即首先破壞大西洋憲章，中國對此不能視為普通常事，必堅決反對並難忽視。[1]

1941 年 8 月，美國總統羅斯福與英國首相丘吉爾在大西洋北部的一艘軍艦上簽署了《大西洋憲章》。該文件宣稱：美、英兩國不尋求領土和其他方面的擴張，不承認法西斯通過侵略造成的領土變更。它促成了國際反法西斯統一戰線的形成，成為後來聯合國憲章的基礎。丘吉爾的發言是對《大西洋憲章》的赤裸裸的破壞。由於《憲章》是羅丘二人共同簽署的，因此，蔣介石要宋子文詢問羅斯福，"對於丘言作何感想"，"如何處置"。"西藏為中國領土，藏事為中國內政。"蔣介石的這通電報，義正辭嚴，表達了中國人民對丘吉爾讕言的強烈憤怒。

同日，蔣介石再次致電宋子文，說明"我政府只有對藏開闢公路，以利運輸，而決無集中十一個師進攻西藏之事，此說完全為英國所捏造"。他指示宋子文，"除照前電之意應向羅總統嚴重表示，英國在事實上已首先破壞大西洋憲章矣"。他特別關照宋，在與羅斯福談話時，"此首先二字應特別注重"[2]。

一日之內，連發兩電，說明蔣介石對這一問題的極端重視。

二、事件原委

英國早就覬覦西藏。自 19 世紀始，英國即積極拉攏西藏政教界的上層人士，力謀侵略西藏；在西藏政教界的上層人士中，也有人投靠英國及其在印度的殖民政府，希冀將西藏分裂出去。抗戰期間，中國忙於抵抗日本帝國主義，

1　《委員長來電》，宋子文檔，61-2。
2　《委員長渝來電》，1943 年 5 月 23 日，宋子文檔，61-2。

英國卻乘機加緊侵略西藏。1940 年 6 月，英國屈服於日本壓力，一度封閉中國的對外通道──滇緬公路，中國政府計劃另建由印度經由西藏通往中國內地的中印公路，用以運輸國外援華的抗戰物資，但是，英印政府卻授意西藏地方政府──噶廈反對，不准勘測人員入境。1942 年初，英印政府為了保住 "將來的利益"，提議美國援華物資可以從印度經西藏運往中國，但噶廈仍然拒絕，聲稱 "在這場戰爭中保持中立"，"不能夠同意為了把貨物運往中國而利用西藏的土地"。[1] 同年 5 月，英國政府提議用駝運的辦法將援華物資經拉薩運往青海的巴塘或玉樹，但噶廈卻提出 "只有在西藏、中國和印度三方達成協定的情況下，他們才同意開闢通道"。1943 年 4 月，更下令停止所有從印度經西藏運往中國內地的貨物（驛運）。7 月，噶廈擅自成立 "外交局"，為進一步和中央政府分裂作準備。

對於西藏噶廈的行為，蔣介石最初持 "暫時隱忍" 態度。1942 年 8 月，蔣介石偕宋美齡視察甘肅、青海等與西藏接壤地區，其預定工作科目中有 "撫慰蒙、藏、回各民族" 的安排[2]。同月 23 日日記云："文化團體應以喇嘛為中心"。28 日日記云："只要藏政歸中央統治，不受外國牽制足矣。中央之所以必須統制西藏者，其宗旨全在解放藏民痛苦，保障其宗教與生活自由，而不被外國所愚弄與束縛而已。"[3] 可見，蔣介石這時的治藏方針主要在控制西藏分裂主義者的活動，防止外國侵略。同年 10 月，國民政府研擬與列強談判，解除鴉片戰爭以來的不平等條約。蔣介石決定乘機要求英國政府 "取消西藏關係之不平等特權"，在日記中表示 "應積極與堅決進行"[4]。同時，蔣決定，在次年 10 月前，派兵進駐西藏東北部的昌都，在保持軍事壓力的前提下，"用政治方法解決西藏問題"[5]。1943 年 4 月，噶廈下令停止漢藏之間的 "驛運" 後，青海馬步芳的軍隊奉命開向青藏邊界。同年 5 月 12 日，蔣介石在重慶召見西藏駐京辦事處主任阿旺堅贊。阿旺堅贊要求蔣 "制止軍事行動"。蔣介石答稱："調動軍事，乃一

1　H. E. Richardson, *Tibetan Precis*, Government of India Press, 1945, p.71. 轉引自陳謙平《抗戰前後之中英西藏交涉》，生活・讀書・新知三聯書店 2003 年版，第 151 頁。

2　《蔣介石日記》（手稿本），1942 年 8 月 22 日。

3　《蔣介石日記》（手稿本），1942 年 8 月 28 日。

4　《蔣介石日記》（手稿本），1942 年 10 月 25 日。

5　唐縱：《在蔣介石身邊八年》，第 314 頁。

方防止日寇勾結西藏，一方保護修築中印路及驛運。"他提出五項要求，希望藏方遵照辦理：1. 協助修築中印公路；2. 協助辦理驛運；3.（中央政府）駐藏辦事處商辦事件直接與噶廈商量，不經"外交局"；4. 中央人員入藏，凡持有蒙藏委員會護照者，須照例支應烏拉（差役）；5. 在印華僑必要時須經西藏內撤。蔣稱："如西藏能對此五事遵照辦到，並願對修路、驛運負保護之責，中央軍隊當不前往，否則，中央只有自派軍隊完成之。"蔣並稱："中央絕對尊重西藏宗教，信任西藏政府，愛護西藏同胞。但西藏必須服從中央命令，如發現西藏有勾結日本情事，當視同日本，立派機飛藏轟炸。"[1] 蔣介石覺得，他的這一談話是對西藏上層某些人物的警告，在日記中寫道："對西藏代表嚴正態度，使西藏政府夜郎自大者有所覺悟，非此不可也。"[2]

蔣介石調動軍隊，是在噶廈一再抗拒援華物資經西藏內運的情況下作出的決定，目的是施加壓力，以達到修築中印公路、恢復驛運的目的，並不真想動武。但是噶廈卻慌了手腳。1943 年 4 月，噶廈致函英國駐西藏代表："請求我們最大的盟友英國政府，通過印度政府給與我們盡可能的援助，以支持和維護我們的獨立地位。"5 月 4 日，英國大使薛穆拜會中國外交部次長吳國楨，聲稱中國軍隊已由西寧開至青海南邊，西藏當局深感不安，希望中國政府能表示無此事實，以便轉告西藏當局，令其安心。吳國楨答稱，對此不甚明了，他堅定地表示：一國內部軍隊的調遣，實與另一國無關。至於一國之中央政府與地方接洽事件，無論其友國如何友好，亦無友國代為轉達之必要。吳國楨提醒薛穆，希望閣下不提此事。薛穆在吳處碰了釘子後，英國外交部仍於 5 月 17 日指示薛穆"駁斥"吳國楨，並且告訴中國政府，這個問題已經提交英國政府，並將在太平洋會議上提出討論。事後，蔣介石指示吳國楨，退回薛穆照會，蔣稱："西藏為中國領土，我國內政決不允許任何國家預問。英國如為希望增進中英友義，則勿可再干涉我西藏之事。如其不再提時，則我方亦可不提；如其再提此事，應請其勿遭干預我國內政之嫌，以保全中英友義。"[3] 與此同時，王世

1 《西藏地方歷史資料選輯》，生活·讀書·新知三聯書店 1963 年版，第 157 頁。

2 《上星期反省錄》，《蔣介石日記》（手稿本），1943 年 5 月 16 日。

3 《軍事委員會委員長侍從室檔案》，中國第二歷史檔案館。

杰則請杭立武以私人關係會見薛穆，勸他勿再提此事[1]。

　　丘吉爾在太平洋會議上的發言，正是英國政府一系列動作的重要一環。當時，羅斯福表示，正在採取步驟，增進援華空軍的戰鬥力量及運輸力量，空運數量將大大增加，陳納德的空軍力量將增加三倍。英國首相丘吉爾也表示，願派遣驅逐機三隊赴華。但是，話鋒一轉，丘吉爾卻談起西藏問題，目的是要脅中國。

三、蔣介石大為動怒，
指責丘吉爾"帝國主義真面目暴露"

　　蔣介石接到宋子文的電報後，大為動怒，在日記中寫道：

> 　　昨日傍晚，接宋電稱：華會廿一日會議中，丘吉爾突稱"西藏獨立國，中國在此獲得空軍接濟之時，不宜對藏用兵"，並將其對中英美一月間加爾各答會共同進攻緬甸決議完全推翻、否認，此誠帝國主義真面目暴露，不僅為流氓、市儈所不為，而亦為軸心、倭寇所不齒。[2]

緬甸自 19 世紀 80 年代淪為英國殖民地。1942 年初，日軍入侵緬甸。同年 2 月，中國遠征軍入緬，支援英軍作戰，同時打通國際通道，但是，英國卻態度消極。1943 年 1 月，羅斯福、丘吉爾在北非的卡薩布蘭卡（卡港）會議，決定對緬作戰計劃。同年 2 月，中、英、美三方在印度加爾各答會議，進一步達成攻緬協議。但是，到了太平洋會議上，丘吉爾卻力圖否認，聲稱加爾各答會議，"只有計劃，並無決議"，"英軍事當局如有允諾，實屬越權"[3]。對丘吉爾的背信言論，蔣介石自然十分惱怒。再加上丘吉爾聲言西藏是"獨立國家"，蔣介石自然更加憤怒了。多年來，蔣介石對英國政府和丘吉爾向無好感，這一則日記，將蔣介石對英國政府的不滿傾瀉無遺。在蔣看來，丘吉爾不僅是"帝國

1　《委員長來電》，1943 年 5 月 23 日，宋子文檔，61-2。
2　《蔣介石日記》（手稿本），1943 年 5 月 23 日。
3　《戰時外交》（3），第 234 頁。

主義",而且是"流氓、市儈",所幹的事,連德、意、日這樣的軸心國家也不會幹。

蔣介石寄希望於羅斯福出面主持公道,但是,他又擔心羅斯福和稀泥,當和事佬。5 月 25 日,他在日記"預定"欄中寫道:"覆子文電,對藏事應堅決表示。"果然,在再次致電宋子文時,蔣稱:

> 關於西藏問題,不能輕忽,應照前電對羅總統嚴重表示,使其注意。如羅總統有勿因此發生意外之語,則我更應申明立場、主權為要,否則其他軍事要求與我之主張更被輕視,以後一切交涉皆必從此失敗矣。切盼遵令執行,勿誤。[1]

此電語氣確實很"堅決","切盼遵令執行,勿誤"云云,不允許有任何猶豫。

宋子文接電後,於 25 日覆電蔣介石,告以丘吉爾提及西藏問題的第二天,羅斯福已經表態:丘吉爾所言,"殊不得體"。他說:自己準備下次會見羅斯福時,"遵令重復聲明我國立場與主權"。但是,他不希望矛盾進一步發展,要求蔣介石飭令軍隊,"千萬不可發生衝突"。電稱:

> 英美反對我者,已謂中國一旦成為強國,必為侵略者。西藏為我國土,即係用兵,固絕非侵略可比,但不明真象(相)者,必多誤解。且將謂中國生死關頭,一髮千鈞之際,不以之對敵,反分散兵力於和平之邊境。在法律上英國總無干涉我內政之權。萬一中藏間稍有衝突,事實上英國勢必藉題發揮,至少可能阻礙中印國際交通,破壞攻緬計劃。鈞座燭照無遺,無須曉瀆。[2]

宋子文此電,將中國政府對內用兵和對外侵略嚴格區分,認為英國"無干涉我國內政之權",但是,從當時複雜的國際局勢考慮,宋子文強烈希望和平解決中央政府和西藏地方政府之間的矛盾。5 月 25 日,宋子文再致蔣介石一電,提出三點理由:1. 中國當時的國際運輸線經過英屬印度,中國海上運輸全靠英國海軍保護;2. 中國正在強迫英方出全力執行進攻緬甸方案。3. 日軍正企圖進攻重

---

1 《委員長渝來電》,1943 年 5 月 25 日,宋子文檔,61-2。

2 《呈委員長電》,1923 年 5 月 25 日,宋子文檔,61-2。

慶，中國正在要求美方空軍參戰。因此，宋子文再次要求蔣介飭令軍隊千萬不可發生衝突，他要求蔣思考，"目前解決西藏問題與中國存亡問題孰輕孰重"，勸蔣審慎行事。

四、羅斯福質問丘吉爾；蔣介石批評羅斯福

宋子文遵照蔣介石的意旨向羅斯福說明西藏問題，表示中國不能接受英方對西藏任何提議。羅斯福向宋敘述了他和丘吉爾的一段對話。當時，太平洋會議結束，丘吉爾即將離開華盛頓。

> "閣下在會上何以提出西藏問題？" 羅斯福問。
> "英國並無佔領西藏之意圖。" 丘吉爾答。
> "帝制時代，西藏就是中國的一部分，現在則是中華民國的一部分，與英國無涉。" 羅斯福表明立場。
> "中國政府在西藏沒有實權。" 丘吉爾答非所問。
> "中國政府有無實權，與英國何涉？"
> 丘吉爾無詞以對。[1]

羅斯福介紹的這段對話再清楚不過地表明了美國對中國的支持立場。宋子文對羅說："邱相所云，中國集中十一師攻藏，實屬荒謬。"他承認，中國確在開闢公路，但記得總統以前曾多次向宋子文提議"中印間修路以利運輸"。宋子文的話，有理有據，羅斯福答稱："此類事余亟盼早日與蔣委員長、史丹林、丘相四人會面，但丘不忘英國獨霸世界之傳統觀念，最好余與蔣委員長兩人，在四人會面前早二三日暢談。"[2]

羅斯福思想比較開明，他對丘吉爾的霸權主義早有不滿，這次在不經意間向宋子文流露了。

儘管羅斯福批評丘吉爾，支持中國，不過，他不希望中英因此發生衝突。

---

1 《呈委員長電》，宋子文檔，61-2。
2 《呈委員長電》，宋子文檔，61-2。

當時，宋美齡正在白宮訪問，他對宋說，西藏問題，如中國"不進佔"，則英國亦不致有此動作。他勸中國將西藏問題"暫時擱置"。蔣介石認為羅斯福的這一意見屬於"各打五十大板"性質，仍然在干涉中國內政，在日記中激憤地寫道：

> 此誠欺人太甚。如余與之面晤，彼必不敢出此愚弄之談。否則彼必與丘吉爾狼狽為奸，自食其不干涉各國內政之宣言與首要違反其大西洋憲章，彼將無以見世人矣。[1]

這一時期，羅斯福一直在張羅召開美、英、蘇、中領袖參加的"四頭會議"，尤其希望先與蔣介石舉行"雙頭"會談，但蔣介石認為他的參加，只是做羅斯福的"陪襯"，"為人作嫁"，因此，態度消極[2]。

五、蔣介石決定"隱忍"，等待西藏當局覺悟

蔣介石對西藏當局提出五項要求，西藏當局基本上採取拒絕態度。關於"外交局"，西藏地方當局表示可以"讓步"，將另設機關與中央駐藏辦事處往還。同時，西藏當局還表示，將與"中央保持感情，不應與中央西藏辦事處斷絕關係"。但是，在關鍵的修築中印公路這一問題上，西藏當局聲稱："神意反對測修。"[3] 西藏當局的這一答覆使蔣介石極為不滿。7月13日，他在日記中指斥西藏當局的答覆為"卑劣可痛"。第二日，他考慮四項對策：甲、以飛機示威，不再作答。乙、以飛機投函昌都，令早日遵辦五條件；丙、中央軍進駐西康；丁、派格桑入拉薩宣傳。[4]

蔣介石認為，西藏問題複雜，外有英國在背後操縱，內有四川軍閥劉文輝支持，少數藏族上層分子，"任人作弄，且準備抵抗中央，為虎作倀，認賊作父，而反以中央愛護與恩德，視為仇恨"。蔣介石稱此種言行為"自戕自殘"[5]。

1 《蔣介石日記》（手稿本），1943年7月17日。
2 《蔣介石日記》（手稿本），1943年6月6日。
3 《元以來西藏與中央政府關係檔案資料選編》第7冊，第2851頁；唐縱：《在蔣介石身邊八年》，第368頁。
4 《蔣介石日記》（手稿本），1943年7月14日。
5 《蔣介石日記》（手稿本），1943年7月18日。

7月16日，他約集幹部商量。18日，蔣介石在重慶曾家岩官邸舉行軍事彙報。特邀曾入藏主持第十四代達賴喇嘛坐床大典的吳忠信參加。吳主張軍事、政治兩方面同時並進，建議由駐滇第十一集團軍派一部進駐雲南西北部的德欽，加以威懾，使之"不至過於猖獗"，同時，命令劉文輝接濟馬步芳軍隊的糧食。徐永昌主張"重新檢討"既往的對藏政策，否則將逼迫西藏當局"結納英人"，他建議"派妥員入藏，與之敷衍，藉使我情勢稍轉"，待康青路築成，問題自然解決。吳忠信反對徐永昌的意見，仍主增加滇軍[1]。蔣介石當場沒有發表意見。會後，幾經思考，決定暫時"隱忍"，等待西藏地方當局的覺悟。他在日記中寫道：

> 此時惟有暫時置之，以待補救。只要西康問題解決，道路開通，則英國決不敢張明以助藏，則藏事自然解決，故決隱忍一年，讓此蠢物驕恣跋扈，不加計較，以待其覺悟為上也。[2]

同日，他在《上星期反省錄》中寫道："對西藏問題研究甚切，決定暫時隱忍，以稽其自覺，此乃放寬一步，擒縱自如，尚有操之在我之權。"這樣，他就決定，不向西藏派兵，不派飛機偵察，也不刺激英國。7月24日日記云：

> 對西藏決定放寬一步，不加虛聲威脅，故不派飛機偵察昌都，勿使刺激投英，亦勿刺激英國。此時唯一要旨，為使英國無口可藉，而能共圖履約，打通英緬路交通，一切的一切，皆應集中於此一點也。

當時，中英是世界反法西斯戰爭的同盟國，有共同的戰略利益，蔣介石決定，將主要努力集中於聯合英軍，共同抗擊在緬日軍，打通"英緬路交通"。7月31日，蔣介石再次在《本月反省錄》中寫道：對"西藏之愚妄，皆一意隱忍，不予計較。此對內政策之決定，自信必有效果也"[3]。

西藏地方當局曾於1943年7月要求英印政府提供槍械彈藥。英印政府內部意見分歧。一種意見認為這種舉動將"鼓動西藏方面抵抗中國"，建議暫不提

---

1 《徐永昌日記》，1943年7月18日。
2 《蔣介石日記》（手稿本），1943年7月18日。
3 《蔣介石日記》（手稿本），1943年7月31日。

供，但是，英國政府不願失去“我們在西藏的影響”，於同年 11 月決定售予西藏當局步槍子彈 500 萬發、山炮彈 1000 發。1944 年 2 月，西藏地方當局又向英國訂購高射炮等物。3 月 6 日，西藏代表阿旺堅贊、羅桑扎喜、土登參烈等攜帶藏產重禮，晉見蔣介石，祝賀蔣就任國民政府主席。蔣在談話中嚴厲批評西藏當局私自向印度購買武器的行為。事後，蔣介石自感批評場合不妥，語言過重，特別設宴招待，以圖補救，“並賜給機關槍與迫擊炮，示以中央對邊區之信任，令其覺悟向外私購武器之愚拙也”[1]。

不過，蔣介石始終沒有放鬆英國侵略西藏的警惕。1943 年 9 月 19 日，蔣介石在日記中提醒自己：“英國侵略我藏之野心，絲毫未有變更。”同年 11 月 22 日，蔣介石參加開羅會議，準備與丘吉爾會談，其草擬的《對英要旨》，第一條就是：“西藏問題勿再干涉”[2]。

1　《蔣介石日記》（手稿本），1943 年 3 月 6 日。
2　《蔣介石日記》（手稿本），1943 年 11 月 21 日。

蔣介石與韓國獨立運動 *

—— 對待亞洲國家的態度之一

* 本文錄自《找尋真實的蔣介石：蔣介石日記解讀》（2），華文出版社 2010 年版；原載《抗日戰爭研究》2000 年第 4 期。

中韓兩國有長期友好的歷史淵源。1910 年日本悍然併吞韓國，大批韓國愛國人士流亡中國，開展抗日、復國鬥爭，成為波瀾壯闊的 "韓國獨立運動" 的重要組成部分。在這一運動中，韓國來華流亡人士曾得到中國兩大政黨國民黨和共產黨以及各階層人士的大力支持。本文將考察蔣介石和韓國獨立運動的關係，以此為中心，闡述抗戰期間中國國民黨對這一運動所做出的貢獻。

　　幾乎從韓國流亡人士踏上中國國土的那一天開始，兩國的愛國者之間就開始來往。20 年代，孫中山明確表示，支持韓國獨立運動，準備給予援助。孫中山逝世以後，中國國民黨人繼承了孫中山的這一既定政策。

一、促進在華韓國抗日力量的團結

　　1931 年 7 月 1 日，日警在中國吉林萬寶山地區開槍射擊中國農民。7 月 3 日至 9 日，日本當局在朝鮮漢城[1]等地煽起排華暴動，旅韓華僑受到襲擊。此事引起蔣介石震動。7 月 24 日日記云："余意即應對世界各國宣言及提案國際聯盟會，暴露日本政府有組織的殺害僑民之罪惡與其已無統治朝鮮之能力，而朝鮮合併，我國未經承認。中日所訂條約，皆認朝鮮為完全獨立國。"[2] 不久，

1　今韓國首都首爾。
2　毛思誠摘錄本《蔣介石日記類抄・黨政》。

"九一八"事變爆發，蔣介石開始調整政策，致力於抗日準備，因而，援助來華韓國人士問題也就逐漸受到重視。

　　韓國流亡中國的愛國者之間分合頻繁，派系眾多。當時，已發展為兩大派。一派領導人為金九，另一派領導人為金若山。金九，1876 年生，早年即參加抗日運動，曾三次被捕，1919 年來華，先後擔任韓國臨時政府警務局長、內務總長等職，1927 年任國務領（總統），次年組織韓國獨立黨。金若山，1898 年生，1918 年來華，在東北組織朝鮮義烈團，任團長。1926 年率領部分團員進入黃埔軍校第四期受訓，曾參加中國的北伐戰爭，後在北平秘密創辦政治學校。據說曾參加韓國共產主義團體——馬克思、列寧派。[1] 在上述兩派中，金九一派成員年齡較大，受韓國傳統文化影響較深，而金若山一派則年齡較輕，比較激進，兩派思想上有較大差異。其他還有若干小黨派，經常發生內訌，無法形成統一的抗日復國力量。在援助韓國獨立運動過程中，蔣介石始終注意處理派系關係，促進韓國愛國人士的團結。

　　1932 年，蔣介石命國民黨中央組織部部長陳果夫及三民主義力行社書記滕傑分別開展援韓工作[2]。當年 4 月，力行社成立東方民族復興運動委員會，確定以 "濟弱扶傾" 精神援助中國周邊地區的韓國、越南、印度等被壓迫民族。5 月，金若山率領朝鮮義烈團幹部自北平到南京，向蔣介石提出《中朝合作反日倒滿秘密建議書》，蔣介石批交力行社研究辦理[3]。同年秋，滕傑等奉命在南京設立朝鮮革命幹部學校，培養金若山一派幹部。此後，金若山的活動即得到黃埔同學會和國民黨軍統前身力行社等方面的支持。1933 年 5 月，蔣介石又通過陳果夫約見金九。金九要求中國資助百萬元，保證 "兩年之內可在日本、朝鮮、滿洲方面掀起暴動，切斷日本侵略大陸之後路"。此前，金九所領導的韓人愛國團的主要工作是暗殺，先後發生李奉昌在東京謀炸裕仁天皇以及尹奉吉在上海炸死白川大將兩起事件，金九的名聲因之大增。蔣介石不贊成這一做法，通

<hr>

1　閔石麟：《韓國各黨派概略》，《韓國各黨派情報卷》，台北中國國民黨黨史會藏《中韓關係專檔》（10），以下均同，不一一注明。

2　滕傑：《滕傑先生訪問記錄》，台北近代中國出版社 1993 年版，第 118 頁；參見《"總統" 蔣公大事長編初稿》卷 2，第 209—230 頁。

3　金若山：《朝鮮民族革命黨之創立與其發展經過》，《韓國民族革命黨卷》，《中韓關係專檔》（14）。

過陳果夫向金表示："若靠特務工作來殺死天皇，則會另有天皇，殺死大將，也會另有大將。為將來的獨立戰爭著想，須先訓練一批武官。"[1]金九同意蔣的意見，雙方迅速達成協議，以河南洛陽軍官訓練學校作為基地，第一期培養軍官100名。其後，金九一派有部分人員參加中國國民黨中央的對日情報工作[2]。除金九等按月得到中國方面的經費補助外，韓國流亡人士的回國活動費用，也常由陳果夫轉請蔣接濟[3]。

鑒於當時韓國來華人士中派系分歧的狀況，力行社和陳果夫等曾於1933年敦勸各方合作，成立統一的韓國民族革命黨。1934年7月，朝鮮革命黨、朝鮮義烈團、韓國獨立黨、新韓獨立黨、大韓獨立黨等在南京舉行代表大會，合組朝鮮民族革命黨，以金若山為總書記，但隨後又發生分裂，韓國獨立黨和朝鮮革命黨宣佈退出重建。1937年8月，金九領導的韓國國民黨與朝鮮革命黨、韓國獨立黨等9個團體在南京聯合成立韓國光復運動團體聯合會，簡稱"光復陣線"。11月，朝鮮民族革命黨則與朝鮮革命者聯盟等組成朝鮮民族戰線聯盟，簡稱"民族戰線"。1938年1月，兩派在長沙會談，磋商統一，未能達成協議。1939年1月，蔣介石不得不分別約見金九與金若山，勸告雙方開誠合作，全力對日，爭取朝鮮獨立。其後，蔣介石即將該項工作交國民黨中央組織部長朱家驊辦理，命他"負責設法，使其內部統一"[4]。同年5月，金九與金若山發表聯合宣言，聲稱"從目前中華民族為取得最後勝利而實現民族大團結的教訓中，痛感我們過去所犯的種種過錯"，號召各團體停止各自的活動，不分主義和黨派，把力量集中起來[5]。但是，其後在重慶成立的全國聯合陣線協會和在四川綦江召集的七團體會議仍先後失敗。1940年1月，朱家驊密呈蔣介石，檢討長期不見成效的原因，認為其關鍵在於"完全採輔助主義，聽任各黨自由商討進行，以致各行所素，不克拋棄成見"。他提出：今後"似應採積極主動之態度，對彼

1 《白凡逸志》，民主與建設出版社1994年版，第232—233頁。
2 《韓國黨派之調查與分佈》，《韓國各黨派情報卷》，《中韓關係專檔》（10）。
3 蕭錚：《韓國光復運動之鱗爪》，台北《中央日報》，1953年8月25日。
4 朱家驊：《簽呈總裁密陳四年來對韓國問題辦理經過附具意見伏祈手令飭辦》，《國民政府與韓國獨立運動史料》，台北"中史研究院"近代史研究所1988年版，第577頁。
5 楊昭全等編：《關內地區朝鮮人民反日獨立運動資料彙編》，遼寧民族出版社1987年版，第625、628頁。

等表示切實具體之主張"[1]。3 月 30 日，蔣介石致函朱家驊，命其邀集在重慶的日本、朝鮮和台灣的革命首領會商，電稱："查汪逆傀儡登場在即，我方對倭亟宜加大打擊，贊助日本、台灣、朝鮮的各項革命運動，使其鼓動敵國人民群起革命。"[2] 朱家驊接函後，即制訂方案，首先促使光復陣線三黨統一，同時提出，暫時允許光復陣線與民族陣線並存，分區工作，長江以南為朝鮮民族革命黨工作區，黃河以南、長江以北為光復陣線工作區。5 月 8 日，韓國國民黨、韓國獨立黨、朝鮮革命黨在重慶發表解散宣言，共同組成新的韓國獨立黨，以金九為委員長。這樣，雖然出現了韓國獨立黨與朝鮮民族革命黨並存的局面，但畢竟向著統一方向前進了一步。1941 年 5 月，朝鮮民族革命黨舉行第五屆第七次中央全會，議決參加以獨立黨為主體、金九為主席的臨時政府，這樣，韓國來華愛國者的團結就又向前跨進了一步。

二、支持朝鮮義勇隊與韓國光復軍

滕傑等人在南京舉辦的朝鮮革命幹部學校至 1935 年 10 月，先後培訓了三期學員。同月，軍事委員會政訓班在江西星子開學，對部分韓國青年進行特工訓練[3]。與此同時，還有部分韓國青年進入南京中央軍校學習。1937 年 8 月，朝鮮民族革命黨在南京召開代表大會，議決以軍校韓籍學生為基礎，組織義勇軍，參加中國抗戰。次年 10 月 2 日，成立朝鮮義勇軍指導委員會，以中國軍事委員會政治部秘書長賀衷寒為主任，金若山為司令。第二天，決定改名為義勇隊。10 月 10 日，朝鮮義勇隊在武漢成立，提出三個口號：動員所有在華朝鮮革命力量，參加中國抗戰；爭取日本廣大軍民，發動東方各弱小民族，共同打倒日本軍閥；推進朝鮮革命運動，爭取朝鮮民族的自由解放[4]。該隊的主要成員是原軍委會政訓班韓國學生隊的畢業學員，至 1940 年 2 月，發展至 314 人。其工作有對敵宣傳、國際宣傳、教養俘虜、翻譯日方文件等幾個方面，部分隊

1　《國民政府與韓國獨立運動資料》，第 64 頁。

2　《國民政府與韓國獨立運動資料》，第 551 頁。

3　滕傑：《三民主義力行社援助韓國獨立運動之經過》，《滕傑先生訪問記錄》，第 121—126 頁。

4　朴孝三：《兩年來本隊工作的總結》，《朝鮮義勇隊兩週年紀念特刊》。

員並曾深入河南、北平、天津、上海等地區，分化、爭取日軍中的韓籍士兵。1940年10月10日，蔣介石為朝鮮義勇隊題詞："手足相衛"[1]。11月15日，又通過軍委政治部轉頒嘉慰電文："諸同志本東方革命之精神，共為民族解放運動之精神毅力，欣慰良殷。"[2]

1940年3月2日，金九向國民黨中統局徐恩曾提出，華北日軍中朝鮮籍士兵反正者頗不乏人，倘能在該處成立光復軍，構成情報網，則將來於軍事上、特務上裨益匪淺。3月2日，朱家驊將有關情況簽呈蔣介石，表示"似可於韓國各黨統一之前"，支持此事，"酌予補助"。4月11日，蔣介石批示"准予照辦"，要朱與何應欽接洽。5月15日，何應欽覆函提出：（一）該軍編組單位，由金九按現有人數擬定承核；（二）活動區域，俟該軍成立後，由負責人按事實需要擬定計劃呈軍事委員會核奪。9月17日，韓國光復軍在重慶舉行成立典禮，宋美齡特別捐贈慰勞金10萬元。隨後，光復軍在西安成立總務處，開始活動。

光復軍的性質是另一個國家的流亡者在中國組建軍隊，涉及種種複雜問題，何應欽等認為此事既不合於"國際法"，又認為"韓國內部黨爭分歧"，"如此時在華成立光復軍，將來處置必感困難"，因此，始終不肯積極支持，韓國流亡者方面盛傳，當年冬天，軍委會曾秘密通令取締光復軍。1941年7月8日，朱家驊致函何應欽，認為對韓國光復軍，"未宜繩以常例，過求嚴格"，"似宜於可能範圍內特別予以便利"。他並以戴高樂在英國組織"自由法軍"，英人並未起而阻撓為例，要求何改變態度[3]。蔣介石支持朱家驊，於7月18日批示："可准成立"，"但應有一限度"，要何應欽交軍政部速擬辦法[4]。9月30日再次指示說："本黨領導東方民族革命及抗日戰爭，對朝鮮光復軍，在原則上應為政治上之運用，不宜為法律問題所拘泥。至朝鮮內部黨爭，亦毋須過分重視。如係數黨，則可為數黨之運用，不必固執一黨然後援助。至光復軍成立時之處置（一）直隸本會，由參謀總長掌握運用，並於會內指定專人，掌握該軍之指揮命令及

---

1 《朝鮮義勇隊兩週年紀念特刊》。
2 石源華：《韓國獨立運動與中國》，上海人民出版社1996年版，第309頁。
3 《國民政府與韓國獨立運動史料》，第330—331頁。
4 《國民政府與韓國獨立運動史料》，第317頁。

請款領械等事；（二）原隸政治部之朝鮮義勇隊應同時改隸本會，由參謀總長統一運用，以免分歧；（三）限制該軍，不得招收中國兵及擅設行政官吏。如欲引用華籍文化工作人員，須呈由參謀總長核准。"[1]

蔣介石既有明確指示，中國方面遂於 1941 年 11 月 1 日頒發《光復軍九個行動準繩》，其主要內容為：韓國光復軍在抗日作戰期間直隸中國軍事委員會，由該會參謀總長掌握運用；在該國獨立黨臨時政府未推進韓境以前，僅接受中國最高統帥的命令，與韓國獨立黨臨時政府保留固有名義關係；該軍總司令部所在地由軍事委員會指定；不得招收我籍之士兵及擅設行政官吏等[2]。上述各條，當時均經韓國臨時政府同意。此後，光復軍即正式隸屬於中國軍事委員會。該軍以韓國獨立黨人士李青天為總司令。1942 年 3 月，中國方面任命尹呈輔為韓國光復軍總司令部參謀長[3]。5 月 15 日，蔣介石將原屬軍委會政治部的朝鮮義勇隊改編為韓國光復軍第一支隊，任命原該隊隊長金若山為光復軍副總司令。同年 9 月 17 日，光復軍成立兩週年，李青天致電蔣介石表示敬意，蔣覆電讚揚該軍 "批艱歷辛"、"團結精誠"，表示將繼續支持，"本扶弱抑強之素志，而竟興滅繼絕之全功"[4]。不過，該軍發展緩慢，始終規模較小，至 1943 年 5 月，軍委會點驗為止，僅 120 餘人[5]。

光復軍佩戴中國的 "青天白日" 帽徽，指揮權屬於中國軍委會，政治訓練由中國軍委會政治部進行，因此，韓國流亡者方面有種種議論，如 "非韓國之光復軍，乃中國之光復軍"，"失其所可享之權利，得其所不願之義務"，"伐齊為名，參戰無期"，等等。其中，有些人認為《準繩》"有損韓國獨立之精神"，甚至攻擊臨時政府主席金九及光復軍總司令等人為 "喪權辱國的罪人"[6]。1942 年 10 月，韓國臨時議政院召開第三十四屆會議，秘密決定，責成臨時政府與中國方面交涉，廢除《準繩》，否則即應引咎辭職，並將臨時政府遷往美

---

1 《陷川侍六代電》，《韓國光復軍卷》，《中韓關係專檔》（3）。

2 《國民政府與韓國獨立運動史料》，第 337—342 頁。

3 《國民政府軍事委員會訓令》，《尹呈輔先生訪問記錄》，台北近代中國出版社 1992 年版，第 56 頁。

4 石源華：《韓國獨立運動與中國》，第 391 頁。

5 《軍委會點驗光復軍》，外交部情報司情報，《韓國光復軍卷》，《中韓關係專檔》（3）。

6 閔石麟：《韓國各黨派述略》，《韓國各黨派情報卷》，《中韓關係專檔》（10）。

國[1]。為此，韓國臨時政府曾多次向何應欽交涉修改，均被拒絕[2]。1943 年 2 月 20 日，韓國臨時政府外務部部長趙素昂照會重慶國民政府外交部，要求廢除《準繩》，另定《中韓互助軍事協定》，使光復軍 "隸屬於韓國臨時政府"，"所屬人員任免與政治訓練由韓國臨時政府主持"[3]，此後，蔣介石即飭令何應欽簽擬辦法。同年 12 月，韓國臨時議政院第三十五次會議議決，新任國務員應在三個月內與中國政府交涉修訂，如交涉無結果，即自動聲明該項條文無效。1944 年 6 月，趙素昂向國民黨中央正式提出《中韓互助軍事協定草案》。9 月 8 日，蔣決定接受韓國臨時政府方面的要求，致函吳鐵城稱："韓國光復軍自以隸屬韓國臨時政府為宜，其行動準繩，應即徹底取消，俾無害於中國之安全，並符韓方之希望。至派往各戰區工作及通過戰區之人員，則須經我軍委會之同意為宜。"[4] 10 月 7 日，金九致函吳鐵城，提出韓方草案[5]。

　　吳鐵城綜合蔣介石和韓方意見，於 1945 年 1 月 4 日簽報新擬《援助韓國光復軍辦法草案》，但蔣仍然於 17 日指示："此事應囑韓方派員先事洽商，成議後再核。"[6] 1 月 23 日，國民黨中央黨豈部秘書處溫淑萱與韓國臨時政府軍務部長金若山商談，確定《辦法》5 條。其後，金若山將《辦法》交韓國臨時政府國務委員會討論，略加修正，從 5 條增加為 8 條。2 月 1 日，金九覆函吳鐵城表示同意。但不久又變卦，對其中第五條 "中國軍事委員會派參謀團以取聯絡，並協助光復軍工作" 強烈表示不滿，認為 "係不以平等看待"，同時表示，"過去光復軍之毫無成就，完全受軍委會之牽掣所致"。談話間，"言詞不遜，態度至為傲慢"。這樣，中國方面遂決定再次讓步，"既不派參謀團，亦不派聯絡參謀"[7]，從 8 條又修訂為 6 條。1945 年 4 月 20 日，金九致函吳鐵城，表示同意《援助韓國光復軍辦法》自 5 月 1 日起實施。自此，韓國光復軍遂改隸韓國臨時政府管轄。

1　《韓國臨時政府擬遷往美國》，委員長侍從室致吳鐵城函附件，《韓國臨時政府情報卷》，《中韓關係專檔》（9）。

2　《溫叔萱呈》，《韓國光復軍卷》，《中韓關係專檔》（3）。

3　《韓國臨時政府外務部長趙素昂照會》，《韓國臨時政府卷》，《中韓關係專檔》（21）。

4　《蔣介石致吳鐵城函》，軍事委員會快郵代電第 12349 號，《韓國光復軍卷》，《中韓關係專檔》（3）。

5　《金九致吳鐵城》，《韓國光復軍卷》，《中韓關係專檔》（3）。

6　《蔣介石致吳鐵城函》，軍事委員會代電第 14942 號，《韓國光復軍卷》，《中韓關係專檔》（3）。

7　《張壽賢致吳鐵城呈》，《韓國光復軍卷》，《中韓關係專檔》（3）。

三、確定先於他國首先承認韓國臨時政府的原則

1919 年 4 月 11 日，韓國流亡人士在中國上海成立臨時政府和臨時議政院，先後由李承晚、朴殷植、李相龍、洪震、金九等擔任國務總理或大統領、國務領之職。1940 年 9 月，臨時政府遷至重慶。10 月 8 日，韓國臨時政府議政院在重慶舉行會議，選舉金九為國務會議主席。

韓國臨時政府雖然長期在中國領土上活動，得到中國方面的積極支援，但是，始終沒有得到正式承認。1941 年 11 月、12 月，徐恩曾兩次致函朱家驊，認為蘇聯遠東軍方面有韓籍紅軍三四萬人，日蘇一旦開戰，即有組織蘇維埃政府之可能，建議搶佔先機，儘早承認韓國臨時政府[1]。次年 1 月 30 日，金九向中國當局提出節略，要求中國方面率先正式承認臨時政府，並請同盟國一致承認。當時，中國方面已經蔣介石批准，在當年 10 月 10 日承認韓國臨時政府，並曾通過外交部長郭泰祺對金九及金若山二人作過透露[2]。但是，蔣介石重視美國政府對這一問題的態度，希望盡力和美方保持一致。

金九在被選為韓國國務會議主席之後，曾於 1941 年 3 月致電美國總統羅斯福，要求承認臨時政府，開始外交關係。但是，羅斯福認為時機還不成熟，要求中國政府斟酌時機，再與美方討論。4 月 16 日，宋子文致電蔣介石，轉告羅斯福的上述意見。5 月 1 日，美國駐華大使高斯正式照會重慶國民政府外交部，表示由於韓人之間既不合作，與國內韓人又無聯繫，以及美國、蘇聯西伯利亞存在其他韓人團體等原因，美國方面無意立即承認任何韓國團體。這樣，承認韓國臨時政府問題就只能仍然處於討論階段。

為了加強援韓工作，1942 年 7 月 20 日，國民黨中央常務委員會決定，以戴季陶、何應欽、王寵惠、陳果夫、朱家驊、吳鐵城、王世杰等七人為委員，以吳鐵城、王寵惠為召集人，組成專門小組，通盤研究援韓問題。同月，軍事委員會奉命草擬《對韓國在華革命力量扶助運用指導方案》3 項 15 條。該方案提出：對韓國在華革命力量，須"以熱情寬大公正協助之態度出之"；"為多黨

---

1 《國民政府與韓國獨立運動史料》，第 558、562—563 頁。

2 《會見金若山談話紀要》，《韓國各黨派情報卷》，《中韓關係專檔》（10）。關於郭泰祺約見金若山的時間，邵毓麟認為在 1942 年元月，見其所著《使韓回憶錄》，第 36 頁。

之運用，不必固執一黨，並須使其能協同工作"；"對韓國臨時政府，須使其能領導各黨派力量，實行民主政治，不採一黨包辦之政策"，"隨時考慮，應合國際情況，適時承認"，等等。8月1日，國民黨中央援韓小組舉行首次會議，討論軍委會方案，決定：（一）原則上確定先於他國承認韓國臨時政府，時機由政府抉擇；（二）在承認韓國臨時政府尚未表面化以前，只能承認一個團體為對手方；（三）對韓國在華革命力量的借款，由黨出面，以寬大與自由之精神為原則[1]。8月12日，蔣介石致函吳鐵城及朱家驊稱：中央黨部即將召集小組會議討論朝鮮問題，希即將議決要旨呈報[2]。8月17日，中央援韓小組再次會議，特邀孔祥熙、馬超俊、孫科等參加。決定：韓國在華黨政軍之指導與接洽，除軍事方面由軍事委員會負責外，黨政方面統由中央黨都秘書處主持；承認韓國臨時政府的時機，由蔣決定；會議同時建議先撥 100 萬元，協助韓國在華革命力量[3]。8月22日，吳鐵城將上述意見具報蔣介石。其後，在國民黨高層討論應否承認韓國臨時政府問題上，發生分歧意見，何應欽"對弱小民族素無興趣，迭持異議"，而軍委會高級幕僚、國民黨中常會，特別是孫科、戴季陶、吳鐵城等則堅持承認[4]。10月8日，蔣介石致函吳鐵城，對軍事委員會所擬《方案要點》提出五項意見：其一，蔣認為黨政軍事實上不可分離，應予統一運用及指導，可於何應欽之外，再指定一二人參加主持，以後關於朝鮮問題，統由此數人協議辦理。其二，確定"先他國而承認韓國臨時政府"之原則可照辦。其三，所擬"只承認一個團體為對手方"，似不必如此固定。其四，對韓國革命團體之借款不限於臨時政府，而以其有革命力量與對我抗戰有關之團體為對象。蔣同意由黨出面接洽，先撥 100 萬元，以協助其進展。[5]吳鐵城接信後即與戴季陶、王寵惠、朱家驊磋商。戴季陶認為"韓國革命團體及人民之自尊心理，應加以重視，文字上宜避免有所刺激，故此次整理，大體均本熱誠寬大之意旨"。12月 15 日，吳等擬訂的《扶助朝鮮復國運動指導方案》定稿。該方案分總綱、

---

1 《商討朝鮮問題會議記錄》，《扶植韓國復國運動卷》，《中韓關係專檔》（22）。
2 《國民政府軍事委員會快郵代電第 6010 號》，《扶植韓國復國運動卷》，《中韓關係專檔》（22）。
3 《關於扶助朝鮮革命運動一案之會商經過及決定事項》，《扶植韓國復國運動卷》，《中韓關係專檔》（22）。
4 《國民政府與韓國獨立運動史料》，第 572 頁。
5 《國民政府軍事委員會快郵代電》，1943 年 10 月 8 日，《扶植韓國復國運動卷》，《中韓關係專檔》（22）。

要旨、方法三大部分。總綱部分提出："本總理三民主義扶助弱小民族之遺教，建立東亞永久和平，對朝鮮在華各革命團體予以積極的扶助，期培成其復國力量，重建完整之獨立國家。"[1]《要旨》部分提出："本黨同志應以親愛精神與熱誠謙和之態度接待朝鮮各團體"，《方法》部分規定："於適當時期，先他國而承認韓國臨時政府，其國際法律手續及有利時機之選擇，由負責指導人員秉承總裁指示，交外交部辦理之。"[2] 12 月 27 日，蔣介石致函吳鐵城，批准《扶助朝鮮復國運動指導方案》，同時批准由軍事委員會參謀總長何應欽、國民黨中央組織部長朱家驊、中央黨部秘書長吳鐵城三人主持援韓工作[3]。

四、推動韓國臨時政府改組

對韓國獨立運動人士，除了道義上的支持外，中國方面還給予了大量經濟上的支持，對金九、金若山等所屬黨派及韓國臨時政府經濟上的要求，中國方面幾乎是有求必應。有時，蔣介石還特別指示："不必稽核，以免傷及其自尊心。"[4]

1943 年春，蔣介石批准臨時政府借款 100 萬元。何應欽提出的分配方案是：臨時政府 60 萬元，韓國獨立黨與朝鮮民族革命黨各 20 萬元。此項分配，其他小黨派無份，韓國獨立黨方面也不願與民族革命黨平分秋色，因此發生糾紛。3 月 3 日，金九致函吳鐵城，要求將此款暫為保存，俟將來需要時再行請領。4 月初，趙素昂在韓國國務會議上指責中國方面的分配辦法，"含有帝國主義分化政策之毒素"[5]。同月，韓國臨時政府內部發生手槍失竊風波。韓國獨立黨認為此事和朝鮮民族革命黨暗殺金九的陰謀有關，而朝鮮民族革命黨則認為這是莫須有的陷害，韓國臨時政府內部矛盾進一步激化。7 月 14 日，民族革命黨金奎植、金若山等致函吳鐵城等，指責金九扣發該黨及韓僑補助費。接著，又

1　《扶助朝鮮復國運動指導方案》，《扶植韓國復國運動卷》，《中韓關係專檔》（22）。
2　吳鐵城：《報告》，《扶植韓國復國運動卷》，《中韓關係專檔》（22）。
3　《國民政府軍事委員會快郵代電第 6948 號》，《扶植韓國復國運動卷》，《中韓關係專檔》（22）。
4　《致何總長辰佳侍秦代電副稿》，《韓國臨時政府借款卷》，《中韓關係專檔》（22）。
5　外交部情報司情報，《韓國臨時政府國務會議爭辯之內容》，《韓國臨時政府情報卷》，《中韓關係專檔》（9）。

發佈公開文件，指責獨立黨部分人士侵吞公款，捏造暗殺事件[1]。這樣，韓國來華人士剛剛形成的統一戰線再次面臨分裂的危險。

　　蔣介石關心韓國在華愛國人士的團結問題。當年 4 月 14 日，蔣介石即曾指示：“朝鮮民族革命黨何以不能合併於臨時政府之內”，要求“設法勸解，使其合併”[2]。7 月 26 日，蔣介石接見金九及趙素昂、金奎植、李青天、金若山等韓國兩派人士。蔣稱：“中國革命最後之目的，在扶助朝鮮、泰國之完全獨立。此種工作甚為艱巨，希望韓國革命同志能團結一心，努力奮鬥，以完成復國運動。”當時，金九和趙素昂向蔣表示：“英、美對朝鮮將來之地位，頗有主張採用國際共管方式，希望中國方面不為所惑，貫徹支持獨立之主張。”對此，蔣答稱：“英、美方面確有此論調，將來爭執必很多。韓國內部之精誠團結，有工作表現，乃為必要。中國力爭，才易著手。”[3] 8 月 10 日，蔣介石致函朱家驊，提出處理韓國各黨派統一問題的三項基本原則：(一) 黨派問題，“不必強求其統一。但宜擇優扶植，使能領導獨立運動”。蔣同意朱家驊的意見，“目前各黨派中以韓國獨立黨組織較健全，歷史亦久，今後應以該黨為中心，扶植其領導地位”。(二) 政治問題，“茲後有關朝鮮獨立運動，應側重以韓國臨時政府為對象，以消弭其內部政爭”。(三) 軍事問題，“調整光復軍之高級人事，培植臨時政府系統下的軍事力量，使其集中意志，靈活指揮”[4]。其後，臨時政府內部矛盾繼續加劇。8 月 30 日，金九等 7 人甚至一度以“無能維持”為理由，向國務委員會提出辭職，直到 9 月 21 日，才宣佈復職。9 月 22 日，吳鐵城接見趙素昂，再次以“希望韓國各革命同志團結統一”相勸[5]。10 月 1 日，金九召集各派代表談話，宣佈“接受各黨派意見，力求合作”等四點，作了一個高姿態的表示[6]，然而，風波並未因此停止。

1　朝鮮民族革命黨中央委員會：《朴精一、趙琬九等反統一派侵吞公款捏造金九等暗殺事件真相》，《韓國雜卷》，《中韓關係專檔》(4)。
2　《國民政府軍事委員會快郵代電第 7617 號》，《蔣“總統”接見韓領袖卷》，《中韓關係專檔》(16)。
3　《總裁接見韓國領袖談話紀要》，《蔣“總統”接見韓國領袖卷》，《中韓關係專檔》(16)；參見《韓國民族革命黨宣傳部長金奎植先生於本年 8 月 5 日在重慶對旅美韓僑廣播全文》，《韓國民族革命黨卷》，《中韓關係專檔》(14)。
4　《國民政府與韓國獨立運動史料》，第 584—585 頁。
5　《韓國臨時政府主席金九等辭職經過》，楊昭全等：《關內地區朝鮮人民反日獨立運動資料彙編》，第 631 頁。
6　《韓國臨時政府現狀之調查》，《韓國臨時政府情報卷》，《中韓關係專檔》(9)。

10 月 9 日，臨時議政院第三十五屆會議開幕，朝鮮民族革命黨孫健等人提出彈劾臨時政府議案四項[1]。1944 年 1 月 5 日，議長洪震、副議長崔東旿宣佈脫離韓國獨立黨。其間，又因修改約憲和投票方式發生糾紛，會議延至次年 4 月 15 日結束，沒有取得任何協議。面對韓國來華愛國力量的再次分裂，蔣介石於 1 月 20 日指示何應欽、吳鐵城、朱家驊三人稱："韓國各黨派內部傾軋益甚，如我方不善為排解，使其團結，易為他方所用，希即會商具體辦法呈核。"[2] 2 月 28 日，國民黨中央秘書處處長溫叔萱接見金若山，談話後向吳鐵城提出："本黨之對策，自當以促進其內部團結，產生合法政府為前提。兩黨皆仰賴於中國政府之經濟援助而生存，自宜運用經濟壓力，啟導兩黨相互妥協，並使其在工作上發生競賽作用，以免各走極端，而致力量分散。"[3] 其後，吳鐵城等分別邀約韓國兩黨負責人從中排解，促其團結合作。在中國方面促進下，雙方加緊磋商，達成改組臨時政府方案[4]。4 月 20 日，韓國臨時議政院舉行第三十六屆會議，將國務委員增至 14 人。其中，獨立黨 8 人，民族革命黨 4 人。金九任主席，副主席由民族革命黨主席金奎植擔任。會議發表宣言稱："聯合一致而產生了全民族統一戰線的政府，這不僅是今次議會的最大成功，而（且）是在我民族運動史上，尤其是在臨時政府發展史上開闢了新紀元的大書特記的事實。"[5] 4 日，獨立黨、民族革命黨、民族解放同盟、無政府主義者總同盟聯合發表宣言，擁護會議修正的臨時憲章，擁護金九及全體當選國務委員為"我們民族的最高領導者"[6]。26 日，韓國臨時政府新任國務委員宣誓就職。這樣，韓國獨立黨和朝鮮民族革命黨之間長期積累的矛盾得到緩和，韓國來華愛國者之間實現了前所未有的大團結。28 日，吳鐵城、朱家驊等首先致函祝賀。5 月 3 日，國民黨中央發出祝賀電。6 月 7 日，中共代表林祖涵、董必武等也在重慶設宴招待韓國臨時政府國務委員及各部部長。

---

1 《韓國臨時議政院會議陷入僵局之經過》，《關內地區朝鮮人民反日獨立運動資料彙編》，第 639 頁。

2 《國民政府軍事委員會快郵代電第 10189 號》，《有關韓國問題卷》，《中韓關係專檔》（23）。

3 《會見金若山談話紀要》，《韓國各黨派情報卷》，《中韓關係專檔》（10）。

4 溫叔萱：《韓國黨派糾紛近況報告》，《有關韓國問題卷》，《中韓關係專檔》（23）。

5 《中央日報》，1944 年 4 月 28 日。

6 《韓國各革命黨播護第 36 屆議會宣言》，《關內地區朝鮮人民反日獨立運動資料彙編》，第 606 頁。

五、在開羅會議上倡言保證韓國戰後獨立

當第二次世界大戰步入 1943 年的時候，同盟國的勝利形勢已日益明朗，有關各國都在考慮戰後世界秩序的重新安排。

蔣介石和重慶國民政府一直主張韓國戰後獨立。2 月 25 日，宋子文在華盛頓會晤美國國務卿赫爾，強烈表示，中國反對任何國家在戰後攫取新土地，同時聲明中國支持韓國獨立[1]。但是，羅斯福總統卻主張在戰後將韓國交給美國、中國和其他一兩個國家共管[2]。

同年 11 月，中國方面為準備開羅會議，由國防最高委員會秘書廳擬具《戰時軍事合作方案》和《戰時政治合作方案》，向蔣介石呈報，其中明確提出："中、美、英、蘇立即共同或個別承認朝鮮獨立，或發表宣言，保證朝鮮戰後獨立。其他聯合國家應請其採取一致步驟。"[3] 與此同時，軍事委員會參事室所擬草案也明確主張："承認朝鮮獨立。"[4] 23 日，蔣介石和宋美齡在開羅應羅斯福晚宴，蔣向羅口頭提出，在日本潰敗之後，應使韓國獲得自由與獨立，得到羅斯福同意。其後，美國方面提出會議公報草案，雖將蔣、羅會談內容寫入草案，但是，卻接受了丘吉爾的建議，加進了 "於適當時期" 的限制性詞語[5]。26 日，英國再次對公報草案提出修改意見，主張將有關內容修改為 "於適當時期，吾人決定使朝鮮脫離日本之統治"。這樣，朝鮮的獨立就仍然是個不確定的議案。對此，中國代表、國防最高委員會秘書長王寵惠堅決反對，認為提法模糊，易生重大後患，他主張明確規定韓國 "將來的自由獨立地位"。討論結果，決定美國維持原案[6]。27 日，羅斯福、丘吉爾、蔣介石發表《開羅宣言》，中稱："我三大盟國稔知朝鮮人民所受之奴隸待遇，決定在相當時期，使朝鮮自由與獨立。"[7]

《開羅宣言》得到了韓國愛國人士的熱烈擁護，蔣介石也因為在會上倡言

1　石源華：《韓國獨立運動與中國》，第 416 頁。
2　石源華：《韓國獨立運動與中國》，第 421 頁。
3　《近代中韓關係史資料彙編》第 12 冊，台北 "國史館" 1990 年版，第 382 頁。
4　《近代中韓關係史資料彙編》第 12 冊，第 386 頁。
5　邵毓麟：《使韓回憶錄》，第 54 頁。
6　《近代中韓關係史資料彙編》第 12 冊，第 394—397 頁。
7　《中華民國重要史料初編——對日抗戰時期》第 3 編，《戰時外交》（3），第 547 頁。

保障韓國獨立而受到韓國人民尊敬。邵毓麟回憶稱："當時在華韓人聞訊，歡欣若狂。"[1] 又，韓國獨立運動元老許憲在漢城發表演說稱："三千萬之朝鮮人民，對於蔣主席極為感激。如無蔣主席在開羅會議所提之建議，朝鮮尚不能獲得獨立。"[2]

六、反對國際共管與南北分割，繼續支持韓國臨時政府

開羅會議之後，承認韓國臨時政府問題再度提上議程。

1944 年 4 月 13 日，國民黨中央決定："今後一切援助，即以臨時政府為對象。" 6 月，吳鐵城向蔣介石報告，主張先行承認臨時政府。同月 19 日，韓國臨時政府外交部長趙素昂向中、美、英、蘇提出承認臨時政府的要求。29 日，金九向國民黨五屆十二中全會致送聲明書，要求會議通過決議，承認臨時政府，予以必要的物質援助。同月，韓國臨時政府分別向中、美、英、蘇等 30 餘個國家遞送備忘錄，要求承認。7 月 3 日，金九又直接致函蔣介石，對他在開羅會議上提出保證韓國獨立問題表示感謝，要求他"重察情勢，始終成全，慨予首先承認敝國臨時政府"，同時要求定期賜見[3]。

蔣介石接到金九來函後，於同月 10 日飭令何應欽、吳鐵城、朱家驊會同外交部宋子文核議[4]。宋子文認為，"基於目前韓國臨時政府能否代表朝鮮內部人民意見及恐易啟蘇聯誤會之兩點顧慮，目前仍以稍待為妥"。吳鐵城、何應欽等同意宋子文意見，於 31 日向蔣介石報告，主張"俟至適當時機先他國予以承認"[5]。8 月 3 日，宋子文又單獨具呈，作了進一步說明[6]。28 日，陳果夫致函宋子文，認為國際政治運作的重要方面是佈置戰後和平形勢，韓國位居中、蘇、美、日四國海陸交會之衝，不可不先事籌劃。他向宋傳達蔣介石的態度，"對

---

1 《使韓回憶錄》，第 43 頁。
2 《韓人獲解放，感激蔣主席》，《中央日報》，1935 年 9 月 13 日。
3 《關內地區朝鮮人民反日獨立運動資料》，第 682 頁。
4 《總裁代電》，《有關韓國問題卷》，《中韓問題專檔》(23)。
5 《吳鐵城報告》，《有關韓國問題卷》，《中韓問題專檔》(23)。
6 《關於韓臨時政府請求承認事請核示由》，《韓國臨時政府卷》，《中韓關係專檔》(21)。

韓國政府，頗有積極扶植，即予承認之意"[1]。9月5日，蔣介石約見金九。金九向蔣介石面呈備忘錄，內稱：韓國臨時政府在中國境內建立後已經25年，現值此千載難遇之好時機，希望中國政府"予以合法的承認"，"為各盟國倡"。其他要求則有加深援助、撥借活動費5000萬元等。接見時，金九又口頭提出，請指定專任負責接洽人等要求三項。13日，吳鐵城約見金九，答稱："我國已確定方針，一俟時機成熟，自當率先承認。"關於"加深援助"問題，答以"惟力是視"，同意先行撥借500萬元[2]。

當時，美國和英國都積極主張國際共管朝鮮。9月29日，英、美共同提出《研究韓國問題綱要草案》，建議戰後在朝鮮成立臨時監督機構。10月27日，蔣介石致電宋子文，指示稱：切不可放棄中國扶植韓國早日獲得獨立的一貫政策，尤其不可贊成國際共管[3]。1945年1月太平洋學會第九屆會議在美國佛吉尼亞州召開，中國代表蔣夢麟、胡適、邵毓麟等出席。會上，英美代表認為韓國滅亡多年，缺乏行政管理幹部，短時期內難以建立統一的獨立國家，主張先由盟國共同託管5年，以便教育訓練韓人。中國代表認為此一主張違反《開羅宣言》，所謂國際託管實際上是由一個日本帝國主義者的統治，改變為幾個強國的共同統治[4]。2月8日，美蘇在雅爾塔會談，秘密決定，以38度線為界由美、蘇分別實行軍事佔領，成立國際監督機構，共同管理韓國。同年5月，美國總統特使霍普金斯訪問莫斯科，與斯大林討論組織韓國託管委員會問題。

1945年2月，韓國臨時政府致函中、美、英、蘇四國首腦，申請參加在三藩市舉行的聯合國創立會議。3月13日，趙素昂在重慶舉行記者招待會，公開提出這一要求，表示"願在舊金山會議樹立四十五面國旗，共同負責於新世界之立法"[5]。4月2日，蔣介石訓令外交部就此事向美國政府提出建議。宋子文考慮到韓國臨時政府尚未得到各國承認，不可能以正式代表身份參加，因此，向美國政府探詢，能否允許韓國代表以觀察員名義出席。但是，美國政府擔心流

1 《國民政府外交部檔案》，318之4-1號，《近代中韓關係史資料彙編》，第379—380頁。
2 吳鐵城：《接見韓國金九主席談話經過情形請轉呈備查》，《有關韓國問題卷》，《中韓關係專檔》（23）。
3 邵毓麟：《使韓回憶錄》，第39頁。
4 邵毓麟：《使韓回憶錄》，第54頁。
5 《中央日報》，1945年3月14日。

亡倫敦的波蘭政府等會援例要求，給會議帶來糾紛，不肯接受。蔣介石無奈，只好同意宋子文的意見，發給護照，由韓方自行向美國交涉簽證[1]。

5月12日，韓國臨時政府代表李承晚向聯合國會議正式提出出席要求。6月8日，美國代理國務卿格魯發表聲明，聲稱韓國臨時政府及其他朝鮮團體目前尚無足以獲得美國承認的資格，美國不能採取行動，"以免於聯合國獲勝時影響及朝鮮人民選擇其理想政府及政府人員之權利"[2]。

蔣介石不放棄保證韓國獨立的承諾。5月24日，蔣介石會見美國駐華大使赫爾利，詢問美國對於越南、韓國的軍政策略，赫爾利只作了一個模糊的回答："須視將來情況如何，再為適當解決。" 當時，中國方面曾準備建立東亞民族委員會，主持扶助朝鮮獨立的有關工作。美國態度既如此，蔣介石遂於6月27日致函吳鐵城，指示其"萬不可成立"[3]。7月26日，蔣介石召見韓國兩黨代表稱：縱使中國保證在戰後俾予韓國獨立的地位，但實際上仍須藉賴韓人自身團結的力量、團結的行動和事實的表現[4]。

8月21日，韓國臨時政府駐美代表李承晚急電蔣介石，希望蔣能致電杜魯門，勸阻其採納美、蘇分割南北韓計劃。電稱："不予高麗以完全獨立之任何計劃，高麗人民均不願予以接受。"[5] 22日，吳鐵城與金九在國民黨中央黨部談話，吳稱："中國政府自當援助在渝之韓國臨時政府返回祖國，領導韓國人民，辦理選舉，產生民選之正式政府。" 金則表示："俟韓國臨時政府回國後，召集各方領袖，組織新的臨時政府，屆時請中國政府先予承認。"[6] 24日，蔣介石在國防最高委員會與國民黨中央常務委員會臨時聯席會議上發表講話，聲明國民革命的最重大目標和最迫切的工作有三件：一是恢復東三省的領土主權及行政完整，二是恢復台灣和澎湖的失土，第三件就是"恢復高麗的獨立自由"。他說："國民革命推翻滿清，反抗日本，不僅為中國本身自由平等而奮鬥，亦且為

1 《呈復關於韓國臨時政府推派代表參加聯合國大會事》，《韓國臨時政府卷》，《中韓關係專檔》（21）；參見《軍事委員會來電一件》（第1588號），卷宗號同上。
2 《大公報》，1945年6月10日。
3 《國民政府軍事委員會代電》，《扶植韓國復國運動卷》，《中韓關係專檔》（22）。
4 轉引自《國民族革命黨宣傳部長金奎植先生於本年8月5日在重慶對旅美韓僑廣播全文》，《韓國民族革命黨卷》，《中韓關係專檔》（14）。
5 《近代中韓關係史資料彙編》第12冊，第401頁。
6 《吳秘書長接見韓國臨時政府金九主席談話要點》，《韓國臨時政府卷》，《中韓關係專檔》（21）。

高麗的解放獨立而奮鬥。今日以後，我們更須本於同樣的宗旨，與一切有關的盟邦，共同尊重民族獨立平等的原則，永遠保障他們應該獲得的地位。"[1]

同日，金九向蔣介石提出備忘錄，請蔣"向同盟各國再予提議承認敝臨時政府"，同時，要求蔣轉商美軍當局，在最短期間，撥借飛機，運送臨時政府人員歸國。蔣認為盟國承認韓國臨時政府的時機已到，指令駐美大使魏道明探詢美方態度，同時指示外交部與美國駐華大使館交涉。此際，美、英、蘇已將中國排斥在外，達成協議，由美方通知中國說：原則上準備將韓國交由四強先行託管，俟詳細辦法擬定後，再與中國會商。美國駐華大使館則答稱：美國政府對於韓國國外的任何政治團體，都不準備"絕對協助"，但是，獎勵他們進入韓境，在軍政府範圍內工作，可以提供機位。

8月26日，金九致函吳鐵城，請其轉呈蔣介石，核准撥借法幣5000萬，以便臨時政府成員隨盟國回國。9月17日，陳立夫呈請蔣介石，撥借3億法幣，供韓國臨時政府歸國後活動之用。25日，吳鐵城根據蔣介石指示，召集吳國楨、陳立夫、唐縱等座談，討論爭取國際社會承認臨時政府失敗後的援韓政策等問題，達成四點意見：（一）對韓國問題，我國應與美、英、蘇採取一致行動，但我國應自動提出合理的主張，促使盟邦與我一致；（二）就現勢觀察，欲期美、英、蘇一致承認韓臨時政府，實不可能，但我國對該政府，仍應實際上多方予以援助；（三）該政府如不能正式遷回國內，執行政權，我國亦應設法協助該政府中人員回國，參加其國內工作；（四）我國政府應即派員駐漢城，負聯絡觀察之責[2]。當時，金九也感覺到不可能以臨時政府名義遷回國內，於26日致函蔣介石，要求蔣與美國政府協商，最少限度默認韓國臨時政府為"為非正式革命的過渡政權"[3]。當日，蔣介石接見金九，金九又口頭提出五項要求，希望蔣能與美方協商，允許他們回國後與各黨派建立臨時政府，辦理全國選舉，成立正式政府，同時提出，在韓國獨立黨與中國國民黨之間訂立一項合作密約。蔣答稱：前者須與英、美協商；將繼續援助獨立黨，但不必有形式[4]。10月17日，

---

1 《中央日報》，1945年8月25日。
2 《韓國、越南、泰國問題座談會記錄》，又，《吳鐵城呈蔣介石》，《日本投降後韓國問題卷》，《中韓關係專檔》（19）。
3 秋憲樹：《韓國獨立運動》（1），第467—468頁。
4 《總裁接見韓國臨時政府主席金九記錄》，《蔣"總統"接見韓領袖卷》，《中韓關係專檔》（16）。

蔣介石指示：韓國臨時政府人員以個人資格回朝鮮；派飛機一架送重要人員分期赴上海，再由美軍用機送朝鮮；借撥法幣 1 億元[1]。22 日，批准先撥 5000 萬元[2]。24 日，國民黨中央黨部召開會議，歡送韓國臨時政府成員歸國。18 日，蔣介石批覆吳鐵城呈文，同意除已撥之 5000 萬元外再撥國幣 5000 萬元、美元 20 萬元，作為韓國臨時政府成員返國及返國後初期工作費用[3]。29 日，蔣介石接見金九，"希望韓國同志和衷共濟，團結一致"。他說："中國除非力量不夠，不能做到之事，力所能及，一定援助韓國達到獨立之目的。這是中國一貫政策。總理在日，即是如此。中國以韓國獨立為中國之責任，中國能獨立，韓國亦可得到獨立。"金九提出：美國不肯承認韓國臨時政府，請中國予以解釋，蔣答："慢慢可以好轉，不必憂慮。"[4] 11 月 4 日，蔣介石、宋美齡等舉行茶會，歡送金九等人歸國。蔣稱："朝鮮不能告成獨立自由平等，無異中國不能告成獨立自由平等"，"為東亞與世界之和平及東亞各民族之獨立與自由計，吾人必須首先使朝鮮告成獨立與自由，此為國民黨對朝鮮惟一之原則"[5]。次日，金九等 29 人乘機離渝，經上海返國。

　　12 月 5 日，蔣介石決定派邵毓麟為軍事委員會委員長中將銜代表赴韓，與美蘇軍方聯繫，視察韓國實情，同時撫慰中國在韓僑胞。同日，蔣致函吳鐵城稱："在目前美蘇兩軍分佔朝鮮南北現狀下，國際上我方除應與美方密切合作外，對於駐韓美、蘇軍事當局，自應同等聯繫，俾我在外交上可保持超越立場，作為美、蘇橋樑，乃至運用兩者關係一方，逐漸培養親華分子，團結韓方各派。"[6] 國民黨中央黨部秘書處根據蔣介石指示，草擬了一份標有"極密"字樣的《韓國問題之對策》，其中提出："調和美蘇勢力，以消除韓國南北兩部之對立，而促進其統一。"又提出：積極與美、蘇、英洽商，確定開羅宣言中'於相當時期使朝鮮獨立'之'相當時期'之明確標準，並在將來和會中或聯合國

1　《總裁指示》，《韓國臨時政府人員返國卷》，《中韓關係專檔》(18)。

2　《國民政府代電》，府參（二）字第 273 號，《韓國臨時政府借款卷》，《中韓關係專檔》(20)。

3　《國民政府代電》，府參（二）字第 383 號，《韓國臨時政府借款卷》，《中韓關係專檔》(20)。

4　《接見韓國臨時政府主席金九談話紀要》，《韓國臨時政府人員返國卷》，《中韓關係專檔》(18)。

5　潘公昭：《今日的韓國》，中國科學圖書儀器公司 1947 年版，第 135—136 頁。

6　《國民政府代電》，府軍（義）字第 979 號，《日本投降後韓國問題卷》，《中韓關係專檔》(19)。

會議中提出通過，以為將來促使美蘇軍按時撤退之依據。"[1] 但是，12 月 27 日，美、英、蘇三國外長於 12 月 27 日在莫斯科會議，卻決定將朝鮮置於美、英、蘇、中四強的 5 年託管之下，這樣，國民黨中央黨部秘書處所擬《對策》自然成為廢案。同月 28 日、31 日，韓國臨時政府及韓國臨時政府駐華代表團先後發表聲明，反對該項託管計劃，中國政府未發表聲明支持。當時世界的主宰者是美、蘇兩大國，中國雖躋身"四強"，但實際上是弱者。

韓國獨立黨、民族革命黨、臨時政府及相關人員在華期間，其經費均由中國供給。金九等人返國前後，在華韓僑 535 人準備同時返國，急需冬服、旅資及生活維持等諸項費用。12 月 28 日，蔣介石致函吳鐵城，批准發給國幣 3000 萬元作為資助[2]。這是蔣介石唯一能做的事情了。

結語

在支援韓國獨立運動的中國國民黨人中間，有三個關鍵人物：一是陳其美，他和韓國獨立運動人士接觸較早，是援韓事業的始創者，但因他 1916 年即被刺身亡，所做事情不多。二是孫中山，他不僅制定了援助弱小民族的原則，而且以南方護法政府首腦的身份和韓國臨時政府的代表進行會談，為國民黨人與韓國獨立運動人士之間的關係奠定了基礎；但是，孫中山當時自身處境困難，沒有能力進行實際援助。三是蔣介石，他是 20 世紀三四十年代中國援韓活動的主要領導者和決策者，時間最長，貢獻也最大。

為了共同反對日本帝國主義，中國國民黨給予韓國獨立運動的援助，包括政治、經濟、軍事、外交、道義等各個方面。在這些援助活動中，蔣介石比較注意尊重韓國獨立流亡人士的民族感情，及時調整政策，保持友好關係；在國際舞台上，蔣介石首倡保證朝鮮戰後獨立，反對國際託管和南北分割，不謀求在該地區的民族私利。這些，都與當時主宰世界的大國強權構成了鮮明對比。

1　《日本投降後韓國問題卷》，《中韓關係專檔》（19）。
2　《國民政府代電》，府交字第 1486 號，《韓國臨時政府借款卷》，《中韓關係專檔》（20）。

蔣介石與尼赫魯 *

——對待亞洲國家的態度之二

* 本文錄自《找尋真實的蔣介石：蔣介石日記解讀》（2），華文出版社 2010 年版；原載《中國文化》
2009 年秋季號。

尼赫魯是印度民族解放運動的重要領袖，曾任印度民族主義政黨國民大會黨（國大黨）總書記、主席，其地位僅次於宣導不合作運動的甘地。中國抗日戰爭期間，他和蔣介石關係密切，互動頻繁。研究他們之間的交往，可以推進近代中印關係史研究的深入，也可以幫助人們了解蔣介石對印度民族解放運動的同情和他為爭取世界反法西斯戰爭勝利而做出的努力。

一、尼赫魯訪華，會見蔣介石，確定中印兩黨合作原則

　　從盧溝橋事變起，至 1939 年 6 月，中國獨力抗擊日本侵略已近兩年。在這一段時期內，中國國內各派、各地區實現了前所未有的團結，昔日血肉拚殺、不共戴天的國民黨與共產黨實現和解，並肩對敵。這種情況，對於長期淪為英國殖民地，國內民族分裂、政黨對立的印度愛國者來說，自然具有強大的吸引力。

　　尼赫魯是印度民族解放運動中的激進左翼。早在中國全面抗戰爆發後不久，尼赫魯就倡議舉行"中國日"，屆時全印各地集會，譴責日本侵略。次年，尼赫魯又倡議組織醫療隊援華。1939 年 6 月 15 日，尼赫魯發表題為《中國》的文章，闡述中國對於世界、亞洲和對於印度的重要性。文章特別歌頌中國的抗戰，中稱：

她（中國）所以對我們是件重大新聞的，尤其是因為她的英勇抗戰，以及其克服種種重大困難的精神。唯有偉大的民族才能完成這種偉業。他們所以偉大，不僅因為他們是偉大的過去的繼承者，而且因為他們已經建立將來佔重要地位的基礎……在戰爭殘酷與暴亂的背後，具有重要意義的事情正在中國發生。建立於她的文化而拋棄其陳腐弱點的新中國正在興起，團結健壯、現代化而具有人道的世界觀。中國在艱苦歲月中完成的統一，確實是驚人而予我們以鼓勵，不僅是在國防上統一，而且在建國的工作上也是統一的。在戰線的後面，在尚未開發的廣大後方，偉大的建設計劃都在進行，在使整個國家改觀。[1]

他說："這是在戰爭煙火和大規模破壞中生長起來的新中國，我們有許多的事情應當向她學習。"

同年 8 月 18 日，尼赫魯再次發表題為《我到中國去》的文章，中稱：

我到中國去，因為那個偉大的國家在種種方面引動我。……中國是近日自由鬥爭中偉大勇敢的象徵，是歷盡空前苦難而不屈的決心、共禦外侮的象徵，我要帶給她我的敬意和安慰。[2]

他表示："我希望，我能帶回來，中國人民於大難當前的時候所表現的勇氣與樂觀，以及他們精誠團結的情形。"

尼赫魯訪華之前，中國各團體已經組成歡迎印度國民黨尼赫魯先生籌備會。8 月 23 日，《中央日報》發表社論，讚美尼赫魯 "抱定求全印民族自由解放的宏願，犧牲個人塵世一切享受。在鐵窗生活中，度過他生命史中最美麗的一段"。[3] 當日，由朱家驊、陳銘樞、劉峙分別代表國民黨中央黨部及中國各民眾團體到機場歡迎，向尼赫魯呈送中國 93 個團體的歡迎書。在歡迎大會上，吳稚暉致辭稱："我們抗戰為了自己的生存，同時更為了東亞的幸福，世界的和平。中國和印度是代表亞洲文化東方精神的大國，我們這種至大至高的精神是相通的。"尼赫魯在答詞中表示："中國已向侵略反擊了。我代表全印人民的領袖甘

---

1 劉聖斌：《印度與世界大戰》，（重慶）1944 年 11 月版，第 133 頁。
2 劉聖斌：《印度與世界大戰》，第 134 頁。
3 《歡迎尼赫魯氏》，《中央日報》，1939 年 8 月 23 日第 2 版。

地、全印代表大會主席、印度詩聖泰戈爾三先生，帶來最崇高的敬意。"他說：
"我個人到中國來希望完成兩件任務：第一是能夠把甘地等先生的意思轉達給中國的領袖，第二是希望使全印人民的援華行動更實際而具體。"[1] 25 日，尼赫魯在重慶新聞界茶會上公開表示："印度多數人民在國民黨領導下，從事援華制日運動。"[2]

尼赫魯到達重慶後，即拜會蔣介石。26 日中午，蔣介石與宋美齡設宴歡迎尼赫魯。下午，參加由行政院長孔祥熙主持的茶會。當日，蔣介石在擬定本星期工作綱目時，列入"研究對印度合作計劃"一項。[3] 28 日，蔣介石邀請尼赫魯到重慶黃山官邸宿夜，暢談印度革命方略。當夜，日機夜襲重慶三次，蔣介石與尼赫魯在防空洞中繼續秉燭夜談。尼赫魯長話不斷，蔣介石除詢問印度農民的組織情形外，大部分時間都在靜聽，談話幾乎成了尼赫魯的個人"獨白"。尼赫魯重點向蔣介石介紹印度國民大會黨的情況："國民大會為推進印度民族運動之中心，議員多數為國民黨員。各省有省國民會議監督省政府。"他批評"英國政府盡其力量所及阻礙印度獨立"，並且告訴蔣，意大利、德國都渴望"與印度締結友誼"。他同意蔣介石的提議：中印"於促進雙方之諒解外，必須密切合作"。[4] 蔣介石對這次和尼赫魯的夜談很滿意，在日記中寫道："印度同志來我家住宿，以尼為最也。"[5]

8 月 29 日，尼赫魯向蔣介石提交《發展中印關係意見書》，中稱：

> 我們過去和中國的接觸實在有限得很，我此次到中國的原因也是渴望增加中印的聯繫，並考察中國發生的各種事情。我到中國以後發現蔣委員長對於促進中印關係的希望也有同感。
>
> 中國目前絕大的事便是如何抵抗日本的侵略，以及如何打退日本而建立完全的自由。這是中國第一個主要的問題，其他的事都屬次要。我們在印度的第一個問題，也是如何爭取我們的自由，其他的事都屬次要。
>
> 我們所對付的對方也是一個極大的國家，他的軍隊抓住了我們的國

---

1 《中印歷史的新一章》，《中央日報》，1939 年 8 月 24 日第 2 版。
2 《中央日報》，1939 年 8 月 26 日第 2 版。
3 《蔣介石日記》（手稿本），胡佛檔案館藏。
4 《記錄》，1939 年 8 月 28 日，《蔣中正"總統"檔案 · 特交檔》，光碟，08A-01786，以下所引光碟，均同。
5 《蔣介石日記》（手稿本），1939 年 8 月 28 日。

家，在行政、財政、經濟各方面都已在我國種下深根。我們的人民還有點惰性，拿一個沒有武裝而消沉的民族來向一大帝國挑戰，可知我們的工作是極為艱巨的……英帝國主義總是想不顧一切地摧毀我們……我深信我們印度對中國這些運動和活動也可以資為學習的資料。同時也深信中國可以在我們的經驗中得到利益。

《意見書》提出建議七條：

1. 應當設立一個交換兩國情報的有效而經常的組織。
2. 雙方交換專家。
3. 大學間的文化提攜。
4. 兩國間的民族運動也應當借轉遞消息等工作取得直接的聯絡。
5. 將於今年耶誕節至新年一週間舉行印度國民黨大會年會，中國可派遣代表列席。
6. 中國與印度對於歐洲及世界的巨大變動，仍應及早發展一個共同的政策。目下關於中國方面最重要的問題是阻止英、日作不利中國的妥協，此外，乃是印度獨立問題。我以為最近的將來，在印度召集一個小規模的反侵略局部會議，由中國等派遣代表出席，倒是一個很好的辦法。借反侵略會謀中印的合作，一定能產生良好的結果。
7. 中、印的各種專門團體也應有直接的聯絡（工業合作社與全印農村工業協會等）。[1]

蔣介石很重視尼赫魯的這份《意見書》，立即發交鄭彥棻、李維果、葉溯中三人研究。鄭等與尼赫魯討論，確定中方原則如下：

1. 本黨所領導之國民革命與印度國民黨所領導之印度獨立運動目的相同，休戚與共，對日本抗戰之勝利實為印度獨立運動成功之先決條件，印度在此時期，宜以全力協助中國，反對日本，並阻止英日合作。
2. 本黨與印度革命黨應暗中密切聯繫，先從宣傳方面謀取一致，進而發展政治上之實際合作，在表面上則藉託種種文化合作事業之方式，一面樹立中印合作之根本基礎，一面便利中印間政治合作之實際進行。

---

1 《蔣中正"總統"檔案·特交檔》，台北"國史館"藏光碟，08A-01786。按，此件亦見於台北中國國民黨黨史館藏，特13，1-14，題為《尼赫魯先生發展中印關係意見書譯文節要》，文字不盡相同。

3. 一切中印合作之種種活動，由本黨及印度國民黨負實際策動之責，在表面上可利用原有中印學會之組織，由兩黨指定參加人選，改組充實，對外一切即以該會名義行之。此外再各指定若干現有之宗教學術教育及社會等機關團體，與該會密切聯絡，參加各項文化合作事業之工作。

雙方同時商定《中印文化合作辦法大綱草案》：1. 交換教授，承擔各大學講座。2. 互相選送留學生。3. 交換圖書，分別譯成中文或印文。4. 交換情報，設中央通訊社分社於加爾各答，支社於孟買。5. 互相派遣考察團、訪問團，或派遣專家調查考察或聯絡。6. 本黨派代表參與印度國民黨本屆年會盛典。7. 令中國、交通兩行在加爾各答、孟買兩地設立分行。8. 改組並充實中印學會，我方並指定 25 個機關及團體參加合作。[1]

尼赫魯於 8 月 31 日飛成都訪問。9 月 2 日，飛返重慶。尼赫魯預定訪問中國的時間為半個月。本來還準備飛赴桂林，並曾接受毛澤東邀請，擬赴延安訪問，但因為歐戰於 9 月 1 日爆發，國民大會黨電催尼赫魯回國，尼不得不提前返印。當日，蔣介石與尼赫魯話別，二人商定"中印合作與組織辦法"。蔣介石贈尼赫魯照片一張，以為紀念。蔣對尼赫魯很欣賞，日記云："其人思想與言行，皆甚有條理也。"[2] 9 月 5 日，尼赫魯返印。他在華共 13 天。行前，尼赫魯表示："貴國人民之迎我，實即係歡迎印度民族也。中印合作，有其必然性。"[3]

抗戰中的中國給尼赫魯留下了極好的印象。據中國駐加爾各答總領事黃朝琴 9 月 10 日致國內電云："渠昨回印，對我親印熱誠，萬分感激，相信中印外交從此益臻親密，對委員長領導全國抗戰建國努力，尤表欽佩。"[4] 其後，尼赫魯出版《中國、西班牙與戰爭》(*China，Spain and the War*) 一書，內收其訪華日記，在序言中，他說：

> 我發現中國人民不僅是一個智慧精緻而深受其偉大歷史薰陶的民族，同時也是富於活力的民族，充滿了生氣和精力，是能適應現代環境的。即使一個普通老百姓，臉上也表現出數千年文化的跡象，這倒是我所預料到

---

1 《陳立夫、朱家驊報告》，1939 年 10 月 6 日，台北中國國民黨黨史館檔案，特 13，1-2。
2 《蔣介石日記》（手稿本），1939 年 9 月 2 日。
3 《中央日報》，1939 年 9 月 2 日第 3 版。
4 《黃朝琴電》，特交檔，台北"國史館"藏光碟，01790。

的。但是，予我印象最深的，乃是新中國的偉大活力，我固然不配判斷軍事的局勢，但是，我絕不相信，具有活力與決心，而又有數千年文化歷史作後盾的民族，會被外力所摧毀。[1]

尼赫魯此次訪華，開啟了中印關係的新篇章。泰戈爾為此寫信，祝賀他在兩大民族間“促成了新的情誼”。[2]

二、蔣介石親自策劃戴傳賢訪印

1939 年 10 月，印度國民大會黨舉行年會。根據雙方商定的《中印文化合作辦法大綱草案》，國民黨應派代表參加。為避免英國政府誤會，不給日本政府提供離間中英邦交的機會，國民黨決定僅派“中央研究院”歷史語言研究所所長、當時沒有國民黨黨籍的學者傅斯年前往參加，但因故未能成行。[3] 同年 11 月 10 日，時任考試院院長的戴傳賢（季陶）受命作為中國國民黨代表訪問印度。戴傳賢訪印是在蔣介石親自策劃和指導下進行的。行前，蔣介石作了詳盡的書面指示，其前三點稱：

> 1. 必須十分至誠。
> 2. 對一切種族、宗教、階級，絕對平等。
> 3. 希望印度迅速完成精神上物質上之統一。惟此統一之印度，為中印兩國能作切實真正結合之基礎（宜微言婉詞，以間接方法動之）。[4]

印度是個民族關係、宗教、階級關係極為複雜的國家。國民一部分信仰印度教，一部分信仰伊斯蘭教，另有一部分則為地位低下的“賤民”，各派長期對立。因此，蔣介石以上三點指示，具有強烈的針對性。在接下來的第八點中，蔣介石特別指示：“立論時處處宜顧到彼等之種族自尊心”，“最好就吾國數十年成功失敗種種經驗，用巧妙方法說明之，使其自起感動。如說明革命團體如

1　劉聖斌：《印度與世界大戰》，第 134—135 頁。
2　《新華日報》，1939 年 9 月 12 日。
3　台北中國國民黨黨史館藏，特 13，1-5。
4　《戴院長訪印前手函摘錄》，台北“國史館”藏光碟，08A-01786。

何由小而大，由分而合，各種宗教如何在國家至上之偉大目的下，共同努力，庶幾能引起彼等若干覺悟也。"

10 月 15 日，蔣介石手書致泰戈爾、甘地、尼赫魯三人各一函，託戴轉呈。致泰戈爾函稱：

> 近聞尊體違和，無任繫念。茲戴季陶先生南來訪問貴國，並候起居，以示仰慕想念之意。戴先生與中正均對先生所主持之國際大學與中國學員深致關切，以系中印兩民族文化之交換與合作，甚望有所指示。憶自 1938 年互通書翰以來，又將兩載，強暴未戢，世變方殷，亞洲文明之保衛，實為我中印兩大民族之責任。先生一代哲人，高瞻遐矚，知必有以見教也。[1]

致甘地函稱：

> 春間接誦手翰，如親睹覿，感慰之至。先生領導全印人民，堅毅奮鬥，如此摩頂放踵之偉大精神，足令世界人民一致感奮。遐念高賢，彌切欽佩！茲由中國國民黨代表戴季陶先生訪問貴國，特致拳拳敬慕之忱。現在日本野心日熾，印度洋之變患方殷，我中印兩大民族對於抑制戎首，保衛亞洲文明具有重大之責任，想先生洞矚全局，必有善為轉旋之道也。未盡之意，均請戴先生面達，敬祝康健。

蔣介石致泰戈爾、甘地函，均稱 "先生"，以示尊崇，而致尼赫魯函則特稱 "同志"，以示親密。函稱：

> 去年台駕惠臨敝國，屢獲晤談，飫聞高論，佩慰至今。別後懷想豐儀，蓋未嘗一日去懷也。敝國抗禦暴日，全國軍民，意志彌堅。深維世界反亂為治之樞機，實賴我亞洲民族共同之奮鬥。現在日本野心日張，世界演變益烈，為保衛吾人整個之自由，必先除擾亂亞洲之戎首。知貴國諸領袖盱衡世局，必能熟權緩急先後之宜，與我中國為同聲之應也。茲由中國國民黨代表來訪貴國，報聘專候起居，並致拳拳之意，諸惟亮察。

印度長期處於英國的殖民統治之下，甘地、尼赫魯的國民大會黨以反英為主要鬥爭目標，而當時的英國又是國際反法西斯戰線的成員之一，因此，蔣介石此

---

1 《函稿一》，台北 "國史館" 藏光碟，08A-01786。

函著重說明日本的侵略野心，要求國民大會黨"先除擾亂亞洲之戎首"，將反對日本侵略作為首要鬥爭目標。

英國將印度看成是自己的禁臠，也知道中國親近尼赫魯的國民大會黨。10月25日，英國政府印度部長在接見中國駐英大使郭泰祺時特別關照，不可偏向國民大會黨，而要同時聯絡伊斯蘭教及各省各王公，"最好能發展兩國間之商務經濟關係"，不談政治。[1] 30日，蔣介石覆電郭泰祺，說明戴傳賢訪印，"完全為報聘與聯絡性質，切勸印度各黨派能與英合作為主旨，而中印進行經濟之工作，則非此次任務"。[2]

英國參戰並未與印度商量。1939年9月14日，國民大會黨通過由尼赫魯起草的決議，譴責英國越權為印度人民決定和戰問題，表示對戰爭採取中立。10月13日，甘地提出開展非暴力的抵抗運動。11月10日，尼赫魯因準備進行反戰宣傳被捕。戴傳賢抵達印度之際，尼赫魯正在獄中，因此，戴傳賢親到尼家表示慰問，向尼赫魯的妹妹潘第提夫人轉達蔣介石的意見，建議印度國民大會黨"應該利用世界大戰的機會"有所作為。[3] 尼赫魯曾特派國大黨外國部主任德士加博士到加爾各答中國領事館表示歡迎之意。[4] 又以《一位貴賓》為題發表文章，稱讚戴傳賢是"正在為爭取自由而英勇鬥爭的偉大人民和國家的偉大代表"，其來訪是"中印兩國友誼日益密切的象徵"。文章表示，中印兩國"在將來都佔重要地位"，"我們便當親密起來，而互相學習與切磋"。[5] 12月9日，戴傳賢訪問泰戈爾創辦的國際大學。泰戈爾因病未能出席歡迎會，他在親撰的歡迎詞中，認為戴傳賢等訪印是"中印兩國之悠久文化重新發生密切關係的另一新階段"，"此兩種文化的重生聯繫，乃當代重大事件之一"。戴傳賢則充分肯定多年前泰戈爾訪問中國的貢獻，認為這一訪問激起了中國的文藝復興運動，"改變了對科學的盲目崇拜心理"。[6]

當年12月中旬，戴傳賢回國。他帶回了印度人民的友誼，也帶回了甘地、

1　《郭泰祺致重慶外交部電》，1940年10月26日，台北"國史館"藏光碟，08A-01786。
2　《蔣介石覆郭泰祺電》，1940年10月30日。同上。
3　《戰時外交》（3），第407頁。
4　黃朝琴：《致季陶院座函》，《戴前院長訪問印度、緬甸》，"外交部"檔案，012. 21/0005，台北"中研院"檔案館11-EAP02660。
5　劉聖斌：《印度與世界大戰》，第135—136頁。
6　劉聖斌：《印度與世界大戰》，第135—136頁。

泰戈爾給蔣介石的回信。甘地 11 月 26 日函稱："蒙殷勤垂念，不遺在遠，感何可言。戴季陶先生轉達尊意，並已領悉。""甘深信訪問團已使貴我兩國愈接近矣。甘所禱求者，貴國之解放能更早實現。"泰戈爾函稱："我更相信，中國在現時代中，還有一個應該完成的使命，中國必須把科學與科學組織的合理方法及東方固有的智慧與人道結合起來，才能取得亞洲與全世界的領導地位。"[1] 泰戈爾批判歐洲"正在為了無情的'效率'犧牲了它的文化與人道"，讚美中國"替東方與西方同樣地樹立了一個光榮的榜樣，證驗了近代的效率如何能和一個不朽的文化配合起來"。泰戈爾表示相信："中國經過進一步的應用這種調和科學與人道的天才，將來定能輔助印度完成它建國之大業。"[2]

尼赫魯一直到戴傳賢離開印度之後才讀到蔣介石的來信。當時，形勢更加嚴酷，國民大會黨的各級負責人都已被捕。尼赫魯於 12 月 17 日回函蔣介石說：

> 無論已成之環境如何，無論將來發生何種變遷，皆不能搖動尼對於貴國勝利之堅強信念，正如尼深信印度必有光明之前途。尼深覺亞洲與歐洲之一切問題，皆彼此聯繫而不可分，吾人乃不能不密切注意世界大局之發展。戴博士之來遊，必使敝國人民更真實了解貴國之奮鬥，因而使彼等更接近貴國，尼固可以想像及之。[3]

直到 1941 年 12 月 3 日，戰爭形勢更加緊迫，尼赫魯才被英印政府釋放。

三、蔣介石夫婦訪印，渴望會見甘地與尼赫魯，英印政府多方設限

1941 年年末，美國總統羅斯福徵得英國及荷蘭政府同意，提議成立中國戰區最高統帥部，請蔣介石負責指揮在中國、安南、泰國境內活動的聯合國部隊，同時由中、英、美三國政府代表組織聯合計劃作戰參謀部。這樣，蔣介石

---

1 《甘地先生來函》，台北"國史館"藏光碟，08A-01786。
2 《泰戈爾來函》，台北"國史館"藏光碟，08A-01786。
3 《尼赫魯來函》，台北"國史館"藏光碟，08A-01786。

就不僅需要考慮中國抗戰問題，而且要進一步考慮如何在亞洲地區遏阻日本侵略。1942年1月2日，蔣介石覆電羅斯福，同意擔任中泰地區統帥。他要羅轉告丘吉爾，研究在大戰期間，如何使印度及南洋各殖民地民族貢獻人力、物力，而不為敵國所煽惑。[1] 同日，蔣介石指令駐美大使胡適在中美英蘇四國宣言上簽字，羅斯福特別當面向宋子文表示："歡迎中國為四強之一。"蔣介石得知消息，既興奮，又惶恐，日記云："甚恐名不符實，故更戒懼不勝也。"[2]

1月23日，蔣介石研究訪問緬甸和印度的計劃，日記云："此時訪問緬甸、印度，最為相宜，可為戰後對英植一重要政策之根基也。"[3] 2月1日，蔣介石確定訪印目的五點：1. 勸英印互讓合作；2. 勸印多出兵出力；3. 勸英允印自治；4. 為將來中印合作打下基礎；5. 宣傳三民主義。[4] 印度是亞洲僅次於中國的第二大國，蔣介石考慮亞洲戰局，第一位的當然是印度。然而，一想到印度，蔣介石就十分揪心。一方面，中國和英國已是反對德、意、日法西斯的同盟國；另一方面，以甘地、尼赫魯為代表的國民大會黨長期反對英國對印度的殖民統治，拒絕支持英國作戰。在這種情況下，德、意、日三國政府覺得有機可乘，便設法拉攏國民大會黨，企圖讓印度站到軸心國方面來；同時，在國民大會黨內部，也出現了聯絡軸心國，企圖借勢擺脫英國統治的危險傾向。基於上述情況，蔣介石決定其訪印的首要目的是勸說雙方各作讓步，合作抗日。行前，戴傳賢、陳布雷均勸阻，希望蔣在戰爭好轉後再去。蔣稱："汝等只知其一，不知其二，世界上苟能四億五千萬民族與三億五千萬民族聯合一致，豈非大佳事！"[5]

2月4日，蔣介石夫婦到達緬甸臘戍。5日，到加爾各答，開始對印度的訪問。他審閱尼赫魯前年來華時所提《發展中印關係意見書》，再一次感歎尼赫魯"見解與學問非凡"。[6] 次日，他囑咐宋美齡致函尼赫魯，邀其來見。[7] 9日，抵達新德里，得悉尼赫魯將於次晨來見，蔣介石很高興，立即與宋美齡商量接待與

1　《蔣介石日記》，1942年1月2日，《困勉記》稿本（卷70），台北"國史館"藏。

2　《上星期反省錄》，《蔣介石日記》（手稿本），1942年1月3日。

3　《蔣介石日記》，1942年1月23日，《困勉記》稿本（卷70）。

4　《蔣介石日記》，1942年2月1日，《困勉記》稿本（卷70）。

5　唐縱：《在蔣介石身邊八年》，第255頁。

6　《蔣介石日記》（手稿本），1942年2月5日。

7　《蔣介石日記》（手稿本），1942年2月6日。

敘談時間。

蔣介石渴望見到甘地與尼赫魯，但是，英國方面對此卻不很高興。10 日一早，英國駐華大使卡爾趕來，向蔣介石轉達印度總督林里資哥的意見，要求蔣不必親到甘地的居住地華達（或譯華爾達、瓦達）會見甘地，以免抬高其地位和聲望，損害英國體面。同時卡爾也向蔣提出，應該首先拜訪印度總督詳談，然後才能會見尼赫魯。蔣介石很失望，不得已，囑咐宋美齡先見尼赫魯。[1] 當日，蔣介石往訪印度總督林里資哥，提出英國應立即宣佈印度為自治領，印度人則暫時放棄完全獨立的調和方案。談話中，印度總督向宋美齡提出，勿先見尼赫魯，宋拒絕。傍晚，尼赫魯來見，會談一小時，未有結論。[2]

2 月 11 日，蔣介石接見印度國民大會主席阿柴德和執行委員尼赫魯。阿柴德向蔣介石表示，印度國民對於中國抵抗日本侵略恆表同情，但是，手足為英國所桎梏，只有在英國人給印度獨立的情況下，印度才可能協助戰爭。蔣介石表示，在獲得完全自由之前，必須經過若干階段，建議用"間接方法"和"政治策略"達到自由的目的。阿柴德立即否定蔣的意見，認為獲得獨立，中間並無經過的階段。他說：自由就是我們的最後階段，也就是我們所企求的唯一階段。蔣介石詢問，印度可否先取得自治領的地位，然後獨立？尼赫魯回答：倘若是真正交付實權，國民大會必加考慮。他向蔣介石表示："閣下的勸告將永為我們的南針，將來說不定會有採用的機會。"[3] 會談後，卡爾再次來見，轉達總督意見：不可往孟買見甘地，只能召甘地來見，否則將使甘地與總督地位平等，使總督失去體面，總督將受倫敦政府的處分。蔣介石覺得非常奇怪，加以反駁，憤怒地表示將直接回國。當夜 11 點，卡爾來函，同意蔣介石赴孟買會見甘地。[4] 12 日，丘吉爾來電，重申不可赴華達親訪甘地。蔣介石很不高興，於次日回電稱，請不必"懸慮"，早已放棄此想矣。[5]

2 月 14 日，蔣介石反省幾天來的訪問，深覺未能盡如己願，自我安慰說：

---

1 《蔣介石日記》，1942 年 2 月 10 日，《困勉記》稿本（卷 70）。
2 《蔣介石日記》，1942 年 2 月 10 日，《困勉記》稿本（卷 70）。
3 《戰時外交》（3），第 364—365 頁。
4 《蔣介石日記》，1942 年 2 月 11 日，《困勉記》稿本（卷 70）。
5 《蔣介石日記》（手稿本），1942 年 2 月 13 日。

"余惟以至誠忠告，盡我心力而已。"[1] 當晚，蔣介石收到甘地函電各一件，為"吾人所不能控制之環境"而不能相見深感惋惜，函稱："任何國家一旦失去自由，乃千百年長久之損失。"[2] 蔣介石讀後悲傷不已，深覺亡國者失去自由的痛苦，決心與甘地見面。15 日，蔣介石召見卡爾，表示在離開印度之前，必須會見甘地。蔣稱：見面後或可轉移甘地對英國的態度，大有益於同盟國的共同作戰。他決定選擇泰戈爾的國際大學為會晤地點。午後，蔣介石召見尼赫魯，告以必須與甘地見面，才能夠慰藉平生，不虛此行。蔣並詳談印度現下應取的革命策略，"漸進而不宜極端"。尼赫魯答應致電甘地，商量會晤地點。[3] 當晚，尼赫魯告訴蔣介石，甘地因有友人之喪，建議在加爾各答相會。

四、蔣介石與尼赫魯的三次談話

蔣介石在印期間，與印度孟加拉省長赫白脫、印度總督林里資哥、英國印度軍總司令哈特萊、印度政府各行政委員、尼泊爾王子、印度國民大會主席阿柴德、不合作運動領導人甘地、印度回教同盟會會長真納以及土邦王公等人多次談話，但其中見面最多、談話最多的則是尼赫魯。

2 月 12 日，蔣介石在新德里與尼赫魯單獨會晤。蔣向尼詢問 11 日談話後阿柴德對印度首先取得自治領這一建議的態度。尼赫魯聲稱：必須予印度民眾以實權，讓我們自己決定建設哪一種方式的政府。[4] 16 日，蔣介石自新德里返回加爾各答，得悉甘地覆英人函稱：軸心國如能驅逐在印英人，"彼於消極的可表滿意"。又見到尼赫魯對報界的談話，激烈攻擊英印政府。蔣介石覺得甘地的言論太"過分"，而尼赫魯"作極端之態勢"，不為中國的調停"留一絲餘地"，頗覺意外。[5]

2 月 17 日晚，蔣介石在加爾各答接見尼赫魯，進行第二次談話，長達三小時之久。蔣介石分析印度革命的不利與有利條件，力勸國民大會黨"乘世界大

---

1 《上星期反省錄》，《蔣介石日記》（手稿本），1942 年 2 月 14 日。
2 《戰時外交》（3），第 365 頁。
3 《蔣介石日記》（手稿本），1942 年 2 月 15 日。
4 《戰時外交》（3），第 376—377 頁。
5 《蔣介石日記》（手稿本），1942 年 2 月 16 日。

戰的機會，積極參戰，與同盟國發生密切的關係，取得世界同情；對內則乘英人無暇阻撓的時候，發展教育，培養軍政兩方面的人才，作積極的準備"。他要求國民大會黨改變對英國的態度："如果印度抱殘守缺，永遠以不合作主義的辦法去做，實是印度革命的損失。此次若不積極參戰，積極合作，不但不能增加同盟國對印度的同情，且將失去過去已有的同情。"蔣介石特別強調，自己所說的"合作"，"不是對英國而是對民主陣線的合作"。"英國對印的政策是必定會變更的。如果印度革命黨也能改變態度，參加民主陣線作戰，助成民主陣線的勝利，客觀說來，對印度必然有利。"

尼赫魯向蔣介石控訴了英國對印度民眾和印度革命的摧殘與鎮壓。他說："英人統治印度者迄今約有一百六十年，在這個時期之內，種種行為與現在日、德的侵略行動相比較，並沒有什麼差別。八十年前印度國民曾作武力的革命，英國人對付我們的手段，其殘酷同今日希特勒所用者並沒有什麼兩樣。"他說：第一次世界大戰時，印度曾經得到戰後恢復自由的諾言，但是，大戰以後，印度反而比以前更不自由。1919 年，國民大會在判查布某城市舉行民眾大會，英印政府派兵包圍，居然槍殺民眾二千餘人。甘地曾經想過用合作的辦法，通過合法途徑解決印度國民被虐待的問題，但事實教訓了甘地，不得不改取"非暴力不合作的政策"，用以對抗英印政府。他表示："英政府對於暴力革命很有應付的辦法，但對於非暴力不合作運動則感到非常棘手。""二十年來，這種運動已經發生了很大的力量，使英政府十分懼憚我們，承認我們巨大的實力。"

"你們能否考慮暫時對英國的印度政府不加攻擊？"蔣介石問。

"這一點恐怕做不到，因為這是我們唯一的武器。"尼赫魯答。[1]

由於蔣介石的一再堅持，2 月 18 日，終於在加爾各答白拉爾公園與甘地會見，尼赫魯在座。這次會見自始至終為蔣、甘二人對談，尼赫魯未插一語。當蔣介石提到中印共同奮鬥，為兩國合作求得共同基礎時，甘地竟置而不答，搖動紡機，紡起棉花來。對此，蔣介石在日記裏云："彼惟知愛印度，有印度，而不知有世界及其他之人類也。"[2]對這次會見，蔣介石、宋美齡都很失望。

1　《戰時外交》（3），第 405—411 頁。
2　《蔣介石日記》（手稿本），1942 年 2 月 19 日。

2 月 20 日晚，蔣介石與尼赫魯在加爾各答會晤，進行第三次談話。尼赫魯首先向蔣介石介紹國民大會黨對中日戰爭的態度，說明其中有一部分人主張不過問中日問題。尼稱：前國民大會黨主席鮑斯（Bose）認為，日、德兩國對於印度並沒有什麼害處，印度不應該反對日本與德國。鮑斯曾派人常年駐日，活動日、德兩國承認印度獨立。現在國民大會黨如果積極參戰，同情鮑斯的人就會反對國民大會黨。他要求蔣介石代為向英國人乾乾脆脆地表明："欲印度國民出全力抗戰，必須要使印度國民知道，戰爭是印度人民自己的戰爭。要做到這點，必須成立一個國民政府。"他聲明：這不是一個國民大會黨獨佔的國民政府，而是各黨各派都有代表參加的國民政府；這個政府不能由印度總督隨便派人組織。其後，二人談到中印兩黨關係，對話說：

> 蔣："國民大會黨對中國既如此的關切，到現在還沒有明確的決策，與我們並肩作戰，這不免使我覺得驚訝。"
>
> 尼："國民大會黨一向有它的政策，我們一向同情於中國抗戰。"
>
> 蔣："但是同情還是不夠，同情是態度而不是行動。"
>
> 尼："我們因為還是一個被壓迫的國家，一切不能自主，所以只能表示同情而已。"

在談話中，尼赫魯一再強調，假使我們能夠成立國民政府，自然可以進一步合作，照現在情形，也只能有精神上的同情而已。

尼赫魯既然不同意從"同情"上繼續往前走，於是，蔣介石就轉移話題，力圖說明中印兩國聯合的重要。他說："中印兩國人口甚多，土地廣大，同受別人侵略，兩個民族假使真能聯合起來，就是全世界的白人團結一致，也沒有法子再來壓迫我們。反過來說，假使兩國不能聯絡，而四周都是虎視眈眈的帝國主義者，兩國就永遠沒有獨立自由的希望。"蔣批評甘地的辦法速度太慢，需要再等二十年、三十年，聲稱現在有了好機會，要求國民大會黨採取一種和甘地宗旨不相違背的方法，來推進印度的革命。尼赫魯對於揚棄甘地的辦法這一點不表態，但他表示，對於中印兩大民族聯絡這一點"絕對贊成"。蔣介石要求尼赫魯將自己的意見詳告甘地。他說：

我希望再有機會同甘地先生談談，使他更能認識我。我總理說，革命須有熱誠，所以我常常以這種精神來做事。我覺得我中印兩大民族都有這種精神。我們從事革命的人，只要能幫助別人，就是自己犧牲也不要緊的。[1]

2月20日，尼赫魯陪同蔣介石夫婦參觀泰戈爾國際大學，蔣介石捐贈國際大學5萬盧比，中國學院3萬盧比。車中，蔣介石向尼赫魯提出，希望國民大會黨重視外交，特別是對中國的外交，再次表示，此次來印，"甚望聯合中印兩大民族共同向世界奮鬥"。尼赫魯僅以"內容複雜"答之，蔣介石不滿意，在日記中批評說："彼仍不重視外交也。"[2]

2月21日，蔣介石修改早就擬好的《告別印度人民書》，向印度各黨派和英印政府進行最後一次喊話，他說："中印兩國不僅利害攸關，實亦命運相同。"他呼籲印度人民"積極的參加此次反侵略戰線，聯合中、英、美、蘇等各同盟國，一致奮鬥，攜手同登此爭取自由世界之戰場，獲得最後之勝利。"同時，他也向英國政府呼籲："深信我盟邦之英國，不待人民有任何之要求，而能從速賦予印度國民政治上之實權，使更能發揮其精神與物資無限之偉力。"其中"從速"二字，原稿為"立時"，蔣介石覺得語氣太硬，近於命令，做了改動。當日，尼赫魯來與蔣介石夫婦共進午餐，蔣出示《告別書》，尼建議刪除一二語，蔣立即同意，"以示精誠而毫無自私與成見"。他猜想，英國政府可能不諒解，甘地也可能不滿意，但此《告別書》"完全協助印度之解放"，"表示余對印度之政見"，"深信於英實有益也"。[3]

午餐後，蔣介石與尼赫魯繼續談話。尼批評《大西洋憲章》"自相矛盾糊塗之點甚多"，蔣介石答以"政治有關之事無不糊塗"，"凡政治皆言現實，只要現時於我有益之武器，雖敵之政策凡於我可利用者，皆應利用"。蔣勸尼："對內苦心求團結，對外注重政策之運用，並應特別注重時間，以革命良機難得而易失。此時為印度革命唯一之良機，失此再不能遭逢矣！"當蔣介石滔滔雄辯

1　《戰時外交》（3），第430頁。
2　《蔣介石日記》，1942年2月20日，《困勉記》稿本（卷70）。
3　《蔣介石日記》（手稿本），1942年2月21日。

之際，尼赫魯始終沉默不語。4 時，蔣介石將《告別書》錄音廣播之後，與尼赫魯道別，尼仍然沉默。蔣介石認為尼赫魯富於感情，此際的沉默是由於"憂慮前途多難，依依惜別"。[1]

同日，蔣介石離印返國。3 月 3 日，蔣介石派沈士華為中國駐印專員，中國和尼赫魯等印度志士的關係得到進一步加強。同月 17 日，中國舉行"印度日"。1943 年末，國民大會黨左翼領導人之一的蘇‧鮑斯公然投靠日本，在東南亞成立主要由被俘印籍士兵組成的國民軍，宣稱要隨日軍解放印度。其後，又在新加坡成立印度臨時政府，自任總理。但是，尼赫魯等人卻始終不為所動，堅持援華反日立場。

五、蔣介石向英方進言，英印談判失敗

蔣介石說服甘地和尼赫魯等人的努力未能立刻見效，便轉而企圖說服英國。

12 月 22 日，蔣介石自昆明致電駐英大使顧維鈞，要求他當面將自己的訪印感受告訴丘吉爾："對於印度政治問題，此時若不急速解決，則危機必日甚一日。日軍如果了解印度內情，發起進攻，則必將如入無人之境。"[2] 23 日，再電顧維鈞，要他先行會見英國戰時內閣成員克利浦斯爵士。蔣稱："以中觀察，英政府對印度自動賦予政治上之實權，並勿使其各派糾紛，則印人對英必能轉移心理，祛除惡感，效忠大英帝國。"[3] 25 日，蔣介石再電顧維鈞，認為英、印關係的癥結在於英國能否"積極轉變"其對印政策，要求顧設法使丘吉爾理解自己的苦心："余為盟邦及在東方共同作戰之關係，不得已而申我耿耿之衷誠，以為印度萬一動搖，不惟大英危殆，而東方戰局則全盤失敗矣。"[4] 27 日，顧維鈞訪問克利浦斯爵士，告以蔣介石訪印印象，認為為抗戰前途計，英國政府應大刀闊斧，採取能轉移印人心理的辦法，挽救危局。克利浦斯同意顧的看法，聲

---

1 《蔣介石日記》（手稿本），1942 年 2 月 21 日。
2 《戰時外交》（3），第 434 頁。
3 《戰時外交》（3），第 434 頁。
4 《戰時外交》（3），第 437—438 頁。

稱英國內閣正在研究方案，並稱已於 26 日將蔣介石及美方意見轉告丘吉爾。[1] 丘吉爾原擬採納蔣介石意見，宣示對印新政策，但左右勸以謹慎，因而擱置。[2]

正當英國政府內部意見分歧，議而不決之際，日軍加緊了對東南亞的進攻。3 月 7 日，佔領緬甸仰光。11 日，丘吉爾派克利浦斯爵士使印，提出成立具有自治領地位的印度聯邦，戰後制定憲法等主張。克利浦斯與甘地等各黨派領袖會談，本已接近成功，但因印度總督請求丘吉爾出面阻撓而失敗。4 月 12 日，尼赫魯致函蔣介石，報告雙方分歧在於：國民大會黨堅持必須成立具有"責任內閣"性質的國民政府，英國所派印度總督只是憲政上的元首，不得干涉政府決策；而英方只同意在總督行政委員會中增加印度人民代表若干名，在維持現行制度下略加改良。函末，尼赫魯向蔣介石表示："克氏印度之行雖告失敗，仍擬努力組織民眾，反抗侵略。無論如何吾人決不屈服。"[3] 3 月 31 日，蔣介石在致尼赫魯函中詢問，對於印度問題"可作何種幫忙"。4 月 13 日，尼赫魯致函宋美齡，聲稱對於蔣所提問題，"深覺難於奉答"。他認為，英國政府已經生活於自造之樊籠中而無法擺脫，委婉地提出："同盟國承認印度為獨立地位之國家，乃當前最適當之處置。"[4] 20 日，尼赫魯分別致函蔣介石夫婦，陳述克利浦斯談判失敗後，印度出現兩種傾向：一種是更加怨恨英國政府；一種是希望盡"無武裝"人民之可能，抗拒日本侵略。

蔣氏夫婦仍然竭力勸說甘地、尼赫魯，緩和其反英情緒。5 月，尼赫魯通過中國駐印專員沈士華轉告蔣介石："最近甘地有發動大規模反英運動之可能，其反英情緒之高，為前所未有。該運動將包括工廠、交通工人罷工及其他不服從運動。"[5] 在中國方面影響下，尼赫魯與甘地於同月 28 日見面，決定暫不發動"不服從運動"，甘地並接受中國建議，發表聲明，對華絕對同情。[6] 6 月 14 日，甘地致函蔣介石，宣稱將要求"英帝國立即退出印度"，但保證將以各種方法防止日本侵襲，同意同盟國軍隊留駐印度，將印度作為抵抗日人進襲的基地。函

---

1 《蔣介石訪印前後與各方往來函電一組》，《民國檔案》1994 年第 3 期。

2 《戰時外交》（3），第 445 頁。

3 《戰時外交》（3），第 449 頁。

4 《戰時外交》（3），第 452 頁。

5 《沈士華致蔣介石電》，1942 年 5 月 26 日，特交檔，台北"國史館"，00482。

6 《沈士華致重慶外交部電》，1942 年 5 月 30 日，特交檔，台北"國史館"，00482。

件表示，正強制每一神經，避免與英國當局發生衝突。[1] 此函由尼赫魯秘書交沈士華，它顯示，由於抗擊日本法西斯的國際共同利益的需要，甘地的立場已經有了部分改變。

同月 6 日，顧維鈞電陳，丘吉爾約其談話。顧乘機說明蔣介石訪印，目的在於"為謀同盟集團共同防守，增進全部作戰力量，鼓勵印人合作"。顧稱："印方態度與動作，於中國抗敵前途關係亦甚巨。"但丘吉爾顧左右而言他，不願涉及印度問題。[2]

在印度國民大會黨和英國政府的矛盾中間，蔣介石明顯地站在國民大會黨方面。7 月 14 日，印度國民大會黨工作委員會通過決議，要求"英人退出印度"，如不獲圓滿答覆，將開展"不服從運動"。但工作委員會同時聲明，是否實行該項決議，須待 8 月 7 日國民大會黨全國委員會決定。7 月 27 日，蔣介石召開國防最高委員會與國民黨中常會聯席會議。王世杰提出，國民黨對印度問題應有主張，蔣介石同意，強調應警告英國，勿用高壓手段。28 日，《中央日報》發表王世杰執筆的社論《論印度問題》，要求國民大會黨全國委員會不批准 7 月 14 日決議，不將"不服從運動"付諸實施，而對英國則並未提出任何要求。蔣介石閱後大怒，批評王世杰奉承英國，"根本不知革命為何物，而故弄其小智以市惠於外人"，立即指令陳布雷重新擬稿：《再論印度問題》，指出解決英印緊張關係的關鍵在於英國。29 日，蔣介石日記云："英國宣傳與陰謀並進，其魔力之大，實無孔不入，無微不至，王宣傳部長中其毒之深而尤不自知，誠險惡極矣！"[3]

六、蔣介石要求羅斯福出面調停，
羅斯福勸蔣不採取行動

除通過顧維鈞勸說英國政府外，蔣介石又通過宋子文遊說美國政府。

1　《戰時外交》(3)，第 458—460 頁。參見《沈士華致重慶軍委會電》，特交檔，00482。

2　《顧維鈞致蔣介石電》，特交檔，00483，0085。

3　《困勉記》稿本，1942 年 7 月 28 日；參見《蔣介石日記》(手稿本)，1942 年 7 月 28、29 日。

2月24日，蔣介石甫離印度，立即致電宋子文，告以在印度觀察所得：
"現在政情，除自欺欺民之宣傳，文飾太平以外毫無戰時之氣象，更無戰時之精
神。"他認為，英國政府如不徹底改變對印政策，"無異以印與敵，而且誘敵
加速佔印"，重蹈南洋失敗覆轍。[1] 26日，蔣介石再電宋子文，要他向羅斯福說
明印度形勢與東方戰局的重大關係，建議中美聯合，勸說英國。電稱："印度問
題之能否合理與應時之解決，乃為太平洋與地中海勝負惟一之關鍵也。"[2] 4月
23日，宋美齡也致電美國總統代表居里，報告克利浦斯談判破裂後，印度"反
英情況益烈"，對解決印度問題深表憂慮。[3] 6月14日，甘地發表致羅斯福書，
懇求美國對印度問題發表意見。6月17日，宋美齡再次致電居里，轉告尼赫魯
致蔣介石電內容，說明"甘地極願與英國聯盟，但不願處英國屬國地位，故認
為英國應立時承認印度之獨立"。宋電稱："除使印度獨立外，想無法可以利用
印度資源以期世界自由。"[4] 22日，蔣介石第三次致電宋子文，要宋將甘地函件
的內容轉告羅斯福，請羅轉告丘吉爾，或由宋間接轉告丘吉爾。同日，蔣介石
繼發一電，要宋提醒美國人重視此事，相機處理，求得一公平合理之解決。否
則，"其結果必比緬甸與馬來之悲慘為尤甚也"。[5] 蔣介石擔心宋子文力量有限，
在此之後，又與宋美齡聯名致電居里，請他轉告羅斯福，說明"本人非常憂慮
印度問題。因印度之安定與否，有關同盟國前途，而對亞洲更甚，務希總統注
意並主持公道，出任調停為盼"。[6]

同月，英、美援軍到達印度，英國政府沒有發現甘地思想的變化，擔心甘
地會發動"新運動"，要求英、美人退出印度，準備加以鎮壓。6月25日，英
國駐華大使薛穆奉命拜會蔣介石，聲稱英國政府將對甘地加以"限制"。蔣介
石表示，甘地擁有群眾甚多，禁止其活動可能使形勢惡化。26日，蔣介石致函
甘地，聲稱正在對印度局勢作深長研究，期望能有所貢獻。他再次提醒甘地，
日本侵略為吾人迫切之禍患，亞洲國家應與反侵略盟國共同一致，首謀除此大

1　特交檔，台北"國史館"藏光碟，00482。
2　《戰時外交》（3），第439—440頁。
3　《宋美齡致居里電》，特交檔，台北"國史館"，00482。
4　《宋美齡致居里電》，特交檔，台北"國史館"，00483，0172。
5　《戰時外交》（3），第461頁。
6　《蔣介石、宋美齡致居里電》，特交檔，台北"國史館"，00482。

患。27 日，蔣介石急電宋子文，告以與薛穆談話及英國政府準備鎮壓情況。28 日，又致電顧維鈞，表示希望英印之間能夠求得合作途徑。7 月 4 日，再電宋子文，詢問是否已將甘地信件轉交羅斯福並迅告羅對此態度。

在世界反法西斯戰爭吃緊之際，羅斯福不願意印度和英國發生激烈衝突。他覺得，甘地其人，"缺乏實際，難與共事"，要求蔣介石代表他共同勸告甘地，"勿走極端，以免為敵利用，危害中印數萬萬人民"。7 月 6 日，蔣介石致電沈士華，要他密告尼赫魯，轉告甘地，國民大會黨 "應極端忍耐"，"不宜有所舉動"。不過，甘地卻絲毫沒有讓步的意思。他致函蔣介石表示，"衝突似不能避免"。當時，國民大會黨正在華達舉行會議，主要人物希望聯合國出面調停，倘能保證印度戰後獨立，國民大會黨將接受克利浦斯方案。不過，這時候，英國政府卻已對甘地和國民大會黨極為不滿，認為其領袖 "野心勃勃，欲以印度主人獨居，不願與回教派領袖合作"。7 月 24 日，蔣介石致電羅斯福，闡述印度局勢已達 "極緊張迫切之階段"，"若印度竟發生反英乃至反同盟國運動，則軸心國必坐收其利"。他力圖說明，印度國民的一貫目的在於爭取國家之自由，難免只有感情而缺少理智，如果用輿論或軍警的壓力使之服從，效果必然相反。電稱："目前唯一的啟其反省之方法，惟在我盟邦，尤其為彼等夙所仰望如美國者，以第三者之資格，向之表示同情，予以安慰，以冀挽回其理智。" 8 月 5 日，蔣介石與羅斯福派到重慶的私人代表居里談話，表示願推羅斯福為 "同盟國對印度問題之總代表"，中國願在美國領導下，從旁協助。[1] 8 月 9 日，羅斯福覆電蔣介石，認為在當前局勢下，以不採取勸導一類舉動為宜。

七、蔣介石為甘地、尼赫魯的被捕呼籲，
不理睬丘吉爾的訪華示意

尼赫魯估計，如果英國對印度的政策不變，印度人將越來越仇恨英國人。他的估計逐漸應驗。1942 年 8 月，國民大會黨全印代表大會通過決議，要求英

---

1 《戰時外交》（1），第 705—706 頁。

國撤離印度。9 日，甘地、尼赫魯和國民大會黨工作委員會全體成員等共 16 人被捕，孟買等地旋即掀起強烈的反英風暴，俗稱"八月革命"。

國民大會黨全國代表大會召開的第二天，尼赫魯委託中央社記者發表《告中國人民書》，向蔣氏夫婦致敬，表示對中國抗戰五年來的艱苦鬥爭嚮往不已，聲稱目前所為，唯一目標在獲得獨立，俾能全力與印度及中國的侵略者奮鬥。文稱："自由之印度可克盡此職，實非全身皆受束縛之印度所能也。"[1] 尼赫魯選擇這一時機發表此文，顯然是為了取得中國政府和人民對該黨新要求的理解和支持。

蔣介石擔心印度局勢惡化。8 月 8 日所撰《上星期反省錄》稱："印度問題持續僵化，不知如何演進矣？" 10 日，蔣介石得知甘地、尼赫魯等被捕，對陳布雷說："蘇必旁觀，美亦未必同情，若中國不仗義執言，則世界無公道也。"[2] 隨即緊急召開會議，討論應對方案，決定對英國橫暴加以反對、斥責，動員全國輿論對印度深切同情。[3] 會後，蔣介石緊急致電羅斯福，認為英國此舉嚴重損傷同盟國，將為軸心國張大聲勢。電稱："世人將謂我盟邦不能實踐我解放人類，爭取自由之作戰宗旨，而相反的乃有壓迫自由之事實也。" 他呼籲羅斯福出面主持正義，緩和印度局勢，使之安定。他起草了安慰甘地和尼赫魯等人的電報，電稱："聞先生等入獄，無任繫念，尚祈為國珍重，特電慰問。"[4] 該電請英印總督林里資哥轉，遭到拒絕。[5] 當日，他憤而在日記中指責"英國昏暴異甚"。[6] 11 日，蔣介石致電駐印專員沈士華，指示沈在獲准會見尼赫魯時，將慰問電交其一閱，或口頭轉達，讓其了解，中國對印度朋友的態度始終一貫。同日，《中央日報》發表社論，表達對於英印關係終陷僵局的憂慮，認為當前軸心國兇焰未戢，日本對印度窺伺已久，印度問題惡化，將牽動整個戰局。社論

---

1 《中央日報》，1942 年 8 月 15 日第 2 版。

2 《陳布雷日記》，1942 年 8 月 10 日，台北"國史館"藏。

3 《蔣介石日記》（手稿本），1942 年 8 月 10 日。

4 《訪問印度》，台北"國史館"藏，00482。據陳布雷 1942 年 8 月 29 日致蔣介石電，慰問電起草後，蔣指示"中止"，但已有外報記者三人得到電稿，被宣傳部副部長董顯光截回。29 日，蔣介石指示："可予放行。"陳布雷建議："擬中外一概緩發，再待指示。"而王寵惠則提出："1. 羅總統來電切望鈞電與彼均不作任何公開表示。2. 目前英輿論正在醞釀由蔣夫人及華萊士副總統等出面調停。此時發表慰問電，易起猜測。擬請稍待至必要時再予考慮中外一律發表。"

5 唐縱：《在蔣介石身邊八年》，第 298 頁。

6 《蔣介石日記》（手稿本），1942 年 8 月 10 日。

希望英印政府"仍然一本忍耐精神"，實行"政治和解"。[1] 蔣介石讀後，認為社論寫得"尚合度也"。[2]

為了使英國政府了解中國政府的態度，蔣介石在這一天接見英使薛穆時坦率承認，自己對"印度人民求取自由之期望，實表十分之同情"。但他也表示，不贊成國民大會黨要求英國"立即撤退"的要求，希望英、印之間成立某種諒解。當薛穆聲稱國民大會的領袖有意無意之間已經成為日本的工具時，蔣介石即舉尼赫魯為例，斷言"日本絕無使彼動搖之可能"。當薛穆指責國民大會黨領袖發動罷工風潮，擾亂治安，為英國的鎮壓行動辯護時，蔣介石指出，這是"拘禁國民大會領袖的自然之反響"，是"純粹的民族運動，絕未受日本之影響"。他要求英國政府以恢宏大度的姿態允許印度獨立，將自由還給印度人民。他表示，如時間許可，將親赴倫敦向英國當局陳述意見。[3] 談話中，蔣介石得知丘吉爾有訪問重慶意向，決定不理睬。日記云："彼或以此光臨表示其對華提攜之意，余實不敢接受此尊榮，故不之問。"[4] 12 日，蔣介石致電顧維鈞，告以與薛穆談話要點，認為英國政府的做法，"無異為淵驅魚，將使亞洲十萬萬以上人口皆受倭寇之驅使，如此非特中個人對東方無法挽救此既倒之狂瀾，而世界人類亦必遭無窮之慘劇"。末稱："思之惶惑，不知所懷。"為印度局勢和反法西斯戰爭前途焦慮不安的心情流露無遺。

蔣介石為甘地、尼赫魯被捕和印度局勢惡化焦慮，羅斯福卻十分鎮定。他在太平洋會議上對中國代表宋子文表示，英國是同盟好友，中美兩國只有在受到斡旋邀請的情況下，才可以出面盡其友誼責任。同日，他覆電蔣介石，重申此意。

英國政府頑固地拒絕聽取中國方面的意見。8 月 20 日，英國政府印度部長約見顧維鈞，要求中國"勿加干涉"。[5] 31 日，丘吉爾致電蔣介石，聲明三點：1. 印度人種、民族、宗教多種多樣，國民大會黨為信仰印度教人的組織，

---

1 《我們對於印度問題的觀察》，《中央日報》，1942 年 8 月 11 日第 2 版。
2 《蔣介石日記》（手稿本），1942 年 8 月 11 日。
3 《戰時外交》，第 477—481 頁。
4 《蔣介石日記》（手稿本），1942 年 8 月 11 日。參見《愛記》，台北"國史館"藏。
5 《顧大使馬電》，台北"國史館"，特交檔，0000485，0232。

完全不能代表印度。2. 同盟國相處之道是互不干涉其內政。英國歷來尊重中國主權，對國共分歧從來不做任何輕微的評判。3. 閣下建議，英政府應接受美國總統調停。當余為英國領袖或內閣成員時，絕不接受此項影響英皇陛下主權的調停。

丘吉爾此電態度強硬，完全封死了由美、中兩國出面調停的通道。至此，蔣介石已無計可施，除了設法給予羈囚中的甘地和尼赫魯以同情外，已經不能做什麼事了。

在蔣介石和尼赫魯的關係中，還有一件長期不為人知，但卻十分重要的事：1942 年，納粹德國為了實現其與日本會師的計劃，曾計劃進攻印度。當年，戈林三次通過其親信洋克（Jahnke）與中方人員桂永清聯繫，要求蔣介石"背盟突攻印度，與德合作"。蔣介石忠於和尼赫魯的信義，也忠於對印度人民的友誼，忠於共同反法西斯的同盟國，堅決拒絕了德國的拉攏。[1]

八、為印度獨立盡力，叮囑尼赫魯不可繼承英國的西藏政策

蔣介石長期關心、同情、支持印度的民族獨立運動，執行"扶印反英"政策。1941 年 8 月，他和宋美齡在重慶會見印度革命女志士克麥拉特地，聽述印度淪為英國殖民地的悲慘情景，思想發生強烈震撼。日記云："心理上悽愴極矣。余見此，更覺禦侮之不可或忽。否則，世代子孫亦將受印度亡國之悲劇矣。因此吾夫妻同歎不自由，毋寧死云。"當月 29、30 兩日，蔣介石日記的核心內容都是印度問題。其一云："中國與印度兩國之人口，合為九萬萬員名，佔全世界人口十分之六以上，必使此兩國能完全獨立與平等，然後世界與人類方得真正之和平，中國革命必須以此為目的。"其二云："中國得到獨立、解放以後，第一要務為協助印度之解放與獨立……否則不足談中國之國民革命矣。"[2]

---

1 《羽（譚伯羽）上宋子文呈》，1942 年 7 月 10 日。《宋子文檔》，46-6。參見《蔣介石日記》（手稿本），1942 年 6 月 18 日。

2 《蔣介石日記》（手稿本），1941 年 8 月 24 日，29 日，30 日。

訪印期間，他雖然主張印度國民大會黨停止反英運動，但其主要目的是希望印度首先參加國際反法西斯戰線，共同對軸心國作戰，戰後再謀獨立。在英國殖民者和印度民族獨立運動之間，蔣介石憎惡英國殖民者，他的同情明顯地傾注在尼赫魯和印度方面。儘管此行沒有能在調解英印矛盾方面獲得成功，但阻遏了印度國民大會黨倒向軸心國的傾向，加強了中印兩國民族志士之間的聯繫和友誼，順應了世界反法西斯戰爭的發展需要，是其解放亞洲被壓迫民族思想的重要表現。

1942 年 11 月 26 日，宋美齡訪美。行前，蔣介石交給她一份與羅斯福的《談話要點》，其中第 5 條為："印度如果一日不能獨立，則世界和平與人類平等仍不能實現。" 他主張無論如何，戰後必須使印度獨立，但為照顧英國體面，可以有過渡時期與過渡辦法。[1] 次年 11 月，羅斯福、丘吉爾、蔣介石等在開羅集會，研討對日作戰及戰後諸問題。蔣介石曾與羅斯福討論韓國、越南等殖民地國家的前途，主張均應使其獨立。他也和羅斯福商量，準備提出印度獨立問題。羅斯福表示："現在不要提，等戰後再來提。因為現在的丘吉爾是一個守舊的人，同他商量，不會有結果的。到了戰後，英國換過一個新的政府，一定可以解決的。" 因此，蔣就沒有同丘吉爾商談此事。儘管如此，宋美齡還是就此和丘吉爾作過仔細討論。丘吉爾稱，印度僅算是一個州，根本不能獨立。宋美齡反駁說：這話不對。現在的美國，從前還不是一個州，何以後來能獨立？所以印度不能獨立是一個笑話。[2] 1943 年 4 月 15 日，宋美齡在紐約發表談話稱："印度自由問題，何時可以實現，及至何程度等，為今日世界之問題。" 她盛讚尼赫魯 "具有世界眼光"，要求英印政府早日將其 "釋放，使尼能共同努力於建設聯合國的事業"。談話中，宋美齡並稱："凡爾賽條約規定之一國統制之辦法，應予取消，弱小民族與國家應予自由。"[3]

1945 年中國抗日戰爭勝利，尼赫魯致電蔣介石表示祝賀，蔣介石回電致

1 《蔣介石日記》（手稿本），1943 年《雜錄》。
2 《委員長報告開羅會議情形》，《國防最高委員會第 126 次常務會議記錄》，1943 年 12 月 20 日，台北中國國民黨黨史館藏，001，49。按，此報告曾收入影印本《國防最高委員會常務會議記錄》第 5 冊，第 825 頁，但刪節已多。
3 路透電，轉引自《保君健來電》第 433 號，1943 年 4 月 16 日。《蔣中正委員長訪問印度》，外交部檔案，O12.21/0004，台北 "中研院" 近代史研究所檔案館，11-EAP-02659。

謝。1946年9月，印度臨時政府成立，中國政府立即承認。11月12日，蔣介石命中央政府駐藏辦事處處長沈宗濂赴印，當面向尼赫魯傳達下列意見：

> 1. 關於中印邦交者。中印均為愛好和平民族，聯合足以奠世界和平之基礎，抵抗任何威脅（尤其北來之威脅）。但二國均不強，目前需要最少十年之內部和平統一。希望中印協力促成統一，互助建設。
> 2. 關於西藏者。西藏在地理上、歷史上、民族上、宗教上與中國不可分離，如同印度境內之土邦不可與印度分離。希望印度不行繼續舊時英人之離間政策，致阻礙中印之友誼。
> 3. 關於不丹、錫金及尼泊爾等高原國家，希勿任令英國帝國主義遺留於不丹、錫金及尼泊爾，以威脅印度及中國邊省。[1]

1947年2月28日，中國政府任命羅家倫為首任駐印大使。同年8月，印度自治領成立，尼赫魯正式出任總理。不幸的是，尼赫魯在西藏問題上繼承英國衣缽，力圖繼承並擴大英國在西藏原來取得的特權。1949年7月，蔣介石在日記中感慨地表示：印度才得獨立，就覬覦中國的西藏，"幼稚驕狂，實所不能想像"。[2] 此後，蔣介石多次在日記中譴責尼赫魯和印度政府的西藏政策。[3] 1951年3月，西藏當局組成代表團，就和平解放西藏問題赴北京進行談判。首席談判代表阿沛·阿旺晉美，代表有藏軍總司令凱墨·索南旺堆、政府秘書官仲譯欽布等人，翻譯為達賴的姐夫彭措扎西。29日，阿沛·阿旺晉美等自昌都動身，4月22日到達北京。遠在台灣的蔣介石一度為此高興，在日記中寫道："此次達賴遣代表毅然赴平，不受英、印之阻擋。如此乃印奸陰謀不逞，尼赫魯失敗之開始乎。"[4] 這則日記表明，蔣介石和尼赫魯之間的友誼徹底終結了。

附記：關於蔣介石的西藏政策，本書僅就其涉英、涉印部分作了闡述。其他方面比較複雜，應另文論述。

---

1 《中印問題》，外交部檔案，012/0001，台北"中研院"近代史研究所檔案館，11-EAP-02652。
2 《上星期反省錄》，《蔣介石日記》（手稿本），1949年7月10日。
3 《大事表》，《蔣介石日記》（手稿本），1950年卷首。
4 《上星期反省錄》，《蔣介石日記》（手稿本），1951年4月27日。

史迪威假傳羅斯福指示，策劃暗殺蔣介石 *

——開羅會議前後側記

* 本文錄自《找尋真實的蔣介石：蔣介石日記解讀》（1），重慶出版社 2015 年版；原載《南方都市報》（歷史專版）2009 年 10 月 13 日、15 日。

史迪威是"二戰"期間，羅斯福派到蔣介石身邊擔任中國戰區參謀長的美國將軍。最早提出史迪威曾策劃暗殺蔣介石的是梁敬錞先生。他在《史迪威事件》一書中寫道：據迪威助手多恩（Frank Dorn）上校述稱，史迪威自開羅會議歸過昆明，曾召密語，謂伊曾奉上官口頭密令，欲以暗殺手段謀害蔣委員長，命其於一週內擬具暗殺方案數種，密呈候擇，伊雖驚詫失常，但仍如期擬具三種方法：一、用毒；二、兵變；三、墮機。呈經史迪威選擇墮機一種，令其準備，候令施行，其後令終不至，案遂擱置云云。信如此說，史迪威謀害長官未遂之罪，固堪髮指，然伊究奉何人命令而竟出此，則尤耐人尋味也。[1]

　　梁氏此書，初版於 1971 年 7 月，增訂於 1982 年 9 月。他比較謹慎，"信如此說"云云，語氣有某種保留。"究奉何人命令而竟出此，則尤耐人尋味也"，梁先生並沒有明確指出"指使者"。但是，近年來，某些網絡寫手為了吸引讀者眼球，胡編亂造，除了沿襲史迪威的謊言，確指羅斯福為指使者外，甚至將丘吉爾及英國特務機關也牽連在內，這就迫使人們不可不將有關過程考察清楚。

---

1 《史迪威事件》，台北商務印書館 1988 年 5 月增訂 2 版，第 196—197 頁。在梁著之後，陸續論述此一暗殺事件的著作有邁克爾·沙勒（Michael Schaller）1979 年出版於美國哥倫比亞大學的《美國十字軍在中國》；楊天石：《史迪威事件中的蔣介石與宋子文》，載《中國社會科學院學術諮詢委員會集刊》第 3 輯，2007 年9 月。Jay Taylor（陶涵），*The Generalissimo*，The Belknap Press of Harvard University，2009。

一、史迪威稱暗殺蔣介石的命令來自 "最高"，
暗指羅斯福

梁先生關於史迪威策劃謀殺蔣介石之說，出於多恩本人的回憶《和史迪威一起走出緬甸》，查該書，多恩是這樣寫的：

史迪威回到中緬印戰區之後不久，他訪問了我在昆明的司令部。在僅有我們兩人的私人會談中，他告訴我，他在開羅接到使他震撼的一條口頭命令。有一陣子，他似乎不願繼續說，注視我，黑眼睛中閃耀著不尋常的穿透力。然後他聳了聳肩頭，歎息說："命令就是命令，除了傳達它，我沒有別的選擇。你會大吃一驚嗎？"

"我想我能承受得起。" 我回答，"無論它是什麼命令。"

"好。那就接著說。我被命令準備一份暗殺蔣介石的計劃。"

"暗殺他？" 我懷疑地問。

"命令沒有說殺死他，" 史迪威斷然說，"命令說準備一份計劃，這意味著僅僅是一份計劃。永遠不能根據它指責美國政府，或者包括你在內的任何美國人。"

"那是一個重大的命令。"

"我非常清楚這一點。仔細想想。記住：絕對不能留下任何記錄。不需要我告訴你，整件事必須高度保密。戰爭正在進行，如有任何泄露，我們將陷入混亂的地獄。"

"為什麼選擇我？"

"從我離開開羅，我就一直在想。我決定將此事交給你有兩個理由：你了解中國機構以及任何一個人，知道在中國什麼不能做，在現在的情況下，這與知道什麼能做幾乎一樣重要。"

"如果我制訂了一份可行的計劃，我是否必須去執行？"

"我們要過橋，就必須走上去。我可以告訴你：如果你被指令執行任何這樣一份計劃，最好預見它成功。執行命令的計劃將自上頭下達到我，我將轉達到你個人。不通過消息。記住：在這件事上，除了我，你將不接受來自其他人的

命令。直到我接到這樣一道命令前，我都將懷疑它是否會下達。我將什麼都不做，你除了制訂這份計劃外，也什麼都不必做。"關於這位給史迪威下令制訂暗殺蔣介石的人，史迪威只說是一位"大人物"（The Big Boy），但是，當多恩詢問，是誰指令制訂這樣一份暗殺計劃時，史迪威回答說："這不是我的主意，它來自最高。"顯然，這個處於"最高"的"大人物"，只能是參加開羅會議的美國總統羅斯福。

據多恩回憶，史迪威要求他挑選一或兩位官員一起仔細研究，在史下一次路過昆明的時候，提出自己的計劃。史告訴多恩：今天上午，自己就將回重慶去處理一些經常發生的爭論，"當我和蔣一起喝完一盃茶的時候，就會感到極端噁心"。

多恩接受任務後，否定了一個又一個方案，看上去似乎不可能施行暗殺，幾乎要放棄了。經過和兩個最可信賴的同事的反復研究，他們提出了幾個方案。

槍殺——將會捲入一個美國人。如果蔣被衛兵所殺，責備可能指向美國政府。

下毒——沒有辦法改變蔣的食物。

爆炸——秘密警察可能發現炸彈並且循跡追蹤。

"宮廷政變"——需要許多參加者嚴格保密，而且蔣經常有許多受過高級訓練、可靠的武裝衛兵保護。

最後，某位官員提出：可以勸蔣視察在印度藍伽訓練中心的中國部隊。當飛機飛越駝峰的時候製造撞山事件，在蔣使用的降落傘上做手腳……

在多恩等商定之後兩週，史迪威來到昆明，多恩向史報告了計劃大要。史表示計劃可行，並且提醒多恩，他將是在這架飛機上向駕駛員下達命令的人，他要多恩等待消息，此前什麼也不說，什麼也別做。史說："我已經告訴過你，我必須等待來自高層的命令。"

此後，史迪威再也沒有提起這件事。

多恩的回憶梗概如上。[1]

1　Frank Dorn, *Walk out with stilwell in Burma*, New York: Thomas Y. Growell, 1971, p.79.

開羅會議召開於 1943 年 11 月 22 日至 26 日。史迪威自開羅到昆明，時在 12 月 11 日晚 6 點 30 分。12 月 12 日，史迪威日記載："見到格倫。同多恩談話。11 點 30 分起飛。2 點到達重慶。"因此，史迪威要求多恩制訂暗殺蔣介石的計劃應在 12 月 12 日。多恩是史迪威的部屬，他沒有必要也不可能編造關於他的老長官的謠言，其有關回憶應是真實的。

是羅斯福在開羅指示史迪威制訂暗殺蔣介石的計劃嗎？絕對不是。中、英文史料都可以強有力地證明，史迪威在假傳"聖旨"。

二、在開羅會議上，蔣介石與羅斯福關係密切，互動良好

開羅會議早有醞釀。1942 年 11 月，宋美齡訪美，蔣介石交給宋一份與羅斯福的《談話要點》，其內容共八條：

1. 東三省、旅順、大連、台灣、琉球歸還中國，當地之海空軍根據地准許美國共同使用。

2. 越南由中美兩國共同扶助，十五年以內獨立。

3. 朝鮮應即獨立。

4. 泰國保持其獨立。

5. 印度在戰後必須使之獨立。為使英國不喪失體面，可以有過渡時期與過渡辦法，緬甸亦然。

6. 明白宣佈南洋各民族訓政年限，二十年內扶助其獨立。

7. 外蒙古歸還中國，是否自治，由中國自定。

8. 中俄問題與中共問題立場之說明。[1]

宋美齡抵達美國後，受到羅斯福夫婦的熱情接待。可能蔣介石交給宋的《談話要點》符合羅斯福的戰後理想，因此開羅會議之前，羅斯福即提議先與蔣介石"暢談"。1943 年 7 月 4 日，羅斯福致電蔣介石，表示與蔣的相見"殊

---

1 《蔣介石日記》（手稿本），1943 年《雜錄》。

為重要",建議選擇重慶與華盛頓的中途地點晤面[1]。10 月 28 日,羅斯福再次致電蔣介石,表示自己正在促成中、英、蘇、美同盟之團結,有許多問題,只有與蔣見面,才能得到"圓滿之解決"[2]。會議期間,蔣羅互動良好。根據蔣介石日記,二人見面及會談中涉及羅斯福的記載如下:

11 月 22 日,羅斯福到開羅。正午,羅斯福的助手霍普金斯約蔣於下午 5 時與羅見面。屆時,二人"一見如故"。蔣感覺羅是"陰沉深刻之政治家","自有一種風度"[3]。當晚,蔣介石等待關於次日會議程序的通告,未到。此前,蔣從丘吉爾處得知,會議程序由英美參謀團安排,未考慮中國地位及提案。蔣介石特命間接通知羅斯福注意此點。當日深夜,羅斯福指示,會議為中、美、英共同會議,重新安排程序。

11 月 23 日 11 時,羅斯福主持三國首長會議,討論蒙巴頓北緬作戰方案。蔣介石提出,盟軍進攻緬甸,海軍應與陸軍同時發動。丘吉爾表示不能同意,但會中全體人員均默認蔣的意見是"不二之理","無不為之動容"。

當晚 7 時半,蔣介石應羅斯福之宴,二人直談到深夜 11 時,蔣介石告辭,相約明日續談。當晚所談問題共 10 點:1. 日本未來國體。2. 共產主義與帝國主義問題。蔣表示贊同羅斯福對俄國共產主義的政策,祝賀其已取得初步效果,希望羅對"英帝國主義之政策亦能運用成功,以解放世界被壓迫之人類"。3. 領土問題,東北四省、台灣、澎湖群島皆應歸還中國,琉球由國際機構委託中、美共管。4. 日本對華賠償問題。5. 新疆及其投資問題。6. 俄國對日參戰問題,7. 朝鮮獨立問題。蔣特別要求羅贊助這一主張。8. 中美聯合參謀會議。9. 安南問題。蔣介石強烈主張戰後由中、美扶持其獨立,並要求英國贊成。10. 日本投降後其三島駐兵監視問題。蔣首先提出,此事應由美國主持,如需中國協助亦可,但羅則堅決主張,以中國為主體,蔣認為羅"有深意",沒有明白表示可否。

11 月 24 日傍晚,霍普金斯將羅斯福所擬會議公報草案交宋美齡,徵求蔣

1　《戰時外交》(3),第 492 頁。
2　《戰時外交》,第 494 頁。
3　以下引文,均見蔣介石日記,不一一注明。

的意見。蔣閱後，覺得羅稿完全依照昨晚自己所提"要旨"，對羅更為敬佩，"甚覺其對華之誠摯精神，決非泛泛政治家所能及也"。當晚，蔣介石赴丘吉爾寓所參加晚宴，宴前，丘吉爾引蔣至地圖室，討論進攻緬甸日軍問題。蔣的感覺是丘吉爾的思想、精神、氣魄、人格，決不能與羅斯福同日而語，"狹隘浮滑，自私頑固八字盡之矣"。

11月25日，往羅斯福寓所照相。羅一再要蔣坐於中位，蔣堅持不就，自動坐於羅的右側，丘吉爾坐於羅的左側。最後，約宋美齡同坐。照相完畢後，蔣留在羅寓續談，蔣稱，前晚所提政治方案乃是個人意見，僅供參考，羅"神態誠摯"。

下午4時，蔣介石再次與羅斯福談話，提出中美聯合參謀會議、中美政治委員會、發表公報之手續、第三個卅師武器之供給等問題。討論完畢，羅斯福歎息說："令人痛苦者亦是丘的問題"，"英國總不願中國成為強國"。蔣介石察覺，當時羅"頗有憂色"，"其情態比上次談話時更增親切也"。一小時半之後，蔣回寓，與宋美齡商量，如何向羅斯福提出貸款及經濟援助的方式，研究再三，決定由宋於明晨單獨見羅試談，觀察其態度，再定進退多寡方案。

11月26日晨，蔣介石在別墅召集中美空運會議。蔣發現美方主管人員"較前恭順"。蔣聽說，其故在於羅昨晚召見部屬時，曾稱道蔣"偉大"。

上午，宋美齡會見羅斯福，提出美國給予中國經濟援助的大綱，羅表示同意。

正午，蔣介石設宴招待美國海軍金上將，密交日本今年造船計劃，與金上將討論太平洋今後作戰方略，金稱，以先接近中國海口為惟一要務，蔣頗感安慰，稱：此來所見者除羅之精誠可佩以外，惟金對余為最誠實、最有益之一人。

下午3時，蔣介石訪問羅斯福，談：1.對羅斯福應允給予中國經濟援助及貸款的好意表示感謝。2.外蒙古。3.西藏。4.（英國）海軍登陸（緬甸）日期。羅保證提前，聲稱僅丘吉爾一人尚未同意。

4時半，丘吉爾、艾登、王寵惠等到會，討論公報。羅、丘、蔣三人均同意，待德黑蘭會議與斯大林會談後再行公佈。蔣向羅斯福懇辭、告別。

晚8時，蔣介石約霍普金斯晚餐，談至9點半。蔣稱："此次世界大戰，如非羅（斯福）之政策與精神，決不能有今日之優勢，英與俄皆無法挽救，故余惟佩其人格之偉大也。"

開羅會議期間，蔣介石與羅斯福的互動情況如上。可見二人意見一致，關係良好。蔣對羅恭敬有加，羅對蔣誠摯親切。特別值得提出的是：美英關係雖密切，但羅斯福卻看重蔣介石，而不喜歡丘吉爾。上引羅斯福"令人痛苦者亦是丘的問題"，"英國總不願中國成為強國"等語，雖係實話，但有"挑撥"中英及蔣與丘吉爾關係之嫌。如果羅不看好蔣介石，他是不會在蔣的面前掏出這種"心窩"裏的"私房話"的。

在印度問題上，羅斯福向蔣講的也是這種"私房話"。蔣介石一貫支持印度獨立。開羅會議期間，蔣曾向羅表示，擬在會上提出印度獨立問題，但羅斯福卻直言不諱地告訴蔣："現在不要提，等戰後再來提。因為現在的丘吉爾是一個守舊的人，同他商量，不會有結果的。到了戰後，英國換過一個新的政府，一定可以解決的。"在蔣介石面前直斥丘吉爾是"守舊的人"[1]，說明羅此時對蔣是信任而親昵的。

開羅會議期間，蔣羅關係既如此，蔣也並無任何觸犯美國利益的言行，羅斯福怎麼會起意殺蔣呢？

三、羅斯福認為，蔣介石雖有"短處"，但只能依靠他

羅斯福沒有留下日記，但是，開羅會議期間，他的兒子小羅斯福隨從在側。從他們父子的私下談話中，人們不難看出羅斯福對蔣介石的真實態度。

羅斯福高度重視中國在世界反法西斯戰爭中的地位。在開羅會議之前，他就對小羅斯福指出：假如沒有中國，假如中國被打垮了，將會有大量日軍調到其他戰場作戰。"他們可以馬上打下歐洲，打下印度"，"並且可以一直衝向中東"，"可以和德國配合起來，舉行一個大規模的夾攻，在近東會師，把俄國完

---

1 《委員長報告開羅會議情形》，《國防最高委員會第 126 次常務會議記錄》，1943 年 12 月 20 日，台北中國國民黨黨史館藏。按，此報告曾收入影印本《國防最高委員會常務會議記錄》第 5 冊，第 825 頁，但刪節已多。

全隔離起來，割吞埃及，斬斷通過地中海的一切交通線"[1]。正因為羅斯福如此重視中國的戰略地位，因此，他也就特別重視支援中國堅持抗戰，特別重視作為當時中國抗戰領袖的蔣介石。

羅斯福知道中國的情況，知道中國的戰爭"陷於停滯狀態"，知道蔣介石將"大部最精銳的部隊屯在西北——紅色中國的邊境上"。他也知道，中緬印戰區的困難和史迪威工作的不易，他對小羅斯福說："事實上，在中國的工作只有一個要點：我們必須使中國能夠繼續抗戰，以牽制日本的軍隊。"[2] 11 月 24 日下午，蔣介石夫婦舉行雞尾酒會，小羅斯福代表父親參加。會後，羅斯福向兒子了解對蔣氏夫婦的印象，當小羅斯福對宋美齡"恭維與魅惑的功夫之熟練到家"表示強烈不滿時，羅斯福"皺著眉頭，帶著思索的神情"聽兒子講完，然後委婉地表達了不同看法。他說："可是目前在中國有誰能代替蔣的地位呢？根本就沒有其他的領袖。蔣氏夫婦固然有很多短處，可是我們卻不得不依靠他們。"[3]羅斯福和兒子的談話屬於"私房話"，應是其內心真實思想的表現。

11 月 25 日下午，蔣介石夫婦到羅斯福處茶敘。宋美齡"很動聽地說她預備在戰後掃除中國文盲的計劃"，"同時還講到其他改革中國的將來的計劃"，小羅斯福發現當宋滔滔不絕地一個人在說話時，父親"很熱心地聽著"。他寫道："父親一向對中國的人民有崇高的敬意，並且對他們的問題以及開發他們的資源的可能性有濃厚的興趣。""想到昨天他所說的中國目前沒有其他足以使中國抗戰的領袖，我懷疑他是不是也在考慮蔣夫人所描繪的這些改革，似乎不一定要等待旁人來替代蔣氏以後才能進行。"[4]

羅斯福關心國共兩黨之間的關係。他坦率地向蔣表示，對他的政府的性質表示不滿。羅稱：這種政府決不能代表現代的民主，必須在戰爭還在進行時與延安方面握手，組織聯合政府。蔣介石當時答應，只要美國保證蘇聯應允尊重中國的滿州邊境，他同意成立"民主政府"[5]。這天下午，繼續談到國共關係，小羅斯福寫道："蔣夫人為他的丈夫翻譯，提到他與我父親已經雙方同意的關於增

1　小羅斯福著，李嘉譯：《羅斯福見聞秘錄》，第 42 頁。
2　小羅斯福著，李嘉譯：《羅斯福見聞秘錄》，第 136 頁。
3　小羅斯福著，李嘉譯：《羅斯福見聞秘錄》，第 146 頁。
4　小羅斯福著，李嘉譯：《羅斯福見聞秘錄》，第 149—150 頁。
5　小羅斯福著，李嘉譯：《羅斯福見聞秘錄》，第 155 頁。

強國內團結的初步協定，特別是關於中國共產黨這一點。我尖起我的耳朵，可是他們並沒有對這個話題加以任何討論，顯然地，他們早就比較詳細地討論過這個問題。蔣與我父親似乎對這一種團結的看法是完全一致的。"

　　開羅會議期間，羅斯福曾在參謀長會議上見到史迪威，約他留出時間，私下談一談[1]。感恩節的當天晚上，羅斯福與史迪威作了開羅會議期間唯一的一次單獨談話，在場的有小羅斯福、妹夫鮑梯格和霍普金斯。據記載：

> 　　史迪威將軍很流暢地、直率地、安靜地談著。他從不提高聲浪，而也很少發什麼牢騷，雖然我們不難想像他是的確有理由可以那樣做，從頭到底都是困難，這似乎是他的命運。他敘述他與蔣及蔣的總長何應欽將軍之間的困難；而回答我父親的詢問，他很乾脆地判斷他是有辦法來處理與對付這些困難的。
>
> 　　當晚，史迪威與羅斯福彙報的問題很多，如租借物資分配、列多公路、中國軍隊訓練等。小羅斯福記載說："很明顯地，父親對史迪威有很大的好感；他留他坐在他的旁邊談了一個多鐘頭；最後當他辭去的時候，父親對他在遠東方面所面臨的荊棘的道路表示深切的同情。"[2]

　　當羅斯福參加德黑蘭會議完畢，重新回到開羅，史迪威曾於一天中午來看羅斯福，這是史、羅二人在開羅的最後一面，小羅斯福仍然在場。他記載說："他們在一起談了二十多分鐘。在這時期內，史迪威對蔣委員長的政策表示不滿，並且說蔣是在養精蓄銳，預備在戰後以全力對付共產黨。父親因為心中在想他與蔣的協定，以及後來與斯大林的協定，很少說話，只勸史迪威盡他的力量把事情對付過去。很顯明地，父親在與史迪威談話的時候，心中是在想著些旁的事情；我個人的想法是他在心裏盤算著先行粉碎納粹的必要，而唯有在納粹消滅之後，他才能容許他自己考慮怎麼樣去解決美國統帥部在中國所遇到的許多問題。"[3]很明顯，羅斯福和史迪威的這兩次談話，並無任何謀殺蔣介石的指示。

　　羅斯福回到美國以後，於 12 月 24 日發表談話，介紹開羅會議與德黑蘭會

1　小羅斯福著，李嘉譯：《羅斯福見聞秘錄》，第 126 頁。

2　小羅斯福著，李嘉譯：《羅斯福見聞秘錄》，第 152—153 頁。

3　小羅斯福著，李嘉譯：《羅斯福見聞秘錄》，第 193—194 頁。

議。在談到蔣介石和斯大林時，羅稱："我們原本打算隔桌交談，但很快我們就發現我們坐到了同一邊。懷著對彼此的信任，我們來參加這場會議。但我們需要個人之間的接觸。如今我們彼此之間的信任日漸加深。"他特別讚揚蔣介石："我看出他是一位有遠見卓識和英勇無畏精神的人，他對眼前及將來的諸多問題見解獨到。"[1] 這雖是向公眾談話，但所述並非違心之言。

顯然，從小羅斯福和羅斯福本人的資料考察，他在開羅會議前後，都不會起意謀殺蔣介石。

四、"厭煩"蔣介石並偽造"最高"口頭命令的是史迪威

根據史迪威本人日記，開羅會議期間，史迪威共見過羅斯福兩次。第一次在 1943 年 11 月 25 日 4 時 30 分，和馬歇爾同去，聽羅斯福談法屬印度支那（越南）問題。當日，史迪威準備了一份談話資料，但是，沒有得到進言的機會。第二次在 12 月 6 日，在座者除羅斯福、史迪威，還有霍普金斯，共四人。這應該就是上文提到的羅斯福從德黑蘭回到開羅以後的那次見面。其中有一段談話，涉及蔣介石：

> 羅：你以為蔣能維持多長時間？
>
> 史：局勢很嚴重，日本人再來一次 5 月份的那種進攻就會把他推翻。
>
> 羅：好吧。那麼我們就該找另外一個人或一群人繼續幹下去。
>
> 史：他們也許正在找我們。
>
> 羅：是的。他們會來找我們的。他們確實喜歡我們。這話只限於我們幾人之間，他們不喜歡英國人。你看，英國人在那裏的目的不同。譬如說，香港，我倒是有個讓香港成為自由港的打算：向所有國家貿易開放 —— 對全世界。但先讓我們在那兒升起中國旗。蔣緊接著就會作出一個友好的姿態，讓它成為自由港。這就是處理這件事的方法！和大連一樣，我確信蔣樂於使它成為自由港，貨物也就可以不經海關檢查，未經完稅就通過西伯利亞。[2]

1　張愛民、馬飛譯，羅斯福著：《爐邊談話》，中國社會科學出版社 2009 年版，第 218—219 頁。

2　黃加林等譯：《史迪威日記》，世界知識出版社 1992 年版，第 221—222 頁。

1942 年 5 月，日軍以十萬兵力，戰機一百餘架，向守衛鄂西的中國軍隊進攻，企圖奪取川江第一門戶石牌要塞，威逼重慶。中國軍隊奮起還擊，殲敵二萬五千餘人，粉碎了日軍的進攻。談話中史迪威所稱“5 月份的那種進攻”，指此。談話可見，史迪威完全無視中國軍在鄂西戰役中所取得的勝利，認為日本人再舉行一次“那種進攻”，蔣介石及其政府即將被“推翻”。羅斯福只是接著史迪威的話說，表示在蔣及其政府被日本人“推翻”之後，美國仍應和中國的“另外一個人或一群人繼續幹下去”，並無指示史迪威“暗殺”蔣介石之意。所以羅斯福接著就表示，要和蔣繼續合作，讓香港升起中國旗幟，以便蔣對美作出“友好姿態”，將香港和大連都闢為“自由港”。倘使羅當時即指示史設法暗殺蔣介石，就不會有上述關於“自由港”的談話了。

　　多恩在回憶錄中記述史迪威指示他制訂暗殺計劃時還有一段話：將軍注視窗外雲南清澈的天空片刻，轉身對我說：“我很擔心這樣的事件不斷發生。大人物對蔣和他的脾氣已經厭煩。”並且事實上，他用他一貫的奧林匹克的方式說：“如果你不能和蔣相處，又不能將他撤換，那就一勞永逸地將他除掉。你知道我的意思。將這件事交給你管得住的人。”[1] 這段記述值得注意，特別是“大人物對蔣和他的脾氣已經厭煩”這句話，它可以幫助我們確定：起意暗殺蔣介石的是史迪威本人，而不是羅斯福。

　　眾所周知，在開羅會議之前，羅斯福和蔣介石素未謀面，雙方只有電報往來。這些電報，由於是外交文書，禮尚往來，從無半句任情使性、粗暴無禮的語言。如上述，開羅會議期間，蔣介石對羅斯福崇敬備至、彬彬有禮，“大人物”（羅斯福）何從對“蔣和他的脾氣”感到“厭煩”？

　　其實，這是史迪威本人的感受。

　　史迪威受命到中國不久，即主張乘日軍“集結起來之前就動手”，迅速指揮中國遠征軍南下，進攻緬甸南方海口城市仰光，而蔣介石則主張“等待”，在日軍不再增援時再進攻。他認為，仰光瀕海，日軍擁有海陸空立體作戰的優勢，中國軍隊只有在空軍和炮兵掩護下，才有取勝可能。二人之間因此發生激烈爭

1　Frank Dorn, *Walk out with Stilwell in Burma*, p.76.

辯。史迪威即在日記中辱罵蔣為"頑固的傢伙"[1]。此後，史迪威對蔣介石的惡感日深。如：

6月18日日記稱"蔣仍同以前一樣"，是"一條貪婪、偏執、忘恩負義的小響尾蛇"[2]。

7月12日日記指責蔣"如此頑固、無知和極度忘恩負義"[3]。

7月13日日記指責蔣"頑固、愚蠢、無知、不容他人，專橫、不講道理，無法說通而又貪婪無比。"[4]

9月2日日記稱："很難想像一名軍人會蠢到這種程度。"[5]

9月25日日記稱："'花生米'要比我所想的更加反復無常和怪誕。"史迪威因為藐視蔣，所以在日記中通稱蔣為"花生米"。

至於蔣的所謂"脾氣"，據史迪威日記載，9月28日，宋美齡曾向他透露："與'花生米'過日子十分痛苦：沒有別人對他講真話，於是她只得不斷地向他講述不合意的消息。和這個愛發脾氣的小畜牲一起生活，眼見一切事情被搞得亂七八糟不可能是件輕鬆的事。"[6]很難想像，宋美齡會在一個外國將軍面前辱罵自己的丈夫是"愛發脾氣的小畜牲"，顯然，這是經過史迪威扭曲、改造的。

至於對蔣的所謂"厭煩感"，則完全來源於史迪威本人的感受。1943年11月26日，史迪威日記稱："路易士11點來，談了計劃。他對'花生米'產生了厭煩感，誰又不是呢？"[7]

以上資料可以證明，史迪威對多恩所稱"大人物對蔣和他的脾氣已經厭煩"，實際上是史迪威在闡述自己的感受，只不過假藉"大人物"羅斯福的名義罷了。至於史迪威所稱"大人物"指示："如果你不能和蔣相處，又不能將他撤換，那就一勞永逸地將他除掉。"云云，既不符合羅斯福開羅會議前後的思想感情，也在小羅斯福的會議及史迪威本人的日記中找不到相關影子，只能認

---

1 《史迪威日記》，1942年3月9日、19日，第52、61頁。
2 《史迪威日記》，第185頁。
3 《史迪威日記》，第189頁。
4 《史迪威日記》，第191頁。
5 《史迪威日記》，第197頁。
6 《史迪威日記》，第202頁。
7 《史迪威日記》，第217頁。

為，這是史迪威的有意編造。

因此，我們有理由相信，企圖暗殺蔣介石的是史迪威，而不是羅斯福，史迪威向多恩所說，完全是假傳"聖旨"。

五、早在開羅會議之前，史迪威即已起意謀殺蔣介石

早在開羅會議之前，史迪威即已起意謀殺蔣介石。

根據美國戰略情報局資深官員艾夫勒（Carl F. Eifler）上校本人參加寫作的 *The Deadliest Colonel* 一書記載，1943 年 8 月初至 10 月末期間，他在中緬印戰區工作期間，曾被史迪威召到新德里，要求他準備一份暗殺蔣介石的計劃，過程如下：

史迪威直截了當地對艾夫勒說，如果美國想要按照邏輯順序有條不紊地推進戰爭，那麼就必須除掉蔣介石。擺在史迪威面前最大的問題是：艾夫勒是否同意承擔此重任？他能否神鬼不知地完成使命？

對於這個要求，艾夫勒既不感到震驚，也未感到受寵若驚或不知所措。

他點了點頭回答說，他能找到除掉蔣介石的辦法。隨後，史迪威又強調說，整個暗殺事件不能使人懷疑到艾夫勒本人及他的隨從的頭上來。艾夫勒起身，向史迪威行過軍禮後，與其握手告別後便匆忙離開了。

艾夫勒沒有提供他被召到新德里的時間，但其時在開羅會議之前則是確定無疑的。在史迪威向他佈置任務時，並沒有說明此令來自"大人物"或最高，可見謀殺蔣介石的起意出自史迪威本人。

艾夫勒接受任務之後，最初考慮派狙擊手暗殺，他自己或其隨從"都可以成為扣動扳機實施暗殺的人選"。但是，該辦法不能確保狙擊手不被擒獲。後來，他決定實施投毒，並且在回到印度東北部阿薩姆省納濟拉之後，初步勾勒出一個暗殺計劃。這個計劃需要包括他自己在內的四個人來實施。艾夫勒分別將其他三人找到自己的辦公室談話，開門見山地說："我需要你執行一個任務，該任務還沒有名字，我想就稱它為'無名'任務吧。不到我們開始行動的時候，我不能向你透露計劃的內容。此時，我需要你絕對保密，並心甘情願地服從我

的命令。這個任務不但令人反感，而且極為危險，但是卻必須執行。如果你想回答‘不’，那麼就趕緊說，我不會耿耿於懷的。”三個人都很快回答說，自己將始終與艾夫勒站在一起共進退。此後的近兩個月內，並沒有進一步的行動指示。

後來，艾夫勒到華盛頓，訪問美國戰略情報局實驗室的間諜用品發明專家斯坦利・拉維爾（Stanley Lovell）後，確定使用 “肉毒菌素”。它能麻痺並損害中毒者的肺功能，使之迅速衰竭並最終致人死亡，死後的屍體剖檢也不會發現任何中毒的痕跡。

據艾夫勒回憶，此後史迪威沒有再催問此事。直到 1944 年 5 月，艾夫勒在史迪威的緬甸司令部與史相見，艾告訴史，已經找到一種方法，可以執行暗殺計劃，但史搖頭說，他對此已另有想法，並且決定，在目前反對這樣做[1]。

史迪威有了什麼新的想法呢？這可以從後來的形勢發展考察。

六、史迪威利用中國戰場失敗，逼迫蔣介石交出軍權

1944 年 4 月，日軍發動 1 號作戰，首先進攻河南，中國軍隊大敗。接著，日軍進攻粵漢路。蔣介石急命史迪威將成都所存汽油、配件及全部飛機交給陳納德的航空隊，供粵漢路空戰之用。他召史回渝商量，史置而不答。6 月 5 日，史迪威到重慶，蔣介石當面要求史迪威增加對陳納德航空隊的汽油供應，史內心不屑，但表面應允。此後，中國守軍在衡陽與日軍苦戰，陳納德航空隊的最大困難是缺油，陳本人多次要求史迪威增加空運頓位，多給軍火，支援衡陽守軍，史均不答應。史迪威和陳納德在支援中國抗日的戰略上有分歧，陳強調空軍的作用，史認為必須首先充實陸軍力量。1943 年 5 月，美方在華盛頓召開參謀本部會議，陳、史二人之間為此發生爭論。對於史迪威拒不加撥汽油的行為，史的另一個助手賀恩透露說：“史迪威正想令華東機場失去，以證明其在華府會議中預測之證實。” 陳納德則認為，史迪威是在故意扣留軍用物資，以

1　參見 Jay Taylor, *The Generalissimo*, The Belknap Press of Harvard University Press, pp 258-259。

待局勢惡化，迫使蔣介石讓出最高統帥之指揮權[1]。此時，馬歇爾正因史迪威與英國統帥蒙巴頓不和，準備應英方要求，將史調離東南亞戰區，授以上將銜，改調中國國內，使之統率中國全國軍隊。7月1日，馬歇爾電詢史迪威本人意見，正中史的下懷。7月2日，史迪威在致夫人函中透露，他的希望是"擺脫掉'花生米'而又不致毀了整艘船"[2]。同時，他明確寫道："中國問題的藥方是除掉蔣介石。""如果我們現在不採取行動，我們的在華特權將受到嚴重損害。中國也將無助於我們的抗日努力，還會種下戰後中國大亂的種子。"[3]他覺得，採取行動的機會來了。

7月3日，史迪威致電馬歇爾，要求羅斯福致電蔣介石，指出蔣過去輕視陸軍倚重空軍的錯誤，告以"劇變情勢應採劇烈手段"。史稱，在此情況下，蔣介石有可能將中國軍隊交給自己指揮。他向馬歇爾明確表示："如我無實權，則不能擔任。"[4] 6日，馬歇爾備妥電稿及簽呈，上呈羅斯福，聲稱中國戰局已經到了"須將中國軍權交與一個人物指揮抗日"的時候，而此人，則非史迪威莫屬。在馬歇爾等人的"壓力"下，羅斯福第二天即照馬所擬電稿簽發，宣稱已升史為四星上將，要蔣從緬甸戰場召回史，讓他"統率全部華軍與美軍"，並予以全部責任與權力。

掌握中國軍權是美國軍方的長期目標，也是交給史迪威的任務。1943年6月，宋子文向蔣介石報告說，美國國務院派到史迪威處擔任政治顧問的約翰·戴維斯（John Davis）曾向友人透露："美軍方曾令史梯威，應利用一切機會統率中國軍隊。"[5]同年開羅會議期間，史迪威準備了一份與羅斯福的談話資料，直言不諱地表示，要"掌握中國軍隊之權"。該資料云：

> 無論蔣介石作何承諾，我們如不將掌握中國軍隊之權，早獲明文規定，所有努力均將成為廢紙……統率之權，如不能擴及華軍之全部，亦必須包括於中美之聯軍。我們如缺控制蔣介石之權力，則伊將使其幹部跟我

1　Clarie Lee Chennault, *Wary of a Fighter*, p.29；參見梁敬錞：《史迪威事件》，第 264、307 頁。

2　《史迪威日記》，第 267 頁。

3　《史迪威日記》，第 279—280 頁。

4　*Stiwell's Command Problems*, pp.380-381。參見《史迪威事件》，第 265 頁；傑克·薩克森：《陳納德》，東方出版社 1980 年版，第 226 頁。

5　宋子文檔，66-12。

們作梗。我以為中國軍政部應改組，何應欽應去職，第一批卅師應由美軍官統率之。[1]

可見史迪威不僅要求實際上掌控中國軍權，而且要有"明文規定"。

羅斯福將馬歇爾所擬致蔣介石的電稿一字不改地照樣發出，至此，史迪威掌控中國軍權的任務接近完成了。然而，史迪威沒有想到的是，蔣介石不僅拒不接受，而且絕地反擊，堅決要求羅斯福召回史迪威，其結果不是蔣介石屈服，而是羅斯福屈服。史迪威當然更不會想到，1945 年初，西起印度東北，經過緬北、滇西，東至雲南昆明的中印公路通車，蔣介石為了紀念史迪威對此路修建及中國抗戰的功績，居然將這條公路命名為"史迪威路"，"以志其勞績"，"決不以過掩其功也"[2]。

1　轉引自梁敬錞：《史迪威事件》，第 194 頁。
2　《蔣介石日記》（手稿本），1945 年 1 月 26 日。

蔣介石與史迪威事件 *

—— 戰時中美之間的嚴重衝突

* 本文錄自《找尋真實的蔣介石：蔣介石日記解讀》（1），重慶出版社 2015 年版。2006 年 10 月 1 日完稿，原載《抗戰與戰後中國》，中國人民大學出版社 2007 年 7 月出版。

史迪威事件是抗戰期間中美關係上的大事，自梁敬錞的《史迪威事件》一書出版以來，研究已多，但是，由於此前的研究者都未能利用蔣介石日記和宋子文檔案，甚至，也未能充分利用史迪威本人的日記，因此，就給我們留下了仍可開闢、耕耘的廣大空間，可以進一步了解這一事件的全貌、實質、由之激起的中美關係的巨大波瀾以及蔣宋關係的曲折變化。

一、史迪威被派到緬甸戰場，急於進攻，蔣介石則主張防守。蔣在日記中批評史"無作戰經驗"，史在日記中辱罵蔣為"固執的傢伙"

　　太平洋戰爭爆發後，蔣介石即謀求與美、英、蘇等國結盟，組建國際反法西斯戰線。1941 年年末，美國總統羅斯福致電蔣介石，建議建立中國戰區盟軍最高統帥部，以蔣介石為最高統帥。當時，中國抗戰正處於艱難時期，蔣介石對盟軍的合作自然期望甚殷，但是，美國此後並無重要動作，引起蔣介石嚴重不滿。1942 年 1 月 30 日，蔣介石日記云："美英對於整個戰局與太平洋戰局，仍無具體整個之組織。""彼輕蔑我國，可謂異甚，應嚴加責問。"[1] 3 月，史迪

1　《困勉記》卷 70，1942 年 1 月 30 日，台北"國史館"藏。

威來華，擔任中國戰區統帥部參謀長，兼美國總統代表、駐華美軍司令及美國援華物資監理人。最初，蔣介石持歡迎態度，其後，二人間逐漸發生矛盾，並且不斷發展、強化。

日軍於 1942 年初攻入緬甸，英軍不堪一擊，一再潰敗。2 月 26 日，蔣介石命令中國第五、第六兩軍緊急開進緬甸，協助英軍固守緬南海口城市仰光，確保當時中國僅存的滇緬路這一國際通道。3 月 4 日，蔣介石面諭中國遠征軍副司令長官兼第五軍軍長杜聿明，要他在史迪威到任之後 "絕對服從" 其指揮。杜問：如果史的命令不符合你的決策時怎麼辦？蔣稱：可打電報請示。但蔣回重慶後，又以手書告訴杜聿明，強調 "絕對服從" 史迪威的重要性[1]。6 日，蔣介石在重慶與史迪威第一次見面，就向他表示，準備將緬甸戰場的指揮權交給他[2]。同月 8 日，英軍放棄仰光，中國入緬部隊失去目標。蔣擔心日軍乘中國軍隊入緬之際，自越南進攻中國雲南，有調回入緬軍，加強雲南及長江流域各省防務的念頭。日記云："英軍之怯弱，以後我軍入緬部隊之戰略，應特加審慎，重新研討也。此時必須自固根基為第一，不可以外物〔騖〕國際不可靠之事物而自誤也。"[3] 3 月 10 日，在史迪威赴緬指揮前夕，蔣介石又與史談話，聲稱 "我軍此次入緬作戰能勝不能敗"，"苟遭失敗，不但在緬甸無反攻之望，即在中國全線再發動反攻，滇省與長江流域後備不堅，亦將勢不可能"[4]。他主張保衛當時距離中國後方據點較近的緬甸的首都曼德勒（瓦城），待日軍深入，予以痛擊後再行反攻。

仰光是美國援華物資的轉運站。史迪威視之為 "生命線"，認為 "一旦失去仰光，供應線將被切斷"，因此，他在入緬後不久，即雄心勃勃地迅速擬定計劃，準備推動中國遠征軍儘量南下，收復仰光。3 月 18 日，史迪威飛返重慶，向蔣提出此項建議，但蔣介石認為，仰光瀕海，日軍具備海陸空三方面的

1　杜聿明：《中國遠征軍入緬對日作戰述略》，《中華文史資料文庫》卷 4，文史資料出版社 1996 年版，第 871 頁。

2　黃加林等譯：《史迪威日記》，世界知識出版社 1992 年版，第 50 頁。

3　《蔣介石日記》（手稿本），1942 年 3 月 9 日。

4　秦孝儀主編：《中華民國重要史料初編——對日抗戰時期》第 2 編《作戰經過》（3），台北中國國民黨中央黨史委員會 1981 年版，第 238 頁，以下簡稱《作戰經過》（3）。史迪威當日日記稱："蔣大談中國人的氣質和他們所受到的局限，他們不能去進攻的理由……在緬甸失敗對於士氣將是災難性的一擊。第五軍和第六軍（是）'軍隊中的精華' 必須慎重。"見《史迪威日記》，第 54 頁。

優勢，中國軍隊如無空軍和炮兵掩護，很難克復該地。史蔣二人進行了激烈的辯論。蔣每提一個論點，史迪威即加以反駁[1]。當日，蔣在日記中批評史迪威"無作戰經驗，徒尚情感"，"不顧基本與原則"[2]。3月19日，蔣介石再次與史迪威談話，分析緬甸戰場形勢，提出"目前應取守勢，切勿輕進以求僥倖"[3]。蔣稱：如果再過一個月，防線平安無事，他將考慮進攻的問題。談話中，蔣要求史迪威保證不要讓第五、第六軍吃敗仗，但史則表示無法辦到，要蔣"另外找一個能保證這一點的人來，因為我無法保證做到這一點"[4]。這次談話，史迪威大為不滿，當日即在日記中指責蔣為"固執的傢伙"[5]。在此期間，美方發表消息，聲稱中國第五、第六兩軍歸史迪威指揮，入緬作戰，蔣介石認為此屬泄密行為，日記云："美國又發表我入緬軍之番號，無異詳報於敵軍，其可慮可危，未有如此事之甚者。故寢為之不安。"[6]

二、中國遠征軍初戰失利，史迪威下令退入印度，彈盡糧絕，損失慘重，蔣介石憤恨交加

為了保衛曼德勒，中國遠征軍第五軍第二百師戴安瀾部在緬甸南部的同古（東籲）設防。自3月18日起，與日軍血戰12天，殲敵五千餘人。其間，史迪威堅主進攻，杜聿明則認為兵力不足，反對進攻，二人發生爭執，以致鬧翻。史迪威要求杜"服從命令"，並派人監督杜執行，但杜認為此舉關係遠征軍存亡，中國軍隊既未能適時集中兵力與敵決戰，即應在予敵一定打擊之後及時轉移，以保存戰力[7]。29日晚，戴部奉令突圍，安全轉移。蔣介石與杜聿明的想法一致，日記云："我第二百師已放棄同古，自動轉進至葉蓮西之東南地區，與新二師取得聯繫，心竊自慰。敵軍遭此重大打擊，而我軍並無多大損失，自動撤

1　《史迪威日記》，1942年3月18日，第60頁。
2　《蔣介石日記》（手稿本），1942年3月18日。
3　《作戰經過》（3），第257頁。
4　《史迪威日記》，第61頁。
5　原文為 Stubborn bugger，瞿同祖譯作"頑固的畜牲"，見《史迪威資料》，中華書局1978年版，第19頁；黃加林等：《史迪威日記》譯作"頑固的傢伙"，第61頁，此從黃譯。
6　《蔣介石日記》（手稿本），1942年3月20日。
7　杜聿明：《中國遠征軍入緬對日作戰述略》，第875頁。

退，更足寒敵軍之膽，彼倭必不敢向緬北輕進。"日記批評史迪威"以為應在同古全力作戰，此不知敵軍心理與戰地實情之談也。故此次放棄同古，乃達成余一貫之意圖也"[1]。

史迪威也對杜聿明的抗命不滿，在日記中斥責杜聿明和新編第二十二師師長廖耀湘為"卑怯的雜種"和"十足的懦夫"[2]。3月31日，史迪威憤而返渝，向蔣介石提出：對指揮中國第五、第六軍，"深感所得許可權未足，未能令出必行，致有三次可以發動反攻之機會，皆蹉跎坐失"[3]。他要求蔣介石免去其本人職務。對史迪威的態度，蔣介石自然感到不快，日記云："以我軍師長不聽其進攻同古敵軍之命令，乃嘔〔慪〕氣回渝辭職，殊出意外。我出國作戰，對敵對友，對當地民心，皆多困難，客卿指揮我軍，又不熟悉各方內情，皆須面面顧到，較之在國內作戰之單純者，其難易相去有天壤之別，殊為可慮。而史氏受英方之宣傳與運動，更可顧慮。於緬戰英軍無力，而必欲掌握指揮權，圖保其虛名，殊為可羞。明知我雖犧牲而無益，然為全局與美國關係計，又不能不撐持到底，惟有照預定方針進行以待時局之推移而已！"[4]同樣，史迪威也感到不快，日記稱："由於愚蠢、恐懼和態度消極，我們失去了一個在東籲打退敵人的絕好機會，根本原因在於蔣介石的插手。""他身處距前線1600英里的地方，寫下一道接一道的指令，要我們去做這做那，其根據是零散不全的情報和一種荒謬的戰術概念。他自認為懂得心理，事實上，他自認懂得一切，他反覆無常，隨著行動中的每一個微小變化而不斷改變主意。""其結果是使我本來就很小的權威消失得無影無蹤。我沒有軍隊，沒有警衛，沒有槍斃任何人的權力。"[5]

4月1日的談話，史迪威有意向蔣"攤牌"，自稱"發作了一番，言辭激烈"，"投下的那些炸彈發出了巨大的轟響"[6]。但是，蔣介石仍然極力忍耐。4月2日，蔣介石與史迪威談話，告以杜聿明"少年氣盛"、"過分固執"，決定以年事較高、經驗豐富的羅卓英為中國遠征軍司令長官，在史迪威指揮下統率中

1　《蔣介石日記》（手稿本），1942年3月31日。
2　《史迪威日記》，1942年3月30日，第71頁。
3　《作戰經過》（3），第271頁。
4　《蔣介石日記》（手稿本），1942年4月1日。
5　《史迪威日記》，1942年4月1日，第72—73頁。
6　《史迪威日記》，1942年4月1日，第73頁。

國入緬部隊作戰。蔣並決定親自陪同史迪威回緬[1]。蔣介石《反省錄》云："一、對緬戰事，思慮異甚。既憂部下在國外過於犧牲，補充為難。又憂失敗時喪失國威與軍譽。二、史迪威乃動氣請辭，此乃於中美邦交有關。故決定約之同回緬甸，予以全權，表示對彼誠意，使之勿加懷疑也。"[2]

4月5日，蔣介石與史迪威、羅卓英同機飛赴緬甸北部城市臘戍。6日，到美苗（卑謬），與史迪威及英軍司令亞曆山大商談。7日，蔣與史討論後，又與羅卓英、杜聿明、戴安瀾各將領談話，宣稱史迪威是"老闆"，"有提升、撤職、懲罰中國遠征軍中任何一名軍官的權力"，"他們應無條件服從命令"[3]。蔣的這些做法，可以說給足了史迪威面子，但是，蔣很快又因事對史不滿。8日，蔣介石向孫立人師長授以曼德勒五萬分之一地圖，面示防守要略，並令與史迪威、羅卓英同往實地設防。蔣在視察新築機場工程時，發覺進度緩慢，日記云："史氏稱美苗機場十三天可以完工，是彼受英方之欺，而又欺騙我者也。可痛極矣。"[4]

當時，英國的戰略重點在歐洲戰場，在亞洲，其戰略是"棄緬保印，保存實力"。在緬英軍或聽任中國遠征軍獨立作戰，或利用中國部隊掩護自己撤退。4月24日，蔣介石指示："國軍今後在緬甸之作戰指導，應以不離開緬境，而又不與敵主力決戰為原則。依此原則，以機動作戰，極力阻止並遲滯敵之發展。"[5] 同時，指示遠征軍守衛臘戍、密支那、八莫等鄰近中緬邊境的城市。但是，史迪威和羅卓英都還醉心於組織曼德勒會戰。5月1日，曼德勒失陷。5日，日軍攻佔八莫，威脅中國遠征軍的歸國通道。6日，英軍決定放棄緬甸，史迪威下令中國遠征軍向印度撤退，史本人拒絕美方派來接他的飛機，親率少數人員徒步西行。蔣介石對史迪威未經請示就下令向印度撤退大為不滿，日記云："史迪威擅令我第五軍赴印度邊境之龐炳，而彼且離開隊伍，先自赴印，並無一電請示。此種軍人，殊非預想所及，豈彼或為戰事失敗，神經不安之故乎！可

---

1 《作戰經過》（3），第274頁。

2 《蔣介石日記》（手稿本），1942年4月4日。

3 《史迪威日記》，1942年4月7日，第77頁；參見《作戰經過》（3），第290頁。

4 《蔣介石日記》（手稿本），1942年4月8日。

5 《作戰經過》（3），第299頁；參見羅卓英《報告》，1942年6月25日。《宋子文檔》，第64盒，美國胡佛研究院藏。

歎！"[1] 18 日，蔣介石要美國駐華軍事代表團團長馬格魯德轉告史迪威，"中國軍隊無退入印度之意"[2]。在撤退過程中，遠征軍一度糧盡藥絕，飢病交迫，犧牲慘重，直至 7 月 25 日，杜聿明所部直屬隊等才到達印度。入緬時，遠征軍兵員約十萬人，至此，僅餘四萬人左右[3]。

6 月 4 日，史迪威自印度德里回到重慶，向蔣介石彙報，嚴厲批評中國遠征軍的高級將領："殊令人失望"，"或缺能力，或缺膽略"，聲稱"彼等居處離前線太遠，且無意親上前線"，"因循遷延為各高級將領之通病"。他甚至點名批評杜聿明"個性剛愎，不易應付"。他自稱這次彙報為"開門見山，指名道姓"，"那情形就如同在踢一位老婦人的肚子一樣"[4]。蔣對這些批評大不以為然，認為史對此次撤退負有重大責任，但卻"不知自反，專事毀人利己"[5]。6 月 5 日日記云："我軍在緬如此重大犧牲，其責任全在史氏之指揮無方，而彼乃毫不自承過失，反詆毀我高級將領至此。當失敗之初，彼乃手足無措，只顧向印度逃命，而置我軍於不顧，以致我第五軍至今尚未脫險。嗚呼！史迪威誠不知恥者也。"[6] 由此，蔣介石更進一步指責美國軍事代表團，"大半皆自私自大之流"[7]。6 月 16 日，蔣研究對史迪威的處理辦法，產生"軍法審判"的念頭。日記云："彼為推諉責任，掩護罪過，故不得不毀壞他人名譽，誣衊我國將領。此應提議開軍法審判，使美國政府能知史之不法與無禮乎！"[8] 至此，蔣介石對史迪威的印象可謂惡劣至極，而史迪威對蔣的印象也同樣很糟糕，日記稱："中國政府是一個建立在威恩兼施基礎上的機構，掌握在一個無知、專橫、頑固的人手中。"[9]

---

1 《上星期反省錄》，《蔣介石日記》（手稿本）1942 年 5 月 9 日。
2 秦孝儀主編：《中華民國重要史料初編──對日抗戰時期》第 3 編，《戰時外交》（3），台北中國國民黨中央黨史委員會 1981 年版，第 146 頁，以下簡稱《戰時外交》（3）。
3 杜聿明：《中國遠征軍入緬對日作戰述略》，第 882 頁。
4 《史迪威日記》，1942 年 6 月 4 日、7 日，第 103、104 頁。
5 《上星期反省錄》，《蔣介石日記》（手稿本），1942 年 6 月 6 日。
6 《困勉記》卷 72，1942 年 6 月 5 日。
7 《上星期反省錄》，《蔣介石日記》（手稿本），1942 年 6 月 6 日。
8 《上星期反省錄》，《蔣介石日記》（手稿本），1942 年 6 月 16 日。
9 《史迪威日記》，1942 年 6 月 19 日，第 105 頁。

三、蔣介石指示宋子文等向美國提出史迪威問題，要求實行軍事審判，宋子文請蔣"萬分忍耐"

為了援助被侵略國家，1941 年 3 月，美國國會通過《進一步促進美國國防和其他目的法案》（租借法案），授權美國總統以出售、轉讓、交換或租借等方法向對美國國防至關重要的國家提供國防物資。先後受援的國家有英國、蘇聯、中國、自由法國等。但是，其間的條件並不平等，給英國、蘇聯的援助物資可直接撥交，而對中國的援助物資，則必須通過監理人史迪威分配。此外，在華盛頓成立的聯合參謀長會議（參謀團），也將中國拒之門外。

蔣介石企圖改變上述情況。1942 年 4 月 19 日，蔣致電時在美國爭取援助的宋子文，要求宋與羅斯福總統作"肺腑深談"。電稱："在聯合參謀會議及軍用品供應之主要事項中，中國並非受有英、蘇之同等待遇，不過類似一受保護人而已。""將來英美聯合參謀會議，如不擴大包括中國，或將中國置於軍用品分配董事會之外，則中國勢必成為棋中之末卒。"他指示宋子文，"須堅執予等有予等本身之立場，予等須維持本身獨立之地位"[1]。5 月 18 日，蔣介石在重慶接見美國軍事代表團團長馬格魯德時直率表示："今日之參謀團，惟有英美參加，擁五百萬大軍與日本作殊死戰之中國反不能廁及，實非中國所願見。""中國軍民對此措置，刺激實深。深感中國名為同盟國，實被歧視。戰時之待遇已暴露不平等之痕跡，戰後如何，未敢想像矣。"[2] 6 月 18 日，蔣介石致函中國駐美軍事代表團團長熊式輝及宋子文，批評美國方面對中國戰區的組織與籌備工作進行不力，電稱："中國戰區至今並未有何組織與籌備進行，對於維持中國戰區至少限度與其可能之方案，亦尚未著手，空軍建立與補充以及空運按月之總量，陸空軍作戰與反攻時期之整個方案，彼等皆視為無足輕重，一若中國戰區之成敗存亡皆無關其痛癢。"電報不指名批評史迪威："不重視組織與具體方案及整個實施計劃。""仍以十五年以前之目光視我國家與軍人，故事多格格不入。"在緬戰失敗撤退過程中，羅卓英與史迪威一度失去聯繫，史向美國軍部

1　熊式輝檔，美國哥倫比亞大學珍本和手稿圖書館藏。
2　《戰時外交》（3），第 145 頁。

報告，羅離開軍隊，逃往雲南保山[1]。蔣介石事後查明，並無其事。對此，蔣極為反感，批評史迪威"謊報"，"完全歸罪於我高級將領"，"彼竟自赴印度，並擅令我軍入印，而彼亦並未對我有一請示或直接報告（中與史本約有特用密本，平時皆直接通電），於情於理，皆出意外"。他表示：從未見過像史迪威這種"推諉罪過，逃避責任以圖自保"的人，提出應按照國際慣例，實行軍事審判，查明功過。如果美國政府有意，中國政府可將有關高級將領解送華盛頓接受審判。但是，蔣又表示：中國哲學的原則是厚於責己而薄於責人，為維護中美國交及友邦榮譽計，要嚴格保密，切不可向外人"略露一點"，使人對中國政府有"以怨報德"之想。可以看出，蔣對史迪威已經不能忍耐，但是顧慮中美關係，因此，在要求宋子文等向羅斯福彙報的時候，顯得特別小心、謹慎。電中，蔣介石也表述了中國作為"弱國"參加"國際戰爭"的心情："不僅利未見而害先入而已，即將來戰後是否能獲得我所犧牲者相當之代價，實成問題。然而此時我國尚有一塊立足之乾淨土地，而我政府幸亦未託足於外國以寄人籬下，且亦有自立之道耳！"[2]

　　宋子文對史迪威本具好感。當年 4 月 28 日，宋子文曾致電蔣介石，擔心緬戰不利，將降低中國國際地位，影響美援爭取，要求與史迪威合作，聯合如實向美方提出報告，電稱："史迪威親歷其境，利害相關，所知當更透徹，此事必能與我合作，設法使聯合國間明了真相。"[3] 5 月 6 日，宋子文再次致電蔣介石，報告所聞史迪威在撤退過程中拒坐飛機，率領副官步行的表現，稱讚史迪威"不失軍人本色"。電報提出，史迪威身負如空軍援華、中印空運、軍貨接濟等多重任務，要求蔣介石命其自印回渝[4]。但是，宋子文也親身感受到史迪威掌握美援物資分配大權所帶來的困難。5 月 19 日，宋子文致電蔣介石稱："美軍部以史梯威有全權，每有所商請，輒以史梯威並未要求，為不負責任推諉之詞。"宋子文再次要求蔣將史迪威調到重慶，"常依左右，遇事隨時飭報，勿使遠駐

1　《宋子文致蔣介石電》（1942 年 5 月 9 日）："軍部密告，接史梯威電，羅卓英離軍隊遁寶〔保〕山。"見林孝庭等編：《胡佛研究所所藏蔣介石、宋子文往來電稿》，初稿，未刊。

2　熊式輝檔，哥倫比亞大學珍本和手稿圖書館藏。《戰時外交》（3），第 603—604 頁，所載文字有小異，此據熊式輝檔引。

3　《宋子文檔》，第 60 盒。

4　《宋子文檔》，第 60 盒。

印度，否則種種計劃進行愈感延滯"[1]。

宋子文接到蔣介石向美方提出史迪威問題的指示後，感到相當為難。當時，德國正傾全力進攻蘇聯南部，蘇軍情況危急，英美無暇東顧。同年6月，宋子文致電蔣介石提出，應盡力於以下工作：（一）中印空運；（二）美空軍多派數大隊來華助戰；（三）美根據史迪威要求，派陸軍二、三師赴印，助我克復緬甸，以利我陸運。根據上述情況，宋子文要求蔣介石"對史迪威萬分忍耐"[2]。

滇緬路封閉後，中國對外通道被堵。美方不得已，將已經撥給中國的十餘萬噸機械大部分收回。此後，美國援華物資只能依賴中國、印度之間的空運。根據中國抗戰需要和美國援華計劃，最低限度每月必須向中國運輸3500噸軍械，而中印之間的空運當時實際上只能運輸500噸。這種情況，將導致有關援華計劃的取消。為此，宋子文多次致電蔣介石，要求蔣與史迪威切實商談：（甲）中印空運計劃；（乙）中美在華空軍計劃；（丙）國內及赴印陸軍計劃及附帶軍械問題等等。但是，始終得不到蔣的回答。宋子文詢問美國空軍參謀長，美國空軍參謀長答稱此為史迪威責任；宋子文向羅斯福總統彙報，羅答以史迪威為蔣的參謀長，諸事可由蔣向史下達命令。6月12日，宋子文致電蔣介石，要求蔣明白示知："文追隨鈞座二十年，必知其素性憨直，絕非意存推諉，更不願敷衍因循，事實如此，不得不一再曉瀆，即請鈞座明白示知，鈞座對史梯威感想如何？文各電所列問題，是否已與其商洽？有何困難？美方認定，接濟中國必須史梯威商承鈞座之後來電證實，始克有濟，是以文必須明了鈞座對史之感想及史對我之態度，始可設法相機應付也。"[3]

這時，美國陸軍部長史汀生已經感到，蔣對史迪威"無十分信任之表示"，二人關係中出現了不和諧的因素。6月12日，史汀生約宋子文專談史迪威問題。宋稱：如美國將本國陸軍交給蘇俄軍官指揮，將非常困難，而蔣介石卻將中國入緬部隊交給史迪威指揮，這是歷史上的"空前之舉"。史汀生則表示：史為"第一流戰將，美軍官中無出其右，故特派充蔣公參謀長，但余等崇拜蔣

---

1 宋子文：《加碼呈委員長電》，1942年5月19日，林孝庭等編：《胡佛研究所所藏蔣介石、宋子文往來電稿》，初稿，未刊。

2 《宋子文致蔣介石電》，1942年6月。

3 《宋子文致蔣介石電》，1942年6月12日。

委員長及愛護中國之熱切，不能以對史個人感情為比例，如蔣公以為史不適當，務請直言無隱，俾得更換其他將領，決不因此發生絲毫意見"[1]。6月16日，宋子文致電蔣介石，建議蔣將對史的意見向美方和盤托出，同時大膽對史迪威進行指揮，電稱："文意鈞座願顧全大局之苦心，為中外所共見，但如史梯威確不能共事，不妨此時乘機直說。""鈞座似可表示，對史梯威固至信任，但對其見解當然不能事事俯從。如此一方面不傷感情，一方面可留他日地步。陸長等既自動有另調之意，且自總統以次，均認史為鈞座部屬地位，鈞座盡可照部屬指揮命令之，不必以上賓相待，但善為利用其地位，以推動美軍部充量之接濟。"[2] 可見，宋子文關心的是利用史迪威的地位，推動美援，並不希望蔣、史矛盾激化。然後，一件意想不到的風波發生了。

四、史迪威向蔣提交《備忘錄》，聲稱自己雖是中國戰區參謀長，但又是美國總統代表，暗示不能完全聽命於蔣，蔣認為史 "不法無禮已極"，"以殖民地之總督自居"，實行太上統帥職權，要求羅斯福表明態度

6月下旬，德國加強了對非洲的攻勢。為解救危機，美國軍方將全部重型轟炸機和所需運輸機調往埃及，其中包括駐紮在印度的第十航空隊。26日，史迪威將這一 "壞消息" 告知蔣介石。蔣認為這是美方 "置我中國危急於不顧，心殊憤激"，他在 "強忍" 之下，仍然責問道："羅斯福總統來電明言已令將美國空軍第十軍由印度調來中國作戰，想令出必行，豈容擅改！""倘英、美以為中國抗戰實力尚有保持之必要，絕不應一再無視中國之利益如此。蓋中國最近所受之待遇，不啻在英美心目中已失其存在矣。"[3] 事後，宋美齡、宋子文都提出質問，史迪威 "狠狠地反駁了他們"。同日，史迪威秘密致電美國陸軍部，

1　《作戰經過》（3），第514—515頁。
2　《作戰經過》（3），第514—515頁。
3　《戰時外交》（3），第168頁；參見《史迪威日記》，1942年6月26日，第109頁。

聲稱"蔣公極為激動,囑予電呈總統,其大意為:同盟國家未認中國戰場為同盟國家戰場之一部","中國全力抗戰已有五年,而同盟國家並未以全力援華。利比亞戰事固緊張,但中國戰場狀況亦屬緊張"[1]。

6月29日,蔣介石向史迪威面交"手諭"一件,提出保持中國戰區的最低限度的需要三項:1. 8、9月間美國派三個師去印度,與中國軍隊合作,恢復中緬交通;2. 自8月份起應經常保持第一線飛機500架;3. 每月經過駝峰運送5000噸物資。蔣批評自美國軍事代表團抵華以來,在建設中國空軍方面,尚無特殊成就;羅斯福對中國戰區,尚有未能完全明了之處;太無視中國戰區。[2] 7月1日,宋美齡與周至柔、陳納德、史迪威舉行會議。宋美齡要求史迪威將蔣的"手諭"轉交羅斯福總統,並附上史本人的推薦信。史當場拒絕,對宋稱:"這是大元帥給總統的最後通牒,超出了我的職權範圍。我借此機會闡明自己的身份,一是大元帥的參謀長;二是中緬印戰區美軍總司令,其職權超出中國之外;三是戰爭委員會的美方代表,代表和維護美國的政策;四是總統負責租借事務的代表;五是一名宣誓要維護美國利益的美國軍官。"史並在當日的日記中寫道:"如果她不懂得這一點,那她就比我想像的還要愚蠢。"[3]

7月2日,蔣介石擬從美國已經撥給中國航空公司的飛機中轉撥兩架運輸機給中國空軍,遭到美員拒絕。史迪威為此向蔣致送備忘錄,一面同意此兩架飛機可由蔣介石支配應用,但同時聲稱自己是"出席中國任何軍事會議之美國代表","在任何上述會議中,本人所有其他地位皆不適用"。又聲稱自己是美國"總統代表","負責監督及管理租借器材,並決定移轉其所有權之地點與時間。俟所有權轉移之後,委座即具此項器材管理之權"[4]。史迪威的這份備忘錄意在告訴蔣介石,自己雖是中國戰區的參謀長,但又是"美國總統代表",可以不接受蔣的命令。美國租借物資只有在經過他同意之後蔣才能調用。蔣介石長期是中國的"最高領導",令出必行,何曾受過這種對待!

接二連三的類似事件,特別是史迪威的《備忘錄》將蔣惹惱了。同日,蔣

---

1 《戰時外交》(3),第613頁。

2 《戰時外交》(3),第171—175頁。

3 《史迪威日記》,1942年7月1日,第110—111頁。

4 《戰時外交》(3),第608—609頁。

介石致電宋子文，表示"中國對租借物之受予形同乞憐求施"，指責史迪威"以總統代表資格脅制統帥"。蔣強烈表示：史既在中國戰區內擔任參謀長，"則所有其他地位皆不能適用"[1]。7 月 3 日，蔣介石日記指責史"愚拙，其言行之虛妄，可謂無人格已極"。次日日記稱："自覺慚愧國家貧弱，所以遭此侮辱。"[2] 5 日，蔣介石致電宋子文，要他促請美國政府注意。6 日，宋子文電覆蔣介石，支持蔣對史迪威《備忘錄》的態度，首次提出撤換史迪威問題。電稱："史迪威態度殊屬離奇。閱其原函，強詞奪理，謬解職權，非神經錯亂，不能狂妄至此。文日內即進謁當局，諒能加以糾正。但文亟欲知者，重新明確規定參謀長職權後，鈞座是否仍擬留其在華供職，抑或乘機更換，另選他員？"[3] 9 日，蔣介石再電宋子文，要宋觀察美國政府態度，暫不表態，"先看美政府對史之來函如何處理，最好能由其自動召回也"[4]。18 日，蔣介石與史迪威談話，產生不再要求美援的想法，日記云："英美對亞洲有色人種觀念，根本不易改變，非我國獨立奮鬥至百年之後，決難平等。"又云："美國對我冷淡接濟事，不如不再要求，亦一對策也。"[5]

宋子文受蔣之命後，即與美方接洽，並親見羅斯福，陳述意見。7 月 23 日，美國軍部向宋子文轉告羅斯福意見：史為中國區參謀長，當然聽命於蔣委員長，同時為美國駐渝租借法案代表，及國際軍事會議美國代表，當然聽命於美方。如蔣以為不便，可將史的參謀長職務和美國代表職務劃開，分由兩人擔任。美國軍部稱：總統因史迪威對中國及蔣公一向友好，而且熟悉中國情形，甚盼蔣公能繼續任用。宋子文認為美方"語氣仍不免袒護"，再次謁見羅斯福，解釋內中情形，說明史函的不當。羅斯福稱：史的職權中有代表美國出席在渝國際軍事會議一項，現在既無此類會議，事實上形同虛設。關於租借法案，此後一切由宋子文代蔣，霍布金代表我，在華府共同解決。這樣史迪威即成為"專屬參謀長"。"如蔣公仍以史為未妥，余當更換之，但美國幹練適當之軍官

---

1 《戰時外交》（3），第 609—610 頁。

2 《蔣介石日記》（手稿本），1942 年 7 月 3 日。

3 《戰時外交》（3），第 611 頁。

4 《戰時外交》（3），第 611 頁。

5 《蔣介石日記》（手稿本），1942 年 7 月 18 日，參見同日《困勉記》。

甚少，另覓妥員，確有相當困難。"27 日，美國陸軍部代擬羅斯福覆蔣介石函，仍取維持史迪威《備忘錄》態度，要求宋子文轉呈蔣介石，宋得悉其內容後，緊急謁見羅斯福，說明理由，告以"未便轉呈"。羅斯福對宋子文所言，"極以為然"，決定撤銷此電[1]。

　　為了向蔣介石說明同盟國全盤戰略，調解蔣史糾紛，羅斯福於 1942 年 7 月派行政助理居里再次訪華。7 月 22 日，蔣介石會見居里，批評同盟國戰略不當。居里問蔣，是否將史迪威調回美國？蔣答："此由美國政府自定，余不願參加意見也。"[2] 25 日，蔣思考史迪威的《備忘錄》，認為應向美方聲明四點："甲、史以聽命與不能聽命，由其自便之意，此為侮辱統帥。乙、租借法案（物資）之發與不發，由史自便，非由我求其不可，此為欺凌。丙、我認史過去之態度、行動，一人而利用其兩種職權，實以殖民地總督自居，以參謀長為名而實行太上統帥職權。此必於美國助華平等政策有礙。丁、認史此函太不認識中國，侮辱余革命人格，故不能忍受。"[3] 同日，蔣介石再次與居里談話，進一步確認西方世界歧視中國，美國與英國並無差別。日記云："更覺西人皆視華為次等民族，無不心存欺侮，進以進一步壓迫，乃必壓迫不止。美國所謂道義與平等為號召，其實其心理與方法無異於英國之所謂。"[4] 他覺得，"對帝國主義，應爭則爭"。26 日，蔣介石分兩次與居里長談三個半小時，痛斥史迪威"來函不敬之過惡與美國軍部藐視與侮辱態度"。蔣自覺大義凜然，居里初時"矜持"，最後"乃亦不敢不折服"。蔣介石感到精神上的勝利，日記云："對帝國主義者，無論其為何國，其對被壓迫之國家，皆無誠意可言，非利用即高壓，皆抱可欺則欺、可侵則侵之心，吾人若一以克己復禮、謙恭自持之道待之，則適中其計謀矣！"[5] 同日，蔣介石致電宋子文，聲稱如羅斯福來電肯定史迪威《備忘錄》，則宋可代表自己向羅表明：取消中國戰區，辭去中國戰區總司令職務[6]。至此，蔣介石已向羅斯福擺出"攤牌"架勢。7 月 30 日，宋子文致電蔣介石，要求蔣

1　《戰時外交》(3)，第 615 頁。
2　《蔣介石日記》（手稿本），1942 年 7 月 22 日。
3　《蔣介石日記》（手稿本），1942 年 7 月 25 日。
4　《上星期反省錄》，《蔣介石日記》（手稿本），1942 年 7 月 25 日。
5　《蔣介石日記》（手稿本），1942 年 7 月 27 日。
6　《戰時外交》(3)，第 614 頁。

乘居里在重慶期間，"凡不滿史梯威之種種事實，最好向其直言無隱"[1]。同日，蔣介石與居里第五次談話，居里提出"過渡辦法"，聲稱不可讓史迪威太失體面，以免他回美後反華，可令史先赴印度，美國另派一人來華暫代。蔣同意這一辦法[2]。

五、史迪威受命在印度訓練中國軍隊，杜聿明等指責史迪威"擅權改制"，"毀辱國體"

上文已述，中國遠征軍第一次入緬援英戰爭失敗後，部分軍隊退入印度。1942 年 6 月，史迪威向蔣介石提出在印度訓練中國軍隊的計劃，得到批准。同月 24 日，蔣指令史迪威擔任這支訓練部隊的司令。7 月 16 日，蔣進一步任命史迪威為中國駐印軍總指揮，羅卓英為副總指揮。8 月上旬，史迪威赴印，以藍姆伽（也譯作"蘭姆伽"）為營地訓練中國部隊。他提出，"要中國士兵，不要中國軍官，尤其不要中國將領"，從美國調來三百多名軍官，擬將駐印軍營長以上軍官均改由美國人擔任，這一舉措受到中國將士的強烈反對。史遂將這部分美國軍官改為聯絡官，派往各部[3]。但這部分聯絡官權力很大，可以直接調動營以下部隊，而無須通知中國部隊長官。同年 9 月，史迪威下令將第三十八師改為 10 個炮兵營，將原師長孫立人及廖耀湘等改任炮兵指揮或步兵指揮。12 日，杜聿明致電蔣介石，聲稱："國家軍制係我政府法定之建制，史將軍擅權改制，實屬毀辱國體，損害主權。"[4] 同年 12 月，美國政府決定向中國撥濟 30 個師的軍械。11 日，蔣介石與來重慶參加會議的史迪威談話，史乘機竭力批評中國軍隊辦事延緩，羅卓英有"十大罪狀"。蔣介石雖然不高興，但尚能"忍耐"，決定撤換羅卓英，代之以邱清泉[5]。不久，因擔心邱脾氣暴躁，不易與史迪威相處，又改為鄭洞國[6]。至 1944 年 1 月，藍姆伽營地共訓練中國軍官 2626 人，士

1　《宋子文致蔣介石電》，1942 年 7 月 30 日。
2　《蔣介石日記》（手稿本），1942 年 7 月 30 日。
3　鄭洞國：《我的戎馬生涯》，團結出版社 1992 年版，第 295—296 頁。
4　《作戰經過》（3），第 515 頁。
5　《蔣介石日記》（手稿本）卷 75，1942 年 12 月 11 日。
6　鄭洞國：《我的戎馬生涯》，第 272—273 頁。

兵 29667 人。這支部隊在後來的反攻緬甸戰鬥中發揮了巨大作用。

除退入印度者外，中國遠征軍的主力大部分退入雲南西部。1943 年 2 月，軍事委員會決定重建遠征軍，以陳誠為司令長官。3 月 10 日，陳誠與史迪威商量，決定在昆明設立訓練基地，調集幹部分批輪訓後空運至藍姆伽實習。

六、計劃攻緬，蔣、史矛盾再度激化，史認為蔣是 "偉大的獨裁者"，蔣認為史 "卑劣"、"可恨"，"無常識，無人格"，彼此惡感發展至極點

日軍佔領緬甸全境後，史迪威多次提出反攻緬甸計劃。1942 年 7 月 19 日，史迪威向蔣介石提交《反攻緬甸計劃》，其要點為 "南北緬水陸同時夾擊"：1. 中、英、美三國聯合出兵，自印度攻入緬甸，同時，另一路中國軍隊則自雲南進攻。兩路會師曼德勒，會攻仰光。2. 在盟軍從陸路進攻的同時，英國海軍確立在孟加拉灣的制海權，從仰光登陸。這一計劃後來被稱為 "安納吉姆" 計劃。8 月 1 日，計劃得到蔣介石的批准。11 月 3 日，史迪威自印度到重慶，向蔣介石彙報和英軍統帥韋維爾商談結果，要求在 1943 年 3 月 1 日前後發動攻勢。蔣介石表示，中國可由雲南方面出動 15 師，但勝利關鍵在於英方是否能調撥足夠的海空力量，掌握制海權和制空權。他說："倘海空實力不充，中國實不願派一卒參加此役。反攻開始以前，余必須知英國用於緬甸海空軍之實力，方能下令前進。""此次不反攻則已，一旦反攻，非勝不可，絕不能再受第二次之失敗。"[1]

1943 年 1 月，蔣介石致電羅斯福，要求羅敦促英方，調動陸、海空力量，共同克服緬甸[2]。同月，羅斯福、丘吉爾在北非的卡薩布蘭卡（卡港）會議，決定實施 "安納吉姆" 計劃。2 月 4 日，美國陸軍航空軍司令阿諾爾、空軍補給司令薩默維爾（Somervell，或譯薛莫維爾、索摩微爾）、英國聯合參謀代表團團長迪爾到重慶，向蔣介石通報卡港會議情況及 1943 年戰略。同月 7 日，雙

---

1 《作戰經過》(3)，第 355、357 頁。
2 《戰時外交》(3)，第 211 頁。

方會談，蔣介石同意英美方案，但要求英美方面增加空運與空軍，切實支持中國。其標準為：空運物資每月 1 萬噸，飛機 500 架。蔣強調，必須達到這一標準，並有確切日期。史迪威對蔣所提要求不滿，當即質問蔣：是否不達到標準，即不對日抗戰？史的質問含有明顯的輕蔑成分，蔣認為史迪威作為自己的參謀長，提出這一質問，"可惡不敬已極"，但是，他忍著沒有發作，只回答說："中國抗戰已六年，即使太平洋戰爭不起，英美不來援助，中國亦可獨立抗戰。"史迪威再問：所謂標準是否為條件？蔣答稱："此非條件，乃是余負責作戰者最低限度之要求耳！"接著，蔣以溫和的語氣要求阿諾爾轉告羅斯福與丘吉爾："余當盡其所能，不惜犧牲一切，以期不辜負友邦之期望。"[1] 8 日，蔣介石打電話給宋子文，指責史迪威會議上的"不敬"，要宋轉告史，令其以後"戒慎"，限史切實設法，達成蔣在會上所提條件，以贖過失[2]。9 日，中、英、美三方印度加爾各答會議，一致同意實施"安納吉姆"計劃，以 1943 年 11 月至 1945 年 5 月為入緬作戰期。會議期間，宋子文向史迪威轉達了蔣的批評。據宋致蔣電稱："彼極為懊喪，並謂當時談話有失體統，甚以為歉，但信鈞座必諒其忠實及一番熱忱。"[3] 不過，史自己的日記則是："見他的鬼吧！"[4]

5 月初，史迪威與飛虎隊的陳納德之間在對日實施"空中攻擊"問題上發生分歧。陳納德主張，只要中美用 500 架飛機對日軍進行空中攻擊，即可消滅日本大部分在華空中力量，阻遏其船運，破壞其交通線，使緬甸和中國本部的陸戰易於進行。史迪威則認為，中國軍隊缺少軍械給養補充，也缺乏訓練，不足以保護機場。如對日"空中打擊"實施過早，引敵來攻，則雲南、廣西、湖南各地的機場均將喪失，以中國本部為基地空襲日本的計劃也將落空。爭論雖發生於史、陳二人間，但不久即發生於史迪威與宋子文之間。5 月 5 日，美國海陸空三方會議，邀請史迪威、陳納德、宋子文參加。宋支持陳，主張當前急務為增強空軍力量，史則認為，中國陸軍勇敢苦戰，損失巨大，"目前實不堪

---

1 《蔣介石日記》（手稿本），1943 年 2 月 7 日。
2 《蔣介石日記》（手稿本），1943 年 2 月 8 日。
3 《宋子文致蔣介石電》，1943 年 2 月。
4 《史迪威日記》，未注明日期，第 175 頁。

一戰"。宋即批評史"對中國陸軍未免過於悲觀"[1]。同日晚，宋美齡謁見羅斯福，羅表示，擬將反攻緬甸計劃縮小為佔領緬北[2]。

史迪威早就制訂過一份"有限度地進攻北緬的計劃"，但遭到蔣介石的否定。蔣的理由是：六年來，中國對日作戰得到的經驗是"迫使機械優越之敵人，運用惡劣之交通線，使其機械設備失其效用"。而在北緬，日軍可以利用伊洛瓦底河及仰光鐵路，中國方面可利用的只有正在建造中的兩條公路。即使中國軍隊在北緬成功，日本人仍可利用交通便利，派軍增援。他向史迪威一再說明，"不可再蹈覆轍"[3]。5月8日，蔣介石致電宋子文，要他在羅斯福、丘吉爾會談期間，力爭照卡港會議及其後的重慶會談決議實施，首先以英、美海空軍截斷日軍供應線，佔領仰光，然後收復整個緬甸。電稱："如果僅僅佔領北緬甸至蠻德勒為止，非僅無益於中國戰場，而且費力多，犧牲大。結果必不能達成目的，徒然犧牲兵力。"[4]5月13日，宋子文專訪到華盛頓參加太平洋軍事會議（三叉戟會議）的丘吉爾，要求英方照卡港、重慶、加爾各答等會議決定，如期攻緬，但丘態度消極。宋問：是否準備放棄攻緬？丘答：英美軍事專家正在研究[5]。丘吉爾的回答使宋子文倍感緊張，立即致電蔣介石彙報，蔣也跟著緊張起來。

1943年春，蔣介石為準備進攻緬甸，曾將原來部署在長江兩岸的第六戰區主力抽調赴雲南、貴州，司令長官陳誠也出任中國遠征軍司令長官隨部隊入滇，鄂西空虛。同年5月，日軍在湖北宜昌集結大軍，進攻三峽地區，威脅重慶。當蔣得知太平洋軍事會議有放棄攻緬計劃的可能後，大為惱怒，致電宋子文稱，如此，"則我軍民對聯合國從前所有各種宣言與決議之信約，不僅完全喪失信用而已"。他覺得，又上了史迪威的當。電稱："史迪威始則強催我軍集中攻緬，今乃因抽調部隊，而使重慶門戶大受威脅，而結果則謂可以取消打通仰光與滇緬路計劃，則我軍上下對美國用意與作為，豈啻視為兒戲，直認為有

1 《戰時外交》（3），第224—226頁。
2 《戰時外交》（3），第226頁。
3 《戰時外交》（3），第236頁。
4 《戰時外交》（3），第227頁。
5 《戰時外交》（3），第228頁。

意陷中國於滅亡之境，不啻協助日本完成其大東亞之新秩序，豈不令人惶慄不已！"[1]他要宋子文將這一看法明告史迪威及羅斯福左右。

5月17日，宋子文應邀出席聯合參謀長會議，轉述蔣的態度，堅決反對放棄攻緬，也反對史迪威僅攻緬北的計劃，闡述其理由說："我如不佔領緬南，斷其後路，必歸失敗，徒作無為〔謂〕之犧牲。蔣委員長彼時之決心如此，今日對此之決心益強。"[2]在此前的聯合參謀長會議上，史迪威公開批評蔣介石："諸事猶豫，於戰略無一定見解。"針對史的批評，宋特別為蔣辯護，聲言蔣並非初次與外國軍事專家合作。他以蔣曾任用蘇聯的加倫、崔可夫、德國的塞克特及佛采耳為顧問為例，說明他們在任期內"無一不恪遵蔣委員長意旨"[3]。18日，蔣介石從宋子文電來電中得知有關情況，日記云："英人固毫無進攻緬甸之意，史迪威之言辭對我軍污蔑輕侮，憂戚之至！"[4]21日，在太平洋軍事會議上，宋子文再次要求，堅決執行卡港會議及加爾各答會議的攻緬決議，丘吉爾辯稱，當時"只有計劃，並無決議"，"英軍事當局如有允諾，實屬越權"。他表示："將來當極力設法使印度與中國軍隊得以連合，或須經緬甸北部。"[5]宋子文擔心羅斯福會向英方妥協，於同日謁見羅斯福，重申史迪威的進攻北緬計劃，"徒耗軍力，蔣委員長絕不能接受"。羅斯福則稱："攻復仰光，確有困難，但可先向西南岸進攻，以從後面襲擊仰光"，將來擬派新銳部隊赴緬。羅要宋子文轉告蔣介石："攻緬計劃，余有決心進行。"[6]

重慶危急加深了蔣介石對史迪威的惡感。5月22日，蔣介石日記云："美國史迪威之陷弄乃其總因，此人誠誤事不淺矣！"[7]27日，蔣介石致電正在美國訪問的宋美齡云："近日戰況確甚緊急，本星期內關係最大，所以致此之故，實由史迪威催促我精兵抽調入滇，準備攻緬，以致前方空虛，為敵所乘。其實去年至今，自緬戰至此次戰爭，皆為史所陷害也。"[8]6月21日，蔣介石再電宋美

1　《戰時外交》（3），第229—230頁。
2　《戰時外交》（3），第231頁。
3　《戰時外交》（3），第232頁。
4　《蔣介石日記》（手稿本），1943年5月18日。
5　《戰時外交》（3），第234頁。
6　《戰時外交》（3），第236頁。
7　《蔣介石日記》（手稿本），1943年5月22日。
8　轉引自《古達程渝來電》，1943年5月27日，《宋子文檔》，第58盒。

齡，要求她在向羅斯福告別時，相機提出史迪威問題："甲、史對余不能合作，余為大局計，均能容忍，惟其對中國軍民成見太深，以廿年前之目光看我今日之革命軍民。乙、故自史來華，我軍隊精神因之消沉頹喪，蓋史視中國無一好軍人，無一好事，而根本不信我軍能作戰，更不信我勝利，故欲其指揮盟軍以求勝利，無異緣木求魚。而彼對自己所處理之事與計劃，以為無一不好，固執不變，毫無商洽餘地。丙、故現在我軍對史失望，以為如再聽其指揮，不惟無勝利，必大受犧牲，非至全敗不可。"電末，蔣介石稱："彼之態度，是來脅制中國，而非協助抗日，其結果與美國之熱忱援助及友愛精神相反。余為史對於一般軍官嚴加勸戒，令與合作。惟長此以往，時時發生誤會，則不勝防制之苦。故為作戰及大局計，深望羅總統明了此事真相與現狀，蓋甚恐其對華盛情將來失望，故不敢知而不言也。"[1]但是，蔣介石又叮囑宋美齡，不必太正式，也不必採取"不可不撤換"的強硬方式，只告以"實情"即可。

在羅斯福的堅持和說服下，原來堅決反對攻緬的丘吉爾同意一致進行，英美參謀團會議隨即制訂新的攻緬計劃。史迪威曾答應向蔣呈閱會議記錄，但史迪威第一次交給蔣的並非全文，而且缺乏重要部分。當時，蔣認為，海軍是這次行動中的重要組成部分。除非保住孟加拉灣，否則進攻緬甸也就沒有用處。因此，他關心英美"將提供多少海軍"[2]。6 月 27 日，蔣介石命外事局局長商震催史迪威來見，詢問會議關於海軍兵力數量等文件是否帶來。史稱，此件不能交任何人，繼而改稱，回去後交商震代呈。在商震去史處催索後，交來者仍非蔣所需要的文件[3]。6 月 28 日，史迪威致函蔣介石，說明聯合參謀團為取得孟加拉灣制海權所必須派遣的"適當之兵力"。據史自稱："列了一長串戰艦、重型巡洋艦、航空母艦及驅逐艦等，而且第七次解釋了'適當'一詞。"[4]史迪威非常不情願這樣做，日記云："這超越了所有界限。這個小人令人厭惡，他十分傲慢地詢問我們將能做些什麼，誰在妨礙我們幫助他，以供應一切——軍隊、裝備、飛機、醫藥、通訊、汽車運輸、建立他該死的後勤供應部，訓練他的劣等

1 轉引自《古達程渝來電》，1943 年 6 月 21 日，《宋子文檔》，第 58 盒。
2 《史迪威日記》，1943 年 6 月 28 日，第 187 頁。
3 《蔣介石日記》（手稿本），1943 年 6 月 28 日。
4 《史迪威日記》，1943 年 6 月 28 日，第 187 頁；《戰時外交》（3），第 628 頁。

軍隊，甩下他那後娘養的參謀總長和總參謀部，而他卻對我們的準備工作挑三揀四，對海軍問題支支吾吾。主啊，救救我們吧。這個偉大的獨裁者。他讓他的部隊忍飢捱餓，是世界上最大的傻瓜。"[1] 同日，蔣介石召見史迪威，當面加以批評。日記云："此人之無常識、無人格，實難令人想像者。"又云："史之愚拙、頑劣、卑陋，實世所罕有。美國有此軍官，而其長官馬歇爾且視為一等人才，豈不怪哉！"[2] 這說明，彼此之間的惡感都發展到了極點。

美國是強國，史迪威是美國派到中國的將軍，因此，蔣介石將他和史迪威的關係看成弱國和強國之間的關係。6 月 29 日，蔣介石日記云："凡弱國參戰，無論如何努力與犧牲，強國皆視為不能與彼相比。又以史迪威之指揮我軍在緬作戰，彼不以我軍犧牲為英勇，總以我軍怯弱，而一以北洋軍閥舊日之軍官〔隊〕視我也。"[3]

不久，史迪威又有幾件事加劇了他和蔣介石的矛盾：

一是擅自撤委中國軍官。8 月 14 日，總指揮部副參謀長溫劍銘因事與國內軍政部通電，被史認為"有違軍紀"，下令調溫為高參，委美國人博金為副參謀長，引起全軍大嘩。新編第一軍軍長鄭洞國勸史收回成命，為史拒絕。史的助手參謀長波德諾甚至說："駐印軍是由美國裝備訓練的，因此軍中事務，包括人事必須聽命於總指揮部，即使中國政府也不得干預過問。"[4] 鄭及參謀長舒適存、師長孫立人等憤而致電蔣介石。鄭電稱："今竟有此不幸事件，則人無保障，勢必媚外圖存，軍隊紀綱如何維持，國家體制其何以堪！"[5] 舒電稱："美方一貫政策，為打破中國高級指揮機構。""美方微員僚佐，皆代表史將軍，須聽其命以馳驅，稍不遂意，責難侮辱隨之。"蔣介石批示："為何史於人事，不先請准本委員長，而擅自撤委？"[6]

二是給蔣介石寫報告、備忘錄時所署職銜和語氣。史通常均署"美國陸軍

1 《史迪威日記》，1943 年 6 月 28 日。
2 《蔣介石日記》（手稿本），1943 年 6 月 28 日。
3 《本月反省錄》，《蔣介石日記》（手稿本），1943 年 6 月 30 日。
4 鄭洞國：《我的戎馬生涯》，第 301 頁。
5 《作戰經過》（3），第 516—517 頁。
6 《戰時外交》（3），第 630—631 頁。

中將"，引起中國將領不滿[1]。9 月 21 日，史在給蔣介石的意見書末改署"中國戰區參謀長"。蔣介石閱後稱："書中仍有不遜之言，此種恣睢態度，殊令人難受，隱痛已極！"[2]

三是史迪威對中共的態度。史對蔣失望，自然對中國共產黨及其所領導的抗日部隊寄以希望。1942 年 6 月至 10 月，史迪威的政治顧問戴維斯多次在重慶訪問周恩來。1943 年 3 月，戴維斯再次訪問周恩來，周提議美國派代表常駐延安。6 月 24 日，戴提出報告，主張接受周恩來建議，向延安派駐觀察員。9 月 6 日，史迪威向蔣介石提出《備忘錄》，建議調動中共領導的第十八集團軍及胡宗南、傅作義、鄧寶珊等部向山西出擊，這些都觸犯了蔣的大忌。蔣日記云："此其必受共匪所主使，而且其語其〔氣〕含威脅之意。且名為備忘錄，是將來制裁中共時，證明曲在於我之意。此史實一最卑劣、糊塗之小人！余不屑駁覆，乃置之不理，表示拒絕其干涉之意。"[3] 9 月 10 日，蔣介石致電宋子文，指責史迪威"徒聽共黨之煽惑，助長共黨之氣焰，殊為可歎！"[4]

七、宋子文受蔣之託，說動美方同意撤換史迪威，但蔣臨時改變主意，允史改過，二人發生激烈衝突，蔣怒而命宋"滾蛋"，自此拒不見宋

在羅斯福的推動下，丘吉爾勉強同意實施攻緬計劃。其內容為：於 1943 年雨季結束後自印度對緬甸西北部進行陸空有力攻勢作戰，同時以海、陸軍攻襲緬甸海岸，中國軍隊則由雲南進攻[5]。5 月 26 日，羅斯福將關於此項決定的通知書交給宋子文。29 日，蔣介石致電宋子文，要他提醒羅斯福，陸軍對北緬進攻與海軍對仰光進攻，務須同時行動。8 月 18 日蔣介石致電羅斯福、丘吉爾，告以雨季將過，不能再事遷移。同月，羅、丘等在加拿大的魁北克開會，決定在

1　《史迪威日記》，1943 年 9 月 18 日，第 200 頁。
2　《蔣介石日記》（手稿本），1943 年 9 月 21 日。
3　《上星期反省錄》，《蔣介石日記》（手稿本），1943 年 9 月 12 日。
4　《戰時外交》（3），第 632 頁。
5　《戰時外交》（3），第 243—244 頁。

未來的乾燥季節中，反攻緬甸，同時決定成立東南亞戰區統帥部，以英國海軍中將蒙巴頓為統帥（旋升大將），史迪威為副統帥。

1943 年 9 月，宋子文鑒於英美聯軍對日攻勢漸趨積極，認為有調整與英美軍事關係的必要。他設計了兩項調整方案：（一）最高級的組織，如華府的聯合參謀團及支配軍械委員會，均應有中國代表參加。供給中國的軍械，由中國直接申請，毋須史迪威或其他駐中國的美國軍官過問。（二）史迪威即行撤調，同時改組中國戰區。以蔣介石為最高統帥，美國將領為副統帥；以中國將領為參謀長，以美國將領充副參謀長，統帥部各處長、副處長均以中美軍官分任。[1]宋計劃先與羅斯福總統作原則上的討論，在 10 月偕同美國陸軍次長麥克洛來渝時，再與蔣商量決定。

9 月 16 日，宋子文會見美國總統助理霍浦金斯，霍贊成宋所擬調整方案，並稱：在參加聯合參謀團及改組戰區大前提之下，更換史迪威輕而易舉，史汀生雖反對亦將無效，馬歇爾也不像以前那樣絕對維護史迪威[2]。同月 29 日，宋、羅見面。事後，宋子文電蔣彙報：美方同意撤換史迪威，調整中國戰區，在華盛頓另組包括中國在內的太平洋軍事參謀團。電稱：本人將陪同蒙巴頓到重慶，向蔣報告國際情形，並洽商蔣與羅斯福、丘吉爾會晤問題[3]。10 月，宋子文偕蒙巴頓及美國後勤部長薩默維爾中將來華。薩默維爾是美方預定的史迪威的接替人，還在途經印度德里時，宋子文就對薩透露說："事情正在成功，他與大元帥（指蔣介石）一同進行了謀劃。"[4]他完全沒有想到，蔣介石會改變主意。

10 月 2 日，蒙巴頓等向蔣介石轉呈丘吉爾致蔣介石密函及魁北克會議決議。同月 11 日，蔣介石與宋子文談話，談史迪威事。其後，蔣又和宋美齡談論，當日蔣日記云："此史正卑劣之小人，無恥極矣！" 15 日，蔣開始思考史迪威的去留問題，一是去史之後的代替人選，一是撤換史迪威的可能性。蔣認為：美國人員中無人適合出任東南亞戰區副統帥，也無人能出任駐華美軍

1 《戰時外交》（3），第 262—263 頁。
2 《戰時外交》（3），第 265 頁。
3 《戰時外交》（3），第 267 頁。
4 《史迪威日記》，1943 年 10 月 21 日。

主任。美國參謀總長馬歇爾非常袒護史迪威，美國政府未必決心將其撤換[1]。這樣，蔣介石原來的決心就動搖了。

10月16日，薩默維爾將蔣介石要求召回史迪威一事告知蒙巴頓，蒙巴頓強烈反對。他說：如果指揮中國軍隊兩年之久的官員（指史迪威——筆者）在軍事行動前夕被免職，他無意於使用中國軍隊。蒙巴頓委託薩默維爾將他的觀點轉達給蔣介石[2]。同日，蔣介石與薩默維爾談話稱：一年半以來，自己雖然做了很多努力，但總不能使史迪威與我軍合作，殊為遺憾[3]。17日下午，蔣介石再次與薩默維爾談話。兩次談話，都是宋子文擔任翻譯。蔣雖有意改變對史迪威的態度，但經宋子文翻譯之後，仍然是"非去史不可"。薩默維爾辭去之後，蔣介石決定"力圖挽救，轉彎百八十度"。他囑咐宋美齡召史迪威來見，"警告其撤職回美，對於其個人之損失程度。如其此時能對余表示悔過，則余或有轉回庶宥之可能"。據蔣介石日記稱：史迪威"承認其錯誤"並且表示"徹底改過"，於是，蔣"允宥其過，再予以共事最後之機會"[4]。當日，蔣介石在《反省錄》中寫道："史迪威去留問題為本星期最重要之一事，子文力主去史，以快其私意。余之既定方針，幾為其所搖惑，最後卒能自動補救，允史悔改，重加任用。此乃中美國際關係與戰局影響一大轉機，乃知安危禍福全在最後五分鐘幾微之間也。"他覺得，宋子文簡直壞極了——"自私與卑劣至此，實不能再為赦宥。如不速去，則黨國之禍患將不堪設想矣。"[5]

10月18日一早，蔣介石召宋子文談話，告以對史迪威的去留政策，應加變更，並告以昨晚史迪威已經表示悔過。宋子文完全沒有思想準備，自悔對蔣"太忠"，憤而表示以後不能為蔣"赴美再充代表"。蔣最初沉默不語，及至宋表示今後不能再與蔣"共事"之際，蔣突然爆發，"憤怒難禁，嚴厲斥責，令其即速滾蛋"[6]。據唐縱日記稱："宋部長不知因何使委座見氣，委座摔破飯碗，

1　《蔣介石日記》（手稿本），1943年10月15日。
2　*Stilwell's Mission to China*, pp.376-377.
3　《蔣介石日記》（手稿本），1943年10月16日。
4　《蔣介石日記》（手稿本），1943年10月17日。
5　《上星期反省錄》，《蔣介石日記》（手稿本），1943年10月17日。
6　《蔣介石日記》（手稿本），1943年10月18日。

大怒不已，近年來罕睹之事。"[1] 上午，薩默維爾再次來見，蔣告訴他，已取消昨日之議，允許史迪威悔過自新。同日下午，宋子文陪同蒙巴頓到黃山見蔣，蔣要宋美齡通知宋子文自動離開，否則寧可不與蒙巴頓相見。宋子文無奈，只能退出，蔣才走下樓梯，與蒙巴頓會談[2]。

1931 年，蔣介石與胡漢民發生衝突，一怒之下，將胡漢民軟禁於南京湯山，汪精衛、孫科等因而在廣州另立政權，引起國民黨內長達五年的寧粵之爭。蔣擔心撤換史迪威會嚴重影響中美關係，帶來新的巨大災難。他想起宋子文自 20 年代以來與自己作對的種種事情，在日記中憤憤地寫道："余自十三年起，受其財政之控制與妨礙，甚至其願受鮑爾廷之驅策，共同打擊於余，不知凡幾。二十年後復以其財政問題各種要脅，以致不能不拘胡，而致黨國遭受空前之禍患。今復欲以其個人私見而欲黨國外交政策以為其個人作犧牲，惡乎可！此誠一惡劣小人，不能變化其氣質也。"[3] 這時候，蔣介石覺得宋子文簡直壞透了，無論如何不能再用。

蔣宋關係中曾多次發生矛盾，蔣在日記中指責宋子文也屢見不鮮，但是，嚴厲至此卻並不多見。處於局外的唐縱記載說："日來委座火氣甚大，宋子文不知因何碰壁？"[4]

八、史迪威和宋氏姊妹"結盟"，企圖以宋美齡 出任軍政部長；宋藹齡聲稱，她在自己的"血肉" （子文）和中國的利益之間，作出了"選擇"

蔣介石對史迪威態度的轉變既與他擔心影響中美關係，損害抗戰大局有關，也是宋藹齡、宋美齡姊妹共同斡旋的結果。據史迪威自述：他曾經向這一對姊妹談過當時中國軍隊的真相，使她們非常震驚；也曾經研究過改革的辦法

1　唐縱：《在蔣介石身邊八年》，群眾出版社 1991 年版，第 386 頁。

2　《蔣介石日記》（手稿本），1943 年 10 月 18 日。

3　《蔣介石日記》（手稿本），1943 年 10 月 18 日。

4　唐縱：《在蔣介石身邊八年》，1943 年 10 月 21 日，第 387 頁。直到 11 月 5 日，唐縱才弄明白所以，見該書第 389 頁。

——讓宋美齡代替何應欽，出任軍政部長。於是，史與這一對姊妹"訂了攻守同盟"[1]。10 月 17 日晨，宋美齡打電話給史迪威，聲稱宋藹齡認為"仍有個轉敗為勝的機會"。史表示"不想待在不受歡迎的地方"。於是宋氏姊妹就向史"談起'中國'和職責來"，要史"大度一些，堅持一下"。宋藹齡對史稱："你的星正在升起"，闖過這件事，你的地位就會比從前更為穩固。姊妹二人表示，將代史見蔣，對他說，史只有一個目標，即中國的利益，假如史犯了錯誤，那也是由於誤解而非有意，史準備好了要充分合作。在二人的堅持下，史點頭同意，宋美齡表示"那我們馬上就去做"。其後，史迪威見蔣，其情況，據史自述：蔣"改變了立場，演起了戲，竭力顯得態度和解。他說了兩點：1. 我應該明白總司令和參謀長的職責。2. 我應該避免任何優越感。這全是廢話，但我有禮貌地聽著。蔣介石說，在此條件下我們可以和諧地再次繼續合作"[2]。20 日，宋藹齡向史解釋說："她只能在'她的血肉'（子文）和中國的利益之間作出選擇。""我們已經完全控制了'花生米'（指蔣介石），並讓他來了個 180 度的大轉彎。她認為這是一個大勝利。"宋藹齡保證，史的地位"得到了很大的加強，將來不會再有進一步的進攻"。

九、宋子文向蔣介石遞交"悔過書"，蔣介石感念親情與西安事變時宋子文的表現，答應與宋相見

蔣介石改變主意，史迪威留任使宋子文"捱了一下猛擊"[3]。但是，蔣自感對宋的態度也有不妥之處。10 月 24 日，蔣介石日記云："本週以宋子文橫暴、愚詐，觸余憤怒，實為近年來所未有之現象，亦乃修養毫無成效之徵象也，未免有慚！然子文奸詐卑鄙之情態不能不有此一舉。如果再事容忍，則養癰遺患，公私兩敗矣！"11 月 6 日，日記又云："宋子文野〔夜〕郎自大，長惡不悛。二十年來，屢戒屢恕，終不能使之覺悟改過。野心難馴固矣，然余無感化之

1　《史迪威日記》，1943 年 9 月 13 日，第 199 頁。
2　《史迪威日記》，第 205—206 頁。
3　《史迪威日記》，1943 年 10 月 21 日，第 207 頁。

力，不能不自愧也。"這一段時期，蔣介石始終不見宋。11 月 16 日，宋子安出面調解，要求蔣召見宋子文一次，遭到蔣的拒絕。日記云："彼誠幼稚天真之人也。"[1] 最後，宋子文不得不自己出面打破僵局。

12 月 23 日，宋子文致函蔣介石，自稱兩月以來，獨居深念，自感"咎戾誠多，痛悔何及"。接著，闡述與蔣的關係"在義雖為僚屬，而恩實逾骨肉，平日所以兢兢自勵者，惟知效忠鈞座，以求在革命大業中略盡涓埃之報"。信件著重說明抗戰以來，自己"無論在國內、國外，惟知埋頭苦幹，秉承鈞座指導，為爭取勝利，竭其綿薄"，但因"個性愚戇，任事勇銳，對於環境配合之考慮，任事每欠周詳；甚或夙恃愛護過深，指事陳情，不免偏執而流於激切"。信件自承在蔣前無禮、"粗謬"、"頑鈍"，要求蔣"曲予寬容"。函稱："此誠文之粗謬，必賴鈞座之督教振發，而後始足以化其頑鈍，亦即文於奉教之後，所以猛省痛悔、愈感鈞座琢磨之厚。今文以待罪之身，誠不敢妄有任何瀆請，一切進退行藏，均惟鈞命是聽。伏乞俯鑒愚誠，賜以明示，俾能擇善自處，稍解鈞座煩憂，則文此身雖蒙嚴譴，此心轉可略安而曲予寬容。文無論處何地位，所以圖報鈞座之志始終不渝，尤必與青天白日，同其貞恆。"[2] 宋子文的這份"悔過書"打動了蔣介石。12 月 24 日，蔣介石自思："自十月痛斥宋子文以後，始終未准其相見，昨日來函表示悔悟，求見迫切，余乃從親戚與內子之懇切要求，並為慰岳父母之靈，允於孔寓與之相見，當觀其以後事實如何，如果能真誠覺悟，則公私皆蒙其福矣。"[3] 26 日，蔣介石日記云："對子文訓斥以後，拒而不理者已逾兩月。本週得其悔書，乃於聖誕前夕，為其西安共同患難之關係，准予相見，以示寬容。"[4] 31 日，蔣介石年末反省，日記云："本年修身之道進步較多，然暴戾傲慢之氣未能減除，是為最大之羞污。對道藩、文白、哲生、辭修、子文、顯光各種行態，尤為粗暴失態。而子文與辭修之驕橫跋扈，自應斥責，而其他同志不過愚拙無能，實為無心之過，是余指導無門之所致也。乃不責己而責人，是為本年最大之慚。"[5]

1　《蔣介石日記》（手稿本），1943 年 11 月 16 日。

2　《宋子文檔》，第 64 盒。

3　《蔣介石日記》（手稿本），1943 年 12 月 24 日。

4　《上星期反省錄》，《蔣介石日記》（手稿本），1943 年 12 月 26 日。

5　《三十二年感想反省錄》，《蔣介石日記》（手稿本），1943 年 12 月 31 日。

十、史迪威計劃暗殺蔣介石，掌握中國軍權

　　蔣介石留用史迪威，雙方和解，固然與史迪威模模糊糊地承認錯誤有關，但關鍵原因還在於緬北雨季即將結束，中國軍隊計劃反攻緬北，不能臨陣換將。

　　10月19日，蔣介石在重慶黃山官邸召集會議，蒙巴頓、史迪威及何應欽等出席。史迪威對中國軍隊參與反攻緬甸的計劃作了介紹，給蔣介石留下了深刻的印象。史迪威日記云："'花生米'現在又討人喜歡了。"[1] 與之相應，蔣對史的印象也有改變。11月24日，蔣日記云："史迪威態度改變甚速，表現頗好，是亦感召之力乎？幸未為子文所脅制，否則，必得相反之惡果。"[2] 不過，蔣介石看到的只是一時的現象。

　　美國軍部早就密令史迪威 "應利用一切機會，統率中國軍隊"[3]。11月22日，史迪威隨蔣介石參加開羅會議。期間，史迪威準備了一份與羅斯福的談話資料，中云："無論蔣介石作何承諾，我們如不將掌握中國軍隊之權，早獲明文規定，所有努力均將成為廢紙。"[4] 但當日史、羅見面時，史未獲提出機會。12月6日，史迪威會見羅斯福，羅問史："你以為蔣能維持多長時間？"史答："局勢很嚴重，日本人再來一次5月份的那種進攻就會把他推翻。" 羅斯福稱："好吧。那我們就該找另外一個人或一群人繼續幹下去。"[5] 12月12日史迪威自開羅回重慶，途經昆明，與其助手多恩（Frank Dorn，或譯竇恩）上校談話[6]。其內容，據多恩回憶：史迪威聲稱，在開羅時奉口頭密令，準備一份暗殺蔣介石的計劃。事後，多恩擬具辦法三種：用毒、兵變、墮機。史迪威選擇最後一種，令其準備，候令實行[7]。此後，暗殺計劃始終沒有付諸實施。但是，史迪威愈來愈明確地認為："中國問題的藥方是除掉蔣介石。"[8] "他們所應該做的是打死大元帥和何（應欽）以及這幫人中的其他人。"[9]

1　《史迪威日記》，1943年10月21日，第207頁。

2　《愛記》，1943年11月24日，台北 "國史館" 藏。

3　史迪威政治顧問（美國國務院所派）戴維斯告友人語，見《宋子文致蔣介石電》，1943年6月8日。

4　轉引自梁敬錞：《史迪威事件》，台北商務印書館1972年版，第194頁。

5　《史迪威日記》，第220頁。

6　《史迪威日記》，第228頁。

7　Frank Dorn, *Walkout with Stilwell in Burma*, New York, Y. Crowell, 1971, pp.75-79.

8　《史迪威日記》，時間不明，第279頁。

9　《史迪威日記》，1944年9月9日，第284頁。

十一、蔣介石同意史迪威的局部攻緬計劃，
史高興地哼起了歌曲

開羅會議中，蒙巴頓提出了一項在北緬作戰的計劃，蔣介石向羅斯福及丘吉爾陳述：攻緬勝利關鍵在於海軍與陸軍配合作戰，同時發動，掌握制海權，阻絕日本的海上補給線[1]。24 日，丘吉爾向蔣表示，英國海軍須至明年 5 月，才能在南緬登陸，這使蔣大為失望[2]。次日，羅斯福向蔣介石保證，北緬作戰時，英海軍必提早在南緬登陸[3]。蔣介石對丘吉爾已完全失去信任，認為"開羅會議之經驗，無論軍事、經濟與政治，英國決不肯犧牲絲毫之利益以濟他人"，"英國之自私與害人，誠不愧為帝國主義之楷模矣"，但他為了不給英方今後提供推諉藉口，勉強表示同意蒙巴頓的北緬作戰計劃[4]。30 日，蔣介石在歸途經過印度藍姆伽，視察史迪威指揮部與鄭洞國軍部。鄭早就感到，史迪威及其美國同事不願他過問軍事，不允許中國師級將領行使前線指揮權，事事要由美國人決定，因此向蔣訴苦，稱史迪威視之如傀儡，不給他絲毫指揮權[5]。同日，蔣與廖耀湘、孫立人談話，認為蒙巴頓、史迪威對中國軍隊的批評"皆非事實"，而且史迪威的指揮戰略也"甚不當"。蔣並立即召見史迪威的參謀長白克，"據實用地圖指正其誤，並囑轉告史氏改之"[6]。

開羅會議結束後，羅斯福、丘吉爾與斯大林於 11 月 28 日又在德黑蘭會集會。斯大林表示，在打敗德國後，將對日作戰。英國對在緬甸作戰本來就沒有多大興趣，便借此機會企圖取消原來在緬甸作戰的承諾。12 月 7 日，羅斯福致電蔣介石，說明德黑蘭會議希望在 1944 年末結束對德戰爭，需要大量巨型登陸艦艇，詢問可否將對緬甸的總反攻計劃推遲到 1944 年 11 月[7]。蔣介石覺得此為羅斯福與斯大林的決定，已無法更改，只能表示同意，但提出中國經濟危機較軍事尤為緊急，要求美國貸款 10 億美元，用以支持中國繼續抗戰。

1　《戰時外交》（3），第 537 頁。
2　《蔣介石日記》（手稿本），1943 年 11 月 25 日。
3　《蔣介石日記》（手稿本），1943 年 11 月 26 日。
4　《本月反省錄》，《蔣介石日記》（手稿本），1943 年 11 月 30 日。
5　《蔣介石日記》（手稿本），1943 年 11 月 30 日；參見鄭洞國：《我的戎馬生涯》，第 296—297 頁。
6　《困勉記》，1943 年 11 月 30 日。
7　《戰時外交》（3），第 286 頁。

羅斯福雖然有將總攻緬甸延期的打算，但並未最後決定，因此，史迪威仍在作及早攻緬的努力。12 月 14 日，史迪威到重慶，企圖說服蔣介石，談話很不愉快。蔣介石日記云："以史迪威之神態與見解，引人不快。凡事靠己，必須我能加強本軍為第一義也。"[1] 15 日、16 日兩日，蔣、史二人反復討論攻緬戰略。據史迪威日記，史向蔣反復說明"放棄進攻緬甸的可能後果"，蔣則表示，"我們不能冒在緬甸失敗的危險，那對中國人所產生的後果將極為嚴重"，以致史在日記中怒罵："這個小畜牲根本不想打。"[2] 據史迪威稱，宋藹齡和宋美齡也同時出面勸說，宋美齡甚至向史宣稱："昨天夜裏她祈求了他"，"做了一切努力"，"就差殺了他"。16 日，再次開會討論，蔣稱："我們只有 1% 的獲勝希望。""除非舉行一次大規模的兩棲行動，一切都是不可能的。"又稱："如果我們採取守勢而讓日本人進攻的話，我們獲勝的機會就會多一點。"[3] 據蔣介石日記，史"竭力慫恿如期攻緬"，但蔣"決心展期至明秋為止"。日記稱："此人既無軍事常識，更無政治常識，余表示展期之決心，勿使其再為我害也。"[4] 此際，1942 年遠征軍初戰失敗仍像夢魘一樣壓在蔣的心頭。蔣日記云："為攻緬展期問題，內外阻力甚大，如無堅定決心，則此舉必被根本動搖，將蹈去年失敗覆轍矣。"[5] 他擔心如攻緬再敗，則昆明不保，空運根據地全失，國際通道斷絕，國內軍心，民心動搖，將更為美、英、蘇所輕侮。蔣估計，最多不過兩年，太平洋大戰必將爆發，"屆時，中國兵額未足，毫無精強部隊參加決戰，則我國地位絕無矣。故此僅有之資本，決不願再作浪費，而被英國之欺弄，致我國於萬劫不復矣"[6]。17 日，蔣介石覆電羅斯福，聲稱如登陸部隊所需戰艦及運輸艦不能按原計劃集中，則陸海的全面攻勢延期至明年 11 月，一舉殲滅在緬日敵，較為妥適[7]。不過，蔣介石並不反對局部攻緬。

10 月 18 日，蔣介石在重慶召見史迪威，佈置自印度東北的列多（力多、

---

1 《蔣介石日記》（手稿本），1943 年 12 月 14 日。
2 《史迪威日記》，1943 年 12 月 15 日，第 230 頁。
3 《史迪威日記》，1943 年 12 月 16 日，第 231—232 頁。
4 《蔣介石日記》（手稿本），1943 年 12 月 15 日。
5 《蔣介石日記》（手稿本），1943 年 12 月 16 日。
6 《蔣介石日記》（手稿本），1943 年 12 月 17 日。
7 《戰時外交》（3），第 289 頁。

立多）向北緬進攻的作戰方針。19 日，蔣介石與蒙巴頓、史迪威開會，確定以 12 月中旬為期，攻取緬北。蔣並且表示同意由蒙巴頓指揮全部在緬作戰的中國部隊，史迪威為副 [1]。會議結果使史迪威欣喜若狂。他在日記中寫道："有史以來頭一次。大元帥授予我指揮使用（中國駐印軍）部隊的全權，沒有繩索——他說沒有干預，那是'我的部隊'，給了我解除任何一名軍官職務的全權。"在給史迪威夫人的信中，他也表達了同樣的欣喜，甚至哼起了歌曲："叮叮噹，叮叮噹，鈴兒響叮噹，耶誕節多快樂，我們坐在吉普上。"[2]第二天，史迪威即飛返緬甸，轉赴列多，與新編第三十八師師長孫立人研究作戰計劃。其後，駐印軍在胡岡河谷、孟拱河谷等地迭獲勝利。

十二、羅斯福要求蔣介石出動駐滇部隊進攻北緬，　　將指揮全部中國軍隊的權力交給史迪威

蔣介石所同意動用的只是中國駐印軍，但是，在雲南，還有另一支待命進攻緬北的遠征軍。12 月 21 日，羅斯福又致電蔣介石，要求中國駐滇部隊向北緬作戰，以支持英、美部隊由印度向北緬的進攻。蔣介石仍然覺得沒有海軍從緬南配合，並登陸協助，乃是自取滅亡之道。12 月 23 日，蔣介石覆電羅斯福，重申開羅會議南北海陸軍同時發動的意見，批評"盟軍戰略置中國戰區於不顧"，聲稱中國駐印遠征軍已交給蒙巴頓、史迪威指揮，不能同意駐滇遠征軍再行出動 [3]。1944 年 1 月 15 日，羅斯福再電蔣介石，要求出動滇西部隊，盡力進逼，配合蒙巴頓。3 月 20 日，羅斯福致電蔣介石，說明緬甸形勢已經發展到一個重要階段，要求滇西遠征軍前進至騰沖及龍陵地區，以配合駐印遠征軍奪取緬北重鎮密支那 [4]。當時，蘇聯空軍與外蒙軍隊入侵新疆，正在與中國軍隊對峙。27 日，蔣介石覆電羅斯福，說明中國已抗戰七年，國力、兵力均極疲憊，在新疆未安定，中國正面戰場對日軍的防線未有把握之時，中國主力軍不可能

1　《作戰經過》（3），第 385—394 頁。
2　《史迪威日記》，1943 年 12 月 19 日，第 233 頁。
3　《戰時外交》（3），第 291 頁。
4　《戰時外交》（3），第 296 頁。

由雲南發動攻勢。他重申在開羅時對羅的諾言，一旦英軍發動對緬甸的海陸兩棲作戰，中國主力軍必全力攻緬。但是，蔣仍然表示，將儘量抽調雲南部隊空運西線，增強列多方面的作戰力量[1]。當日，史迪威飛到重慶，蔣介石即批准由滇西空運第十四師、第五十師赴印作戰。4 月 4 日，羅斯福再次要求滇西遠征軍佔領雲南邊陲要地騰沖與龍陵。在電報中，羅斯福不無牢騷地向蔣表示："去年吾人裝備並訓練閣下之遠征軍，現正當利用此機會。如彼等不能用之於共同作戰，則吾人盡其最大之努力，空運武器與供給教官，為無意義矣。"[2] 此函語含譴責與批評，此前還不曾出現過。5 日，蔣介石日記云："其措辭傲慢，為其自直接通電以來第一次也。"他認為，現在尚非駁斥之時，應暫時忍耐，也不回答，以觀其後[3]。6 日，宋美齡特約史迪威助手賀恩（Hearn）參謀來談，告以"此種壓迫的行動，實非中國所能忍受"[4]。7 日，宋美齡致電史迪威，聲稱羅斯福致蔣電，"如此措辭，余恐其將使吾人共同企求之目的未克達成"，希望史設法向華府擬稿人說明，"當此緊要之際，應竭盡全力，以促使吾人共同勝利之早日來臨"[5]。10 日，馬歇爾下令暫時停撥援華軍事物資，至滇西遠征軍出動時再予恢復。蔣介石認為是可忍，孰不可忍，囑何應欽答覆美方："中國抗戰與出擊，自有一定計劃，決不為美國武器之接濟與否所轉移"。[6]

在美國的壓力下，蔣介石決定調整對緬作戰方針。4 月 13 日，軍事委員會電令滇西中國遠征軍於月底前完成作戰準備，相機攻佔騰沖，策應西線駐印軍攻擊緬北重鎮密支那。17 日，擬定怒江作戰計劃。5 月 11 日，反攻怒江作戰開始。

然而，就在中國遠征軍東西兩路同時出動之際，日軍的"1 號作戰"卻在節節進展。1944 年 4 月，日軍為打通大陸交通線，掃蕩美軍在中國的空軍基地，首先向河南進攻。5 月 25 日，攻陷洛陽。5 月底，日軍開始向粵漢路進攻，蔣介石致電中國駐美軍事代表團團長商震，要他提請美國軍事當局注意其

1 《戰時外交》（3），第 297—298 頁。
2 《戰時外交》（3），第 299 頁。
3 《蔣介石日記》（手稿本），1944 年 4 月 5 日。
4 《蔣介石日記》（手稿本），1944 年 4 月 6 日。
5 《事略稿本》，1944 年 4 月 7 日，台北"國史館"藏。
6 《蔣介石日記》（手稿本），1944 年 4 月 13 日，參見同日《事略稿本》。

嚴重性，將成都存油、配件及飛機全部交陳納德作為粵漢路空戰之用。同時，蔣介石兩電召史迪威回渝商量，史迪威均置而不答，蔣深感痛憤，在日記中批評史"誠非以情義所能感"[1]。6 月初，蔣介石自我反省，深悔"去年既已決心解除其職務，而復留用"的"失計"，批評自己用人辦事尚為環境所轉移，有關重要問題皆不能主動自決[2]。史迪威早就認為，蔣介石過於重視陳納德的空中打擊力量，忽視陸軍的建設與改造，因此他對中國部隊在河南的失敗並不驚訝，日記稱："中國的局勢相當糟糕。我相信'花生米'將要為他的愚蠢遲鈍付出重大代價。這個傻瓜蛋，救世軍主動來拯救他，而他卻不接受。現在一切都太晚了，他卻大叫了起來。"[3] 6 月 5 日，史迪威到重慶，如他所料，蔣的目的在於要求史迪威同意，為陳納德的第 14 航空隊增加汽油供應。這使史迪威很不屑，在日記中批評蔣說："他想要整個世界，但又什麼都不想吐出來。"[4] 自然，史迪威拒不加撥[5]。6 月 18 日，日軍攻陷長沙，向粵漢、湘桂兩路交叉點和戰略基地衡陽逼近，情勢更為危急。史迪威於 7 月 2 日致夫人函云："如果危機到了足以擺脫掉'花生米'而又不致毀了整艘船的程度，那就值了。"7 月 4 日，史迪威致電馬歇爾，報告中國戰場危機，要求羅斯福致電蔣介石，"以劇變形勢應採劇烈手段"為理由，迫使蔣將對中國軍隊的指揮權交給自己。電中，史迪威並稱："出兵晉豫以攻漢口，應是扭轉中國局勢之方法，此須使用中共部隊。兩年以前彼等願聽我指揮，今或仍能聽命。"[6] 其實，中共長於敵後游擊戰爭，不會輕易"聽命"於史迪威，匆促去進攻漢口這樣的大城市。

馬歇爾同意史迪威的意見。7 月 6 日，馬備妥電稿，由李海簽呈羅斯福，聲稱"中國局勢近已頹落至可驚之程度"，"目下已到須將中國軍權交與一個人物指揮抗日，使生效果之時，環顧中國政府與其軍隊之中，尚無一人能夠綜持軍力以應日方之威脅，有之即是史迪威"[7]。7 月 7 日，羅斯福按擬稿致電蔣介

1 《蔣介石日記》(手稿本)，1944 年 6 月 1 日。

2 《蔣介石日記》(手稿本)，1944 年 6 月 3 日。

3 《史迪威日記》，1844 年 6 月 2 日，第 262 頁。

4 《史迪威日記》，1944 年 6 月 5 日，第 262 頁。

5 史迪威的助手賀恩稱："史迪威正想令華東機場失去，以證明其在華府會議中預測之證實。"見 *Way of a fighter*，p.294，轉引自《史迪威事件》，第 307 頁。

6 *Stilwell's Command Problems*, pp.380-381.

7 《史迪威事件》，第 265—266 頁。

石，提出日軍進攻華中，局勢嚴重，"應責任一人，授以調節盟國在華資力之全權，並包括共產軍在內"，同時告以已升史迪威為上將，建議蔣將其從緬甸戰場召回，"置彼於閣下直屬之下，以統率全部華軍及美軍，並予以全部責任與權力，以調節與指揮作戰"[1]。這一電報雖宣稱將史迪威置於蔣介石"直屬之下"，但實質上是架空蔣介石，賦予史迪威以指揮全部中國軍隊的權力。7月8日，史迪威日記云："羅斯福給蔣介石去電，喬治·馬歇爾給我來電。他們在我的事情上一直在向他施加壓力。羅斯福要蔣介石給予我指揮的全權。"[2]

十三、蔣介石採取拖延戰術，羅斯福緊逼不讓，暗示將停止對中國的援助；蔣介石憤而在日記中大罵"美帝國主義"。準備放棄美援，與美絕交，獨立抗日；宋子文再度和蔣站到一起

宋子文最先得知美國人要蔣介石向史迪威交出全部軍權的消息，因而最先致電霍浦金斯反對，電稱："今天華盛頓又作出了一項錯誤的決定，陸軍部要強迫蔣接受史迪威將軍"，"我個人可以無保留地向你擔保，蔣委員長在這個問題上決不會而且也不能屈服"[3]。蔣介石覺得難以硬抗，企圖拖延。7月8日蔣介石致電在美代表孔祥熙，要他轉呈羅斯福，聲稱"原則"贊成關於史迪威的建議，但中國軍隊及政治情況複雜，"必須有一準備時期"，建議羅派私人代表來華，調整蔣與史迪威之間的關係，增進中美合作[4]。羅斯福看出了蔣意在拖延，於15日覆電蔣介石催促，表示形勢"需要有一迅速之處置"，儘早向史迪威交權[5]。7月16日，蔣介石甚至在日記中大罵"美帝國主義"，聲稱"抗戰局勢，至今受美國如此之威脅，實為夢想所不及。而美帝國主義之兇橫，竟有如此之甚者，更為意料所不及。彼既不允我有一猶豫之時間，必欲強派史迪威為中國戰區之

---

1 《戰時外交》(3)，第634—635頁。
2 《史迪威日記》，1944年7月8日，第267頁。
3 巴巴拉：《史迪威與美國在華經驗》，重慶出版社1994年版，第622頁。
4 《戰時外交》(3)，第637頁。
5 《戰時外交》(3)，第642頁。

統帥，以統制我國。此何等事如余不從其意，則將斷絕我接濟，或撤退其空軍與駐華之總部，不惟使我孤立，而且誘敵深入，以圖中國之速亡，其計甚毒"[1]。8月6日，蔣日記再云："最近內外形勢之壓力日甚一日。尤以美國在精神上無形之壓迫更甚。彼必欲強余無條件與共黨妥協，又欲余接受其以史迪威為總司令，此皆於情於理不能忍受之事。"[2]可見，蔣對羅雖表面順從，而內心卻充滿強烈的對抗情緒。但是，蔣介石一時還不敢得罪羅斯福，與戴季陶、陳布雷研究後，決定暫用妥協政策為宜。7月23日，蔣介石兩電孔祥熙，要他當面向羅斯福陳述：蔣對羅的主張"原則上表示接受而毫不躊躇"，但實行上不可無"程序"，"須有一相當之準備時期"；羅所稱指揮全部華軍，應指在國民政府統轄下在前線的作戰部隊，其指揮範圍與辦法，應另行規定。要孔特別說明："抗戰七年，而中國全國國民之所以百折不撓者"，"全為求得國家之獨立與自由，保障國家之尊嚴"，意在含蓄地指出羅斯福主張之不當。關於租借物資支配權，蔣提出：應完全歸於中國政府或最高統帥，但可授予史迪威"考核監督之權"[3]。

羅斯福不容蔣介石拖延，於8月10日致電蔣介石，聲稱中國戰場形勢危急，授予史迪威全部指揮權一事"必須立即行動"，同時提出，將派曾任陸軍部長、中東特使的赫爾利為私人代表來華，調整蔣、史關係。至此，蔣介石已不能閃躲。同月14日，蔣擬任命史迪威為"中國戰區統帥部參謀長兼中美聯軍前敵總司令"，並擬在覆羅電中表示"余已積極準備，甚望其能於短期內可以順利實現"[4]。蔣既鬆動，羅斯福也不想使中美關係弄得很僵。於8月23日致電蔣介石，繼續催蔣儘早採取必要的措置，讓史迪威指揮中國軍隊，電稱："稽延之思考及審慎之部署，於此軍事嚴重之時，容有嚴重之後果。"同時，羅斯福也表示，正擬訂新程序，使史迪威不再負責撥發租借物資[5]。這通電報，意在進一步催逼，但也有所讓步。

9月6日，羅斯福特使赫爾利與納爾遜抵達重慶。9月9日至11日，宋子

1　《事略稿本》，1944 年 7 月 16 日。
2　《事略稿本》，1944 年 8 月 6 日。
3　《戰時外交》（3），第 645－648 頁。
4　《戰時外交》（3），第 651 頁。
5　《戰時外交》（3），第 655 頁。

文、何應欽與赫爾利、史迪威、納爾遜談話。其間，宋子文根據蔣介石指示，堅持美國租借物資到達中國後應交中國政府處理，聲稱"必須記住一個大國的尊嚴"，但史迪威、赫爾利均反對[1]。赫爾利指斥宋子文"胡說"，對宋稱："記住，宋先生，那是我們的財產，我們生產的，我們擁有他們，我們願意給誰就給誰。"[2] 史迪威在日記中寫道："如果大元帥控制了分配權，我就完了。共產黨人將什麼也得不到，只有大元帥的親信才能得到物資，我的部隊（遠征軍）將只能去舔別人的屁股。"[3] 12 日宋子文向蔣介石報告，赫爾利、史迪威不願交出租借物資支配權，蔣稱："此事非堅持不可。"[4] 同日，赫爾利與納爾遜拜會蔣介石，給蔣的印象是"言辭雖婉而意甚嚴"。他認為，抗戰以來，舉凡軍事失敗、經濟疲弱、"共匪猖獗"、政治惡化等各種問題，都是美國的"粗疏盲昧、無端詆毀"的結果。對於談判再三而美國仍不願將援華物資交給自己支配，以及不願就史迪威指揮中國軍隊一事訂立協定，蔣介石尤感惱怒，再次萌生"獨立應戰"的想法，日記云："對余污辱欺妄，竟至於此。決與之據理力爭，不能再事謙讓，並須預作獨立作戰之準備，以防萬一也。"[5] 9 月 16 日，美國大使高斯對蔣介石稱："希望中國將來在和會中能代表中國與亞洲，不失為四強之一之資格。"蔣自稱聽了這段話以後，有如"利刃刺心"，在《上星期反省錄》寫道："若不自力更生，何以立國？何以雪恥，而史迪威之刁難輕侮，更令人難堪無已。"[6]

史迪威所指揮的中國駐印軍迭獲勝利。8 月 5 日，駐印軍攻克密支那。但是，日軍打通大陸交通線的作戰也進展迅速。9 月 12 日，日軍攻佔廣西全州，威脅桂林、柳州。滇西方面，遠征軍於 9 月 14 日克服騰沖，與盤踞龍陵的日軍則陷於苦戰狀態。9 月 15 日，蔣介石要求史迪威命令駐印軍乘勝進攻緬北的另一要地八莫，以此策應滇西遠征軍，否則，即擬將遠征軍撤回怒江以東，保衛昆明。史迪威聲稱，在密支那的中國遠征軍需要休息，建議蔣調在陝西監視陝北的胡宗南部來援，同時反對滇西遠征軍撤回怒江以東。他在日記中斥責蔣

1　《史迪威事件》，第 278 頁。
2　《史迪威日記》，1944 年 9 月 16 日，第 287 頁。
3　《史迪威日記》，1944 年 9 月 16 日，第 287 頁。
4　《事略稿本》，1944 年 9 月 12 日。
5　《蔣介石日記》（手稿本），1944 年 9 月 15 日。
6　《蔣介石日記》（手稿本），1944 年 9 月 16 日。

介石為"瘋狂的小雜種"，"一如既往的荒誕理由和愚蠢的戰略戰術觀念。他很難對付而又令人討厭"[1]。事後，史迪威緊急電告馬歇爾，聲稱"長江以南的災難主要是由於缺乏適當的指揮和照例的遠在重慶的遙控。麻煩仍然來自最高當局"[2]。18 日，羅斯福致電蔣介石，認為日軍進攻中國東部是"詭計"，要求蔣介石立即補充緬北部隊並且立即派遣生力軍，協助怒江方面的中國軍隊。該電同時嚴厲批評蔣延擱委任史迪威指揮中國所有之軍隊，以致損失中國東部的重要土地。羅斯福以威脅的口吻稱："務希立採行動，方能保存閣下數年來英勇抗戰所得之果實，及吾人援助中國之計劃。""不然，則在政治上及軍事上種種之計劃，將因軍事之崩潰而完全消失。"[3] 這通電報有如最後通牒。史稱讚說："這一槍打中了這個小東西的太陽神經叢，然後穿透了他。這是徹底的一擊。"[4] 19日，史迪威向蔣面交此電，蔣只說了一句話："我知道了。"但內心憤怒異常，日記云："實我余平生最大之污點，亦為最近之國恥。""今年七七接美羅侮辱我國之電以後，余再三忍辱茹痛，至今已有三四次之多，然尚可忍也。今日接其九一八來電，其態度與精神之惡劣及措辭之荒謬，可謂極矣。"[5] 20 日，蔣介石對赫爾利、納爾遜說："中國軍民恐不能長此忍受史迪威等之侮辱，此殊足為中美兩國合作之障礙也。"[6]

赫爾利來華後，曾與史迪威長談。史稱：自己與蔣之間，兩人個性均極強硬，工作上不免發生困難。今後願意接受蔣之命令。關於援華租借物資，赫批評史全面操控的做法，史同意今後全部交蔣支配。關於中共問題，史提出由彼提出調整方案，國共兩黨彼此諒解，將中共以及中央用以防共的部隊，均調出抗戰。赫稱此為中國內政，吾人雖盼中國統一，但只能以"純客觀之立場贊助中國政府解決中共問題"，使所有中國抗日部隊均聽命於蔣的指揮。24 日，赫爾利會見蔣介石，彙報與史晤談情況。蔣稱：羅斯福關於將中國軍隊交史迪威

1　《史迪威日記》，1944 年 9 月 15 日，第 287 頁。引文參考了瞿同祖所譯《史迪威資料》，中華書局 1978 年版，第 121 頁。

2　*Stilwell's Command Problems*, pp.435-436.

3　《戰時外交》（3），第 658—659 頁。

4　《史迪威日記》，1944 年 9 月 18 日，第 289 頁。

5　《蔣介石日記》（手稿本），1944 年 9 月 19 日。

6　《蔣介石日記》（手稿本），1944 年 9 月 20 日。

指揮提議，出於好意，有利中國，但"軍隊乃國家命脈，而軍隊之指揮權，乃操國家生死存亡之大事"，自己不能不慎重處理。蔣要赫爾利轉告羅斯福："有三點不能稍事遷就：1. 三民主義不能有所動搖，故不能任共產主義之赤化中國。2. 國家主權與尊嚴不能有所損失。3. 國家與個人人格不能污辱，即不能接受強制式之合作也。"[1]蔣稱：已對史迪威"失去最後一分之希望與信心"，希望美國另派人員來華。宋子文當即配合，聲稱美國派任東南亞的盟軍總部某參謀長，即可勝任[2]。25日，蔣介石命宋起草致赫爾利備忘錄，表示同意美方遴選將領一員為中美聯軍前敵總司令，兼任中國戰區參謀長。備忘錄稱，自赫爾利來華後，本人曾不顧以前之感覺與判斷，考慮以史迪威為前敵總司令，但"史將軍非但無意與余合作，且以為受任新職後，余將反為彼所指揮，故此事因而中止"[3]。

　　蔣介石拒絕羅斯福的意見，自知事關重大，中美關係有破裂的危險，準備恢復"獨立抗戰"。9月26日，蔣介石致電在美國的孔祥熙與宋美齡，聲稱羅斯福來電"其措辭實不堪忍受，余對其來電決置之不覆"。"吾人如再恢復獨立抗戰之態勢，則對內政與軍事情勢，決不能比現在更壞。只要內容簡單，無外力牽制，則國內一切措施方能自如，決不如今日皆受人束縛之苦也。史決難再留，如有人來說情，應嚴正拒絕，並請其從速撤換，以免阻礙今後之合作也。"[4]27日蔣介石日記云："自史迪威由印回渝，半月以來，彼即作有計劃有系統之威脅宣傳：一曰，史已離渝回美。二曰，共黨要求其赴延安。三曰，彼擬飛延安。四則曰，第十四航空大隊將完全撤退。五曰，駐渝美軍總部人員全部撤退等荒謬言論，散佈於渝市，使喚吾恐怖，可將華軍指揮權無條件交彼也。另一方面，美國之內對華軍之拙劣、紛亂等種種不堪之妄報，使其國人對華侮蔑，以為中國真絕望矣。……尤以羅於上週五在記者席上對華軍事不滿之表示，更見其險惡用心，非達其統制中國之目的不可也。若不與之決鬥，何以遏制其野

1　《戰時外交》(3)，第675頁。
2　《戰時外交》(3)，第667—671頁。
3　《戰時外交》(3)，第673—674頁。
4　《戰時外交》(3)，第675頁。

心與暴露其陰謀也！"[1] 28 日蔣介石致電在華盛頓的孔祥熙，囑咐他今後不可再向美國要求任何物品，以免為人輕視，並要他迅速離美回國。這時候，蔣已經作了和美國斷絕外交關係的準備。30 日，他在《本星期反省錄》中寫道："美國態度之惡劣已至極點乎！過此惟有絕交之一途。""萬不料聯盟戰爭，得此逆報與窘境。"[2]

十四、羅斯福不願失去中國這一戰略夥伴，向蔣讓步，同意撤回史迪威，蔣介石認為，這是"中國解放之開始"；宋子文自稱"出力不少"

在反法西斯戰爭中，中國雖是弱國，但是，中國畢竟是大國，是抗擊日本帝國主義者的主要力量。蔣介石既然寸步不讓，美國不願丟掉中國這個戰略夥伴，就只有向蔣讓步了。10 月 6 日，羅斯福致電蔣介石，表示接受蔣的建議，解除史迪威的參謀長職務，命他不再負責租借物資。但羅堅持，為保證中印空運，仍須史負責指揮在緬甸及雲南的中國軍隊[3]。10 月 7 日，蔣介石接見赫爾利，拒絕羅斯福建議，聲稱史迪威既不能服從命令，又缺乏與中國合作精神，故不能再委以指揮中國戰區任何軍隊之名義與職務，要求美方另派人員。蔣並擬就致赫爾利的說明文稿和答覆羅斯福電稿，當場由宋子文口譯[4]。8 日，蔣介石約陳布雷談話。陳認為應適可而止。蔣不贊成，表示："應以要求撤回為唯一目的。"同日，孔祥熙也致電蔣介石，說明羅斯福召集美國陸海軍首腦商談，軍方對撤換史迪威頗多顧慮，馬歇爾又對史極為支持，史現升四星上將，與麥克亞瑟、艾森豪權位相等，如另派他人，至為難得等為理由，要求蔣令史辭去中國戰區參謀長職務，專心負責滇緬路聯軍軍事[5]。但是，蔣也不為所動。9 日，蔣介石致電羅斯福，要求調回史迪威，另換他人[6]。

---

1 《蔣介石日記》（手稿本），1943 年 9 月 27 日。
2 《蔣介石日記》（手稿本），1943 年 9 月 30 日。
3 《戰時外交》（3），第 677—678 頁。
4 《戰時外交》（3），第 678—679 頁。
5 《戰時外交》（3），第 683 頁。
6 《戰時外交》（3），第 684 頁。

此際，蔣介石認為對美交涉已至最後關頭，做了最壞準備。他在日記中表示，如羅斯福不改變其現在態度，則不能不準備決裂。在歷史上，蔣在碰到困境時，曾經有過兩次下野的記錄。這次，蔣自稱："非至萬不得已時，決不可為內外形勢惡劣之故而灰心下野，以放棄我革命之責任也。"[1] 10 月 13 日，美國駐華大使高斯會見宋子文，希望留住史迪威，聲稱撤換史將損害羅斯福的威信。宋向蔣彙報，蔣雖感到形勢的"危險與惡劣"，但是，也還是不準備收回決定[2]。

赫爾利來華，本負有勸說蔣介石接受羅斯福決定的任務，但是，他在與蔣的接觸中，卻逐漸被蔣說服。10 月 13 日，他致電羅斯福，聲稱"中國以劣勢裝備之弱國對其強大敵寇，抗戰至七年以上，尚不能使之屈服，則美國對華交涉，決非用壓力與威脅所能奏效"。他力勸羅斯福改變決定，另派能與蔣合作的年輕將領來華。電稱："如我總統支持史迪威將軍，則將失去蔣委員長，甚至還可能失了中國。"[3] 自然，羅斯福不願失去中國，只能向蔣妥協。10 月 15 日，赫爾利向蔣介石出示羅斯福來電，要求蔣從美國將領中圈選三人，交羅決定[4]。10 月 19 日，羅斯福致電蔣介石，聲稱現正頒發命令，即將史迪威回國。在一場比賽智慧、比賽意志的較量中，羅斯福敗在蔣介石手下了。蔣介石志得意滿，10 月 22 日，蔣介石日記云："如果此次撤史不成，則美在東方必演成其帝國主義之禍首。""此舉不僅救國，抑且救美國矣。"[5] 28 日，美國正式發佈調史迪威回國命令。10 月 31 日，蔣在日記中自誇云："此實我中國解放之開始。"[6]

宋子文最早提出撤換史迪威，在蔣改變主意後又因堅持己見而受到蔣的斥責，這時，自然很高興。10 月 30 日，宋子文致宋子安電云："此次史迪威撤調回國，兄助回合（暗指蔣介石——筆者注），出力不少。蓋為糾正一年前歷史上之錯誤也。"[7]

1　《蔣介石日記》（手稿本），1944 年 10 月 11 日，參見同日《事略稿本》。
2　《蔣介石日記》（手稿本），1944 年 10 月 13 日，參見同日《事略稿本》。
3　*Foreign Relations of the United State*, 1944, Vol.6. p.726. 參見《事略稿本》，1944 年 10 月 21 日。
4　《蔣介石日記》（手稿本），1944 年 10 月 15 日。
5　《蔣介石日記》（手稿本），1944 年 10 月 22 日。
6　《本月反省錄》，《蔣介石日記》（手稿本），1944 年 10 月 31 日。
7　《宋子文檔》，第 47 盒。

　　1945 年 1 月 5 日，美國政府自動撤回史迪威的助手多恩，蔣介石日記云：
"此人為史迪威手下第一驕橫侮華之人，美竟撤去，則其援華之誠意又進一步
矣。"[1] 蔣介石當然不可能得知，就是這個多恩，曾經受命制訂過一份暗殺計劃，
要讓他在高空的飛機上摔下來。同年 7 月 7 日，蔣介石想起一年前羅斯福強制
自己交出軍權的情況，認為 "幾等於宣判中國之死刑，為抗戰以來所未有之恥
辱"[2]。6 月 23 日，史迪威出任美國第十集團軍司令，與日軍在沖繩島作戰。8 月
2 日，蔣介石得知，馬歇爾決定由史率領第十軍由琉球來華登陸，史則倡言 "必
先倒蔣以報去年之恨"[3]。當晚，赫爾利拜會蔣介石，蔣將《史迪威事備忘錄》交
赫，囑其轉交杜魯門總統，拒絕史迪威再次來華[4]。史迪威和中國的關係自此
結束。

十五、史迪威的優點和缺點都很突出，他既是對 中國抗戰作出重大貢獻的國際友人，又是美國大 國主義思想和作風的體現者

　　史迪威是個優缺點都很突出的人物。他是中國通，真心誠意地幫助中國
抗日，對中國社會、中國軍隊與蔣介石其人有許多敏銳的認識。遠征軍第一次
緬北作戰失敗後，他在印度訓練中國軍隊，增強了中國軍隊的作戰力。遠征軍
第二次緬北作戰勝利，顯然與他的訓練、指揮有關。鄭洞國曾回憶說：史迪
威 "是一位正直的、很有才華的軍事將領。在對日作戰問題上，他的態度不僅
始終是認真、積極的，而且頗具戰略眼光，在指揮上很有一套辦法。最難得的
是，他身為異國高級將領，卻毫無官架子，待士兵們十分友善，喜歡同他們交
朋友，慢慢贏得了不少中國將士對他的欽敬"[5]。應該承認，史迪威是對中國抗日
戰爭作出重大貢獻的國際友人之一。但是，史迪威的性格中也有一些突出的缺

1　《蔣介石日記》（手稿本），1945 年 1 月 5 日。
2　《蔣介石日記》（手稿本），1945 年 7 月 7 日。
3　《蔣介石日記》（手稿本），1945 年 8 月 2 日。
4　《蔣介石日記》（手稿本），1945 年 8 月 3 日。
5　鄭洞國：《我的戎馬生涯》，第 302 頁。

點，例如傲慢、主觀、急躁、偏激，特別是，作為美國將領，他身上不可避免地存在某些大國主義的思想和作風。

蔣史矛盾，開始於戰略分歧。史迪威就任中國戰區參謀長之際，中國遠征軍剛剛入緬，人地生疏，英國在緬軍隊則根本沒有鬥志，在這種情況下，就急於要求中國軍隊對日軍發起強力進攻，是其不妥之一。蔣介石和中國將領與日軍作戰多年，熟悉日軍的優勢和特點，反對貿然進攻，後來又反對在缺乏盟國有力的支持和協同下由中國軍隊孤立作戰，求穩防敗，有其合理性，但史迪威卻視之為"卑怯"，由此對蔣介石和中國將領的抗日積極性作了過低的估計，是其不妥之二。中國入緬軍初戰失利，史迪威擅作主張，未經請示就決定向印度退卻，途中環境惡劣，給養困難，造成部隊非戰鬥減員過大，史迪威完全缺乏自責，是其不妥之三。

中國與美國、英國等共同抗擊日本侵略，是同盟國之間的相互配合、相互支持的關係。蔣介石、宋子文等人期望盡可能多地得到美國的援助，但是，同時又不能容忍對中國的任何歧視，要求待遇平等，能和英國、蘇聯等受援國一樣，自己掌握租借物資分配權，也有其合理性。當時，中國有關機構腐敗嚴重，蔣介石又歧視和排斥中共所領導的抗日部隊，因此，史迪威等應該也完全可以堅持對援華物資分配的建議權和監督權，但是，史迪威等卻堅持援華物資是美國人生產的，必須由美國人分配，中國人無權過問，這就是大國主義的作風了。史迪威批評蔣介石是"一條貪婪、偏執、忘恩負義的小響尾蛇"。其中所說"偏執"姑置不論；說蔣"貪婪"，無非是指蔣對美援的不斷爭取；說他"忘恩負義"，則是典型的"施主"的"恩賜"心態。

抗戰時期國民黨領導的軍隊確實存在著較多問題，需要訓練和改造，蔣介石對軍隊的指揮也確實有不少問題，需要改進、改革，但是，史迪威作為外國人，不應越俎代庖，大量任用美國軍官來控制和操縱中國軍隊，更不應圖謀全面掌握中國軍隊的指揮權，甚至制訂暗殺計劃，企圖除去當時還是中國政府和抗日領導人的蔣介石。1943 年 10 月之後，中國軍隊兩面作戰，既需要迎擊日軍旨在打通大陸交通線的"1 號作戰"，又需要開闢緬北、滇西戰場，應付為難。在這一情況下，羅斯福聽信史迪威、馬歇爾等人的意見，利用中國軍隊在河南、湖南等地的失敗，要求蔣介石將中國軍隊、中國戰場的全部指揮權交給史迪威，自然是侵犯中國主權的行為。軍權是國家權力的核心部分，也是蔣介石集團賴以維持其統治的命根子。蔣介石堅決抵制羅斯福的要求，甚至不惜為此與美國決裂，獨立抗日，既反映出蔣介石思想中的民族主義成分和他性格中的倔強一面，也反映出他充分懂得，維護軍權對維護其統治的重要性。

在抗日戰爭中，中國共產黨所領導的敵後戰場愈來愈顯示其重要性。史迪威於對蔣介石集團失望之餘，寄希望於中共，主張國共兩黨聯合抗日，援華物資中應有中共抗日部隊的份額，並且建議將胡宗南的部隊調往抗戰前線。這些主張都是正確的。蔣介石對此採取疑忌和反對態度，是其反共思想和立場的必然表現。

宋子文是史迪威來華的促成者，但又是撤回史迪威的最早提議者，為此，他在美國斡旋疏通，一旦撤回有望，而蔣介石卻臨事而懼，改變主意，由此引起兩人間的巨大衝突。在相當長的時間內，蔣介石有意冷落宋子文，甚至連開羅會議也不讓作為外交部長的宋子文參加。但是，蔣宋之間畢竟基本觀點一致，利害一致，在宋子文上書"悔過"之後，蔣介石就原諒了他。此後，蔣宋合作，共同促使羅斯福作出了召回史迪威的決定。

《開羅宣言》的起草與中國遠征軍的緬甸抗日 *

* 原載《世紀》2002 年第 2、3 期。

一、開羅會議緣起

為了反對希特勒德國的侵略，1941 年 8 月 14 日，美國總統羅斯福和英國首相丘吉爾在大西洋海上會晤，發表宣言，反對希特勒德國的侵略和專制統治，重建世界和平，通稱《大西洋憲章》。1942 年 1 月 1 日，世界上二十六個反侵略國在華盛頓簽訂《聯合國家宣言》宣言，宣佈接受《大西洋憲章》的目的與原則，標誌世界反法西斯聯盟的形成。第二天，蔣介石指示駐美大使胡適，立即簽字，意味著中國正式成為世界反法西斯聯盟的成員。

1943 年 6 月 4 日，蔣介石從外交部長宋子文來電得知，美國羅斯福總統約斯大林、丘吉爾與蔣介石舉行 "四頭會議"，並願先與蔣介石會談。[1] 蔣介石覺得，如自己參加，不過是 "陪襯"，"最多獲得有名無實四頭之一的虛榮"，"於實際毫無意義"，決計謝絕。[2] 此前，蘇聯已於 1941 年 4 月與日本簽訂《蘇日中立條約》，保證在中日戰爭期間中立，尊重偽滿洲國，為期五年。蔣介石感到，如自身參加會談，斯大林可能感到不便，便於 6 月 7 日覆電，建議英、美、蘇三國領袖方先行會談，商討戰略。至於蔣羅之間的會晤，則由羅斯福決定。[3] 7 月 4 日，羅斯福覆電蔣介石，認為自己與蔣的相見很重要，建議其地點選擇在

---

1 《蔣介石致宋子文》，《戰時外交》（3），第 491 頁。
2 《蔣介石日記》，1943 年 6 月 6 日。
3 《蔣介石致宋子文》，《戰時外交》（3），第 491 頁。

重慶與華盛頓的中間地點。[1] 7 月 8 日，蔣介石覆電羅斯福，表示甚願與羅斯福相見，時間則以 9 月以後為最適宜。[2] 8 月 20 日，羅斯福的私人秘書霍普金斯希望蔣介石親自到華盛頓訪問，以此提高羅的地位，蔣介石"甚費心思"，認為這是霍普金斯個人的"卑陋之見"，於大局無益，仍然拒絕。

同年 10 月 19 日，莫洛托夫、赫爾、艾登在莫斯科舉行三國外長會議，準備簽訂《莫斯科宣言》，號召儘早建立維護世界和平與安全的國際機構。會議感到，中國無代表在此是很大缺憾。美國國務卿赫爾則提出，宣言由四國簽字為宜。蔣介石聞訊，立即指示駐蘇大使傅秉常全權代表中國簽字。30 日，傅秉常到美國駐蘇大使館簽字。他致電蔣介石報告：我國"已與美、英、蘇三強平等，而居於領導世界之地位，對於擊潰及重建世界和平均有莫大關係"。[3] 自此，《莫斯科宣言》亦稱《四國宣言》，或《四強宣言》。

莫斯科會議期間，羅斯福於 10 月 28 日電告蔣介石，為促成中、英、蘇、美之間的同盟團結，極願與蔣及丘吉爾及早會晤，時間定於 11 月 20 日至 25 日之間，地點則以埃及海岸為佳。[4] 蔣介石接電後，自稱"余實無意為此，然卻之不恭，故甚為猶豫"[5]。11 月 1 日，羅斯福再電蔣介石，將與蔣介石、丘吉爾的會晤時間定為 11 月 26 日，地點定在開羅鄰近。[6] 11 月 2 日，蔣介石覆電羅斯福，聲稱"當如最後尊電之所約，屆時前來與閣下及丘吉爾相晤，此間一切當嚴守秘密"。電稱："此次四國宣言之簽訂，全由閣下堅持正義團結之精神所感召，實為一偉大之成功。此舉對於未來世界之和平與安全，必有莫大之貢獻。"[7] 11 月 9 日，羅斯福致電蔣介石，告以本人將於二、三日內前往北非，26 或 27 日與丘吉爾在波斯與斯大林相晤，希望蔣介石在 11 月 22 日抵達開羅。

在羅斯福確定開羅會議日期之後，丘吉爾也致電通知蔣介石，表示共同出席會議，深覺關係重要。電稱："藉此良機，不僅得以相互認識，並得以共同商

1　《羅斯福致蔣介石》，《戰時外交》（3），第 492 頁。

2　《蔣介石致羅斯福》，《戰時外交》（3），第 492 頁。

3　《事略稿本》（55），第 260 頁。

4　《羅斯福致蔣介石》，《戰時外交》（3），第 494 頁。

5　《上星期反省錄》，《蔣介石日記》，1943 年 10 月 31 日。

6　《羅斯福致蔣介石》，《戰時外交》（3），第 495 頁。

7　《蔣介石致羅斯福》，《戰時外交》（3），第 496—496 頁。

討如何早日克服共同之敵人，獲得完全之勝利，以及相互保證同盟國間將來各方面之合作，以促進其安全與繁榮也。"[1] 蔣介石當即覆電感謝，表示"吾人晤敘後，中英兩國之關係，必將更臻密切"[2]。

當時，中國對日抗戰迫切需要國際援助。北方，依靠新疆、內蒙通道；南方，依靠香港和自雲南通往越南的滇越鐵路。這兩條通道先後被日軍截斷後，中國於 1938 年趕築新線滇緬公路。這條公路，北起雲南昆明，南至臘戍入緬，與緬甸的中央鐵路連接，直達海口城市仰光。美國的援華物資大都經仰光登陸，輾轉北運，中國的物資也經此線出口。因此，此線被稱為"抗戰輸血管"。

緬甸是中南半島上面積最大的國家，北鄰中國雲南與印度，東鄰泰國與老撾，南瀕孟加拉灣。戰略地位重要。明朝時期曾是中國的土司。1885 年被英軍佔領，成為英屬印度政府的一個省。1937 年 4 月，進一步成為英國政府的直轄殖民地。1941 年 12 月，日本偷襲珍珠港，進攻東南亞各國，發動太平洋戰爭。次年，日軍從泰緬邊境入侵，佔領緬甸當時的首都仰光，繼而佔領緬甸全境，滇緬公路遂被截斷，美國的援華物資只能飛越喜馬拉雅山，通過"駝峰航行"運輸。此線飛行極為艱難、危險，運量也極為有限。因此，中國和美國都急於進攻侵緬日軍，打通滇緬公路。同年 12 月，中國政府與英國簽訂《共同防禦滇緬路協定》，在此前後，中國政府應英國要求，組成 3 個軍、9 個師、數達 10 萬人的中國遠征軍，入緬協同英軍作戰。中方發表文告稱："中國軍隊入緬的目的，全在協助友邦，伸張正義，維護人道，爭取民主國家最後勝利，建立世界和平。"[3] 這樣，中英兩國就不僅在道義上是同盟國，而且在實際上是軍事夥伴，關係既緊密，又複雜。

1　《丘吉爾致蔣介石》，《戰時外交》（3），第 497 頁。
2　《蔣介石致丘吉爾》，《戰時外交》（3），第 498 頁。
3　樂庶人：《緬甸隨軍紀實》，勝利出版社 1946 年版，第 79 頁。

二、中國方面準備會議提案

對羅斯福倡議的"四頭會談"，蔣介石最初消極，到 1943 年 7 月才逐漸轉為積極。其 7 月 9 日日記云：

> 與羅斯福總統會晤時應有一共同宣言，其要目：一、《大西洋憲章》適用於全世界各國、各民族。二、必須獲得無條件之勝利。三、建立戰後有力之國際和平機構。四成立太平洋對日作戰聯合參謀部，分設於重慶與華府。五、中美戰時金融之互助與戰後經濟建設之合作。此乃余約會之目的也。

此後，蔣介石即準備會見羅斯福並準備提案。其 7 月 30 日日記云："準備會羅各務。"9 月 9 日日記云：8 月 9 日："會羅之提案。"不過，直到開羅會議的時間和地點確定後，中國方面向會議提出的問題草案才逐漸完備。計有：

（一）軍事委員會提出軍事者 11 條，戰後重要問題 2 條，同時也估計了美方可能提出的問題 3 條，英方可能提出的問題 2 條，英、美雙方可能之問題 3 條。

軍事委員會準備的提案中，重要並和中國關係密切者為：

1. 日本一切軍艦與商船、飛機以及作戰物資即應聽候聯合國處置，其中一部分應交還中國；

2. 日本應將旅順、大連、南滿鐵路與中東鐵路、台灣及澎湖列島歸還中國；

3. 日本應賠償中國自"九一八"起一切公私損失。

關於戰後重要問題的提案為：現有之聯合國團仍應繼續存在，而以中、美、英、蘇為主席團。

（二）關於英方可能提出的問題 2 項：

1. 西藏問題：留待日後解決；

2. 九龍、香港問題。[1]

1　《軍事委員會參事室提出之問題草案》，《戰時外交》（3），第 498—501 頁。

（三）中國戰區聯軍參謀長史迪威關於未來會議軍事方面之建議 8 條。當時，蔣介石計劃分三批裝備並訓練 90 個師的戰鬥部隊以及 1 或 2 個裝甲部隊。據此，史迪威提出自 1944 年 1 月 1 日至 1945 年 1 月 1 日止的三批訓練計劃，要求中國軍隊必須參加收復緬甸，與孟加拉灣的海上作戰配合，進一步收復廣州至香港地區。[1]

（四）在軍事委員會和史迪威提出的問題草案之外，蔣介石提出期望 9 項，其重要者為：同盟國於 1944 年雨季之前打通緬華路線；三批軍隊及裝甲師需用器械由美國供給；美國維持第十四航空隊，充分供給，繼續作戰；中國空軍建設；美軍來華，向華中、華北進攻；以長途轟炸機來華，轟炸日本本土；空運每月至少 1 萬噸等。[2]

此外，國防最高委員會秘書廳則向蔣介石提出中美戰時軍事合作、政治合作及戰後經濟合作等三種方案。在政治合作方案中，提出立即承認朝鮮獨立或保證戰後獨立；與美、英、蘇聯合發表宣言，保證印度與戰後立即獲得自治領地位，若干年內獲得獨立。[3]

提案初稿完成後，蔣介石決定先與羅斯福商量。他覺得，中美取得一致，然後"對付英方比較容易"[4]。近代以來，英國長期侵略中國，蔣介石對英國素存惡感。1939 年 11 月 5 日，蔣介石會見美、英駐華大使，建議中、美、英三國合作，抵抗日本對亞洲的侵略，中英關係發生變化。1841 年 1 月，英國邀請中國派遣軍事考察訪問緬甸等地，訪問結束後，商震等提出中英兩國共同防禦緬甸的意見。1942 年 3 月 3 日，蔣介石決定由美國來華將軍史迪威指揮入緬作戰的中國部隊。12 日，中國遠征軍第一路司令長官部成立，以衛立煌為司令長官，杜聿明為副司令長官，在衛立煌未到任之前，由杜聿明代理。4 月 2 日，因衛未到任，改羅卓英。1943 年 3 月 28 日，再改陳誠。不久，陳誠因病辭職，仍以衛立煌充任。

當時，中英兩個同盟國之間存在著嚴重的分歧。

1　史迪威：《關於未來會議軍事方面之建議》，《戰時外交》(3)，第 501—502 頁。
2　《委員長之期望》，《戰時外交》(3)，第 502—503 頁。
3　《國防最高委員會秘書廳呈蔣介石》，《戰時外交》(3)，第 504—506 頁。
4　郭斌佳：《參加開羅會議報告》，《蔣中正"總統"檔案·特交檔案·開羅會議》，台北"國史館"藏，08A-01533。

　　1941 年 12 月，美、英領導人在華盛頓召開戰略會議，確認德國是主要敵人，歐洲是主要戰場。緬甸雖是英國的殖民地，但英國的戰略是放棄緬甸，確保最大、最富庶的殖民地印度。蔣介石不滿意美、英領導人重視歐洲戰場，輕視亞洲，又擔心英國覬覦西藏，對丘吉爾和英國仍存戒意。1943 年 7 月 21，蔣介石日記云："今日唯一要事，如何使英國實踐諾言，今年積極共同攻緬是也，如果英國失信爽約，不願攻緬，則於我最為不利。" 7 月 24 日，蔣介石派宋子文訪問英國。28 日，與英國外交大臣艾登會晤，談及西藏問題，宋子文要求英國承認西藏是中國領土的一部分，艾登則表示：西藏在中國主權之下的自治必須得到承認。[1] 31 日，蔣介石日記云："子文訪英毫無結果，對西藏問題又增一度干涉之說明，英國之狡詐奸滑，實甚於任何各國，可怖極矣。"宋子文訪英，目的之一在勸說英軍進攻侵緬日軍，但丘吉爾固執地不同意在緬甸南部對日軍進行登陸作戰。蔣介石於 8 月 8 日日記云："子文訪英，對於軍事、政治、經濟，皆未能有如何結果也。"他覺得，英國仍不願反攻緬甸，"毫無誠意可言，惟私心自用"。8 月 14 日至 24 日，羅斯福與丘吉爾在加拿大的魁北克會議，討論盟軍次年在法國北部的登陸問題。這次會議，"以援華為第一宣傳資料"[2]，但僅邀請中國的宋子文參加，而未議及亞洲戰場。蔣介石當即在日記中寫道："魁北克會議已過一星期，對我國則置之不理。"[3] 8 月 30 日，蔣介石在日記中進一步指責英國 "政治手段之毒辣與自私"。31 日的日記繼稱："子文訪英毫無結果，彼所允我五千萬磅之借款，則已遺忘無物，對西藏問題又增一度干涉之說明，英國之狡詐奸滑，實甚於任何各國，可怖極矣！"至此，蔣介石對英國的惡感可謂已到極點。

1　吳景平：《宋子文政治生涯編年》，福建人民出版社 1998 年版，第 425—427 頁。
2　《蔣介石日記》，1943 年 8 月 31 日。
3　《上星期反省錄》，《蔣介石日記》，1943 年 8 月 22 日。

三、蔣介石夫婦與丘吉爾首相相見

11 月 18 日上午，蔣介石與宋美齡，偕國防最高委員會秘書長王寵惠、軍委會辦公廳主任商震、侍從室主任林蔚、航空委員會主任周至柔等 16 人自重慶白市驛機場起飛。

11 月 21 日，蔣介石夫婦入住開羅西南尼羅河西岸的之米納飯店。下午，蔣介石正在院中獨坐凝思，英國駐埃及大使吉樂仁子爵（藍浦森）突然入院，道稱丘吉爾首相已於下午三時半到達開羅，將於 5 時半來訪，蔣介石當即表示，自己擬首先訪問首相。6 時半，蔣介石偕國防最高委員會秘書長王寵惠到丘吉爾的寓所拜訪。蔣稱：“莫斯科會議及四國宣言，具有重大意義，影響所及，能奠定將來世界和平。”丘同意蔣的看法，表示希望蘇聯在德國潰敗後參加遠東戰爭。他告訴蔣介石，遠東方面之反攻，將於 1944 年 1 月至 3 月間逐漸發動。[1]

這次晤談，約半小時。蔣介石日記稱：“頗融洽，比未見以前所想像者較優也。”這句話顯示，蔣介石過去對丘吉爾印象較差，在《上星期反省錄》中則稱：“初見丘吉爾之影像，並未如過去所想像之惡劣也。”[2] 這句話透露，蔣介石對丘吉爾印象曾經很糟糕。

丘吉爾不會了解蔣介石內心對自己的惡感，但他估計對自己的印象決不會好，所以才會在第二天會晤蔣介石夫婦時，對宋美齡有“最壞的老頭兒”之問。

11 月 22 日上午，羅斯福總統抵達開羅。

正午，丘吉爾偕英國東南亞洲盟軍總司令蒙巴頓勳爵等訪問蔣介石夫婦。蔣稱：“貴我兩國，戰時戰後，均應徹底合作。”丘吉爾則稱：將來世界和平，應有一總機構。總機構之下，復有分機構；例如歐洲有一分機構遠東有一分機構。[3] 其間，丘吉爾與宋美齡談笑不斷、丘問：“你平時必想我丘某是一個最壞的老頭兒？”宋美齡答：要請問你自己是否為壞人？”丘稱：“我非惡人！”宋美

---

1 《王寵惠自重慶呈蔣委員長關於開羅會議日誌》，《戰時外交》（3），台北中國國民黨中央委員會黨史委員會 1981 年版，第 511 頁。

2 《蔣介石日記》，1943 年 11 月 23 日。

3 《開羅會議日誌》，《戰時外交》（3），第 513 頁。

齡稱："如此就好了。"據蔣介石日記載：丘吉爾之言，"多為余妻所窘"[1]。這一段記載表明，宋美齡和蔣介石一樣，對丘吉爾也印象不好。不過，蔣介石聽不懂英語，不知道宋美齡怎樣讓丘吉爾受"窘"。

下午，羅斯福總統的私人秘書霍普金斯會見蔣介石。

四、第一次大會，蒙巴頓報告進攻緬甸日軍計劃

11 月 23 日上午 10 時，史迪威會見蔣介石，主張向會議提出自己在重慶時原擬的《軍事方面之建議》。據蔣介石日記稱，其中有"委派軍官指派中美聯軍"一條，蔣介石認為，"甚為不妥"[2]，命譯者"詳加更正"，決定不在會議提出。[3]

上午 11 時，蔣介石夫婦至羅斯福總統官邸出席第一次正式會議。參加者中國方面有：蔣介石夫婦、軍事委員會辦公廳主任商震上將、侍從室第一處主任林蔚中將、武官朱世明等。美國方面有：羅斯福總統、李海海軍大將、陸軍參謀總長馬歇爾上將、海軍總司令金氏大將、空軍總司令安諾德上將、供應部長索姆威爾將軍、中國戰區參謀長史迪威將軍、第十四航空隊司令陳納德將軍等。英國方面有丘吉爾首相、帝國陸軍參謀總長布魯克上將、海軍參謀總長肯寧漢元帥、空軍參謀總長波多爾元帥、東南亞盟軍總司令蒙巴頓海軍大將、英駐美軍事代表團團長狄爾元帥等。

會場實行軍事管制。到會各國記者一百多人，一概不准進入會場。

會議由羅斯福主席。他的致詞極為簡短："本會為有歷史性之會議"，"為四國會議之具體化"。他代表英國盟友歡迎蔣委員長暨蔣夫人。

次由新近上任的東南亞盟軍總司令蒙巴頓說明攻緬計劃。他感謝蔣介石將中國遠征軍交自己指揮，進一步要求將中國駐印軍歸入其第四軍團序列。

當年 9 月 8 日，意大利政府向同盟國無條件投降。丘吉爾稱：自意大利海軍投降後，吾人已能抽調部分艦隊至孟加拉灣使用，超過日本海軍。陸地方

---

1 《蔣介石日記》，1943 年 11 月 23 日。
2 《蔣介石日記》，1943 年 11 月 23 日。
3 《蔣介石日記》，1943 年 11 月 23 日。

面，英軍準備 18 萬人，連同盟軍部隊，共約 32 萬人，數量已佔優勢，攻緬計劃有成功把握。他表示：軍事最重秘密，故本會議對於秘密一層，須特別注意為要。[1]

蔣介石一向主張，反攻緬甸，戰勝侵緬日軍，"其關鍵全在海上"，他要求"盟軍於孟加拉灣能有強大之艦隊，控制緬甸與新加坡海面，擊破敵軍任何之艦隊"[2]。聽了丘吉爾的發言，蔣介石重申前意。他說：攻緬的勝利關鍵在於海軍與陸軍的配合作戰，獲得制海權，斷絕日軍的海上增援與補給。因此，陸軍集中，必須海軍同時集中。[3] 發言之後，蔣介石自感，會中全體人員雖然都沉默不言，但都認為自己的意見是"不二之理"。[4]

對蔣介石提出的陸海軍集中問題，丘吉爾答：集中時期，不能一定，待春夏之間，陸續可以集中。又稱："海軍集中，事關機密，不便在此宣佈，當私自面告。" 丘吉爾的回答給蔣介石的感覺是口頭同意而實際上並未同意。

蔣介石感興趣的是英國海軍自歐洲東來參戰，丘吉爾則轉移話題，聲稱蒙巴頓將軍對登陸作戰方法也頗有興趣。蔣介石僅答以 "此乃技術問題" 六字，不願多說。

羅斯福沒有多說話，由於丘吉爾在談話中提到，日軍在泰國和緬甸之間另有補給線，因此他表示，盟軍最好先佔領泰國的曼谷。

下午 1 時散會。蔣介石繼續研究在重慶時所擬提案，再加修正。

五、聯合參謀會議，英方主席聲色俱厲，一再催促中方對攻緬計劃提出意見

23 日下午 3 點半，召開中、英、美第一次聯合參謀會議，以英國陸軍參謀總長布魯克上將為主席。布魯克上將請中國參謀人員，對上午蒙巴頓所報告的攻緬計劃提出意見。中國首席代表商震稱：蒙巴頓報告的計劃，並不詳盡，且

1　《軍事問題會商經過》，《戰時外交》（3），第 537 頁。

2　《事略稿本》（55），第 173 頁。

3　《附二：軍事問題會商經過》，《戰時外交》（3），第 536—538 頁。

4　《蔣介石日記》，1943 年 11 月 23 日。

時間倉卒，請待中國方面研究後再行討論。布魯克繼續催促中方發表意見。據記載，布魯克"聲色俱厲，謂我等今日開會完全係為聽取中國方面意見，現在中國代表不肯發表意見，我等究如何辦法？"此時全場注目中國代表，空氣異常緊張。

為了打破僵局，商震請史迪威報告中國遠征軍目前準備情形。

布魯克的攻緬計劃名為"錦標保持人"，這一計劃被認為"完全從英國的立場出發，只讓中國出兵而未照顧中國的利益"，"主要目的是為了確保印度安全而非反攻緬甸"[1]。對布魯克在第一次聯合參謀會議上的粗暴態度，參加會議的林蔚認為，其目的在於："欲以開會技術，使中國方面無暇研究，迅速將原計劃通過。"[2]

下午 6 時，蒙巴頓的副參謀長、史迪威及其參謀長，攜帶蒙巴頓的攻緬計劃來，與中方參謀人員研究，編成提案草稿。中方要求英方回答：英軍是否參加攻緬作戰？兵力？有無裝甲部隊參加？其他特種部隊若干？作戰經驗如何？中方鄭重聲明：攻緬作戰，海上行動須與陸上同時；運輸中國的物資須量每月 1 萬噸；作戰第一期，至少以曼德勒為目標；第二期以仰光為目標。目的在於：佔領仰光，打通中印通道。

六、蔣介石與羅斯福會談，提出 10 大問題，羅命霍普金斯起草《公報》

23 日下午 7 時半，蔣介石夫婦赴羅斯福總統晚宴。飯後，蔣介石與羅斯福談了 10 個方面的問題：

1. 日本未來之國體問題。

2. 共產主義與帝國主義問題。蔣認為這是當晚談話的"重心"，祝賀羅"對俄國共產義之政策已得到初步之效果，惟希望其對英帝國主義之政策亦能運用成功，以解放世界被壓迫之人類"。

1　杜建時：《抗日戰爭時期美蔣勾結與矛盾》，《文史資料選輯》第 57 輯，第 196 頁。
2　林蔚：《隨節參加開羅會議日記》，台北"國史館"，002-080106-00022-001。

3. 領土問題。蔣稱："東北四省、台灣、澎湖群島應皆歸還中國，惟琉球可由國際機構委託中美共管。""一以安美國之心，二以琉球在甲午以前已屬日本。三以此區由美國共管比歸我專有為妥也。"

4. 日本對華賠償問題。

5. 新疆及其投資問題。

6. 俄國對倭參戰問題。

7. 朝鮮獨立問題。蔣日記載："余特別注重引起羅之重視，要求其贊助余之主張。"

8. 中美聯合參謀會議。

9. 安南問題。蔣日記載："余極端主張，戰後由中美扶助其獨立，並要求英國贊成。"

10. 日本投降後對其三島駐軍監視問題。蔣介石稱：此應由美國主持，如需中國派兵亦可，羅斯福則堅主以中國為主體。蔣介石認為羅斯福的這一建議"有深意"，沒有明白表示可否。[1]

當晚會商經過，據記載，"極為圓滿"。中美雙方一致同意：（一）日本攫取於中國之土地，應歸還中國。（二）太平洋上日本所強佔之島嶼，應永久予以剝奪。（三）日本潰敗以後，應使朝鮮獲得自由與獨立。

此外，彼此交換的意見，涉及成立三國聯合參謀會議，或中美兩國參謀會議。關於戰後日本在華之公私產業應完全由中國政府接收等方面，羅斯福表示贊成。而在如何使朝鮮重建自由與獨立問題上，則雙方諒解，應由中美兩國協

---

1 《蔣介石日記》，1943 年 11 月 23 日。1956 年，美國彙編開羅會議文件，台灣國民黨當局曾提供過一份英文資料，美國將其附於羅斯福與蔣介石 1943 年 11 月 23 日晚 8 時談話之後。1974 年，上海人民出版社編輯《德黑蘭、雅爾達、波茨坦會議記錄摘編》，將其譯出，作為該書附錄。兩者同為十條，但次序及內容均有不同。例如，台灣送美本首條為"關於中國的國際地位"，羅稱："中國應取得它作為四強之一的地位。"次條為"關於日本皇室的地位"。羅問"日本的天皇制度戰後是否應予廢除"。蔣答，"應留待戰後由日本人民自己決定。"第三條"關於對日本的軍事佔領"。羅認為中國"應擔任主要角色"，蔣認為"中國尚不具備負擔這項重大責任的條件，應在美國領導下進行，中國可作為輔助力量參加此項工作"，"視實際形勢發展再做最後決定"。第五條"關於領土的收復"。羅提出香港問題，蔣答："在進一步考慮以前，請總統跟英國當局討論一下這個問題。"第六條"關於軍事合作"。蔣提出：為了彼此的安全，兩國應作出安排，使每一方的陸軍和海軍基地可供另一方使用，並且聲稱，中國準備把旅順交由中國和美國共同使用。第七條"關於朝鮮、印度支那和泰國"，蔣認為，中國和美國應共同努力幫助印度支那在戰後取得獨立，而泰國則應恢復獨立地位。第九條"關於外蒙古和唐努圖瓦"（唐努烏梁海），送美本記載，蔣說："將來必須同外蒙古問題通過與蘇俄談判一併解決，而蔣日記則毫未提及。"本書敘述以蔣日記為主，因其為當時記載，而台灣送美本則係後來追憶、追補而成。

助朝鮮人民達成獨立之目的。

蔣介石與羅斯福一直談到深夜 11 點，蔣介石告辭，相約明日再談。羅斯福即命其私人秘書霍普金斯根據討論情況起草公報。[1]

據蔣介石稍後在國防最高委員會報告，他本來和羅斯福打過招呼，要討論印度問題。但羅斯福卻說：現在不要提，等戰後再來提。因為現在的丘吉爾，是一個守舊的人，同他商量，不會有結果。羅斯福建議，須到戰後，英國換過一個新的政府，一定可以解決。關於朝鮮獨立，蔣介石稱：這是我們最堅決的主張。如果這個問題不能解決，要影響到整個的東方民族。他向羅斯福表示，這個問題一定要提，問羅斯福：朝鮮獨立，究竟是戰後立即獨立呢？或是要經過訓政，等到能獨立的時候，才來獨立呢？羅斯福反問蔣介石：朝鮮不經過訓政，獨立是否有危險？蔣答：是有危險。至於訓政時期，羅斯福主張由中美來訓政，蘇聯要參加也可以。蔣贊同羅斯福的意見。

蔣介石也和羅斯福談到安南問題。蔣介石認為，英美擔心中國對安南“有領土野心，尤其是英國，更有此種顧慮”，因此詢問羅斯福：“我們是否先來一個宣言，戰後安南獨立？”。羅斯福聽後就笑起來。安南原為法國殖民地，英國與法國關係故，不願意現在就以文字來規定安南的未來地位。美國因為法國後來將安南交給日本，日本卻用以進攻中國，主張戰後再不能再給法國。蔣介石則主張，先表示沒有佔領安南的野心，戰後再說。[2]

七、蔣介石暗暗批評丘吉爾 “狹隘浮滑自私頑固”

11 月 24 日上午 10 時，召開情報檢討會議、估計敵方空軍兵力。中、美、英三方數字均不相同。

正午 12 時半，蔣介石與馬歇爾、史迪威共進午餐，蔣介石提出攻緬意見，其內容為“斷敵歸路，包圍於緬境而消滅之”。為此，第一期會攻應以曼德勒、

1　《戰時外交》（3），第 528 頁。
2　《（國防最高委員會）第 126 次常務會議記錄》，《本會常會各次報告速記記錄》，台北國民黨黨史館藏，001/49。此為原稿，後收入《國防最高委員會常務會議記錄》第 5 冊時有刪改，附於台北中國國民黨中央委員會黨史委員會影印本後。

臘戌為目標。[1] 下午，中方獲悉美聯合參謀會議對中方提案尚待研究。

下午 3 點半，第二次聯合參謀會議，討論英國所擬攻緬計劃，商震再次提出，海上須與陸上同時行動，運輸到中國的援助物資量須每月 1 萬噸等三項意見。英國海軍參謀總長肯寧漢元帥再次答覆，關於海上行動，英國已有計劃，當由丘吉爾首相面告蔣委員長。馬歇爾則強調提出，今日為討論如何打開緬甸，打通中國公路，不必討論運輸噸位問題。他說："集中力量打開滇緬路為第一要義。[2]

下午 4 時，霍普金斯完成會議《公報》草案，會見宋美齡，與王寵惠商談《公報》草案。《公報》草案稱："三國軍事代表對於今後由中國與東南亞洲打擊日本之作戰計劃，已獲得一致意見。" 王寵惠將蔣介石提出的《關於設立四國機構或聯合國機構》、《關於過渡時期國際安全》、《關於德國投降》、《關於遠東》等四個問題的英文節略稿交給霍普金斯，稱係蔣的個人意見，供羅斯福參考研究。在這些 "節略稿" 中，蔣介石提出：1. 應由美、英、蘇、中及早成立四國機構，籌設聯合國總機構。2. 中、英、美三國成立遠東委員會，將現設於華盛頓的英、美聯合參謀會擴充為中、英、美聯合參謀會，指揮遠東的中、美軍隊。3. 日本領土暨聯合國領土被佔領克復時之臨時管理。4. 日本潰敗時對日處置。蔣介石建議，由中、美、英三國議定處置的基本原則，確定懲處日本戰爭禍首與日本暴行負責人員的辦法、朝鮮重建自由、獨立、九一八事變後自中國侵佔之領土及台灣、澎湖歸還中國、日本在華公私產業及日本商船由中國政府接收，戰後日本殘存之軍械、軍艦與飛機交由中、美、英聯合參謀會或遠東委員會處置。[3]

下午 6 時，蒙巴頓會見蔣介石，提出第一與第二兩項作戰計劃，分析其利弊。第一計劃將使用大量運輸機，蒙巴頓擔心影響空運噸位。第二計劃不影響運輸噸位，但須增派飛機。蔣介石堅持採用第一計劃，同意與羅斯福磋商。[4]

8 時半，蔣介石夫婦赴丘吉爾處晚宴。宴前，丘吉爾將蔣介石帶到地圖

1 《附錄二：軍事問題會商經過》，《戰時外交》（3），第 541 頁。
2 《中、英、美第二次聯合參謀會議》，《戰時外交》（3），第 543—566 頁。
3 《附一：政治問題會商經過》，《戰時外交》（3），第 525—527 頁。
4 《附二：軍事問題會商經過》，《戰時外交》（3），第 544 頁。

室，商談英國海軍在南緬夾攻日軍一事。蔣詢問登陸時期，丘答以須待次年 5 月，蔣大失所望。蔣再問登陸各地點，丘不肯明確回答。宴會中，丘吉爾對宋美齡大多談笑話，宋美齡以譏刺對之。至此，在開羅會議中，蔣介石與丘吉爾已相見四次。他與羅斯福對比，在日記中寫下了對丘吉爾的印象："認定其為英國式之政治家，實不失為昂克爾塞克遜民族之典型人物，而其思想與精神氣魄以及人格，則不能與羅總統同日而語矣。狹隘浮滑自私頑固，八字盡之矣！"[1]

小笠原群島位於太平洋西部的日本與菲律賓海之間，和中國向無關係。當晚，王寵惠將霍普金斯起草的《公報》草案中譯文呈送蔣介石，提出其中所稱小笠原島恐係澎湖列島之誤，蔣指示，修改此點後全文可以同意。

11 月 25 日上午 11 時，丘吉爾偕同蒙巴頓、艾登訪問蔣介石，續商緬甸作戰問題，蔣介石力勸丘吉爾提早海軍登陸時間，用以補救陸上計劃的缺點。丘吉爾沒有像前日那樣堅決拒絕，但是，也沒有明確答應。11 時 45 分，蔣介石夫婦前往羅斯福官邸參加三國領袖攝影。攝影後，蔣介石與羅斯福就遠東委員會、統一作戰、日本潰敗時的處置等四個問題，單獨談話約半小時。下午 4 時，蔣介石夫婦赴羅斯福官邸，參加茶會。羅的次子小羅斯福在座。談話約 90 分鐘，其內容為中美聯合參謀會議、中美政治委員會、攻緬登陸時間由羅斯福保證提早、發表《公報》手續等。會談完畢，羅斯福對蔣介石慨歎說："現在最令人痛苦的是丘的問題。"又說："英國總不願意中國成為強國。"據蔣介石觀察，羅斯福講這些話的時候，"頗有憂色"，使蔣感到，羅斯福是向自己講了心窩子裏的話，比上次談話"更增親切"。[2]當晚回寓後，蔣介石即和宋美齡反復商量，明晨會見羅斯福，試談向美國借款與經濟協助的方式、程序，然後再決定進退、多寡，同日，王寵惠與霍普金斯談話，指出公報草案中"小笠原島"恐係澎湖列島之誤，擬請改正。霍同意修改，並稱，美方之意，公報中最好聲明，三國無領土野心，英國贊成，中國如何？王答中國當然亦無領土野心。

11 月 26 日上午 9 時，蔣介石召見史迪威，告以羅斯福贊同陸、海軍同時

1　《蔣介石日記》，1943 年 11 月 25 日、26 日。
2　《蔣介石日記》，1943 年 11 月 26 日。

開始攻擊的意見，如聯合參謀會尚未商決，則請史迪威暫留，等待結果。[1] 11 時 30 分，蔣介石召集安諾德將軍、索姆威爾將軍等開會，研究美國的對華空運頓位問題。當時，由於滇緬路已被日軍截斷，美國對中國的援助物資，只能通過空軍飛越喜馬拉雅山，即所謂 "駝峰航線" 進行。條件艱難，運量有限。由於東南亞戰區成立區後，蒙巴頓要求分享美援物資，蔣介石提出，將中國的需要與蒙巴頓東南亞司令部的需要分開辦理，他只能接受羅斯福總統允許的數字，每月不能少於 1 萬噸。正午，接見美國海軍總司令金氏族，當日上午 11 時 10 分，宋美齡按照昨夜與蔣介石的商量結果，赴羅斯福官邸，要求美國提供 10 億美元借款，羅斯福當即面允。

八、王寵惠與艾登會談，王傳達蔣介石意見，西藏是中國領土

還在 11 月 23 日 12 時，王寵惠即奉蔣介石面諭，會見英國吉樂仁子爵，接洽中英合作問題。吉樂仁表示，擬待艾登外相到此後再議。24 日，艾登到達開羅。

26 日下午 1 點半，王寵惠應吉樂仁子爵之邀，出席其午宴。宴後，與艾登及賈德幹在園中會談。談及西藏問題。王寵惠首先傳達蔣介石的意見，西藏問題是中英邦交的重大障礙，西藏本為中國領土的一部分，純屬中國內政，切盼英方根本改變過去所持西藏政策，使中英能徹底了解增進邦交。艾登稱，1942 年 7 月宋子文在倫敦時，雙方詳細討論過，都有說明各自立場的節略，意見相去頗遠。中國前既允許西藏完全自治，則英方立場自當以此為出發點。王寵惠再次強調，西藏向為中國領土，毫無疑義，英方立場妨害我主權，實無正當理由。此案遷延甚久，亟求解決，唯有英方放棄其不合理的政策，否則將不免影響兩國邦交。艾登則示，如欲尋覓解決方案，當由中英雙方各自同時考慮其所持立場。

---

1 《戰時外交》（3），第 545 頁。

當天，王寵惠和艾登還討論到了中國向英國的借款。

英國長期對西藏存有歹心，慫恿西藏當局謀求獨立或"自治"。抗戰爆發後，英國政府利用時機，加強對西藏的控制和領土擴張。1942 年 5 月，丘吉爾在華盛頓的太平洋作戰會議上，公然聲稱西藏是"獨立國家"，受到宋子文的駁斥。7 月，西藏當局成立"外交局"，處理"對中國及他國"的外交事務。開羅會議前，蔣介石曾在 9 月 19 日的日記中寫道："英國侵略我藏之野心，絲毫未有變更。"[1] 開羅會議中，他要王寵惠向艾登和賈德幹表明中國政府的立場，正是對英國政府的提醒和警告。

九、討論英方修改案，王寵惠堅持寫明：
東北、台灣歸還中國

26 日上午 9 時，蔣介石交下《救濟中國經濟辦法》與王寵惠等譯成英文備用。10 時，蔣介石召見史迪威，要求對聯合參謀會議制訂攻緬計劃繼續商討。10 時半，蒙巴頓來見。11 時，蔣介石召見安諾德、索姆維爾史迪威等，會商空運噸位。11 時 10 分，宋美齡往訪羅斯福。12 時，約美國海軍司令金氏來，與宋美齡等共進午餐。蔣介石手交日本造艦計劃及其現有噸位。

下午 3 時，蔣介石夫婦赴羅斯福總統官邸會議。

莫斯科三國外長會議期間，美方曾提出四強宣言草約 8 條，10 月 5 日，英國提出修正案。此次，對霍普金斯起草開羅會議公報初稿，英國也照前例提出修改案。11 月 26 日下午 3 時半，美方約王寵惠討論英方所提方案，美駐蘇大使哈立曼，英外交次長賈德幹、外相艾登參加。

霍普金斯原案有"日本由中國攫去之土地，例如滿洲、台灣與澎湖列島，當然應歸還中國"之句，英方將之改為"當然必須由日本放棄"。賈德幹解釋這一改動的原因在於：英國會或將質詢英政府，為何關於其他被佔領地區並未說明歸屬何地，獨於滿洲、台灣等，則聲明歸還中國？他補充說：上述各地固

---

1 《蔣介石日記》，1943 年 9 月 19 日。

屬中國，殊不必明言。

王寵惠答稱："如此修改，不但中國不贊成，世界其他各國亦將發生懷疑。必須由日本放棄固矣，然日本放棄之後，歸屬何國，如不明言，轉滋疑惑。世界人士均知此次大戰，由於日本侵略我東北而起，而吾人作戰之目的，亦即在貫徹反侵略主義。苟其如此含糊，則中國人民乃至世界人民皆將疑惑不解。故中國方面對此段修改文字，礙難接受。"

賈德幹又稱：本句之上文已曾說明"日本由中國攫去之土地"，則日本放棄後當然歸屬中國，不必明言。

王寵惠又稱："措辭如此含糊，則會議公報將毫無意義，且將完全喪失其價值。在閣下之意，固不言而喻應歸中國，但外國人士對於東北、台灣等地，嘗有各種離奇之言論與主張，想閣下亦曾有所聞悉。故如不明言歸還中國，則吾聯合國家作戰，反對侵略之目標，太不明顯。故主張維持原草案字句。"

這時，美國駐蘇聯大使哈立曼也發表意見，贊同王寵惠。他說：吾人如措辭含糊，則世界各國對吾等聯合國一向揭櫫之原則，將不置信。王寵惠對哈立曼的意見，立即表示贊同。賈德幹表示，這一建議雖較好，但自己原先的顧慮仍不能解除。

由於中美兩方都主張不改，故維持草案原有文字不動。[1]

十、王寵惠要求決定朝鮮將來獨立、自由之地位

日本於 1910 年悍然吞併朝鮮，大批志士流亡中國，成立政府，開展獨立和復國運動。

孫中山和蔣介石都支持這一運動。霍普金斯草案第 5 段原有"使朝鮮成為一自由與獨立之國家"之句，英方修改為"使朝鮮脫離日本之統治"，不對朝鮮愛國者的獨立和復國運動表態。他並表示，如不採取英方修改，則不如將全段刪去。[2] 王寵惠不贊成這一改動，他說：朝鮮原由日本侵略吞併，日本的大陸政

1　《戰時外交》（3），第 531 頁。
2　《戰時外交》（3），第 532 頁。

策即由吞併朝鮮開始，僅言"脫離日本之統治"，不言其他，則為將來留下一個重大問題，殊非得計，應於此時就決定朝鮮將來自由獨立之地位。他強調說，在中國及遠東方面觀察，《公報》中關於此點的規定，甚為重要。

賈德幹次長解釋改動的原因在於：英內閣並未討論朝鮮問題，英國實行內閣制，未經閣議而在此間決定，殊不相宜。而且未和蘇聯政府接洽，其態度如何，無從知悉，蘇聯政府的態度似應顧及。聽了賈德幹的話，美國駐蘇聯大使哈立曼立即表示：羅斯福總統認為此一問題似與蘇聯無甚關係，不必與蘇聯商量。[1]

討論結果，仍然維持原案文字不動。

下午4時30分，王寵惠等中、英、美三國代表邀請丘吉爾、艾登、蔣介石夫婦同至羅斯福處，再次審定會談公報，在小有修改後由艾登朗讀最後稿，三國領袖都表示同意。

《公報》首稱：羅斯福總統、蔣委員長、丘吉爾首相偕同各該國軍事與外交顧問人員，在北非舉行會議，業已完畢。茲發表概括之聲明如下。繼稱：

> 三國軍事方面人員，關於今後對日作戰計劃，已獲得一致意見。我三大盟國決心以不鬆弛之壓力，從海、陸、空各方面，加諸殘暴之敵人。此項壓力已經在增長之中。

《公報》申明：三大盟國進行此次戰爭，目的在於"制止及懲罰日本至侵略"，"三國決不為自己圖利，亦無拓展領土之意"。"三國之宗旨在"剝奪日本自1914年第一次世界大戰開始後在太平洋上所奪得或佔領之一切島嶼"。《公報》明確寫道："日本所竊取於中國之領土，例如東北四省、台灣澎湖群島等，歸還中華民國。其他日本以武力或貪欲所攫取之土地，亦務將日本驅逐出境。"又稱："我三大盟國稔知朝鮮人民所受之奴隸待遇，決定在相當時期，使朝鮮自由獨立。"《公報》最後表示："我三大盟國將堅忍進行其重大而長期之戰爭，以獲得日本之無條件投降。"這樣，中國政府、美國政府的主張全部得到體現，而英國政府的修改案只採取了一二條，將原稿中的"各該國軍事長官"改為"各

---

1 《戰時外交》（3），第532頁。

該國軍事與外加顧問人員"。

《公報》審查完畢，由於三國領袖議定，須待羅、丘及斯大林在德黑蘭會議後再行定期公佈，羅斯福定於明日飛赴德黑蘭，於是，蔣介石及向羅斯福懇辭、道別。下午 5 時後，蔣介石夫婦回寓，在第一號別墅舉行茶會。當晚，《公報》送達中方。

11 月 27 日上午 9 時半，蔣介石召見陳納德、商震、林蔚、周至柔等，確定明年中國空軍建設計劃。10 時，蔣介石召集全體隨員，聲稱：此次會議，政治方面頗為圓滿。軍事方面，海陸軍同時在緬行動一節，已得羅斯福總統保證。每月空運噸位，一二月份尚待商洽。

當日上午，羅斯福離開開羅，飛赴德黑蘭。午後 11 時，蔣介石飛離開羅。其餘人員於夜 2 時乘第二批飛機離開。

11 月 28 日下午，羅斯福與斯大林在德黑蘭會晤，他告訴斯大林，在開羅，同蔣介石就中國這一總的題目有過一次有意思的談話。斯大林稱：中國人仗打得很糟，這是中國領導人的過錯。羅斯福則稱：我們現在正在裝備和訓練三十個中國師以便在華南作戰，建議再搞同樣的三十個師，把緬甸北部和中國雲南南部連接起來，存在著一個展開攻勢的新前景。他說，這些軍事行動將由蒙巴頓指揮。30 日，斯大林向羅斯福表示，他完全贊同準備發表的開羅會議宣言和它的全部內容。[1]

1943 年 12 月 1 日，《開羅宣言》在中國重慶、美國華盛頓、英國倫敦三地同時發表。

十一、中國代表團成員對英方的評論

中方在重慶準備提案時，林蔚原來估計，馬歇爾這一關難以通過，也估計"英方心理，必難贊同"。[2] 及至會議實際討論，果然，英方在中國東北、台灣以及朝鮮等問題上，都提出不同意見。不過，賈德幹的反對理由很牽強，參加開

1　《德黑蘭、雅爾達、博辭退會議記錄摘編》，上海人民出版社 1974 年版，第 5—6、58 頁。
2　林蔚：《隨節參加開羅會議日記》。

羅會議中國代表、原外交部參事郭斌佳評對此論說：

> 上述英國所提修正意見數點值得加以密切注意。彼不願說明滿州、台灣、澎湖等土地應該歸還中國者，反映其恐懼戰後中國強盛之心理，似甚明顯。彼不願明言朝鮮於戰後應該成為自由與獨立之國家，似亦導源於嫉妒或防備中美兩國之心理。至於英方特別附加"吾人決不為自己國利，亦無拓展領土之意思"一句，從正面言，誠然與我國歷來之國策相符合，然從反面推敲，則英國未始不欲藉此束縛我國，使我國戰後勢力不致膨至於英帝國之屬地。總之，在此次整個政治交涉中（軍事交涉亦然），英國政策與美國政策不同之點，充分表露。美國主張正義，講求原則，對遠東以扶植獨立自由平等之中國為中心政策。英國則利害重於正義，不講原則，其最大前提在於保持英帝國遠東之領土與利益。英美旨趣有此分野，殊堪注意。[1]

英國當時雖然是中國的同盟國，但是並不願意中國強大，成為其在亞洲和世界地區的競爭對手，因此不願意在《公報》中寫明，將滿洲（中國東北）、台灣等地歸還中國；至於不願意寫明朝鮮在戰後應該成為自由與獨立的國家，則道理很簡單，因為，英國的殖民地（屬地）很多，群起效法，英帝國就可能崩裂、垮台。

十二、蔣介石的反思與總結

《公報》既簽，王寵惠於 11 月 28 日致電侍從室第二處主任陳布雷，指示其宣傳時注意三點：1. 此項公報是羅斯福總統的遠東政策的具體體現，也是完成其世界政策的重要步驟。2. 具見英國遠東政策的高明變更與轉機起點，是丘吉爾首相的高明舉動。3. 蔣夫人對於會議貢獻甚多。羅斯福是開羅會議的發起者，丘吉爾是積極的參加者，宋美齡在重慶出發前，就罹患目疾、痢疾、皮膚病三種疾病，"痛苦甚劇"，出發後又"誤服藥劑"，不能安眠，但一直積極參

1　郭斌佳：《參加開羅會議報告》，台北"國史館"。

加會務活動[1]，因此王寵惠特別指示陳布雷，加以褒揚。

11 月 30 日，蔣介石在寫作《本月反省錄》中稱：

> 無論軍事、經濟與政治，英國決不肯犧牲絲毫之利益以濟他人，對於美國之主張，亦不肯有所遷就，作報答美國救英之表示，其於中國之存亡生死，則更不值顧矣。是以羅總統雖保證其海軍在緬甸登岸必與我陸軍一致行動，余明知其不可能而姑且信任之，並不願以英海軍如不同時登陸，則我陸上部隊亦停止行動之語出諸吾口，以為其他日推諉之口實，故毫不躊躇而漫應之，然而緬甸反攻時期，此心斷定，其非至明年秋季，決無實施之望也。英國之自私與害人，誠不愧為帝國主義之楷模也。

在這一頁日記中，蔣介石指責當時的英國領導者"自私與害人"，"決不肯犧牲絲毫之利益以濟他人"，"不愧為帝國主義之楷模"，等等，衡以那一時期的歷史，基本符合實際。

十三、丘吉爾始終不願意發動兩棲作戰，進攻緬南日軍

1941 年 12 月，中英兩國簽訂《共同防禦滇緬路協定》，中國軍隊入緬作戰后，先後取得同古保衛戰、斯瓦阻擊戰、仁安羌解圍戰、棠吉收復戰等多次勝利。但是，英軍的戰力極差，可以說屢戰屢敗。他們擔心中國進入緬甸有可能威脅其殖民主義統治，其真實意圖是放棄緬甸，利用中國軍隊掩護其退卻，保住其最大也是最富庶的殖民地印度。或者，相機奪取印度尼西亞西部的蘇門答臘，奪取原為英國殖民地、後為日軍佔領的新加坡。仁安羌解圍戰後，英軍領導人一面指揮部隊向印度撤退，一面要求嚴格保密，千萬不能讓中國軍隊"抓住把柄"。[2] 在此情況下，自然對於從孟加拉灣登陸，南北夾攻，殲滅南緬日軍的計劃不感興趣。1942 年 3 月，中國遠征軍失利，退入印度，在藍姆伽集結，接受美式訓練，改稱中國駐印軍。11 月，開始修建自印度雷多通向中國昆明的中

1　參見《蔣介石日記》，1943 年 11 月 5 日、14 日、19 日、21 日各日。
2　〔英〕約翰·科斯特洛：《太平洋戰爭（1941—1942）》上冊，第 292 頁，轉引自徐康明：《中緬印戰場抗日戰爭史》，解放軍出版社 2007 年版，第 118 頁。

印公路。

1942 年 12 月，蔣介石發現，英國無意進攻緬甸南部的日軍，於 28 日致電羅斯福報告：“中國應用之軍隊已準備就緒，惟如英國不能踐其諾言，致使吾人反攻緬甸計劃無形打消，則實感遺憾。”[1] 其後，參加美英參謀長聯合會議的英國代表團長表示：由於東部艦隊缺乏驅逐艦為他們所僅有的陳舊戰艦護航，艦隊不能在孟加拉灣有所行動。”[2] 丘吉爾也表示，主要困難在於部隊 “在那些崇山峻嶺和淫雨連綿的叢林中無法得到補給”[3]。雙方的磋商長達半年，始終未能達成協議。1943 年 8 月 14 日至 24 日，羅斯福和丘吉爾在加拿大的魁北克舉行戰略會議。英國認為，中國並不是戰時必不可少的夥伴，如果中國在戰後強大起來，就是大英帝國在遠東危機的開始。維持中國戰場雖然不是壞事，但如須消耗英國大量的物資和兵力，那就很不值得了。[4] 會上，英國反對在緬南進行兩棲登陸作戰，會議將收復全緬改為收復緬北。直到開羅會議期間，丘吉爾才於 11 月 23 日當面告訴蔣介石，由於意大利海軍投降，英國已能從歐洲抽調部分艦隊至孟加拉灣使用，關於艦隊集中時間，當私自面告。11 月 24 日，英國海軍參謀總長肯寧漢元帥也曾再次表示，實行海上計劃的時間，當由首相面告蔣委員長。事實上，英國確實有 一個兩棲登陸、反攻緬甸的計劃，符合美方，特別是中方要求，名為 “海盜” 計劃，該計劃擬首先奪取位於孟加拉灣中的安達曼群島，然後進行兩棲登陸作戰。但是，英方認為，鼓舞澳大利亞和新幾內亞的盟軍士氣要比通過孟加拉灣支援反攻緬甸更有意義 [5]，因此，一直沒有準備將這一計劃付之實行。11 月 28 日，英國已計劃進攻希臘的羅得斯島，用以交換在安達曼群島的作戰計劃，羅斯福反對。12 月 1 日，蘇、美、英三國領導人在伊朗首都德黑蘭開會，由於蘇聯政府答應在打敗德國後出兵參加對日作戰，英方遂決定取消 “海盜” 計劃。12 月 4 日，羅斯福和丘吉爾重返開羅，舉行第二次會議。丘吉爾認為，蘇聯參加對日作戰，中國基地已不重要，東南亞戰區也失去其重要性，要求取消 “海盜” 計劃，將原來反攻緬甸的力量改用於加強歐洲戰

1　《蔣中正 “總統” 文物》，台北 “國史館”，002-020300-00017-020；002-020300-00026-006。
2　〔美〕查理斯等：《史迪威在華使命》，第 258—258 頁。
3　〔美〕羅伯特·達萊克：《羅斯福與美國對外政策 1932—1845》下冊，第 549 頁。
4　梁敬錞：《史迪威事件》增訂版，第 159 頁。
5　梁敬錞：《史迪威事件》增訂版，第 159 頁。

場，羅斯福仍然反對丘吉爾的意見，反復爭辯，持續三天，羅斯福認為開羅會議已對蔣介石做出承諾，放棄承諾將引起不良後果，丘吉爾則認為，南緬水陸夾擊計劃取消後，中緬、北緬的收復計劃仍可實行，如中國不願參加，可聽其自便。他並稱，對於中國方面的南北緬水陸同時夾攻的要求，曾經明白反對，故無道義拘束。[1] 最後，羅斯福為了協調美英兩國的歐洲戰略，同意丘吉爾的意見。12 月 7 日，羅斯福致電蔣介石，聲稱與斯大林會議後決定，參加明春的歐陸聯合大作戰，期於 1944 年夏末結束對德戰爭，因此需要很多巨型登陸艦艇，故不能參加孟加拉灣的海陸戰。[2]

蔣介石不了解德黑蘭會議的情況，於 12 月 4 日致電羅斯福：聲稱 "就吾聯合國家言之，每一戰士，每一平民，從此精神益為奮發；就吾人之共同敵人日本言之，則為決定其末日將至之後建立一公正永久之世界和平，已奠定基礎"[3]。此電充分表現出蔣介石對羅斯福的感激和敬佩之情。值得注意的是，蔣介石雖對丘吉爾和當時的英國領導的不合作態度深為不滿，但是，由於英國是反對德、日法西斯的同盟國，他在致電羅斯福的同日，還另電丘吉爾，聲稱中國將 "繼續抗戰，堅決如昔"，表示對丘吉爾 "在會議中表現誠摯與親善精神無任欽佩，同時深信，貴我兩國之密切關係，經過此次面談之後，將日益加強也"[4]。

政治人物的內心世界是一回事，而其公開表態與作為，則是另外一回事。其間可能不同，有差距，甚或相反。蔣介石的這頁日記是一個很好的例證。歷史是複雜的，全面地、正確地揭示和敘述這兩個方面，是優秀的歷史學家應有的責任。

十四、中國軍隊分別從印度東北和雲南進軍緬甸

1943 年 10 月 18 日至 20 日，蔣介石曾與蒙巴頓、薩默維爾及史迪威在重慶會談，確定聯合反攻緬甸計劃。同月 24 日，中國駐印軍孫立人部自印度雷

---

1   F.R. 1943, Cairo and Tehran, pp.672-725. 參見梁敬錞：《開羅會議》，第 193—195 頁。

2   《羅斯福致蔣介石》，《事略稿本》（55），第 579 頁。

3   《戰時外交》（3），第 551—552 頁。

4   《戰時外交》（3），第 552 頁。

多進攻緬北。同年 12 月第二次開羅會議後，蔣介石一度接受羅斯福的建議，暫緩攻緬，但時間不長，1944 年 4 月 14 日，軍政部長兼參謀總長何應欽簽署發動怒江戰役的命令，在雲南的中國遠征軍於 5 月 11 日強渡怒江，自滇西向緬北反攻。5 月 22 日，中國遠征軍司令衛立煌命令第 11、第 20 集團軍全部渡江作戰，連克松山、騰沖、龍陵、芒市、畹町等地。8 月 5 日，中國駐印軍攻克緬北戰略要地密支那。9 月 9 日，蔣介石下達命令，騰沖必須在 9 月 18 日國恥紀念日之前奪回。[1] 9 月 14 日，中國遠征軍收復騰沖。1945 年 1 月 28 日，中國駐印軍與中國遠征軍會師芒友，舉行慶祝典禮。至此，中印公路全線打通。史迪威和蔣介石有嚴重矛盾，蔣已要求美國政府將其召回，但為紀念其功績，仍然命名該路為 "史迪威公路"。3 月 30 日，中國駐印軍與英軍會師於曼德勒東北的喬梅，勝利完成在緬甸的作戰任務。4 月 28 日，日軍退出仰光。5 月 3 日，英軍進入仰光。6 月至 7 月，中國駐印軍凱旋回國。

在開羅會議中，美國總統羅斯福不滿意丘吉爾的表現，同情和支持中國政府，因此，蔣介石曾對羅斯福充滿感激和敬意，但是，1945 年 2 月，在雅爾達會議上，為了爭取蘇聯對日作戰，羅斯福卻又和丘吉爾、斯大林一起，簽訂《雅爾達協定》，同意恢復沙俄在 1904 年日俄戰爭中失去的權利，保證蘇聯在旅順、大連以及中長鐵路、南滿鐵路的 "優先利益"，因而又受到蔣介石的嚴厲指責，批評其 "畏強欺弱，以我中國為犧牲品"，甚至說："羅斯福在將來歷史上之罪惡，永不能逃避其責任也。"[2]

1　《緬甸作戰》下，《中華民國史資料叢稿》，第 172 頁。
2　《蔣介石日記》，1945 年 4 月 5 日、30 日。

策劃編輯　李　斌

責任編輯　王婉珠

裝幀設計　a_kun

書籍排版　何秋雲

找尋真實的蔣介石：

蔣介石及其日記解讀（五卷本）

III

抗戰外交

著　　者　楊天石

出　　版　三聯書店（香港）有限公司

　　　　　香港北角英皇道 499 號北角工業大廈 20 樓

　　　　　Joint Publishing (H.K.) Co., Ltd.

　　　　　20/F., North Point Industrial Building,

　　　　　499 King's Road, North Point, Hong Kong

香港發行　香港聯合書刊物流有限公司

　　　　　香港新界荃灣德士古道 220–248 號 16 樓

版　　次　2022 年 6 月香港第一版第一次印刷

　　　　　2023 年 10 月香港第一版第二次印刷

規　　格　16 開（170 × 230 mm）464 面

國際書號　ISBN 978-962-04-4980-2（平裝套裝）

　　　　　ISBN 978-962-04-5005-1（精裝套裝）

　　　　　ISBN 978-962-04-4983-3（第三卷）